L'univers mécanique

COLLECTION ENSEIGNEMENT DES SCIENCES, 29

COLLECTION ENSEIGNEMENT DES SCIENCES

Luc Valentin

L'univers mécanique

Introduction à la physique et à ses méthodes

HERMANN ÉDITEURS DES SCIENCES ET DES ARTS

Nouveau tirage 1999

ISBN 2 7056 6273 1

A Pierre

A Priscille et Julie

Table

TABLE   IX

Depuis qu'il y a des poètes, et qui chantent comment
trouve-t-on encore quelque chose à dire sur l'amour?
V. Jankelevitch, *La mort*

Prologue

La mécanique est un vieux thème inépuisable, comme l'amour et la mort. Voilà donc un livre de plus à son sujet. Il s'agit en fait d'une sorte d'introduction à la physique – des atomes aux étoiles – et à ses méthodes – du bricolage aux grands principes – qui couvre le programme des premiers cycles scientifiques et des classes préparatoires. Il est aussi conçu pour être accessible à d'autres lecteurs, tout particulièrement dans ses passages les plus théoriques, autrement dit lorsqu'il s'agit, avant tout calcul, «d'articuler ce qu'on observe sur ce qu'on imagine».

Le premier chapitre cite des ordres de grandeur et schématise trois démarches de recherche typiques : l'«analyse dimensionnelle» qui découvre «la nature» dans des rapports de quantités ; la «modélisation», qui l'approche par des analogies ; et la «méthode réductionniste», qui la plie, sous traitements microscopiques, à des lois voulues unitaires.

Ensuite, viennent trois parties complémentaires. La première développe de façon critique les principes fondamentaux de la mécanique. La deuxième décrit les lois de conservation les plus basiques en insistant sur leur nature. La troisième applique le tout à l'étude des systèmes, à deux puis à N corps, régis par des forces centrales. Les trois appendices sont en fait des chapitres que l'on peut choisir de lire quand on veut. Le premier, consacré à la transformation de Lorentz, approfondit le principe de relativité et introduit la mécanique relativiste. Le deuxième, centré sur les phénomènes de transport, ouvre sur la mécanique statistique. Le troisième correspond à des sujets d'examens suffisamment longs et détaillés pour permettre d'entrer dans un thème et l'un d'eux montre comment rendre compte de façon élémentaire d'effets attendus en mécanique quantique.

Les passages que l'on peut sauter en première lecture sont imprimés en petits caractères. Des exercices et des problèmes terminent chaque chapitre. Pour ceux dont l'énoncé se termine par le signe (S), une solution est proposée dans le livre compagnon publié sous le titre «Exercices de mécanique». Enfin, la bibliographie qui se trouve juste avant l'index indique des sentiers parallèles : ouvrages de vulgarisation, articles historiques, travaux de réflexion sur la physique et son histoire... Le texte se réfère à sa numérotation par des nombres entre parenthèses.

Outre les équipes d'enseignement – J.-P. Dedonder, B. Maurel, D. Schmaus, pour la première édition et A. Arnaud, O. Cardoso, Y. Charon, F. de Jouvenel, pour la deuxième – je tiens à remercier tous ceux qui m'ont apporté encouragements et critiques : A. Bouyssy, A. Laverne, M. Lefort, M. L'Huillier, F. Perrier, H. Sergolle, sans oublier les étudiants que j'ai connus. Priscille a su être le cobaye agressif que j'escomptais pendant la rédaction et Dominique m'a patiemment accompagné pour la mise en forme du texte et du temps. Enfin Jacqueline Dufournet, qui a tapé le premier manuscrit, et Yves, qui a corrigé le second, accepteront peut-être toute ma reconnaissance.

L. V.

Orsay, le 18 octobre 1994

CHAPITRE I

L'univers de la physique

Pour ne pas enfermer la physique dans une définition, je commencerai ce livre par un survol de l'univers. Il nous conduira vers les deux infinis, le grand et le petit. Ensuite, je ferai semblant de réduire tout le panorama à quatre lois fondamentales qu'on cherche à unifier. Puis nous deviendrons moins naïfs en voyant des faits collectifs et la nécessité de construire des modèles compliqués ou simplistes pour traiter les systèmes comprenant plus de... deux éléments. Enfin, j'introduirai l'analyse dimensionnelle, méthode qui permet de résoudre des problèmes trop complexes pour être modélisés jusqu'au bout. Nous aurons alors dans la tête des ordres de grandeur typiques, quelques démarches caractéristiques et un aperçu des sujets traités par la suite. Donnons-nous d'abord un décor.

I   Schéma de l'univers : les deux infinis

L'état présent de nos connaissances est tel que l'on peut déjà tracer un assez bon schéma de l'univers dans un support d'espace et de temps nommé «modèle du big-bang».

1)   MODÈLE DU BIG-BANG

Selon ce modèle cosmologique, actuellement adopté par une majorité de physiciens (1), la matière et le rayonnement de notre univers auraient été concentrés dans un petit domaine il y a entre vingt et dix milliards d'années (10^{10} ans $\simeq 3 \cdot 10^{17}$ s). Il y aurait eu alors une sorte d'explosion suivie d'une détente, appelée expansion de l'univers, donnant un cadre à notre évolution.

Les idées sur ce thème commencèrent à germer dans les années 1920 quand Hubble découvrit que les galaxies se fuient entre elles d'autant plus vite qu'elles sont distantes, un peu comme les raisins d'une pâte à pain sous l'effet du levain. Au stade d'expansion où nous en sommes aujourd'hui, cet univers semble glacial et presque vide : il est caractérisé par une densité moyenne de matière comprise entre $2 \cdot 10^{-31}$ et 10^{-29} g/cm³ et une température résiduelle de rayonnement d'environ $3\,°K$, soit $-270\,°C$. La première caractéristique est tirée du recensement des galaxies et la seconde provient de la détection du rayonnement résiduel par des antennes radioastronomiques.

Ce sont précisément ces caractéristiques et la loi dite de Hubble, donnant la vitesse d'expansion de l'univers*, qui permettent d'aboutir après plus de 10^{10} ans de remontée dans le temps, à une reconcentration de la matière et du rayonnement en un petit domaine explosif. Le caractère explosif de ce domaine est réflété par les conditions de température et de densité qu'on lui trouve, soit, en les calculant à partir des lois fondamentales connues : $T \simeq 10^{13}\,°K$ et $\rho \simeq 10^{15}$ g/cm³.

Les principales incertitudes concernant ce modèle cosmologique se situent dans le premier dix milliardième de seconde (10^{-10} s) car, aux conditions qui règnent alors, on ne connaît pas encore assez bien les lois régissant les particules fondamentales qui constituent cette sorte de singularité qu'est l'univers dit primordial au moment du big-bang.

Une autre question ouverte, celle-ci liée aux imprécisions sur les données actuelles, est qu'après la phase d'expansion à laquelle nous assistons, l'univers pourrait se reconcentrer, produisant un « big-crunch » ou encore un autre « big-bang ». Dans ce dernier cas, il s'agirait d'un univers « pulsant » rythmé par des big-bang successifs. Connaître précisément la densité de l'Univers permettrait de trancher.

2)   STRUCTURE DE L'UNIVERS

Ainsi les modèles cosmologiques dépendent de la précision avec laquelle nous connaissons les conditions actuelles de densité de matière et de rayonnement. Pour les découvrir, il faut recenser les objets stellaires, tenir compte des divers rayonnements, et extrapoler les résultats à partir d'hypothèses jugées raisonnables. Faisons le point sur le schéma que l'on trace aujourd'hui.

L'univers est caractérisé par une distance de l'ordre de 10^{26} m, improprement appelée « rayon de l'univers ». Il ressemble à une poupée gigogne dans laquelle chaque poupée s'agite à l'intérieur d'une poupée plus grande. Partant de l'infiniment grand, on rencontre des amas de galaxies constitués de galaxies en mouvement, comme la nôtre avec ses 25 kiloparsecs de longueur et ses 4 kiloparsecs d'épaisseur (1 parsec = 3,2 années lumière $\simeq 3 . 10^{16}$ m). Chaque galaxie est elle-même peuplée d'étoiles retenues par la gravitation. La nôtre en comporte environ 10^{11} parmi lesquelles se trouve le soleil, caractérisé par un rayon $R_\odot \simeq 7 \cdot 10^8$ m, une masse $M_\odot \simeq 2 \cdot 10^{30}$ kg, et une température de surface $T_S \simeq 6\,000\,°K$ (cf. fig. I.1).

---

* Cette vitesse est déduite de la mesure du décalage vers le rouge, par effet Doppler, des rayonnements émis par les étoiles, s'éloignant de nous d'autant plus vite qu'elles sont lointaines. C'est par le même effet que le son émis par un objet qui s'éloigne nous paraît d'autant plus grave (décalé vers les basses fréquences) que sa vitesse relative est grande.

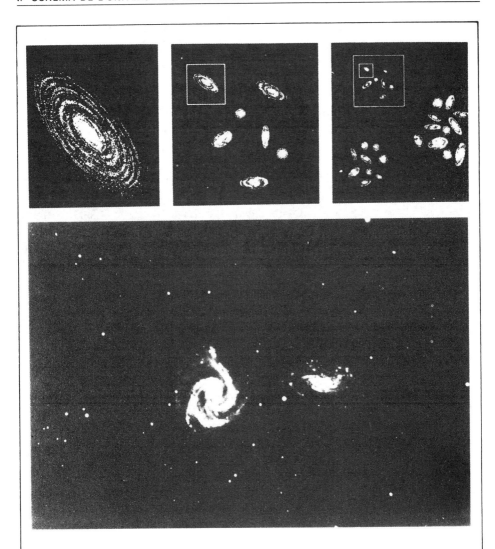

Figure I.1.

En haut à gauche, une galaxie appartenant à un amas de galaxies (milieu), lui même dans un amas d'amas (à droite)... En bas, deux galaxies spirales en interaction gravitationnelle (NGC 5426 et 5427). Chacune est distordue par l'attraction de sa voisine. Je remercie A. Brahic et P. Lena qui m'ont procuré ces clichés.

Autour des étoiles circulent des planètes, comme la terre. On y rencontre des solides, des liquides, et des gaz constitués de molécules agitées. Chaque molécule est elle-même formée d'atomes dont les rayons sont de l'ordre de l'Angström ($1 \text{ Å} = 10^{-10}$ m). A leur tour, les atomes sont constitués de particules fondamentales en agitation perpétuelle : les protons et les neutrons dans les noyaux et les électrons autour. A ce stade, on atteint le domaine de l'infiniment petit. Par exemple, le proton a une masse de $1,67 \cdot 10^{-27}$ kg, un « rayon » de l'ordre de 10^{-15} m et l'échelle de temps qui le caractérise est 10^{-24} s, temps que la lumière mettrait pour le traverser. Et pourtant, l'histoire ne s'arrête pas là : tout se passe comme si les particules fondamentales renfermaient des constituants, appelés quarks. Personne ne doute du « modèle des quarks » bien qu'on n'ait pas encore réussi à faire sortir d'une particule un seul quark pour le détecter à l'état libre. Dans le cadre des théories actuelles, certains pensent même qu'on n'y parviendra jamais.

Ainsi, l'homme, avec sa densité de 1 g/cm³, sa taille de l'ordre du mètre et son rythme cardiaque voisin de la seconde, se situe entre « deux infinis ». Voilà pourquoi les techniques de mesure qu'il a dû développer pour se placer dans l'univers sont délicates et variées (2). Voilà aussi pourquoi ses idées préconçues, ses concepts, son gros bon sens et ses principes ont été périodiquement chahutés au cours de son exploration de la terre, de l'atome et des galaxies. Nous aurons l'occasion de le vérifier par la suite.

II   Les interactions fondamentales : recherche de l'unité

Quoiqu'il en soit, tout ce que l'on sait sur l'univers peut être décrit, en principe, avec quatre interactions de base, en cours d'unification. Ce qu'un physicien entend par « interaction », c'est le fait que, lorsque deux objets sont en présence, ils exercent l'un sur l'autre une influence qui modifie leur comportement par rapport à ce qu'il serait si chacun d'eux était seul. Autrement dit : lorsque deux objets sont en présence, il apparaît de l'un sur l'autre et réciproquement une force d'interaction qui change leur état de mouvement et éventuellement de forme.

1)   INTERACTION GRAVITATIONNELLE

L'exemple le plus familier est l'interaction gravitationnelle. Ses principales caractéristiques sont contenues dans la loi de Newton donnant la force d'interaction gravitationnelle qui s'exerce entre deux objets de masse m_1 et m_2 séparés par une distance r. Son module s'écrit :

$$\|\vec{F_G}\| = F_G = G\frac{m_1 m_2}{r^2} \tag{I.1}$$

où $G = 6,67 \; 10^{-11}$ S.I. est la constante de Newton.

C'est cette interaction qui intervient de façon essentielle dans les systèmes de masse élevée dont elle règle la forme et le mouvement. Les galaxies lui sont soumises dans les amas de galaxies. Il en est de même des étoiles et des planètes dans les galaxies. C'est elle également qui est responsable de la pesanteur au voisinage de la terre où, par son intermédiaire, un objet de masse m est soumis à la force d'intensité :

$$\| \vec{P} \| = P = GmM_T/R^2{}_T = mg \tag{I.2}$$

avec $g = GM_T/R^2{}_T \simeq 9,8$ S.I. dont la valeur numérique est liée à la masse de la terre ($M_T \simeq 6 \cdot 10^{24}$ kg) et à son rayon ($R_T \simeq 6,4 \cdot 10^6$ m).

L'un des succès de Newton est précisément d'avoir unifié, par sa loi de gravitation, la mécanique terrestre (chute des corps de Galilée) et la mécanique céleste (lois de Kepler concernant les planètes), disjointes chez Aristote. Cette synthèse peut être considérée comme le prototype des démarches théoriques modernes, et à ce titre nous l'étudierons en détail dans la première partie.

2) INTERACTION ÉLECTROMAGNÉTIQUE

A notre échelle, c'est l'interaction électromagnétique qui joue le rôle clé. Toutes ses caractéristiques sont résumées dans la théorie dite de Maxwell qui unifie des phénomènes aussi différents que l'électrostatique, le magnétisme, les ondes radio, la lumière, et les rayonnements X et gamma.

Quand les charges sont immobiles, cette théorie redonne la loi de Coulomb qui fournit la force d'interaction électrique s'exerçant entre deux objets ponctuels de charge q_1 et q_2. Son module est donné par :

$$\| \vec{F_E} \| = F_E = k \frac{q_1 q_2}{r^2} \tag{I.3}$$

où $k = 9 \cdot 10^9$ S.I. est la constante de Coulomb, souvent écrite $1/4\,\pi\varepsilon_o$.

Cette force est beaucoup plus intense que la force gravitationnelle. Par exemple, pour un proton et un électron dans le vide, on a, quelle que soit leur distance relative :

$$\frac{F_E}{F_G} = \frac{kq_e q_p}{Gm_e m_p} \simeq 2 \cdot 10^{39} \tag{I.4}$$

où l'on a pris $|q_e| = |q_p| = 1,6 \cdot 10^{-19}$ Cb et $m_p \simeq 2\,000\, m_e \simeq 1,67 \cdot 10^{-27}$ kg. Ainsi on peut totalement négliger l'interaction gravitationnelle pour décrire la structure atomique. En particulier, dans le modèle de Bohr de l'atome d'hydrogène, c'est l'attraction coulombienne qu'exerce le proton sur l'électron qui maintient ce dernier sur une orbite circulaire de rayon approximatif 0,5 Å (soit $0,5 \cdot 10^{-10}$ m).

L'interaction coulombienne se manifeste aussi bien sous forme attractive que sous forme répulsive. Pour en rendre compte par une seule force, on a introduit le concept de charge électrique : deux charges électriques de même signe se repoussent et deux charges électriques de signes opposés s'attirent. L'intérêt du concept est également lié à la conservation de la charge électrique qu'aucune expérience n'a remise en cause à ce jour : la charge électrique est une quantité conservée dans tous les processus même lorsque la matière se change en rayonnement. Par exemple, lorsqu'un électron (charge − 1) rencontre un anti-électron (charge + 1), ils s'annihilent en deux photons (charge 0) et parfois en trois (charge 0).

Comme la matière est globalement neutre, il y a en moyenne dans la nature autant d'interactions coulombiennes attractives que d'interactions répulsives. En particulier, deux atomes « naturellement » neutres n'interagissent pratiquement plus lorsqu'ils sont séparés par une distance de l'ordre de quelques Angström : les interactions attractives et répulsives se moyennent entre elles à zéro. On comprend ainsi que la « force de Coulomb », si intense soit-elle, ait été découverte après la « force de Newton » : deux masses gravitationnelles s'attirent toujours de sorte qu'il n'existe pas de matière « neutre pour la gravitation ». En d'autres termes, l'interaction gravitationnelle, si faible soit-elle, se manifeste directement à l'échelle macroscopique alors que pour « voir » l'électricité il faut ioniser les atomes.

Néanmoins, comme les atomes ne sont pas ponctuels, pour des distances de l'ordre de leur rayon et même de quelques Angström, il reste un petit quelque chose des interactions coulombiennes entre les électrons et le noyau. Ce reliquat régit les interactions entre les atomes. Souvent il est suffisant pour les lier dans une molécule, et parfois pour lier les molécules dans les objets qui nous environnent, comme ce stylo ou mes doigts qui le tiennent. Nous reviendrons sur ce point dans les deux dernières parties à propos de l'énergie de liaison.

3)   INTERACTION FORTE

Les atomes sont donc les briques à partir desquelles se constitue la matière. Chaque atome comporte, outre ses électrons, un noyau central composé de protons et de neutrons (particules de masse presque égale à celle du proton mais de charge électrique nulle). Ce noyau renferme, à moins du millième près, toute la masse d'un atome dans un volume minuscule : un noyau vu d'une distance atomique (10^{-10} m), ressemble à un petit pois vu de cent mètres. Plus précisément, le rayon d'un noyau contenant A nucléons (protons et neutrons) est donné en première approximation par :

$$R = r_o A^{1/3} \qquad\qquad (I.5)$$

où r_o est une constante de l'ordre de 1,3 F (1 F = 1 fermi = 10^{-15} m = 1 fm).

La découverte du noyau posa une nouvelle question : par quelle interaction ses constituants sont-ils emprisonnés dans un volume aussi réduit ? Il ne pouvait s'agir ni de l'interaction gravitationnelle, ni de l'interaction coulombienne. En effet, en ne comptant que sur elles, rien n'aurait dû empêcher les protons de se repousser violemment au point de quitter le noyau. Il fallut donc invoquer une nouvelle interaction suffisamment attractive entre deux protons pour compenser largement leur répulsion coulombienne. En fait, on s'aperçut que cette interaction agit de façon semblable entre deux nucléons quels qu'ils soient, neutres ou chargés. C'est elle qui porte le nom d'interaction forte car son intensité est environ 1 000 fois plus élevée que celle de l'interaction électromagnétique.

Malgré son intensité, l'interaction forte a été découverte en dernier. Ceci tient à sa courte portée, de l'ordre de 1,5 F : deux nucléons distants d'environ $2 \cdot 10^{-15}$ m ne ressentent pratiquement plus l'interaction forte. A fortiori en est-il de même de deux noyaux qui, à l'état naturel, sont enfouis dans leur cortège atomique : leur distance est alors d'environ 10^{-10} m, soit 10^5 F. Pour étudier l'interaction forte, il fallut donc apprendre à percer l'atome, puis le noyau, d'où la construction d'accélérateurs. C'est un des thèmes que nous aborderons dans la troisième partie par le modèle de Rutherford.

4) INTERACTION FAIBLE

Pendant que les physiciens nucléaires étudiaient l'interaction forte, ils découvrirent aussi une quatrième interaction nécessaire pour décrire la radioactivité β. Les noyaux qui la subissent se désintègrent en émettant un électron accompagné d'une autre particule, l'antineutrino.

Comme le photon, cette particule a une masse et une charge électrique nulles, mais elle n'a rien à voir avec lui. En particulier, elle peut traverser plus de la terre entière sans interagir, alors qu'un photon est absorbé dans quelques millimètres de matière. Cette différence de comportement tient à ce que le photon subit l'interaction électromagnétique alors que le neutrino ne subit qu'une interaction beaucoup moins intense appelée, pour cela, l'interaction faible.

Aux énergies des particules émises par les sources radioactives son intensité est environ 10^{14} fois plus faible que celle de l'interaction forte. Mais elle croît en fonction de l'énergie des neutrinos. Les physiciens des particules pensent qu'elle rejoindra l'intensité de l'interaction électromagnétique aux énergies les plus élevées. Ils interprètent la faible intensité à basse énergie de l'interaction faible comme un reflet de sa faible portée, actuellement chiffrée à environ 10^{-17} m, soit 10^{-2} fm.

En fait, l'étude des interactions forte et faible est déjà bien avancée. Au début, on pensait que le proton, le neutron, l'électron, le photon et le neutrino représentaient toutes les particules fondamentales. Depuis lors, on a observé plus de 300 particules, toutes différentes, dont la liste s'allonge sans cesse. Fort heureusement, on a pu les classer par familles dans des tableaux « à la Mendeleïev ». Puis, les régularités ainsi manifestées ont suggéré l'existence de constituants élémentaires : les fameux quarks. Enfin, des « Newton » s'annoncent qui semblent en mesure d'unifier les quatre interactions dans quelque temps. Ce problème ouvert s'inscrit en effet dans la démarche théorique, chère à Newton, qui consiste en une recherche obsessionnelle de l'unité.

III Le problème à *N* corps : l'unité dans la diversité

Mais la physique n'est pas qu'une entreprise sécurisante de réduction de la diversité à l'unité. Les systèmes complexes offrent des spectacles variés qu'on peut comprendre par une approche « phénoménologique », des modèles et les techniques générales de résolution du problème à N corps.

1)   APPROCHE PHÉNOMÉNOLOGIQUE

Par exemple, quand bien même aurait-on une description parfaite de l'interaction électromagnétique entre deux atomes de fer, on n'en déduirait pas pour autant toutes les propriétés d'un simple ressort en acier qui comporte généralement un nombre d'atomes supérieur au nombre d'Avogadro ($\mathcal{N} = 6{,}02 \cdot 10^{23}$ par mole).

La première chose à faire devant un tel système macroscopique est de l'étudier en tant qu'entité. On commence d'ordinaire par l'étalonner avec des poids. On obtient ainsi une « expression phénoménologique » de la force de rappel qu'il exerce, c'est-à-dire une expression déduite des phénomènes observés. En particulier, pour les petites élongations, $\vec{x}$, on a :

$$\vec{F} = - k\vec{x} \tag{1.6}$$

où k, appelé constante de raideur du ressort, est directement tiré des expériences. Libre ensuite à un physicien des solides d'interpréter les valeurs de k, selon les matériaux, en termes de structure.

Il est nécessaire de connaître cette expression phénoménologique pour décrire le mouvement d'une masse m attachée au ressort. Quand on peut négliger les frottements, les principes de la mécanique permettent de prévoir des petites oscillations périodiques autour de la position d'équilibre dont la pulsation ω_o est donnée par :

$$\omega_o = \sqrt{k/m} \tag{I.7}$$

En fait les frottements ne sont jamais totalement nuls. Ils amortissent les oscillations d'autant plus vite qu'ils sont intenses. Eux aussi font intervenir un nombre pratiquement infini d'atomes. Pour analyser le phénomène d'amortissement, il faut donc recourir, là encore, à une expression phénoménologique des forces de frottement. S'il s'agit de frottements visqueux, l'expérience montre que la force qui domine aux faibles vitesses, $\vec{v}$, est de la forme :

$$\vec{f} = - \alpha\vec{v} \tag{I.8}$$

où α est un coefficient qui dépend de la géométrie du système, de sa température, etc. Par exemple, pour un objet sphérique de rayon R se déplaçant dans un fluide visqueux, Stokes a mis en évidence que α se factorise de la façon suivante :

$$\alpha = 6\pi R\eta \tag{I.9}$$

où η est une caractéristique du liquide appelée « coefficient de viscosité ». Libre ensuite à un physicien des liquides d'interpréter les valeurs expérimentales de η, selon la nature du liquide, à l'aide des propriétés des molécules qui le constituent.

Enfin, quand on excite le système « ressort-masse-frottements » en le soumettant à une force périodique $\vec{\mathcal{F}}$ de fréquence variable, on observe un phénomène de résonance si les frottements sont faibles. Il survient à des fréquences excitatrices situées dans une gamme centrée pratiquement sur la fréquence propre du système « ressort-masse », $v_o = \omega_o/2\pi$, et dont la largeur Γ est proportionnelle à l'intensité de la force de viscosité $\vec{f}$ (cf. fig. I.2) selon la relation :

$$\Gamma = \alpha/m \tag{I.10}$$

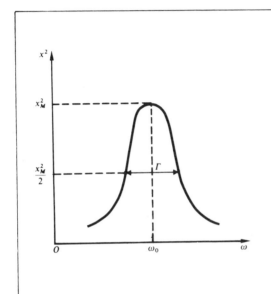

Figure I.2

Schéma caractéristique d'un système oscillant faiblement amorti. Le tracé donne le carré de l'élongation, x, d'un ressort en fonction de la pulsation excitatrice variable $\omega = 2\pi v$. On a alors

$$v_0 = 1/2\pi \sqrt{\frac{k}{m}} \text{ et } \Gamma = \frac{\alpha}{m}.$$

Pour l'analogie électrique, la courbe est semblable, mais on a alors :

$$v_0 = 1/2\pi \sqrt{\frac{1}{LC}} \text{ et } \Gamma = \frac{R}{L}.$$

Dans les deux cas, Γ est la « largeur à mi-hauteur » de la courbe obtenue, dite « courbe de réponse ».

Le principe fondamental de la dynamique permet d'en rendre compte. Il s'écrit ici :

$$\vec{\mathcal{F}} + \vec{F} + \vec{f} = m\vec{a} \tag{I.11}$$

où $\vec{a}$ est l'accélération de l'objet de masse m attaché à l'extrémité du ressort. Il conduit donc à l'équation :

$$m\frac{d^2\vec{x}}{dt^2} + \alpha\frac{d\vec{x}}{dt} + k\vec{x} = \vec{\mathcal{F}} \tag{I.12}$$

que nous apprendrons à résoudre par la suite. Ainsi l'approche phénoménologique permet de traiter des problèmes apparemment complexes.

2)   MODÈLES ET ANALOGIES

La même démarche peut être suivie pour décrire des systèmes microscopiques. Par exemple, pour interpréter les vibrations des molécules di-atomiques qui comportent deux noyaux massifs et un certain nombre d'électrons, on peut simuler la liaison des deux atomes de la molécule, considérés comme des entités, par un « ressort équivalent » aux extrémités duquel on fixera par la pensée les masses correspondant aux deux noyaux (cf. fig. I.3). On simulera aussi l'influence du milieu électronique par une « force de viscosité équivalente ».

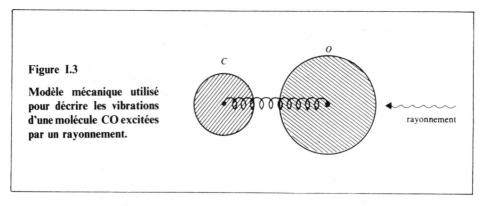

Figure I.3

Modèle mécanique utilisé pour décrire les vibrations d'une molécule CO excitées par un rayonnement.

rayonnement

La mesure de la fréquence des états de vibration est généralement effectuée en faisant résonner le système dans une onde électromagnétique de fréquence variable, jouant le rôle de la force périodique $\overrightarrow{\mathcal{F}}$. On en déduit la constante de raideur du ressort équivalent ; et la largeur des résonances observées permet d'obtenir l'intensité de la force de viscosité équivalente. C'est ainsi que l'on procède pour construire des modèles phénoménologiques de vibration des molécules. Les physiciens des molécules pourront ensuite chercher à interpréter les valeurs expérimentales liées au modèle en termes de structure.

De façon générale, le modèle du ressort, encore appelé approximation de l'oscillateur harmonique, est exploité dans tous les secteurs de la physique : il permet de reproduire les vibrations des constituants d'un solide, les oscillations des ions et des électrons dans un plasma, les mouvements périodiques des nucléons dans un noyau, etc. En effet, un mouvement périodique de faible amplitude ressemble à celui d'un oscillateur harmonique, et comme les solutions mathématiques pour ce mouvement sont simples, elles se prêtent aisément à des analogies.

Fréquemment, l'analogie est suggérée par la formulation mathématique du problème. Par exemple, les phénomènes qui se déroulent dans un circuit électrique comprenant une self L, une résistance R et une capacité C, sont régis par l'équation :

$$L\frac{\mathrm{d}^2 q}{\mathrm{d}t^2} + R\frac{\mathrm{d}q}{\mathrm{d}t} + \frac{1}{C}q = U \tag{I.13}$$

où q est la charge et où U est la tension alternative à laquelle le circuit est soumis.

L'analogie avec l'équation (I.12) est frappante : la charge q joue ici le rôle de l'élongation $\vec{x}$, la tension U joue celui de la force excitatrice $\vec{\mathcal{F}}$, et L, R et $1/C$ sont les analogues respectivement de m, α et k. Connaissant les solutions du problème de l'oscillateur harmonique, on pourra les transposer pour interpréter les circuits électriques et, en particulier, leurs résonances (cf. fig. I.2). Ainsi les analogies formelles sont une des clés de la physique.

3)   UNE NOTION STATISTIQUE : L'AGITATION THERMIQUE

Dès que l'on s'intéresse à des systèmes complexes, de nouvelles notions apparaissent, comme la température, la chaleur, l'entropie, etc. Toutes donnent des informations sur l'état des systèmes à N corps, dans le cadre de théories statistiques. En particulier, la température est un reflet de l'agitation chaotique des constituants du système considéré : plus elle est élevée, plus l'agitation est vive. En effet, la notion macroscopique de température d'un système est généralement reliée à la notion statistique d'énergie cinétique moyenne de ses constituants, encore appelée « énergie d'agitation thermique », notée $<E_c>$. Elle est définie par :

$$<E_c> = \frac{\sum\limits_{i=1}^{N} E_{ci}}{N} \tag{I.14}$$

où E_{ci} est l'énergie cinétique du constituant étiqueté par l'indice i et où N est le nombre total des constituants.

Par exemple, nous verrons dans la troisième partie que l'énergie cinétique moyenne des atomes d'un gaz monoatomique (comme l'hélium, le néon, l'argon, etc.) est reliée à la température absolue T, de ce gaz par :

$$<E_c> = \frac{3}{2} kT \tag{I.15}$$

où k est une constante fondamentale, appelée constante de Boltzmann, soit :

$$k = 1,38 \cdot 10^{-23} \text{ Joule/degré Kelvin} \tag{I.16}$$

On en déduit l'ordre de grandeur de l'énergie d'agitation thermique dans un système à la température ordinaire :

$$kT \simeq 1/40 \text{ eV, pour } T \simeq 300\,°\text{K} \tag{I.17}$$

où 1 eV = 1 électron Volt = $1,6 \cdot 10^{-19}$ Joule.

Si faible soit l'énergie d'agitation que possède en moyenne chaque constituant, elle est néanmoins suffisante pour empêcher les molécules des gaz qui nous environnent de se lier les unes aux autres : dans un gaz, les molécules passent leur temps à se cogner et à rebondir de façon aléatoire. Mais si l'on abaisse la température, le système pourra se liquéfier et même se solidifier. Ces phénomènes surviennent quand, à force de diminuer la température, les molécules ont une énergie cinétique moyenne si basse qu'elles ne peuvent plus résister à l'attraction électromagnétique qu'elles exercent les unes sur les autres : elles commencent par s'agglutiner dans l'état liquide et finissent par se lier dans l'état solide (cf. fig. I.4).

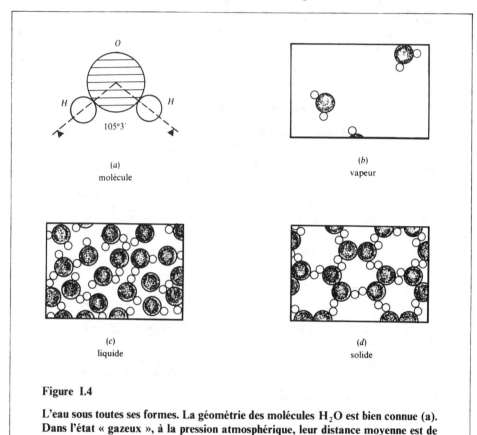

Figure I.4

L'eau sous toutes ses formes. La géométrie des molécules H_2O est bien connue (a). Dans l'état « gazeux », à la pression atmosphérique, leur distance moyenne est de l'ordre de 10 fois leur rayon (b). Le désordre subsiste dans l'état liquide (c). La symétrie qui apparaît dans l'état solide (d) n'est perturbée que par des vibrations.

Quand la pression est fixée, ces changements de phase, dits de première espèce, se produisent à une température donnée. Par exemple, aux conditions normales de pression l'eau reste à 100 °C (373,15 °K) tout au long de sa vaporisation et elle est à 0 °C (273,15 °K) pendant son passage à l'état de glace. La chaleur apportée pour effectuer la fusion ou la vaporisation n'affecte pas l'énergie thermique mais la nature des liaisons : pendant ces changements de phase, l'énergie cinétique des molécules est invariante, mais leur énergie potentielle augmente. Elle croît lors du passage du solide au liquide et encore pour disperser le système en gaz.

4)   AUTRES PHÉNOMÈNES COLLECTIFS

Il existe d'autres phénomènes qui se caractérisent eux aussi par un changement brutal de comportement de la matière quand la température est abaissée en dessous d'une certaine valeur critique. Par exemple, pour une température voisine du zéro absolu, l'hélium liquide, au lieu de passer à l'état solide, devient « superfluide », c'est-à-dire qu'il se déplace sans viscosité et peut même s'échapper en s'écoulant par dessus les bords du récipient qui le contient. La superfluidité de l'hélium est ce que l'on appelle un changement de phase de seconde espèce, classe des phénomènes parmi lesquels se range également la « supraconductivité » : quand on abaisse la température de certains matériaux conducteurs de l'électricité, ils deviennent brutalement « supraconducteurs », c'est-à-dire que leur résistance devient nulle au point qu'un courant, une fois lancé dans une bobine confectionnée dans ce matériau, continuera à y circuler même quand on aura débranché le générateur qui lui a donné naissance.

L'interprétation de ces phénomènes s'effectue dans le cadre de la mécanique quantique dont ils illustrent la nécessité même à l'échelle macroscopique. Sans faire appel ici à cette théorie, on comprendra néanmoins de façon intuitive qu'il s'agit de « phénomènes collectifs » en ce sens que c'est la collectivité tout entière (le milieu) qui change brutalement de comportement qualitatif lors de ces changements de phase : c'est l'ensemble des atomes ^{4}He qui se propage globalement sans viscosité dans la phase superfluide de l'hélium liquide et, de façon analogue, ce sont les électrons accouplés qui circulent comme un tout sans résistance dans un matériau supraconducteur.

Pour rendre compte de ces changements qualitatifs du milieu, il n'est pas nécessaire d'avoir une connaissance très précise des interactions à deux corps de ses constituants : il suffit de savoir que chez quelques éléments particuliers elles sont suffisamment attractives pour solidariser le système en dessous d'une certaine agitation thermique. Dans les systèmes microscopiques, on rencontre des phénomènes collectifs semblables et d'autres plus connus, par exemple les vibrations et les rotations des molécules ou des noyaux. Là encore, il n'est pas indispensable d'avoir une connaissance parfaite des interactions à deux corps de leurs constituants pour interpréter ces mouvements d'ensemble. L'approche réductionniste (dont le but est de rendre compte des propriétés des systèmes à l'aide des caractéristiques de leurs éléments) repose alors sur les méthodes statistiques de résolution du problème à N corps, sources de nombreuses analogies interdisciplinaires.

Ainsi le problème à N corps est une autre version de l'unité de la physique : un modèle mis au point dans une discipline particulière est souvent transposable ailleurs pour résoudre un problème analogue, soit du point de vue des phénomènes, soit en ce qui concerne la technique mathématique. C'est un passe-partout.

IV   L'analyse dimensionnelle : approche de la diversité

Mais la plupart des problèmes rencontrés dans la vie courante ne peuvent être résolus ni dans le cadre des théories réductionnistes, ni dans celui des modèles phénoménologiques. On les abordera par une troisième méthode : l'analyse dimensionnelle. Cette méthode, qui permet de découvrir les paramètres clés des situations les plus confuses, est également celle que l'on doit commencer par employer dans les cas simples, avant de se lancer dans des théories plus complexes. Je me bornerai ici à quelques exemples élémentaires. Commençons par les lois d'échelle.

1) LOIS D'ÉCHELLE

Vous avez probablement lu *Micromégas* ou *les Voyages de Gulliver*. Les descriptions dans ces contes philosophiques ne résistent pas à l'analyse dimensionnelle : un géant dix fois plus haut que nous, fait de la même matière, s'effondrerait sous son propre poids.

Pour le montrer, notons tout d'abord que les os et les muscles sont un assemblage de fibres, un peu comme une corde ou une ficelle. Leur solidité est proportionnelle au nombre de ces fibres, relativement identiques, et donc à la section de l'os et du muscle considérés. En d'autres termes, la force qu'un membre donné du corps humain peut exercer ou supporter est proportionnelle à la surface de sa coupe transversale.

Comparons maintenant un homme normal et un géant dix fois plus haut. Si le géant est parfaitement homothétique à un homme normal, toutes ses dimensions linéaires, L, sont dix fois plus grandes. La force de ses membres, proportionnelle à la surface de leur section, est donc proportionnelle au carré de leur dimension linéaire (L^2). Mais son poids est proportionnel à son volume et donc au cube de ses dimensions linéaires (L^3). Ainsi le poids du géant sera 1 000 fois plus élevé que celui d'un homme normal alors que sa force ne sera que 100 fois plus intense. Dès lors, pour un géant, supporter son propre poids équivaut, pour vous ou moi, à porter, en plus de notre propre personne, 9 hommes normaux sur nos épaules. D'où l'effondrement escompté du géant.

Cette loi d'échelle permet de comprendre pourquoi les gros animaux, comme le rhinocéros, ne sont pas homothétiques aux animaux légers, comme la gazelle : la surface de la section de leurs os croît plus vite que le carré de leur longueur. Les rhinocéros ont des os courts et épais, alors que ceux des gazelles sont longs et fins, d'où l'apparence trapue des uns et élancée des autres.

Une autre loi d'échelle permet de saisir pourquoi il n'existe pas d'animaux à sang chaud plus petit que la souris ou le moineau. En dessous de cette échelle, un tel animal devrait passer son temps à se nourrir en ingurgitant un poids d'aliments dépassant de beaucoup son propre poids. C'est déjà une bonne raison pour que l'évolution ait sélectionné aux petites échelles des animaux à sang froid, comme des grenouilles, des poissons minuscules, ou des insectes, qui ne souffrent pas de ce handicap auquel s'ajoute une condamnation à l'oisiveté intégrale.

En effet, un animal à sang chaud doit se nourrir pour se déplacer, mais aussi pour maintenir son organisme à une température donnée, environ 37 °C pour l'homme. Pour une température et une texture de peau données, la chaleur échangée avec le milieu est en gros proportionnelle à la surface de l'animal considéré. Son minimum vital en nourriture est donc proportionnel au carré de sa dimension linéaire (L^2). Dès lors, pour un homme normal, absorber 1 litre d'aliments équivaut pour un nain cent fois plus petit, à absorber 10^{-4} litre. Mais dans son monde homothétique, un volume (dimension L^3) d'un litre devient 10^{-6} litre. Ainsi, quand un steak suffit à nous nourrir, il faut 100 steaks homothétiques pour le rassasier. En d'autres termes, quand nous absorbons quelques centièmes de notre poids en nourriture, un nain cent fois plus petit que nous doit absorber quelques dizaines de fois son propre poids. Un animal à sang froid de mêmes dimensions échappe à ce bagne alimentaire : ce qu'il mange lui sert à se déplacer.

Pour fixer les idées de façon plus formelle, posons-nous cette question : si les hommes pouvaient vivre sous diverses formes homothétiques de celle qu'on leur connaît, quelle serait la taille de ceux d'entre eux qui seraient astreints à absorber par jour une masse alimentaire comparable à leur propre masse ? Dans la gamme des rations alimentaires considérées, on peut supposer que les «hommes homothétiques» sont tous à sang chaud et qu'en conséquence l'énergie qu'ils dissipent par jour (puissance π) pour lutter contre leur environnement thermique est proportionnelle à la surface S de leur peau. Pour tous on pourra donc écrire : $\pi = k_\pi d^2$ où k_π est une constante et où d est la taille de «l'homme» considéré. Si m est la masse de cet «homme» on aura de même : $m = k_m d^3$ où k_m est une constante. On a alors tout ce qu'il faut pour construire les lois d'échelle du problème, par exemple : $\pi/m = k_\pi d^2 / k_m d^3 = C/d$, où $C = k_\pi/k_m$. Pour obtenir la valeur de la constante C, on supposera, par exemple, qu'un homme de 1,8 m a une masse de 80 kg et absorbe 3 kg de nourriture par jour. Soit, compte tenu de la relation ci-dessus : 3 (kg Jour^{-1})/80 (kg) $= C/1,8$ (m); et donc $C = 3 \times 1,8/80 \simeq 0,07$ (m Jour^{-1}). La réponse à la question posée est alors immédiate puisqu'elle consiste à déterminer la taille d pour laquelle le rapport π/m est égal à l'unité (1 Jour^{-1}), soit : $1 = 0,07d$. On en déduit le résultat : $d = 0,07$ m $= 7$ cm; et il s'agit bien encore d'un «homme» à sang chaud, ce qui valide nos hypothèses.

Les deux lois d'échelle établies ici suffisent à montrer que notre morphologie et notre comportement dépendent de notre taille : ils ne sont pas «invariants d'échelle». Par exemple, si nous vivions dix fois plus petits dans un environnement (végétation, animaux, habitat...) soumis au même rapport d'homothétie, pour être capables de nous nourrir nos troupeaux seraient dix fois plus nombreux. Nous pourrions courir à la même vitesse (10 m/s) et sauter à la même hauteur (1 m). En conséquence nos déplacements standard seraient dix fois plus brefs et nous pourrions sauter par dessus nos maisons.

2)   ILLUSTRATION ÉLÉMENTAIRE

Arrêtons-nous sur ce dernier exemple : montrons que si nous étions dix ou cent fois plus petits nous pourrions néanmoins sauter à la même hauteur. Raisonnons sur le saut à pieds joints en négligeant l'influence du mouvement des bras pour ne retenir que l'appel par flexion des jambes. Le travail que celles-ci effectuent pour propulser le corps, en partant de la position fléchie, accroupie, est $W = Fd$, où F est la valeur moyenne de la force musculaire exercée par les jambes pendant l'effort de propulsion et où d est la distance sur laquelle elles agissent avant le décollage, distance associée à l'amplitude de la flexion et donc proportionnelle à la taille ℓ de l'individu. Ce travail permet de communiquer au sauteur de masse m une énergie cinétique, E_c, qui se transformera en énergie potentielle, mgh, à l'altitude h où sa vitesse s'annulera avant la redescente. La conservation de l'énergie permet ainsi d'estimer h selon la suite de relations : $W = Fd = E_c = mgh$, soit $h = Fd/mg$.

Or, comme nous l'avons vu, F est proportionnelle à S, l'aire de la section des jambes, et donc à ℓ^2. Le produit Fd est donc proportionnel à ℓ^3. La masse m de l'individu considéré est elle aussi proportionnelle à ℓ^3, de sorte que, g étant une constante, la hauteur sautée, h, est indépendante de ℓ. Ainsi la hauteur que peuvent franchir à pieds joints deux individus homothétiques est la même, quel que soit le rapport d'homothétie. En d'autres termes, quand un homme normal est capable de sauteur ainsi 50 cm, un nain minuscule, cent fois plus petit que lui, devrait être en mesure de franchir la même hauteur de 50 cm et donc de sauter très au-dessus du toit de sa petite maison de 10 cm.

Par un raisonnement semblable, on peut montrer (cf. exercice I.12) que tous les individus homothétiques devraient courir à la même vitesse sur terrain plat. Ceci permet d'interpréter le fait que la vitesse de tous les mammifères, quelle que soit leur taille, est pratiquement la même, qu'ils pèsent quelques kilogrammes, comme le lapin ($v \simeq 16$ m/s), ou quelques tonnes, comme l'éléphant ($v \simeq 11$ m/s). L'homme situé entre ces extrêmes a des performances comparables ($v \simeq 10$ m/s).

Toutes ces illustrations des lois d'échelle montrent qu'on aurait tort de s'en remettre à des homothéties naïves quand on travaille sur maquettes pour résoudre de façon empirique des problèmes complexes comme ceux que l'on rencontre en navigation aérienne ou maritime. Savoir manier les équations aux dimensions est alors d'une aide efficace.

3) ÉQUATIONS AUX DIMENSIONS

La notion d'équation aux dimensions est généralement introduite comme un moyen de contrôler l'homogénéité des expressions physiques. Par exemple dans un système d'unités qui choisit comme grandeurs dimensionnées de base la masse M, la

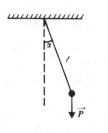

Figure I.5

L'analyse dimensionnelle nécessite de considérer attentivement l'objet étudié pour en extraire les grandeurs caractéristiques; ici, *la masse de la boule*, la longueur ℓ du fil, son angle α par rapport à la verticale et le poids $\vec{P}$ traduisant l'action de la Terre. On suppose la masse du fil négligeable et le rayon de la boule sans objet.

longueur L et le temps T, une force, grandeur homogène au produit d'une masse par une accélération, a pour équation aux dimensions :

$$[F] = M(L/T^2) = MLT^{-2} \tag{I.18}$$

En fait, sur le concept de grandeurs homogènes se fonde une méthode de recherche des lois. Prenons un exemple académique. Soit un pendule oscillant dans le champ de pesanteur. En regardant attentivement ce mouvement, on peut se convaincre que si les frottements sont négligeables, les seules grandeurs caractéristiques du problème sont celles que la figure I.5 définit. Dans ces conditions, la période τ du pendule peut être exprimée sous la forme :

$$\tau = m^x \ell^y P^z f(\alpha) \tag{I.19}$$

où x, y et z sont des puissances et où $f(\alpha)$ est une fonction de l'angle α, grandeur sans dimension. On a donc :

$$[\tau] = T = [m^x] \cdot [\ell^y] \cdot [P^z] = M^x L^y (MLT^{-2})^z \tag{I.20}$$

où l'on a fait apparaître l'équation aux dimensions de la force $\vec{P}$. Regroupant les puissances par grandeurs dimensionnées, on obtient l'équation aux dimensions :

$$T = M^{x+z} L^{y+z} T^{-2z} \tag{I.21}$$

On en déduit les relations suivantes :

$$\begin{aligned} x + z &= 0 \\ y + z &= 0 \\ -2z &= 1 \end{aligned} \tag{I.22}$$

La solution de ce système est :

$$z = -1/2 \quad \text{et} \quad x = y = 1/2 \tag{I.23}$$

L'expression (I.19) est ainsi précisée. Elle devient :

$$\tau = m^{1/2} \ell^{1/2} P^{-1/2} f(\alpha) = \sqrt{\frac{m\ell}{P}} f(\alpha) \tag{I.24}$$

Sachant que $P = mg$, où g est l'intensité du champ de pesanteur, on a finalement :

$$\tau = \sqrt{\frac{m\ell}{mg}} f(\alpha) = f(\alpha) \sqrt{\frac{\ell}{g}} \tag{I.25}$$

On obtient donc une loi précise :

La période d'un pendule croît comme la racine carrée de sa longueur et décroît comme $1/\sqrt{g}$ lorsque l'intensité du champ de pesanteur augmente.

Quant à la fonction $f(\alpha)$, elle est universelle et on peut donc la déterminer par l'expérience à l'aide de n'importe quel pendule. Par exemple, pour les petites valeurs de α c'est la constante 2π, selon l'approximation :

$$f(\alpha) = 2\pi \left(1 + \frac{\alpha^2}{16} + ... \right) \qquad (I.26)$$

La loi (I.25) est un exemple académique d'analyse dimensionnelle car on peut l'établir dans d'autres cadres théoriques et en particulier en recourant aux principes de la mécanique ou aux lois de conservation. Mais il n'en est pas toujours ainsi : bien souvent l'analyse dimensionnelle est la seule méthode envisageable. C'est le cas par exemple dans la plupart des problèmes concrets d'hydrodynamique où l'on travaille souvent sur maquettes en couplant la méthode illustrée ci-dessus à des lois d'échelle. La meilleure façon de s'exercer à cet art délicat, préconisé par Galilée, consiste à l'appliquer à des problèmes simples que l'on sait résoudre autrement.

Par exemple, on retrouvera aisément la relation (I.7) en recherchant ω_0 sous la forme $m^x F^y \Delta\ell^z f$, où $\Delta\ell$ est l'élongation du ressort et où f est une fonction des quantités sans dimension qui s'avère une constante, et plus précisément 1, pour des petites oscillations. Comme par ailleurs c'est dans ce cas qu'est justifiée l'approximation linéaire, $F = k\,\Delta\ell$, on aboutit au résultat escompté avec $x = 1/2$, $y = -1/2$ et $z = 1/2$.

4)   EFFICACITÉ DE LA MÉTHODE

L'analyse dimensionnelle est une méthode efficace et fiable. Une démonstration de géométrie euclidienne due à Migdal est un exemple peut-être encore plus frappant. Soit donc le triangle rectangle représenté sur la figure I.6. Comme tout triangle de ce type, il est parfaitement déterminé quand on connaît un de ses côtés et un de ses angles. Par convention, choisissons de préciser chaque triangle rectangle par son hypothénuse et son plus petit angle, soit ici a et α.

Figure I.6

Le plus petit angle des triangles AHB et AHC vaut alpha dans les deux cas.

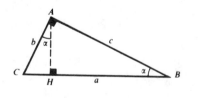

De A, abaissons la hauteur qui délimite deux triangles semblables qui seront définis, selon cette convention, par b et α pour l'un et par c et α pour l'autre. Exploitons maintenant le fait que l'aire d'une figure géométrique est proportionnelle au carré de sa dimension caractéristique, soit ici :

$$S = a^2 f(\alpha) \tag{I.27}$$

où $f(\alpha)$ est la constante de proportionnalité, qui, sans dimension, est nécessairement une fonction du seul paramètre sans dimension, l'angle α.

Si s_1 et s_2 sont les aires des deux triangles semblables, on a, par construction :

$$S = s_1 + s_2 \tag{I.28}$$

Appliquant la prescription (I.27) à s_1 et s_2, on obtient :

$$a^2 f(\alpha) = b^2 f(\alpha) + c^2 f(\alpha) \tag{I.29}$$

Ainsi, la fonction universelle $f(\alpha)$ s'élimine et l'on aboutit au théorème de Pythagore :

$$a^2 = b^2 + c^2 \tag{I.30}$$

Il s'agit encore d'un exemple académique dont la seule vertu est de montrer l'efficacité de l'analyse dimensionnelle. J'espère ainsi que le lecteur n'hésitera pas à l'utiliser avant de se lancer dans des calculs laborieux.

V   Conclusions

Ainsi, le « savoir » qu'on acquiert en physique repose sur des méthodes d'approche variées. Chaque tempérament peut trouver à s'y exprimer. A chaque génération, on rencontre des physiciens illustres dans les trois « clans » schématisés dans ce chapitre. Newton et Einstein avaient un goût particulier pour les démarches unificatrices. Kepler et Bohr trouvaient leur plaisir dans la construction de modèles. Galilée et Fermi maniaient avec dextérité l'analyse dimensionnelle et les techniques instrumentales. Mais aucun d'eux n'était « unidimensionnel ». Au lecteur d'élargir ses vues à partir de son clan initial.

Pour commencer, nous allons parcourir ensemble trois parties distinctes, reflétant des points de vue complémentaires. En parallèle, nous bricolerons quelques expériences élémentaires et manierons aussi des instruments complexes. Ensuite, nous reviendrons dans l'épilogue sur le métier de physicien que je viens d'esquisser ici en insistant sur sa diversité mais sans le définir. Comme le dit Feynman (3) : *« je suis bien décidé à explorer le monde sans en avoir de définition ».*

Exercices

I.1. Faire un tableau des temps mis pour parcourir à la vitesse de la lumière l'univers, notre galaxie, le soleil, la terre, un homme, un atome, un noyau. Le commenter ensuite en insistant sur les problèmes physiques que posent ces ordres de grandeur. (S)

I.2. En utilisant le nombre d'Avogadro, retrouver l'ordre de grandeur :

1) de la masse d'un nucléon
2) du rayon d'un atome. On commencera cette deuxième question en montrant qu'il serait incorrect de raisonner sur le cas d'un gaz. (S)

I.3. Estimer le nombre de nucléons contenu dans l'univers et, en moyenne, dans un cm³ d'univers. (S)

I.4. Supposons qu'il n'y ait pas autant de charges négatives que positives dans l'univers, et que l'excès de charges positives soit le même dans tous les objets, en valeur relative,

1) quel devrait être cet excès de charge par unité de volume pour que l'interaction électrostatique entre la terre et la lune compense leur attraction gravitationnelle? qu'observerait-on?

2) avec un tel excès de charge par unité de volume, quelle serait l'intensité de la force électrostatique que nous exercerions sur un de nos voisins situé à un mètre de nous? Comparer à votre poids. Qu'observerions-nous? (S)

I.5. Quel serait le rayon d'un objet mis au centre de la terre pour qu'il vous apparaisse, à vous sur le sol, comme un noyau vu par un électron situé à la périphérie d'un atome? Si la terre était transparente, pourriez-vous le voir avec vos yeux tels qu'ils sont?

I.6. Calculer la densité de la matière contenue dans un noyau atomique (matière nucléaire) et en déduire les dimensions d'un objet d'une tonne qui serait fait de matière nucléaire homogène. En déduire également le rayon d'une étoile à neutrons, sachant qu'un tel objet est essentiellement fait de matière nucléaire et a une masse de l'ordre de celle du soleil. Faire tous les commentaires physiques que vous jugerez utiles. (S)

I.7. Calculer la vitesse moyenne d'agitation thermique des divers types de molécules qui composent l'air qui nous environne en temps normal. Quelle devrait-être la température pour que le type le plus lent d'entre elles ait une vitesse de 1 m/s? (S)

I.8. De quels paramètres physiques dépend la célérité d'un ébranlement sur une corde tendue? En déduire la loi de variation de cette célérité en fonction de ces paramètres. (S)

I.9. Même question pour la célérité du son dans une boîte remplie d'air que l'on pourra ensuite supposer infinie. Commenter le résultat à l'aide de la notion d'agitation thermique.

I.10. En gros, vous êtes capable de porter un poids égal au vôtre.

1) quelle serait la taille d'un animal déduit de vous par similitude, pour qu'il puisse porter 10 fois son poids?

2) généraliser ce résultat en commentant ce que savent faire divers animaux réels.

I.11. Quand nous sortons d'un bain, quelle quantité d'eau pourrions-nous recueillir en essorant à fond la serviette qui a servi à nous sécher? En déduire que les souris ont peu de chances de se sortir d'une piscine.

I.12. Montrer que des animaux homothétiques de l'homme devraient courir en plat à la même vitesse. Estimer l'ordre de grandeur de cette vitesse. Commenter ce résultat en décrivant ce que savent faire divers animaux réels. (S)

I.13. Quand on exploite au mieux la pesanteur, à quelle vitesse peut-on marcher sans trop se fatiguer? (assimiler vos jambes à des pendules).

I.14. Sachant que vous êtes capable de porter une personne, et même un peu plus si vous êtes entraîné comme un haltérophile, en déduire l'ordre de grandeur de la vitesse à laquelle vous courez le 100 m et celui de la hauteur à laquelle vous sautez à pieds joints.

I.15. Dites pourquoi un cheval ayant toutes ses dimensions multipliées par 2 aurait de fortes chances de cuire en courant.

I.16. La puissance (en Watt) nécessaire à un mammifère de masse M (en kilo) pour simplement survivre dans son environnement habituel est donnée par la loi approximative, dite loi de Kleiber, $P = 4\,M^{3/4}$.

1) En déduire l'énergie que vous consommez en une journée. Exprimez le résultat en calories et dites s'il vous paraît réaliste, compte tenu de ce que vous savez de la valeur nutritive des aliments.

2) Sachant que le volume sanguin des mammifères est proportionnel à leur volume total, montrez à l'aide de la loi de Kleiber que leur rythme cardiaque (et pulmonaire) devrait être proportionnel à $M^{-1/4}$.

3) En déduire le rythme cardiaque d'un éléphant de 3,5 tonnes, sachant que celui d'une souris de 25 grammes est de 600 cycles/minute. Est-ce réaliste ?

4) Le tableau ci-après donne la masse M et la longévité moyenne τ de quelques mammifères. Tracez en échelle Log-Log la courbe $\tau = f(M)$ et commentez le cas de l'homme du XXe siècle. Dites pourquoi cette courbe suggère que le cœur de ces mammifères cesse de battre après avoir accompli un même nombre de cycles et estimez ce nombre.

Espèces	M (kg)	τ (années)
Souris	0,025	3,5
Cobaye	0,3	7,5
Renard	3	14
Chèvre	30	18
Homme	65	70
Gorille	200	35
Éléphant	3 500	70

5) Quelle conclusion sur la forme comparée des mammifères pouvez-vous tirer de l'observation, par exemple, du renard, de la chèvre et de l'éléphant ? Quelle relation, entre leur taille et leur carrure faut-il imaginer pour aboutir à la loi de Kleiber ? Lorsque vous étudierez la résistance des matériaux vous verrez que cette relation est réaliste. Pourriez-vous la justifier qualitativement ?

PREMIÈRE PARTIE

Bases de la mécanique classique

Malgré les nombreuses tentatives inspirées de la physique d'Aristote (4), c'est la mécanique classique que l'on considère traditionnellement comme la première théorie scientifique attachée au problème du mouvement. On en a même fait le prototype de la démarche scientifique moderne (5). Il est donc judicieux de l'approfondir en premier, d'autant qu'après ses adaptations relativiste et quantique, elle forme le pilier de toute la physique.

1) CHRONOLOGIE DE LA MÉCANIQUE NEWTONIENNE

Son origine remonte à Galilée (1564-1642) qui réfuta l'idée d'Aristote selon laquelle le mouvement doit être entretenu par un «agent moteur». Depuis lors on pense que seul le changement d'état de mouvement nécessite un moteur : si rien n'agit sur un objet, il poursuit son chemin en ligne droite à vitesse constante. C'est le principe d'inertie, autre version du principe de relativité (6).

Galilée était insaisissable : il parcourait les ateliers vénitiens en quête d'inspiration ; parlait comme tout le monde au lieu de discourir et de publier en latin ; cherchait à interpréter ce qu'on lui disait ; en tirait des questions de fond ; concevait des expériences pour y répondre ; construisait lui-même ses appareils en les adaptant à leur finalité ; formalisait ses résultats ; vulgarisait l'ensemble dans quelques opuscules (7). Pour cette méthode, on le considère comme le fondateur de la physique moderne, même si de nos jours on assiste, dans certaines recherches, à une division des tâches.

Pendant ce temps, Tycho Brahe (1546-1601) recensait patiemment les phénomènes célestes dans le système géocentrique (lié à la terre) et Kepler (1571-1630) les décrivait dans le système héliocentrique déjà préconisé par Copernic (1473-1543) comme beaucoup plus commode. Le mouvement des planètes était bien circonscrit : tout tenait en trois lois qu'il restait à interpréter.

Newton (1642-1727) devait cueillir la pomme environ cinquante ans plus tard : il unifia la mécanique terrestre (chute des corps de Galilée) et la mécanique céleste (lois de Kepler) autour de la loi de gravitation qui porte son nom et de trois principes : le principe d'inertie, le principe fondamental et le principe de l'action et la réaction. C'est cette synthèse que nous allons approfondir.

2)   APPROCHE CRITIQUE DES CONCEPTS DE LA MÉCANIQUE

Pour commencer, j'introduirai quelques éléments de cinématique (chapitre II) : nous étudierons des mouvements, sans nous soucier de ce qui les produit, à seule fin de définir le cadre spatio-temporel de la mécanique classique. Ensuite, j'aborderai la dynamique newtonienne (chapitre III) : nous obtiendrons une interprétation physique des mouvements tirée des trois principes. Enfin, je reviendrai sur les changements de référentiels (chapitre IV) : nous pourrons alors fonder la physique sur les principes de relativité.

Ces trois chapitres reprennent souvent des thèmes connus pour les « remettre en question ». Comme exemple typique d'approche critique, j'ai choisi le principe d'inertie. J'y reviens sans cesse en ressassant la même question : « Qu'est-ce qu'un référentiel d'inertie ? » La réponse est abordée par touches successives. Armez-vous de patience : la formulation la plus satisfaisante vient juste avant l'attaque de la deuxième partie.

Au début, nous nous limiterons à « la mécanique du point matériel » : le mot objet sera à prendre au sens d'objet ponctuel à l'échelle des problèmes posés. On dit encore, après Newton, « point matériel ». Par exemple, une pierre en chute libre au voisinage du sol peut être considérée comme un point matériel à l'échelle de la terre. Il en est de même de la terre à l'échelle de son mouvement autour du soleil, mais il faut la traiter comme un système quand on cherche à décrire les effets de sa rotation diurne. Bref, la notion de point matériel que nous utiliserons souvent par la suite, est une idéalisation par approximation, à justifier selon les problèmes étudiés.

3)   NÉCESSITÉ DE L'ESPRIT CRITIQUE

Nous ne nous interrogerons pas sur les difficultés que cette idéalisation soulève à l'échelle sub-atomique où la mécanique classique est inadaptée. Bornons-nous à citer ce que disait déjà Jean Perrin dans son livre *Les éléments de la physique* (8) :

> *« La précision des mesures de distance est devenue sans cesse plus grande... Il n'est pas évident que cette précision puisse croître indéfiniment : rien ne prouve que la finesse de définition d'un point puisse n'avoir pas de limite, et que la distance entre deux points ait un sens absolu. Ainsi, la possibilité de définir des distances ne subsiste pas forcément à toute échelle et dans toutes conditions : la matière pourrait par exemple être telle que cela n'eût aucun sens de*

parler de distance à l'intérieur de ce que nous appellerons plus tard un électron (aujourd'hui, on dirait plutôt une particule fondamentale) et qu'il fût cependant nécessaire de regarder (cette particule) comme complexe.

D'une façon générale, quand nous étendons le domaine de notre expérience, il est raisonnable de chercher à prolonger dans ce domaine les notions jusqu'alors acquises, mais nous ne devons pas nous étonner si cette extension devient de moins en moins légitime. Et je pense qu'on peut admettre le principe suivant :

Tout concept finit par perdre son utilité, sa signification même, quand on s'écarte de plus en plus des conditions expérimentales où il a été formé.

Ce principe général de Jean Perrin vaut la peine d'être retenu. Le « bon sens » auquel nous ferons appel en abordant la mécanique classique est celui que nous nous sommes forgés à l'aide des outils limités que sont nos cinq sens, tournés vers les phénomènes qui se déroulent à l'échelle humaine. C'est d'une tout autre intuition qu'il faudra nous doter plus tard pour interpréter les domaines de l'infiniment grand et de l'infiniment petit, observés à l'aide d'outils adaptés aux circonstances.

CHAPITRE II

Cinématique classique : mouvements, espace et temps

L'objet de la cinématique est de décrire les mouvements (ici des points matériels) sans chercher à les interpréter. Si l'on ne se contente pas de vagues impressions, ceci suppose que l'on effectue localement des mesures avec son « mètre » et son « chronomètre » en précisant son système de référence. Vous me direz peut-être : à quoi bon effectuer ces mesures puisqu'avant même que quelqu'un ait eu le temps de les contrôler, l'objet aura filé. C'est vrai : « on ne se baigne jamais deux fois dans le même fleuve », disait déjà Héraclite. Mais il appartiendra au physicien d'observer si bien les conditions du mouvement qu'il puisse le reproduire en adoptant pour credo que les mêmes conditions produisent les mêmes phénomènes. Il pourra donc vérifier ses expériences en soumettant l'objet étudié aux mêmes conditions initiales. Je ne me poserai pas ici de question sur ce qui fonde ce credo et en circonscrit les limites. Aucune réponse n'est satisfaisante. Présenter les tautologies actuelles, sur le déterminisme et la causalité, meublerait des volumes entiers.

I   Référentiels, espace et temps

En toute rigueur, reproduire exactement les conditions d'une expérience est impossible. Par exemple, s'il s'agit d'une expérience de chute des corps au voisinage du sol, on ne peut ignorer de nos jours que la terre tourne sur elle-même et autour du soleil, que le soleil se déplace dans la galaxie, que la galaxie, etc. Dès lors, une expérience effectuée à l'instant t_1 ne pourra être rigoureusement reproduite à l'instant t_2 même si l'on utilise le même dispositif dans le même laboratoire. En présentant ses mesures, le physicien devra donc indiquer si l'influence du mouvement de la terre est négligeable ou corriger ses résultats pour en tenir compte dans le cadre d'une meilleure approximation.

1)   RELATIVITÉ DU MOUVEMENT

Plus fondamentalement, il devra préciser dans quel référentiel il a effectué ses observations. Par référentiel, on entend généralement des corps solides, supposés idéalement indéformables*, par rapport auxquels tout point matériel est repéré par trois coordonnées, x, y, z, mesurées sur des axes fixes qui sont les arêtes d'un trièdre d'ordinaire choisi trirectangle. Par exemple, les murs d'une pièce peuvent servir de référentiel même si cette pièce est la cabine d'un bateau sur une mer agitée, ou tout autre habitacle effectuant un mouvement quelconque.

Préciser le référentiel choisi est indispensable car les observations faites dans deux référentiels en mouvement relatif n'ont a priori aucune raison d'être identiques. Par exemple, un phare de voiture est immobile dans le référentiel lié à la carosserie, mais il décrit les méandres de la route dans un référentiel lié à la terre. De même, pour un observateur lié à un référentiel terrestre, la lune décrit une orbite presque circulaire, alors que dans un référentiel lié au soleil, la trajectoire de la lune est une cycloïde enroulée sur une ellipse, comme indiqué sur la figure II.1.

Nous verrons, en terminant ce chapitre, comment change la description d'un mouvement lorsqu'on passe d'un référentiel à un autre. Nous donnerons alors les formules de transformation des vitesses et des accélérations. Pour l'instant, nous allons nous fixer dans un référentiel donné.

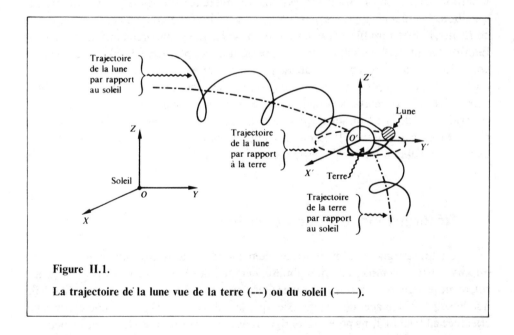

Figure II.1.

La trajectoire de la lune vue de la terre (---) ou du soleil (———).

---

* Tout solide est toujours plus ou moins déformable. Considérer un référentiel comme idéalement indéformable, signifie donc que les déformations qu'il peut être amené à subir au cours des mesures sont imperceptibles à l'échelle du mouvement étudié. Nous nous placerons dans cette hypothèse, dont on pourrait pourtant s'affranchir si besoin était (cf. exercice II.6).

2)   ESPACE ET GÉOMÉTRIE

C'est à partir d'observations concrètes faites dans un référentiel que l'on peut construire une première notion abstraite d'espace. Citons encore Jean Perrin :

« *Quand nous considérons tous les points qui pourraient (par emploi de visées ou de règles) être définis comme rigidement liés à un certain référentiel, nous étendons de proche en proche ce référentiel, l'ensemble des points successivement atteints constituant en définitive ce que l'on appelle* Espace. *Nous définissons ainsi une structure immatérielle illimitée rigidement liée à la structure matérielle de référence, comme il arrive pour l'image immatérielle que donnent, d'un objet, des miroirs ou des lentilles rigidement assemblés avec cet objet. C'est en fait ainsi que l'on peut, au microscope, superposer aux objets observés l'image immatérielle d'un quadrillage solidaire du microscope. Et précisément cette possibilité expérimentale d'une image à structure invariable, qui n'offre pourtant aucune résistance au mouvement d'un corps et qui fixe à chaque instant la position de chaque point du corps dans le référentiel, fait bien comprendre notre conception de l'espace lié à un solide.*

Ici encore, nous devons n'extrapoler qu'avec prudence : nous savons évidemment ce que nous disons en parlant d'un point qui, relativement à un trièdre fait par un plancher et deux murs, a pour coordonnées, en mètres, 2, 4 et 3 ; car cela correspond à des mesures en fait réalisables. Mais nous ne savons pas du tout si, relativement à ces axes liés au sol terrestre, parler de coordonnées, disons un trillion de fois plus grandes, a un sens quelconque ; en fait, nous verrons que cela n'en a probablement pas, en même temps qu'au reste nous parviendrons à définir des référentiels où des distances beaucoup plus grandes ont un sens. »

Ainsi, après avoir montré que notre espace euclidien usuel est une notion abstraite, construite à partir d'observations locales, Jean Perrin nous met en garde contre des extrapolations trop hardies, ou tout au moins incontrôlées. Il ajoute en particulier :

« *La géométrie euclidienne pourrait bien, par exemple, être inapplicable à des objets beaucoup plus grands que ceux pour lesquels nous avons constaté la possibilité de similitudes, ou de même être inapplicable dans des conditions physiques très différentes de celles où nous opérons d'ordinaire.*

*Il faut absolument nous faire à cette idée, à ce principe, déjà posé par nous, que même une logique parfaite ne peut découvrir des propriétés applicables à tout l'univers, d'après les propriétés, toujours imparfaitement connues, d'un coin de cet univers... *»

Effectivement, des géométries non euclidiennes sont nécessaires en physique, en particulier lorsqu'on cherche à décrire le domaine de l'infiniment grand (9). Il est bon de le savoir pour éviter de se représenter l'espace de façon trop naïve, c'est-à-dire comme une notion relevant nécessairement et à priori des axiomes d'Euclide. Néanmoins, nous n'étudierons ici que des phénomènes pour lesquels notre « intuition euclidienne » est bien adaptée.

Dans ce cadre, un point matériel coïncidant avec le point M du référentiel, centré en O, est repéré par le bipoint (O, M), qu'en physique on appelle vecteur lié $\overrightarrow{OM}$, ou plus couramment, vecteur position du point M, noté $\vec{r}$ (cf. fig. II.2). Ses coordonnées cartésiennes sont, par définition, les projections de ce « vecteur » sur trois axes orthogonaux Ox, Oy et Oz, porteurs des vecteurs unitaires $\vec{i}$, $\vec{j}$ et $\vec{k}$ respectivement. On les note d'ordinaire x, y et z. En d'autres termes, dans une base

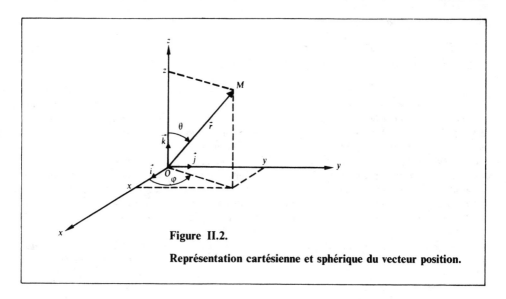

Figure II.2.

Représentation cartésienne et sphérique du vecteur position.

cartésienne, liée au référentiel choisi, le vecteur position $\vec{r}$ du point matériel considéré est représenté par :

$$\vec{r} = \overrightarrow{OM} = x\vec{i} + y\vec{j} + z\vec{k} \qquad (\text{II.1})$$

Il existe d'autres représentations du vecteur position. Par exemple, si l'on cherche à étudier certaines propriétés de symétrie d'un mouvement, il est parfois judicieux d'employer les coordonnées dites sphériques où le vecteur $\vec{r}$ est déterminé par son module, noté r, l'angle θ qu'il fait avec l'axe oz et l'angle φ entre sa projection sur le plan xoy et l'axe ox. Les conventions de signe sont indiquées sur la figure II.2. Sur cette figure, on vérifiera que les coordonnées sphériques et cartésiennes d'un même vecteur position sont reliées entre elles par :

$$\begin{aligned}
x &= r \sin \theta \cos \varphi \\
y &= r \sin \theta \sin \varphi \\
z &= r \cos \theta
\end{aligned} \qquad (\text{II.2})$$

avec $x^2 + y^2 + z^2 = r^2$. On a alors $r \geqslant 0$; $0 \leqslant \theta \leqslant \pi$; $0 \leqslant \varphi \leqslant 2\pi$.

Lorsque le mouvement du point matériel s'effectue dans un plan, ce qui est souvent le cas, les coordonnées sphériques se réduisent aux coordonnées polaires. Le vecteur position est alors déterminé par son module r et l'angle φ qu'il fait avec un axe fixe contenu dans le plan du mouvement, appelé axe polaire. Il existe une relation simple entre ces coordonnées et les coordonnées cartésiennes. Par exemple, si le mouvement a lieu dans le plan xoy de la figure II.2, et si l'on fixe l'axe polaire de façon à ce qu'il coïncide avec l'axe ox, on a :

$$\begin{aligned}
x &= r \cos \varphi \\
y &= r \sin \varphi
\end{aligned} \qquad (\text{II.3})$$

avec $z = o$ et $x^2 + y^2 = r^2$. On aura noté que les relations (II.3) et (II.2) coïncident pour $\theta = \pi/2$.

3) TEMPS ET ÉVÉNEMENT

Pour décrire le mouvement d'un point matériel, il ne suffit pas de le localiser dans un référentiel, il faut encore suivre son évolution au cours du temps : enregistrer le déroulement du phénomène dans l'espace et le temps. Ceci doit nous prémunir contre une vision trop géométrique de la physique. Comme le disent Taylor et Wheeler (10) dans leur livre *A la découverte de l'espace temps* : « *Le concept fondamental de la géométrie est le lieu. Le concept fondamental de la physique est l'événement. Un événement est défini non seulement par le lieu mais aussi par l'instant où il se passe* ».

Par exemple, un passager d'une voiture allume un phare à l'instant t_A puis l'éteint à l'instant t_E. L'allumage et l'extinction du phare sont des événements : ils se produisent en un lieu et à un instant donnés*. En cinématique classique, la durée du phénomène (c'est-à-dire, l'intervalle de temps, $\Delta t = t_E - t_A$, qui sépare les deux événements) est définie de façon absolue, universelle : on admet que la durée Δt du phénomène est la même pour le passager de la voiture et pour un observateur situé sur le bord de la route ou dans tout autre référentiel.

Ainsi, en mécanique classique, on dissymétrise le traitement des informations concernant les mesures de longueur et de durée : l'intervalle d'espace qui sépare les points P_A et P_E où ont eu lieu les événements A et E n'est pas défini de façon absolue, universelle. Pour le passager π, immobile par rapport au phare, A et E ont eu lieu au même point de son référentiel; il écrira donc que l'intervalle d'espace déduit de ses mesures est donné par $\Delta \ell_\pi = 0$. Par contre, pour l'observateur ω, sur le bord de la route, la voiture s'est déplacée dans son référentiel et A et E y auront alors été repérés en des points différents; il obtiendra donc $\Delta \ell_\omega \neq 0$.

Cette dissymétrie de traitement des intervalles d'espace et de temps disparaît en mécanique relativiste. Quelques remarques historiques sur ce point ne seront pas inutiles, même si je conseille au lecteur de ne pas se reporter à l'appendice avant le paragraphe I du chapitre IV.

C'est Newton qui fit adopter, jusqu'au début du vingtième siècle, le concept de temps universel. Pour lui, il existait un espace et un temps absolus qu'il définissait ainsi :

« *L'espace absolu, sans relation aux choses extérieures, demeure toujours similaire et immobile... *»

---

* En mécanique classique, de même que l'on admet sans la critiquer la notion de point matériel, de même on suppose qu'il est possible de préciser un événement jusqu'à la limite idéale, c'est-à-dire jusqu'à le rendre ponctuel et instantané. En fait, tout événement, par exemple le déclenchement d'un phare, occupe toujours un certain domaine spatial et temporel. Cependant, ceci ne pose un véritable problème de principe qu'en dessous de l'échelle moléculaire, mais alors c'est à la mécanique quantique qu'il faut faire appel pour le résoudre.

« *Le temps absolu vrai et mathématique, sans relation à rien d'extérieur, coule indéfiniment et s'appelle durée...* »

Nous savons déjà (et nous y reviendrons au début du chapitre IV), que la notion d'espace absolu ne s'impose même pas en mécanique classique, où Newton l'avait adoptée plus pour des raisons métaphysiques et théologiques que par nécessité physique. Quant à la notion de temps absolu, critiquée par Poincaré (11), elle fut abandonnée lorsque les recherches sur l'électromagnétisme amenèrent à identifier la vitesse de la lumière, c, à une constante universelle : une vitesse ayant la même valeur dans tous les référentiels. Par exemple, à la précision actuelle des expériences, on ne peut pas augmenter la vitesse relative de la lumière en faisant se déplacer une source lumineuse vers un observateur. C'est un paradoxe pour ceux qui sont habitués à la loi classique de composition des vitesses (12).

Einstein le résolut en l'érigeant en postulat : la vitesse de la lumière dans le vide est la même dans tous les référentiels ; elle est indépendante du mouvement de la source émettrice et de celui du récepteur. Dans le cadre de sa théorie, cela n'a pas de sens (contrairement à ce que présupposait implicitement Newton) de parler dans l'absolu de la simultanéité de deux événements : ce qui apparaît comme simultané dans un référentiel ne l'est pas dans un autre en mouvement relatif. De façon générale l'intervalle de temps qui sépare deux événements (la durée d'un phénomène) n'a pas la même valeur selon qu'on la mesure dans un référentiel où le dispositif (qui engendre les événements) est au repos ou en mouvement relatif par rapport au précédent (13).

Il fallut donc abandonner la notion de temps universel et Einstein tira de ses postulats qu'il n'est pas possible, en toute rigueur, de dissocier longueurs et durées et donc espace et temps. Comme le faisait remarquer Minkowski, dans un article de 1908 (23), ceci ne devrait pas choquer : « *les objets de notre perception impliquent invariablement temps et lieu ensemble. Personne n'a jamais observé de lieu sauf en un instant donné, ni de temps sauf en un endroit précis* ».

Si la notion de temps absolu est à rejeter, les résultats de la mécanique classique sont une excellente approximation lorsqu'on étudie (ce sera notre cas) le mouvement de points matériels se déplaçant à faible vitesse dans une petite portion de l'univers. C'est pourquoi nous admettrons ici, non pas le point de vue de Newton* mais, à titre d'approximation, que l'intervalle de temps Δt qui sépare deux événements donnés (la durée d'un phénomène unique) a la même valeur dans tous les référentiels d'observation.

Le cadre spatio-temporel de la mécanique classique étant ainsi précisé, on emploiera souvent par la suite le mot « temps » pour instant et l'expression « point dans l'espace » pour lieu dans un référentiel. Ces abus de langage ne devraient pas créer

---

* C'est une chose de dire que les calculs menés dans le cadre de la mécanique classique, ou newtonienne, sont une approximation de ceux effectués en mécanique relativiste et c'est tout autre chose de dire que le point de vue de Newton est une approximation de celui d'Einstein. Pour Newton, le temps est absolu ; pour Einstein, il ne l'est pas. Et il est impossible, en bonne logique, de passer par approximation de la proposition « P est vrai » à la proposition « P est non vrai », c'est-à-dire « P est faux ».

de confusion : ils consistent tout simplement à remplacer des notions matérielles (instant, lieu, référentiel) par des concepts mathématiques (temps, point, espace), ou encore à énoncer les résultats de mesures concrètes dans un vocabulaire abstrait. C'est avec ce vocabulaire usuel que je vais rappeler maintenant les deux principales notions cinématiques que sont la vitesse et l'accélération.

II   Vitesse associée à un mouvement

Tout voyageur sait en gros ce qu'est la vitesse. S'il a parcouru 100 kilomètres en deux heures, il dira que sa vitesse moyenne a été de 50 km/h. Mais il ne sera pas naïf au point de croire qu'il a toujours roulé à ce rythme : sur son trajet, le compteur de sa voiture lui aura indiqué tantôt 80 km/h, tantôt 40 km/h, etc. selon la fluidité du trafic où le profil de la route. Ce compteur donne ce que l'on appelle la vitesse instantanée, ou plus exactement le module de cette vitesse, car la vitesse est une quantité représentée mathématiquement par un vecteur. Formalisons ce qui vient d'être dit en nous plaçant dans un référentiel donné.

1)   VITESSE MOYENNE EN VALEUR ALGÉBRIQUE

Par définition, la vitesse moyenne, exprimée dans ce référentiel est le trajet* par unité de temps, où le trajet est la portion de trajectoire orientée parcourue.

Par exemple, si l'on étudie un mouvement rectiligne, il est judicieux de choisir un axe de référence aligné sur la trajectoire. On l'orientera arbitrairement (cf. fig. II.3a) et l'on fixera sur lui une origine, O, pour exprimer, aux instants t_1, t_2,... t_n, les coordonnées x_1 x_2,... x_n, du point matériel (qui simule le mobile) tout au long de son déplacement. L'ensemble de ces coordonnées sera représenté globalement par la fonction $x(t)$, appelée « la » coordonnée du mobile à chaque instant. Ainsi, dans un mouvement rectiligne, le trajet du mobile entre les instants t_1 et t_2, noté Δx, sera donné en valeur algébrique par :

$$\Delta x = \overline{P_1 P_2} = \overline{OP_2} - \overline{OP_1} = x_2 - x_1 = x(t_2) - x(t_1).$$

---

* C'est volontairement que j'emploie le mot « trajet » au lieu de l'expression courante « distance parcourue ». Le mot « distance » dans cette expression est à l'origine de nombreuses confusions et je préfère le réserver pour exprimer l'intervalle d'espace qui sépare deux points distincts à un instant donné. Par exemple, je parlerai de la distance terre-lune, ou de la distance entre les deux phares d'une voiture. En mécanique classique, cette distance est indépendante du référentiel choisi : c'est un invariant classique. Par contre, la « distance parcourue » par un phare, ce que j'appellerai son trajet, n'est pas un invariant : dans le référentiel lié au phare, ce trajet est nul alors que pour un observateur situé sur le bord de la route, ce trajet est non nul si la voiture se déplace dans le référentiel lié à la terre. Une autre ambiguïté plus triviale attachée à l'emploi flou du mot distance est que si, par exemple, j'effectue le tour complet d'un cercle de rayon R, la distance entre le point initial et le point final de mon mouvement est nulle, et pourtant j'ai bougé entre temps. Donc la vitesse dans ce mouvement n'était pas nulle et c'est précisément parce que mon trajet a eu, dans ce cas, pour mesure $2\pi R$.

Si $\Delta t = t_2 - t_1$ est l'intervalle de temps qui sépare le passage du mobile devant les points P_1 et P_2 du référentiel, la vitesse moyenne de ce mouvement rectiligne de P_1 vers P_2 sera donnée en valeur algébrique par :

$$v_{\text{Moy}} = \frac{x(t_2) - x(t_1)}{t_2 - t_1} = \frac{\Delta x}{\Delta t} \tag{II.4}$$

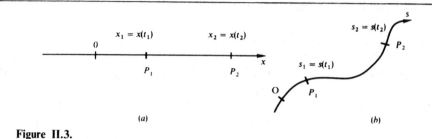

Figure II.3.

Support à la définition de la vitesse moyenne.

Avec cette définition mathématique, on notera que si le mobile était allé avec la même célérité* moyenne du point P_2 au point P_1, il aurait eu une vitesse moyenne opposée. Pour décrire un mouvement sur un axe, tenir compte dès valeurs algébriques est le prix à payer pour éviter toute ambiguïté et exprimer de façon claire et simple qu'un mobile a pu être amené à revenir « sur ses pas ».

Si le mouvement n'est pas rectiligne, pour calculer la vitesse moyenne en valeur algébrique, on pourra utiliser ce que l'on appelle les abscisses curvilignes. Pour cela, on oriente arbitrairement la courbe suivie par le mobile (simulé par un point matériel : cf. fig. II.3b), on fixe une origine sur sa trajectoire, et l'on repère sa position à chaque instant en donnant le trajet qu'il faudrait suivre pour être à sa place. C'est ce trajet virtuel que l'on nomme abscisse curviligne et que l'on note $s(t)$. Si l'on représente par $\overparen{P_1 P_2}$ l'arc de courbe orienté parcouru par le mobile pour aller de P_1 vers P_2, la vitesse moyenne en valeur algébrique s'écrit :

$$v_{\text{Moy}} = \frac{\overparen{P_1 P_2}}{\Delta t} = \frac{\overparen{OP_2} - \overparen{OP_1}}{\Delta t} = \frac{s_2 - s_1}{\Delta t} = \frac{s(t_2) - s(t_1)}{t_2 - t_1} \tag{II.5}$$

---

* Dans le vocabulaire scientifique de toutes les langues, il existe deux mots pour ce que l'on appelle, en langage courant, la vitesse, sans préciser s'il s'agit du vecteur vitesse (appelé vitesse, en physique, traduit par *velocity* en anglais) ou de son module (nommé célérité, en physique, traduit par *speed* en anglais). Nous utiliserons donc le mot célérité pour parler de module du vecteur vitesse, qu'il s'agisse de la vitesse de groupe d'une onde ou de la vitesse d'une particule.

2)   VITESSE INSTANTANÉE EN VALEUR ALGÉBRIQUE

La vitesse moyenne ne nous donne qu'un renseignement global sur le mouvement d'un point matériel. Pour le décrire en chaque point de la trajectoire, il faut connaître la vitesse en chaque instant, appelée vitesse instantanée. L'outil mathématique adapté pour en faire le calcul est la dérivée : la vitesse instantanée est donnée en valeur algébrique par la dérivée par rapport au temps de la fonction du temps qui permet de repérer la position du point matériel à chaque instant.

En effet, en considérant des intervalles de temps, Δt, de plus en plus. brefs, pendant lesquels le mobile effectue, par exemple sur un axe, des trajets, Δt, de plus en plus courts, la vitesse moyenne sur ces trajets s'approchera de mieux en mieux d'une vitesse instantanée que l'on obtiendra en passant à la limite $\Delta t \to 0$. En termes mathématiques, partant de la définition (II.4), la vitesse instantanée en valeur algébrique s'écrit :

$$v = \mathrm{Lim}_{\Delta t \to 0} \frac{x(t + \Delta t) - x(t)}{\Delta t} = x'(t) \equiv \dot{x} \qquad (\mathrm{II}.6)$$

où $x'(t)$ est la fonction dérivée de la fonction $x(t)$, souvent notée $\dot{x}$.

Une façon commode de garder en mémoire la variable par rapport à laquelle la fonction x est dérivée, consiste à noter x' sous la forme dx/dt. Cette notation habituelle, appelée notation différentielle, est employée, depuis Leibnitz, comme un moyen économique pour traduire la lourde expression :

$$x' = \mathrm{Lim}_{\Delta t \to 0} \frac{\Delta x}{\Delta t}$$

En d'autres termes, écrire dx/dt signifie que l'on a calculé la dérivée de la fonction x par rapport à la variable t, c'est-à-dire que l'on a pris la limite, pour $\Delta t \to 0$, de $\Delta x/\Delta t$, rapport de l'accroissement de la fonction $x(t)$ à l'accroissement de la variable t.

A partir de la définition (II.5), on obtient de même, pour un mouvement quelconque :

$$v = \mathrm{Lim}_{\Delta t \to 0} \frac{s(t + \Delta t) - s(t)}{\Delta t} = \mathrm{Lim}_{\Delta t \to 0} \frac{\Delta s}{\Delta t} = \frac{ds}{dt} = s'(t) \equiv \dot{s} \qquad (\mathrm{II}.7)$$

3)   VITESSE

La vitesse instantanée en valeur algébrique n'est pas une notion suffisamment précise pour décrire toutes les caractéristiques d'un mouvement quelconque. En particulier, elle ne dit rien sur l'orientation du mobile en chaque instant, ce que pourrait faire un vecteur. C'est pourquoi on réserve le nom de vitesse (tout court) au vecteur noté $\vec{v}(t)$ (cf. fig. II.4), ayant même direction que la tangente au point P où se trouve le mobile au temps t, orientée dans le sens du mouvement, et dont le module est donné par la célérité instantanée, c'est-à-dire par la valeur absolue de la vitesse instantanée en valeur algébrique.

L'avantage de cette représentation vectorielle de la vitesse est manifeste : elle véhicule plus d'informations que la célérité, car, en plus du rythme imprimé au mouvement, ce que donne son module, elle fournit également la direction dans laquelle le mobile « s'oriente à vue », ou encore celle qu'il garderait s'il cessait, à partir de l'instant t considéré, d'être soumis à des contraintes, c'est-à-dire à des forces.

Mais quels outils mathématiques utiliser pour traduire tout cela en formules ? En transposant point par point la démarche suivie pour introduire la vitesse instantanée en valeur algébrique, nous allons voir que la vitesse $\vec{v}(t)$ est obtenue directement en calculant la dérivée, par rapport au temps, notée $\overrightarrow{\mathrm{d}r}(t)/\mathrm{d}t$, de la fonction vectorielle $\vec{r}(t)$, appelée vecteur position instantanée du mobile, ou encore le rayon vecteur.

A cette fin, notons tout d'abord qu'aux instants t_1, t_2,... t_n, le mobile est repéré par les vecteurs position $\vec{r}_1$, $\vec{r}_2$,... $\vec{r}_n$. C'est l'ensemble de ces vecteurs position que l'on représente globalement par la fonction vectorielle $\vec{r}(t)$, appelée « le » vecteur position instantanée du mobile, ou tout simplement son vecteur position.

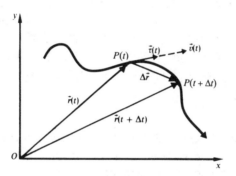

Figure II.4.

Support à la notion de vitesse. Le vecteur $\Delta\vec{r}$, qui a son origine en P, représente la différence vectorielle : $\vec{r}(t + \Delta t) - \vec{r}(t)$. Lorsque $\Delta t \to 0$, son extrémité se rapproche de P et sa direction tend vers celle d'un vecteur tangent à la trajectoire et orienté dans le sens du déplacement. Son module tend vers zéro, mais en règle générale il existe une limite finie au rapport $\Delta\vec{r}/\Delta t$ quand $\Delta t \to 0$. C'est cette limite qui représente la vitesse à l'instant t, correspondant au passage du mobile au point P. On montre dans le texte que le module de ce vecteur est précisément la célérité, définie comme la valeur absolue de la vitesse en valeur algébrique à l'instant t. Pour des raisons de commodité, on n'envisage sur la figure qu'un mouvement contenu dans un plan, celui de la feuille, mais les conclusions auxquelles on parvient ainsi restent valables pour un mouvement quelconque à trois dimensions.

Ensuite, définissons la dérivée d'une fonction vectorielle en transposant, dans le domaine des fonctions à caractère vectoriel, la définition précédemment employée à propos des fonctions à valeur algébrique, soit ici :

$$\vec{v}(t) = \text{Lim}_{\Delta t \to 0} \frac{\vec{r}(t + \Delta t) - \vec{r}(t)}{\Delta t} = \text{Lim}_{\Delta t \to 0} \frac{\Delta \vec{r}}{\Delta t} = \frac{d\vec{r}}{dt} \qquad \text{(II.8)}$$

où le vecteur $\Delta \vec{r}$ est la différence vectorielle des vecteurs positions associés au mobile repéré aux temps $t + \Delta t$ et t. La figure (II.4) fera comprendre la notion et nous aidera à montrer que la vitesse est bien représentée ainsi.

Pour cela, récrivons la définition (II.8) sous la forme :

$$\vec{v}(t) = \text{Lim}_{\Delta t \to 0} \left[\left(\frac{\vec{r}(t + \Delta t) - \vec{r}(t)}{s(t + \Delta t) - s(t)} \right) \cdot \left(\frac{s(t + \Delta t) - s(t)}{\Delta t} \right) \right]$$

$$= \text{Lim}_{\Delta t \to 0} \left(\frac{\Delta \vec{r}}{\Delta s} \frac{\Delta s}{\Delta t} \right)$$

où $s(t + \Delta t)$ et $s(t)$ sont les abscisses curvilignes des points repérés respectivement par $\vec{r}(t + \Delta t)$ et $\vec{r}(t)$ et où $\Delta s = s(t + \Delta t) - s(t)$ est le trajet pour aller d'un point à l'autre. La limite de $\Delta s / \Delta t$ quand $\Delta t \to 0$ est précisément la vitesse en valeur algébrique. Quant au vecteur $\Delta \vec{r}/\Delta s$, quand $\Delta t \to 0$ sa direction est celle de la tangente au point P, orientée dans le sens des abscisses curvilignes croissantes, et son module tend vers 1, puisqu'alors la longueur de la corde, $\| \Delta \vec{r} \|$, tend vers celle de l'arc $|\Delta s|$. On peut donc écrire en notation différentielle :

$$\vec{v}(t) = \frac{d\vec{r}}{dt} = \frac{d\vec{r}}{ds} \frac{ds}{dt} = \vec{\tau}(t) \frac{ds}{dt} = v(t) \vec{\tau}(t) \qquad \text{(II.9)}$$

où $v(t) \equiv ds/dt$ est la vitesse en valeur algébrique, et où $\vec{\tau}(t) \equiv d\vec{r}/ds$ est un vecteur unitaire (c'est-à-dire de module unité : $\| \vec{\tau}(t) \| = 1$), tangent à la trajectoire, et orienté dans le sens des abscisses curvilignes croissantes. On le nomme vecteur tangent.

On retrouve donc le résultat annoncé, puisque l'expression (II.9) indique que le vecteur $\vec{v}(t)$ a les propriétés suivantes :

— un module égal à la valeur absolue de la vitesse en valeur algébrique, $|v(t)|$, c'est-à-dire la célérité ;

— une direction donnée par l'orientation de $\vec{\tau}(t)$ si $v(t)$ est positif (mouvement dans le sens des abscisses curvilignes croissantes), et opposée à cette orientation si $v(t)$ est négatif (mouvement dans le sens inverse).

4)   COMPOSANTES DE LA VITESSE

Tout vecteur est connu dès que l'on a ses composantes sur la base choisie pour le représenter. Calculer la vitesse, $\vec{v}(t)$, revient donc à calculer ses composantes sur cette base. Si l'on utilise la représentation cartésienne pour le vecteur position, $\vec{r}(t)$, alors, puisque la dérivation est une opération linéaire, la formule (II.1) conduit à :

$$\vec{v}(t) = \frac{d\vec{r}(t)}{dt} = \frac{dx(t)}{dt} \vec{i} + \frac{dy(t)}{dt} \vec{j} + \frac{dz(t)}{dt} \vec{k} \qquad \text{(II.10)}$$

où $\vec{i}, \vec{j}$ et $\vec{k}$ sont les trois vecteurs unitaires (fixes au cours du temps) de la base cartésienne. On en déduit que les composantes cartésiennes de $\vec{v}(t)$ sur les trois axes Ox, Oy et Oz sont :

$$v_x(t) = \frac{\mathrm{d}x(t)}{\mathrm{d}t} \, ; \, v_y(t) = \frac{\mathrm{d}y(t)}{\mathrm{d}t} \, ; \, v_z(t) = \frac{\mathrm{d}z(t)}{\mathrm{d}t} \tag{II.11}$$

Il est également possible de calculer $\vec{v}(t)$ dans une représentation en coordonnées sphériques. Pour ne pas obscurcir inutilement l'exposé de la méthode de calcul, je me limiterai au cas d'un mouvement plan. Nous avons vu que les coordonnées sphériques se réduisent alors aux coordonnées polaires. Dans ce cas il est commode d'exprimer le vecteur position sous la forme :

$$\vec{r}(t) = r(t) \, \vec{u}[\theta(t)] \tag{II.12}$$

où $r(t)$ est le module du vecteur $\vec{r}(t)$ et où $\vec{u}[\theta(t)]$ est un vecteur unitaire (donc $\| \vec{u}[\theta(t)] \| = 1$) aligné sur le vecteur $\vec{r}(t)$ dont il indique la direction par l'intermédiaire de $\theta(t)$ (cf. fig. II.5). Avec ces notations, et en utilisant les résultats connus concernant la dérivée d'un produit de fonctions, on a :

$$\vec{v}(t) = \frac{\mathrm{d}\vec{r}(t)}{\mathrm{d}t} = \frac{\mathrm{d}\,(r(t)\,\vec{u}[\theta(t)])}{\mathrm{d}t} = \frac{\mathrm{d}r(t)}{\mathrm{d}t} \, \vec{u}[\theta(t)] + r(t) \, \frac{\mathrm{d}\vec{u}\,[\theta(t)]}{\mathrm{d}t}$$

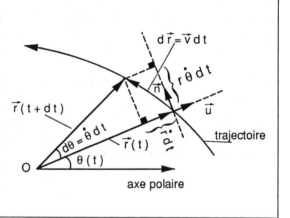

Figure II.5

Relation entre l'évolution du vecteur position et les composantes de la vitesse en coordonnées polaires. La composante radiale, $\dot{r}$, sur l'axe porté par $\vec{u}$, donne le rythme auquel évolue la distance r, module du vecteur position, $\vec{r}$, c'est-à-dire sa «longueur». En revanche, la composante orthoradiale de $\vec{v}$, $\dot{r}\,\theta$, sur l'axe porté par $\vec{n}$, renseigne sur le rythme auquel évolue l'orientation de $\vec{r}$.

En exploitant les propriétés de la dérivée d'une fonction ($\vec{u}$ est fonction de θ, lui-même fonction de t), ceci peut être récrit :

$$\vec{v}(t) = \frac{\mathrm{d}r(t)}{\mathrm{d}t} \, \vec{u}[\theta(t)] + r(t) \, \frac{\mathrm{d}\vec{u}[\theta(t)]}{\mathrm{d}\theta} \, \frac{\mathrm{d}\theta(t)}{\mathrm{d}t}$$

soit encore avec les notations usuelles :

$$\boxed{\vec{v} = \dot{r}\vec{u} + r\dot{\theta}\vec{n}} \tag{II.13}$$

où $\dot{r} \equiv \dfrac{dr(t)}{dt}$, $\dot{\theta} \equiv \dfrac{d\theta(t)}{dt}$, $\vec{u} \equiv \vec{u}\,[\theta(t)]$ et où $\vec{n} \equiv \vec{n}\,[\theta(t)] = \dfrac{d\vec{u}}{d\theta}$ est un vecteur unitaire, perpendiculaire à $\vec{u}$, et orienté comme indiqué sur la figure II.5, c'est-à-dire repéré par un angle polaire donné par $[\theta(t) + \pi/2]$. Ce dernier point reste à prouver.

Une façon simple d'y parvenir consiste à exprimer $\vec{u}$ sur une base cartésienne, en faisant coïncider l'axe Ox avec l'axe polaire, soit :

$$\vec{u} = \cos\theta\,\vec{i} + \sin\theta\,\vec{j}.$$

On en déduit :

$$\frac{d\vec{u}}{d\theta} = -\sin\theta\,\vec{i} + \cos\theta\,\vec{j}$$

Pour faire apparaître le résultat escompté, ceci doit être récrit sous la forme équivalente :

$$\frac{d\vec{u}}{d\theta} = \cos\left(\theta + \frac{\pi}{2}\right)\vec{i} + \sin\left(\theta + \frac{\pi}{2}\right)\vec{j}$$

qui indique que $d\vec{u}/d\theta$, noté $\vec{n}$, est un vecteur unitaire ($\cos^2\alpha + \sin^2\alpha = 1$ quel que soit α) repéré par l'angle polaire $\theta + \pi/2$.

Cette démonstration est générale : la dérivée par rapport à l'angle polaire $\theta(t)$ d'un vecteur unitaire, dont l'orientation varie au cours du temps, est un autre vecteur unitaire tourné, par rapport au premier, d'un angle $\pi/2$ dans le sens positif, c'est-à-dire dans le sens des θ croissants*.

La formule (II.13) s'applique à n'importe quel mouvement contenu dans un plan. Par exemple, pour un mouvement rectiligne, on a $\theta = $ Cte, donc $\dot{\theta} = 0$, et l'on obtient :

$$\vec{v} = \dot{r}\vec{u} \tag{II.14}$$

Dans le cas d'un mouvement circulaire, la même formule conduit à :

$$\vec{v} = r\dot{\theta}\vec{n} \tag{II.15}$$

En effet, ce mouvement se caractérise par $r = $ Cte $= R$ (rayon du cercle trajectoire), donc $\dot{r} = 0$. On retrouve ainsi un résultat bien connu : dans un mouvement circulaire, qu'il soit uniforme ou non, la vitesse est un vecteur porté par la tangente orientée et

---

* Il est facile de vérifier que ces 2 vecteurs unitaires sont orthogonaux en utilisant les propriétés du produit scalaire et de la dérivation. Par définition d'un vecteur unitaire, on a $\|\vec{u}(\theta)\|^2 = \vec{u}(\theta) \cdot \vec{u}(\theta) = 1$. Prenant la dérivée des 2 membres par rapport à θ, on obtient $2\vec{u}(\theta) \cdot d\vec{u}(\theta)/d\theta = 0$. Or, le produit de deux vecteurs est nul lorsque ceux-ci sont orthogonaux. Donc $d\vec{u}(\theta)/d\theta$ est orthogonal à $\vec{u}(\theta)$.

dont le module est $R\omega$ où $\omega = |\dot{\theta}|$ est la célérité angulaire. Le mouvement est circulaire uniforme dans le cas particulier où ω est une constante. On notera enfin que $\vec{v}$ et $\vec{n}$ ont même direction pour $\dot{\theta} > 0$ (mouvement dans le sens des θ croissants) et des directions opposées pour $\dot{\theta} < 0$.

III   Accélération

Quand on connaît la vitesse associée à un mouvement, on peut obtenir son accélération. Ce vecteur est fondamental en mécanique classique car c'est lui qui est directement relié aux actions des forces sur un objet. On en ressent les effets en voiture lorsque la vitesse change : de même que la vitesse est le rythme de changement du vecteur position, de même l'accélération est le rythme de changement du vecteur vitesse. Tout ce que nous avons vu, à propos du vecteur vitesse, peut donc être transposé point par point au cas du vecteur accélération.

En conséquence, nous ferons l'économie de certaines notions préliminaires, comme l'accélération moyenne et l'accélération instantanée en valeur algébrique. Pour aller droit au but : par définition, l'accélération est la notion cinématique représentée par un vecteur, noté ici $\vec{a}$, obtenu en dérivant, par rapport au temps t, le vecteur vitesse $\vec{v}(t)$. Soit :

$$\vec{a}(t) = \frac{\mathrm{d}\vec{v}(t)}{\mathrm{d}t} = \frac{\mathrm{d}^2\vec{r}(t)}{\mathrm{d}t^2} \tag{II.16}$$

où $\mathrm{d}^2\vec{r}/\mathrm{d}t^2$ symbolise la dérivée seconde de $\vec{r}(t)$, par rapport à t. Avant d'utiliser cette formulation mathématique, visualisons l'accélération à l'aide d'un hodographe.

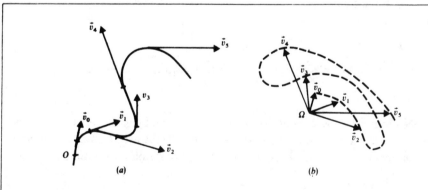

Figure II.6.

Connaissant les vitesses en chaque point de la trajectoire (a), on peut construire l'hodographe (b) en reportant ces vitesses en un point Ω arbitraire.

1)   HODOGRAPHE

L'hodographe d'un mouvement est la courbe que décrit l'extrémité du vecteur vitesse lorsque son origine est fixée en un point Ω arbitraire où on la reporte (cf. fig. II.6). En termes d'analogie, c'est la « trajectoire de l'extrémité du vecteur vitesse dans l'espace des vitesses ».

Cette représentation a l'avantage de faire voir clairement que : de même que la vitesse a pour direction celle de la tangente orientée à la trajectoire, de même l'accélération a pour direction celle de la tangente orientée à l'hodographe. Pour illustrer cela, intéressons-nous au cas simple d'un mouvement circulaire uniforme (cf. fig. II.7).

Figure II.7.

Trajectoire et hodographe d'un mouvement circulaire uniforme. La variation angulaire, $\Delta\theta$, en passant de $\vec{r}_1$ à $\vec{r}_2$ est égale à celle associée au passage de $\vec{v}_1$ à $\vec{v}_2$. Si cette variation est infinitésimale, disons différentielle, on la note dθ. C'est par commodité que j'ai tracé la trajectoire et l'hodographe à pártir d'une origine commune bien que la trajectoire soit dans l'espace des positions et que l'hodographe soit une visualisation de concepts définis dans l'espace des vecteurs vitesse appelé « espace des vitesses ».

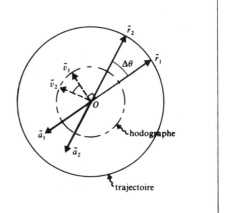

Puisque ce mouvement est caractérisé par $\| \vec{v}(t) \| = |v| = $ cte, son hodographe est un cercle de centre.0, par construction, et de rayon $|v|$, parcouru à célérité angulaire ω constante, la même que celle associée à la rotation de $\vec{r}$, car $\vec{r}$ et $\vec{v}$ sont solidaires, à $\pi/2$ l'un de l'autre quel que soit t. Dès lors, de même que la direction de $\vec{v}$ est obtenue en tournant de $\pi/2$ celle de $\vec{r}$ dans le sens du mouvement, de même la direction de $\vec{a}$ est obtenue en tournant de $\pi/2$ celle de $\vec{v}$ dans le même sens. Ainsi, au total, la direction de $\vec{a}$ est obtenue en tournant de π celle de $\vec{r}$, c'est-à-dire que $\vec{a}$ est de direction opposée à $\vec{r}$. C'est ce que l'on appelle une accélération centripète car, lorsqu'on la reporte au point P de la trajectoire où on la calcule, elle est dirigée vers le centre.

Pour calculer son module, notons tout d'abord que la longueur de trajectoire parcourue à la célérité $|v|$ pendant l'intervalle différentiel de temps, dt, est donnée par $|v\mathrm{d}t|$. Pour un déplacement sur un cercle, caractérisé par une variation angulaire différentielle notée $|\mathrm{d}\theta|$, cette longueur parcourue est aussi donnée par $R|\mathrm{d}\theta|$ où R est le rayon du cercle. On a donc la relation :

$$|v\mathrm{d}t| = R|\mathrm{d}\theta| \tag{II.17}$$

Dans le cas d'un mouvement circulaire uniforme, le même raisonnement, effectué sur le cercle hodographe, conduit à la relation :

$$|a\mathrm{d}t| = |v\mathrm{d}\theta| \tag{II.18}$$

où $|a| = \| \vec{a} \|$ est le module de l'accélération. En combinant les relations (II.17) et (II.18), on obtient le résultat cherché :

$$|a| = \left| v\,\frac{\mathrm{d}\theta}{\mathrm{d}t} \right| = |v|\left(\frac{|v|}{R}\right) = \frac{v^2}{R} \tag{II.19}$$

ou encore :

$$|a| = \left| v \frac{d\theta}{dt} \right| = \left(R \left| \frac{d\theta}{dt} \right| \right) \left| \frac{d\theta}{dt} \right| = R \left(\left| \frac{d\theta}{dt} \right| \right)^2 = R|\dot\theta|^2 = R\omega^2 \tag{II.20}$$

On retrouve ainsi un résultat bien connu.

2)   COMPOSANTES DE L'ACCÉLÉRATION

A présent que nous sommes familiarisés avec la représentation géométrique de l'accélération dans un cas simple, c'est vers la mathématique qu'il faut nous tourner pour la calculer, les yeux fermés, dans le cas général. Par exemple, si les composantes cartésiennes de $\vec{v}(t)$ sont connues, on obtient à partir de l'expression (II.10) :

$$\vec{a}(t) = \frac{d\vec{v}(t)}{dt} = \frac{d^2x(t)}{dt^2}\vec{i} + \frac{d^2y(t)}{dt^2}\vec{j} + \frac{d^2z(t)}{dt^2}\vec{k} \tag{II.21}$$

Les composantes cartésiennes de $\vec{a}(t)$ sur les axes ox, oy et oz sont donc respectivement :

$$a_x(t) = \frac{d^2x(t)}{dt^2}; \; a_y(t) = \frac{d^2y(t)}{dt^2}; \; a_z(t) = \frac{d^2z(t)}{dt^2} \tag{II.22}$$

Ce sont les dérivées secondes, par rapport à t, des composantes du vecteur position, $\vec{r}(t)$.

Si l'on a exprimé $\vec{v}(t)$ à l'aide des coordonnées polaires, l'expression (II.13) fournit :

$$\vec{a} = \frac{d\vec{v}}{dt} = \frac{d^2r}{dt^2}\vec{u} + \frac{dr}{dt}\frac{d\vec{u}}{d\theta}\frac{d\theta}{dt} + \frac{dr}{dt}\frac{d\theta}{dt}\vec{n} + r\frac{d^2\theta}{dt^2}\vec{n} + r\frac{d\theta}{dt}\frac{d\vec{n}}{d\theta}\frac{d\theta}{dt}$$

soit, avec les notations usuelles :

$$\vec{a} = \ddot{r}\vec{u} + \dot{r}\dot\theta\frac{d\vec{u}}{d\theta} + \dot{r}\dot\theta\vec{n} + r\ddot\theta\vec{n} + r\dot\theta^2\frac{d\vec{n}}{d\theta}$$

où $\ddot{r} = d^2r/dt^2$ et $\ddot\theta = d^2\theta/dt^2$. Sachant que $\dfrac{d\vec{u}}{d\theta} = \vec{n}$ et que $\dfrac{d\vec{n}}{d\theta}$ est un vecteur unitaire tourné de $\pi/2$ par rapport à $\vec{n}$, donc équivalent à $-\vec{u}$, l'expression précédente devient :

$$\boxed{\vec{a} = (\ddot{r} - r\dot\theta^2)\,\vec{u} + (r\ddot\theta + 2\dot{r}\dot\theta)\,\vec{n}} \tag{II.23}$$

Dans la formule (II.23), le premier terme et le second sont appelés respectivement accélération radiale et accélération orthoradiale, orthoradiale signifiant perpendiculaire à radiale. Dans le cas d'un mouvement rectiligne, on a $\dot\theta = \ddot\theta = 0$ et donc $\vec{a} = \ddot{r}\vec{u}$. Pour un mouvement circulaire, qu'il soit uniforme ou non, $\dot{r} = \ddot{r} = 0$, et l'on a, avec $r = R$:

$$\vec{a} = R\ddot\theta\vec{n} - R\dot\theta^2\vec{u} \tag{II.24}$$

Ainsi, dans le cas particulier du mouvement circulaire uniforme caractérisé par $|\dot{\theta}| = \omega = $ cte (donc $\ddot{\theta} = 0$), l'accélération est purement radiale (portée par $\vec{r}$; ici dans la direction de $-\vec{u}$) et de module $R\omega^2$. Si le mouvement n'est pas uniforme, la célérité angulaire ω n'est pas constante et, à cette composante centripète purement radiale, s'ajoute une composante de module $R|\ddot{\theta}|$ le long de $\vec{n}$ (c'est-à-dire sur un axe perpendiculaire à $\vec{r}$). C'est la composante dite tangentielle du mouvement circulaire : elle est portée par la tangente orientée à la trajectoire.

3)   ACCÉLÉRATIONS TANGENTIELLE ET NORMALE

Sauf dans le cas de mouvements circulaires, où les deux formulations sont identiques, il est souvent plus commode d'exprimer $\vec{a}$ par ses composantes dites normale et tangentielle définies sur la figure II.8. On les calcule aisément à partir de la vitesse exprimée à l'aide du vecteur unitaire $\vec{\tau}$ et de la dérivée de l'abscisse curviligne, c'est-à-dire à partir de la formule (II.9). On obtient alors :

$$\vec{a} = \frac{\mathrm{d}}{\mathrm{d}t}\left(\frac{\mathrm{d}s}{\mathrm{d}t}\vec{\tau}\right) = \frac{\mathrm{d}^2 s}{\mathrm{d}t^2}\vec{\tau} + \frac{\mathrm{d}s}{\mathrm{d}t}\frac{\mathrm{d}\vec{\tau}}{\mathrm{d}t} \tag{II.25}$$

Mais $\dfrac{\mathrm{d}\vec{\tau}}{\mathrm{d}t}$ est un vecteur orthogonal à $\vec{\tau}$ donné par :

$$\frac{\mathrm{d}\vec{\tau}}{\mathrm{d}t} = \frac{\mathrm{d}\vec{\tau}}{\mathrm{d}\theta}\frac{\mathrm{d}\theta}{\mathrm{d}s}\frac{\mathrm{d}s}{\mathrm{d}t} = \frac{v}{\rho}\vec{v}$$

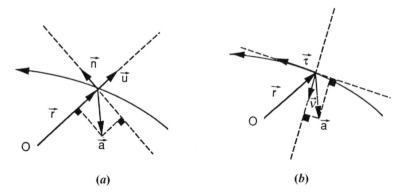

Figure II.8

Sur la figure (a) l'accélération $\vec{a}$ est explicitée selon ses composantes radiale (projection sur l'axe portant $\vec{u}$) et orthoradiale (projection sur l'axe portant $\vec{n}$), alors que la figure (b) donne son développement selon les composantes tangentielles (projection sur l'axe portant $\vec{\tau}$) et normale (projection sur l'axe portant $\vec{v}$). Quelle que soit la représentation choisie, le module de $\vec{a}$ est donné par la racine carrée de la somme des carrés des deux composantes.

où $v = \dfrac{ds}{dt}$ est la vitesse en valeur algébrique, $\rho = \dfrac{ds}{d\theta}$ est ce que l'on appelle le rayon de courbure de la trajectoire, et où $\vec{v} = \dfrac{d\vec{\tau}}{d\theta}$ est un vecteur unitaire tourné de $\pi/2$ par rapport à $\vec{\tau}$, donc orthogonal à $\vec{\tau}$. La formule (II.25) peut donc être récrite :

$$\vec{a} = \frac{dv}{dt}\,\vec{\tau} + \frac{v^2}{\rho}\,\vec{v} \qquad\qquad (II.26)$$

Le premier terme de cette formule représente l'accélération tangentielle : cette composante de $\vec{a}$ est portée par la tangente orientée à la trajectoire. Le second terme porte le nom d'accélération normale : cette composante de $\vec{a}$ est alignée sur la « normale orientée » à la trajectoire, c'est-à-dire sur un axe perpendiculaire à la tangente et orienté dans une direction déduite de celle de $\vec{\tau}$ par rotation de $\pi/2$ dans le sens trigonométrique.

Dans le cas d'un mouvement circulaire, on notera que le rayon de courbure, ρ, n'est autre chose que le rayon R du cercle trajectoire, puisque l'on a alors : $ds = R d\theta$ et donc $ds/d\theta = R$. On retrouve ainsi la formule (II.24) puisque dans ce cas, d'une part $\vec{v} = -\vec{u}$ et $\vec{\tau} = \vec{n}$, d'autre part, $v^2/R = R\omega^2 = R\dot{\theta}^2$ et $\dfrac{dv}{dt} = \dfrac{d}{dt}\left(\dfrac{ds}{dt}\right) = \dfrac{d}{dt}\left(\dfrac{R d\theta}{dt}\right) = R\ddot{\theta}$.

L'un des avantages d'utiliser les composantes normale et tangentielle de $\vec{a}$ est de montrer clairement que l'accélération est purement normale si la vitesse du mouvement ne change qu'en direction et pas en module (donc $dv/dt = 0$). La formule (II.26) montre également que l'accélération est entièrement déterminée lorsque l'on connaît les deux fonctions attachées au mouvement que sont $v(t)$, la vitesse instantanée en valeur algébrique, et $\rho(t)$, le rayon de courbure instantané (c'est-à-dire à chaque instant).

IV   Relativité du mouvement

Jusqu'à présent, nous avons décrit et calculé les caractéristiques des mouvements dans un référentiel donné. Cependant, au début du chapitre nous avons vu que la trajectoire d'un point matériel, et par extension de tout objet, n'est qu'une apparence visuelle : elle n'est pas la même dans deux référentiels distincts. La figure (II.1) en est une illustration claire. Ceci vaut également pour la vitesse et l'accélération : ces deux fonctions cinématiques ne prennent pas les mêmes valeurs dans deux référentiels distincts. C'est ce que nous allons montrer maintenant.

Soient deux référentiels R et R' centrés respectivement en O et O', et soit un événement E survenant à un instant T, noté t dans R et t' dans R', ayant lieu au point M, repéré dans R et R' respectivement par $\vec{r}(t) = \overrightarrow{OM}(t)$ et $\vec{r}'(t') = \overrightarrow{O'M}(t')$ (cf. fig. II.9). Soient encore, $\vec{v}(t)$ et $\vec{v}'(t')$, $\vec{a}(t)$ et $\vec{a}'(t')$, les vitesses et les accélérations associées aux mouvements décrits respectivement dans R et R'.

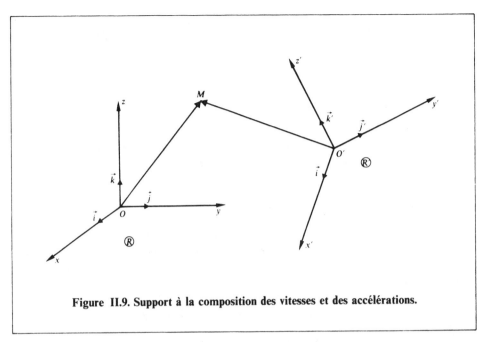

Figure II.9. Support à la composition des vitesses et des accélérations.

Afin d'obtenir les relations entre, d'une part $\vec{v}(t)$ et $\vec{v}'(t')$, et d'autre part $\vec{a}(t)$ et $\vec{a}'(t')$, écrivons tout d'abord la relation qui existe entre les deux descriptions spatio-temporelles du même événement E, vu dans R et R'. Le point de vue adopté en mécanique classique simplifie apparemment les choses puisque l'espace et le temps y sont traités séparément. Mais alors, au lieu d'avoir une seule relation spatio-temporelle, on a deux relations découplées, à savoir :

a) $t = t'$ (approximation d'un temps universel)

b) $\overrightarrow{OM} = \overrightarrow{OO'} + \overrightarrow{O'M}$ (dans un espace supposé euclidien) $\Bigg\}$ (II.27)

Puisqu'ici $t = t'$, il est en effet inutile de préciser, dans la relation spatiale (b), de quel temps il s'agit. Nous en ferons de même pour les vitesses et les accélérations que nous noterons simplement $\vec{v}$, $\vec{v}'$, $\vec{a}$ et $\vec{a}'$.

Pour établir les formules de composition des vitesses et des accélérations, nous adopterons ici la représentation cartésienne. Dans cette représentation, les vecteurs position s'écrivent :

$$\vec{r}(t) = \overrightarrow{OM} = x\,\vec{i} + y\,\vec{j} + z\,\vec{k} \atop \vec{r}'(t) = \overrightarrow{O'M} = x'\vec{i}' + y'\vec{j}' + z'\vec{k}' \Bigg\}$$ (II.28)

où $(\vec{i}, \vec{j}, \vec{k})$ et $(\vec{i}', \vec{j}', \vec{k}')$ sont les vecteurs de base attachés aux référentiels R et R', respectivement (cf. fig. II.7). Quant aux coordonnées cartésiennes, x, y, z, x', y', z', ce sont toutes des fonctions du temps.

Nous supposerons, de plus, que le problème est posé en ces termes : sachant qu'un observateur lié à R connaît toutes les caractéristiques d'un mouvement, comment peut-il se figurer les caractéristiques de ce mouvement telles qu'elles apparaissent à un observateur lié à R' mais en mouvement par rapport à R? En termes plus précis : sachant qu'un physicien lié à R a repéré t et $\overrightarrow{OM}$ et qu'il en a déduit $\vec{v}$ et $\vec{a}$, comment un mathématicien, connaissant tous ces résultats et l'état de mouvement de R' par rapport à R, pris immobile, peut-il calculer les valeurs de $\vec{v}'$ et $\vec{a}'$ attendues dans le référentiel R'? Poser ainsi le problème sous entend que les vecteurs de base $\vec{i}, \vec{j}$ et $\vec{k}$ sont fixes et donc indépendants du temps, alors que les vecteurs de base $\vec{i}', \vec{j}'$ et $\vec{k}'$ sont fonctions du temps puisque R' est en mouvement quelconque par rapport à R (translation, rotation, ou agitation frénétique combinant les deux).

1) COMPOSITION DES VITESSES EN CINÉMATIQUE CLASSIQUE

Pour obtenir la relation cherchée entre $\vec{v}$ et $\vec{v}'$, dérivons, par rapport à t, la relation (II.27 b) après avoir exprimé $\overrightarrow{O'M}$ dans la base cartésienne par la formule (II.28). On obtient :

$$\frac{d\overrightarrow{OM}}{dt} = \frac{d\overrightarrow{OO'}}{dt} + \frac{dx'}{dt}\vec{i}' + x'\frac{d\vec{i}'}{dt} + \frac{dy'}{dt}\vec{j}' + y'\frac{d\vec{j}'}{dt} + \frac{dz'}{dt}\vec{k}' + z'\frac{d\vec{k}'}{dt}$$

On peut récrire cette expression sous la forme :

$$\boxed{\vec{v} = \vec{v}' + \vec{v}_e} \tag{II.29}$$

où le vecteur $\vec{v}_e$, appelé vitesse d'entraînement, est défini par :

$$\vec{v}_e = \frac{d\overrightarrow{OO'}}{dt} + x'\frac{d\vec{i}'}{dt} + y'\frac{d\vec{j}'}{dt} + z'\frac{d\vec{k}'}{dt} \tag{II.30}$$

Il représente la vitesse du point M', lié à R', qui coïncide avec le point matériel mobile lorsqu'il est repéré en M à l'instant t.

La relation (II.29) est la formule de composition des vitesses en cinématique classique*. En effet, par définition de la vitesse, on a, dans R, $d\overrightarrow{OM}/dt = \vec{v}$, et l'on reconnaît la représentation cartésienne de $\vec{v}'$, vitesse exprimée dans R', en l'expression :

$$\vec{v}' = \frac{dx'}{dt}\vec{i}' + \frac{dy'}{dt}\vec{j}' + \frac{dz'}{dt}\vec{k}' \tag{II.31}$$

On peut donc énoncer le résultat de la façon suivante : la vitesse dans R est la somme vectorielle de la vitesse dans R' et de la vitesse d'entraînement de R' par rapport à R.

---

* Cette formule n'est valable que si les approximations de la mécanique classique sont justifiées. La cinématique relativiste la met en défaut, comme en atteste le fait que la vitesse de la lumière est indépendante du référentiel où on la mesure (cf. appendice; formule A.8).

Pour comprendre ce que représente $\vec{v}_e$, notons tout d'abord que si le mouvement de R' par rapport à R est uniquement un mouvement de translation, c'est-à-dire si $\vec{i}', \vec{j}'$ et $\vec{k}'$ gardent leur direction initiale au cours du temps, alors $\dfrac{d\vec{i}'}{dt} = \dfrac{d\vec{j}'}{dt} = \dfrac{d\vec{k}'}{dt} = 0$ et la formule (II.30) devient :

$$\vec{v}_e = \frac{d\overrightarrow{OO'}}{dt} \text{ (cas de la translation)} \tag{II.32}$$

Ainsi, dans ce cas particulier, la vitesse d'entraînement est simplement la vitesse de O' par rapport à O, autrement dit c'est la vitesse de translation du référentiel R' par rapport au référentiel R.

Comme tout mouvement peut être décomposé en la somme d'un mouvement de translation et d'un mouvement de rotation, il faut en conclure que, dans la formule (II.29), les termes autres que $d\overrightarrow{OO'}/dt$ décrivent à eux trois le mouvement de rotation de R' par rapport à R. Nous reviendrons longuement sur cette conclusion au chapitre IV, dès qu'il faudra l'utiliser. Retenons pour l'instant que, la vitesse d'entraînement caractérise le mouvement de R' par rapport à R.

2) COMPOSITION DES ACCÉLÉRATIONS EN CINÉMATIQUE CLASSIQUE

La relation entre $\vec{a}$ et $\vec{a}'$ est obtenue en dérivant par rapport à t la relation (II.29). Compte tenu des expressions (II.31) et (II.30), elle s'écrit :

$$\boxed{\vec{a} = \vec{a}' + \vec{a}_e + \vec{a}_c} \tag{II.33}$$

où $\vec{a}$ est l'accélération dans R, $\vec{a}'$ est l'accélération dans R', $\vec{a}_e$ est l'accélération d'entraînement, et où $\vec{a}_c$ est l'accélération dite de Coriolis. L'expression cartésienne de $\vec{a}'$ est :

$$\vec{a}' = \frac{d^2 x'}{dt^2} \vec{i}' + \frac{d^2 y'}{dt^2} \vec{j}' + \frac{d^2 z'}{dt^2} \vec{k}' \tag{II.34}$$

Comme pour la vitesse d'entraînement, l'accélération d'entraînement est l'accélération du point M' lié à R' qui coïncide avec le point matériel lorsqu'il est repéré en M à l'instant t. Elle caractérise le mouvement de R' par rapport à R. Sa représentation cartésienne est :

$$\vec{a}_e = \frac{d^2 \overrightarrow{OO'}}{dt^2} + x' \frac{d^2 \vec{i}'}{dt^2} + y' \frac{d^2 \vec{j}'}{dt^2} + z' \frac{d^2 \vec{k}'}{dt^2} \tag{II.35}$$

Quant à l'accélération de Coriolis, qui regroupe deux contributions égales, son expression cartésienne est :

$$\vec{a}_c = 2 \left(\frac{dx'}{dt} \frac{d\vec{i}'}{dt} + \frac{dy'}{dt} \frac{d\vec{j}'}{dt} + \frac{dz'}{dt} \frac{d\vec{k}'}{dt} \right) \tag{II.36}$$

Nous l'étudierons en détail au chapitre IV, mais notons dès maintenant qu'elle s'annule dans deux cas particuliers : d'une part, si le point matériel est immobile dans R', puisqu'alors $\dfrac{dx'}{dt} = \dfrac{dy'}{dt} = \dfrac{dz'}{dt} = 0$, et d'autre part si le mouvement de R' par rapport à R est uniquement une translation, car alors $\dfrac{d\vec{i'}}{dt} = \dfrac{d\vec{j'}}{dt} = \dfrac{d\vec{k'}}{dt} = 0$. Dans le premier cas particulier cité, la formule (II.33) se réduit à :

$$\vec{a} = \vec{a}_e \text{ (objet fixe dans } R') \tag{II.37}$$

Dans le deuxième cas particulier, elle devient :

$$\vec{a} = \vec{a}' + \frac{d^2\overrightarrow{OO'}}{dt^2} \text{ (uniquement translation)} \tag{II.38}$$

Si, de plus, la translation de R' par rapport à R est uniforme, on obtient la propriété remarquable suivante :

$$\vec{a} = \vec{a}' \text{ (translation uniforme)} \tag{II.39}$$

Dans ce cas très particulier, les accélérations exprimées dans R et R' sont donc identiques.

V   Conclusions

Partant d'une notion à caractère géométrique, l'espace, nous avons construit, grâce au temps, deux notions dérivées : la vitesse et l'accélération. Pour l'instant nous les avons confinées dans un cadre très restreint : la cinématique, que l'on sépare conventionnellement de la dynamique pour simplifier la présentation des choses. Autrement dit, nous venons d'en faire une partie réduite à sa portion géométrique.

Le chapitre suivant consiste à transplanter la vitesse, l'accélération et la notion de point matériel dans leur cadre physique. Pour cela il va falloir introduire trois autres notions : l'inertie, la force et la masse. Ensuite nous reviendrons sur les changements de référentiel. C'est alors seulement que nous approfondirons les formules cinématiques qui les caractérisent.

Exercices

II.1. Bien qu'à l'échelle macroscopique les solides, et donc les référentiels, soient formés d'atomes en agitation frénétique et perpétuelle, dites pourquoi on peut néanmoins parler, à l'échelle macroscopique, de solides indéformables.

II.2. Après vous être documentés en bibliothèque sur les modules d'élasticité des solides, citer les meilleurs matériaux à employer pour construire un référentiel. (S)

II.3. Si l'on utilisait un référentiel en acier, dites jusqu'à quel freinage on pourrait le soumettre quand on s'impose une précision du millième sur les mesures de longueur.

II.4. Si les dimensions de tous les objets variaient sans cesse au cours du temps de façon synchrone et homothétique, de sorte que vous-même, vos mètres, vos chronomètres, vos référentiels, les mobiles étudiés, etc., aient perpétuellement les mêmes rapports de longueur, alors pourriez-vous vous en apercevoir? Si oui, par quel type de mesures? (S)

II.5. Nous avons noté que, pour décrire des objets ayant des dimensions de l'ordre de celles des molécules, ou inférieures, il faut faire appel à la mécanique quantique. Dites alors en quel sens la notion de point matériel reste utilisable en mécanique classique. (S)

II.6. Après avoir introduit les notions « d'espace courbe » et de géométries non euclidiennes, Jean Perrin ajoute « *Enfin, l'observation peut même suggérer (pour l'espace) des structures feuilletées qui seraient définies sans être rigides, le référentiel devenant un continuum déformable de points qui restent individuellement reconnaissables. Il est clair par exemple qu'après avoir numéroté les tentacules d'un poulpe et sur chaque tentacule les ventouses, on saurait toujours reconnaître la ventouse 7 du tentacule 3. Et plus simplement encore, que notre corps se déforme ou non, nous nous faisons comprendre si nous disons qu'une mouche est passée de notre coude gauche sur notre genou droit.* » A partir de ce paragraphe tiré du livre « Les éléments de la physique » (8), citez des cas où un référentiel déformable s'avère plus utile qu'un référentiel indéformable. Dites pourquoi. (S)

II.7. Vous avez tous vu un compteur de voiture ou de bicyclette. Y-a-t'il dedans un chronomètre? Un opérateur en train de calculer la dérivée de la position à chaque instant? Dites comment il fonctionne techniquement pour être capable de donner à vue le module de la vitesse instantanée, c'est-à-dire la célérité. (S)

II.8. Nous utiliserons très souvent par la suite l'équation des coniques en coordonnées polaires, soit :

$$r = -\frac{p}{1 + e \cos \theta} \qquad \begin{cases} e = 0 : \text{cercle de rayon } p. \\ 0 < e < 1 : \text{ellipse.} \\ e = 1 : \text{parabole.} \\ e > 1 : \text{hyperbole.} \end{cases}$$

où les constantes p et e sont appelées respectivement le paramètre et l'excentricité de la conique. Pour nous familiariser avec cette équation polaire, nous commencerons par le cas de l'ellipse.

1) Tracez, point par point (par exemple $\theta = 0$, $\pi/4$, $\pi/2$, $2\pi/3$, $5\pi/3$, $5\pi/6$, π), la courbe définie par $e = 0,75$ et $p = 3,5$ cm, vérifiez qu'il s'agit effectivement d'une ellipse dont l'un des foyers coïncide avec l'origine O du repère et dont le grand axe est sur l'axe polaire.
2) Exprimez les valeurs maximum et minimum de r, notées respectivement Q et q, en fonction de p et e. En déduire que le grand axe de l'ellipse, notée $2a$, est donné par : $2a = 2p/(1 - e^2)$.
3) Vérifiez que la constante e est donnée par $(Q - q)/(Q + q)$, d'où son nom d'excentricité.
4) Montrez que, pour $e \geq 1$, r peut être infini et qu'en conséquence l'équation ne peut plus décrire une ellipse ou un cercle. Quelles sont les asymptotes dans ce cas?

II.9. Une rame de métro partant du repos a une accélération égale à 2 ms^{-2} pendant 10 secondes. Elle roule ensuite pendant 50 secondes à célérité constante, puis freine avec une accélération égale à − 1,5 ms^{-2} pour s'arrêter à la station suivante. Quelle est la distance entre les deux stations ? (S)

II.10. Une voiture (R) roule à la vitesse de 100 km/h lorsque son conducteur aperçoit devant lui, à une distance $d = 30$ m, une voiture (L) roulant à la vitesse de 40 km/h. Il freine alors avec une accélération a_R, alors que le conducteur (L), réalisant le danger, accélère avec $a_L = 1,5$ ms^{-2}. Quelle condition doit vérifier a_R pour éviter la collision ? (S)

II.11. Les équations du mouvement d'un point M sont données, en coordonnées cartésiennes, par : $x = A \cos (at^2 + bt + c)$ et $y = A \sin (at^2 + bt + c)$ où A est une constante positive et a, b et c des constantes. Déterminer :

a) la trajectoire du point M,
b) les équations du mouvement en coordonnées polaires,
c) les composantes radiale et orthoradiale de la vitesse et de l'accélération,
d) la nature du mouvement,
e) la signification physique de A, a, b et c,
f) la dépendance en temps de l'abscisse curviligne,
g) les composantes tangentielle et normale de la vitesse et de l'accélération. (S)

II.12. Un bateau vogue plein Sud à 20 nœuds, alors qu'un deuxième bateau se dirige vers le Sud-Est à 14 nœuds. Déterminer la vitesse du second bateau par rapport à celle du premier et réciproquement (1 nœud = 1 mille marin par heure, le mille marin correspondant à 1 minute d'arc de méridien soit 1 852 m). (S)

II.13. Un avion s'envole de Brest vers Bâle. Sa célérité, constante, par rapport à l'air est égale à 360 km/h et le vent souffle du Nord-Ouest à 60 km/h. Quel doit être le cap suivi par le pilote et quelle est la durée du voyage ? Les conditions n'ayant pas changé, mêmes questions pour le voyage de retour. On admettra que Brest est à l'Ouest de Bâle à environ 1 000 km. (S)

II.14. Un manège d'enfants tourne avec une vitesse angulaire ω constante. Le propriétaire doit, pour ramasser les tickets, parcourir la plate-forme en rotation.

A) Partant du centre, il suit un rayon de la plate-forme avec un mouvement de célérité v par rapport au manège.
1) Établir les équations du mouvement du propriétaire dans un référentiel R' lié au manège ; elles décrivent le mouvement vu par les enfants. Établir ensuite celles-ci dans un référentiel R lié au sol ; elles correspondent au mouvement observé par les parents.
2) Déterminer la vitesse du propriétaire dans le référentiel R, d'abord à partir des équations de son mouvement, puis en utilisant les lois de composition des mouvements.
B) Le propriétaire parcourt maintenant la plate-forme en suivant un arc de cercle de rayon r_0, concentrique à la plate-forme, avec une célérité linéaire constante (par rapport au manège), soit $r_0 \omega'$. Reprendre l'ensemble des questions précédentes. Que se passe-t-il en particulier si $\omega' = - \omega$? (S)

CHAPITRE III

Dynamique classique : inertie, forces et masse

Après avoir décrit des mouvements sans nous soucier de ce qui les produit, nous allons maintenant chercher à les interpréter. L'objet de la dynamique est, en effet, de trouver, sinon les causes des mouvements, du moins le « je ne sais quoi » qui les régit. Il existe plusieurs façons d'atteindre ce but. Ici, j'exposerai uniquement la démarche, introduite par Galilée et formalisée par Newton, qui consiste à invoquer des forces dès qu'un objet change de vitesse.

Plus précisément, Newton fonda la mécanique sur trois lois couplées entre elles : la *loi d'inertie*, la *loi des forces en action* et la *loi des actions réciproques*. Ce sont ces lois qu'on préfère appeler aujourd'hui le principe d'inertie, le principe fondamental de la dynamique et le principe de l'action et la réaction. Bien que ces trois principes ne puissent être admis l'un sans l'autre, je suis bien obligé de les présenter un par un. Je commenterai donc successivement les deux premiers, en faisant parfois allusion au troisième, le principe de l'action et la réaction, sur lequel j'insisterai au chapitre VI. J'adopterai ici son énoncé standard : les forces qu'exercent l'un sur l'autre deux objets ont même intensité mais des sens opposés.

I   Principe d'inertie

C'est Galilée qui eût l'intuition du principe d'inertie (4), que près d'un siècle plus tard Newton énonça de la façon suivante : « *Tout corps persévère dans l'état de repos ou de mouvement uniforme en ligne droite dans lequel il se trouve, à moins que quelque force n'agisse sur lui et ne le contraigne à changer d'état* ».

Cet énoncé contient en fait deux notions imbriquées l'une dans l'autre. Sa première partie définit le mouvement inertiel des points matériels comme un mouvement rectiligne uniforme ($\vec{v}(t) = \overrightarrow{\text{cte}}$), avec comme cas particulier le repos. Sa deuxième partie constitue une définition dynamique de la force : on appelera force ce qui fait sortir les points matériels de leur mouvement inertiel, ou, plus généralement, ce qui les fait changer d'état de mouvement.

1)   QU'EST-CE QU'UN PRINCIPE ?

Pour illustrer le principe d'inertie on utilise bien souvent l'exemple du palet gardant à peu près sa vitesse sur une table à coussin d'air. Implicitement on couple alors ce principe avec les deux autres : avec le principe de l'action et la réaction, pour neutraliser le poids du palet par la réaction de la table, et avec le principe fondamental, en invoquant de petites forces de frottement pour répondre à toute objection concernant le faible ralentissement du palet.

Faute de voir ce couplage, on en serait réduit pour chacun d'eux, pris seul, à des tautologies. Par exemple, l'énoncé précédent de Newton se réduirait au fond à ceci : «Les corps vont en ligne droite sauf quand ils n'y vont pas». A moins que l'on préfère ce cercle vicieux : «Quand un corps n'est soumis à aucune force, il garde éternellement sa vitesse. Mais qu'est-ce qu'une force ? C'est ce qui fait que les corps changent de vitesse.»

Arrêtons-nous donc un instant, pour la première fois *, sur le principe d'inertie de façon à comprendre dans quelle logique il se situe. Tout d'abord, avec Poincaré (15), posons-nous la question suivante : *« Est-ce là une vérité qui s'impose a priori à l'esprit ? S'il en était ainsi, comment les Grecs l'auraient-ils méconnue ? Comment auraient-ils pu croire que le mouvement s'arrête dès que cesse la cause qui lui avait donné naissance ? ou bien encore que tout corps, si rien ne vient le contrarier, prendra un mouvement circulaire, le plus noble de tous les mouvements ? ».*

Il est vrai que l'énoncé de Newton ressemble à un a priori sur l'espace. Puisque, pour lui, il existait un *« espace absolu... toujours similaire et immobile »*, réceptacle abstrait de la matière, il devait se l'imaginer, une fois vide, a priori isotrope et homogène, c'est-à-dire sans aucune direction privilégiée. Et dans un espace absolu ainsi conçu, un point matériel unique n'a aucune raison de changer d'état de mouvement : n'étant soumis à aucune interaction, puisqu'il est seul perdu dans l'infini, s'il était au repos il y reste, s'il avait la vitesse $\vec{v}$ il la garde.

Voilà un argument susceptible de faire admettre le principe d'inertie mais le tenir pour un « a priori de la raison » est une source de malentendu, de dogmatisme ou d'illusion. Je le ferai sentir tout au long du livre. Ici je dirai en passant que le point de vue de Newton n'a pas été soutenu par la « raison des Grecs »; que le dix-huitième siècle le jugea « raisonnable »; et qu'il fût contesté par la « raison d'Einstein » au cours du vingtième siècle. J'ajouterai que les idées de Newton ne sont pas nées dans une seule pomme. Elles s'enracinent sur celles de Galilée qui, par un doux mélange d'observations, de modèles, de théories, d'expériences (et de bien d'autres choses encore), était parvenu, un peu plus tôt, à contrarier le point de vue des Grecs; en particulier celui d'Aristote qui, à l'époque, était encore ancré dans « les raisons ».

---

* Je rappelle ce que j'ai dit dans l'introduction de la première partie : nous nous interrogerons périodiquement sur le principe d'inertie jusqu'à la fin du chapitre IV. Le lecteur qui s'inquiéterait de voir énoncer des sortes de tautologies devra s'armer de patience. Il va s'agir *« d'interpréter du visible compliqué par de l'invisible simple »* (J. Perrin, *Les atomes*) ou encore *« d'expliquer le monde visible par des forces invisibles, d'articuler ce qu'on observe sur ce qu'on imagine »* (F. Jacob, *Le jeu des possibles*).

Le cas d'Aristote est instructif : par « bon sens » il passa à côté du principe d'inertie après l'avoir pratiquement énoncé (16). En contemplant la matière (17), il s'était mis en tête que le vide n'existait pas (ce qui n'est pas faux après tout) et pour défendre sa théorie il forgea un raisonnement que l'on peut résumer en langage actuel de la façon suivante : si le vide existait, les objets n'auraient aucune raison de changer leur état de mouvement, puisque rien ne serait là pour les arrêter, les défléchir ou leur donner une direction privilégiée (thèse soutenue par des arguments proches de ceux que Newton employa pour faire admettre le principe d'inertie); or l'observation montre, à l'évidence, que tout objet finit par s'arrêter (ce qui n'est pas faux puisqu'on ne peut réduire les frottements à zéro que dans l'idéal); donc le vide n'existe pas, affirme Aristote, content de fonder sa théorie du « vide impossible » sur des faits bruts. Il n'y a pas d'erreur dans son syllogisme, si ce n'est de croire aux faits bruts alors que pour fonder une théorie physique il faut être capable d'extrapoler ces faits dans l'idéal, en l'occurence d'extrapoler le mouvement des objets à la limite des frottements nuls (18). C'est ce que sut faire Galilée qui pour convaincre utilisa, entre autre, des plans inclinés. Si Aristote, l'observateur « naïf », avait pu s'entendre avec Platon, le « concepteur » d'un monde idéal (19), peut-être auraient-ils abouti ensemble au principe d'inertie.

Cette leçon de l'histoire mérite d'être retenue car elle met à l'abri à la fois de l'empirisme étroit et de l'idéalisme forcené. Il faut se faire à l'idée qu'un principe n'est ni un a priori de la raison, ni le résultat d'observations naïves. Dans une recherche vivante le « raisonnement » et « l'art d'observer » évoluent simultanément. Une expérience digne de ce nom met en jeu les deux à la fois : sans pour autant nous dire ce qui serait « définitivement vrai », elle nous permet de contrer les théories inadéquates ou incorrectes. Sans nous confronter à divers types d'expériences, notre raison et nos techniques risqueraient de rester figées ou de se mettre à délirer. C'est en se référant à des expériences modélisées (l'étude du mouvement des planètes et de la chute des corps) que la mécanique de Newton a fini par être acceptée. C'est encore de cette façon (l'étude des phénomènes électromagnétiques, synthétisée depuis Maxwell) que le point de vue d'Einstein a réussi à s'imposer. Mais l'histoire ne s'arrêtera probablement pas là : rien ne nous permet d'affirmer aujourd'hui que la mécanique relativiste est « vraie ». On doit se contenter de dire que la mécanique d'Aristote est loin du compte et que celle de Newton est incorrecte. Popper, dans son livre « La logique de la découverte scientifique » (20), croit trouver dans cette remarque la « définition » des sciences. Pour lui, est scientifique celui qui accepte que ses théories soient réfutables par des expériences, tout en sachant qu'il n'atteindra jamais à travers elles ce qui est vrai, mais déjà le plaisir de rejeter ce qui est faux.

Poincaré suggérait un point de vue comparable, il y a maintenant près d'un siècle (mais* il n'en fit pas « le » critère de reconnaissance des « vrais » scientifiques). En particulier, il écrivait à la suite de la citation donnée précédemment : *« Le principe d'inertie, qui n'est pas une vérité a priori, est-il donc un fait expérimental? Mais a-t-on*

---

* Un « vrai scientifique » ne peut pas tenir pour vrai le critère de Popper sans devenir un « faux scientifique » selon le dit critère.

jamais expérimenté sur des corps soustraits à l'action de toute force, et si on l'a fait, comment a-t-on su que ces corps n'étaient soumis à aucune force? On cite ordinairement l'exemple d'une bille roulant un temps très long sur une table de marbre; mais pourquoi disons-nous qu'elle n'est soumise à aucune force? Est-ce parce qu'elle est trop éloignée de tous les autres corps pour pouvoir en éprouver aucune action sensible? Elle n'est pas cependant plus loin de la terre que si on la lançait librement dans l'air; et chacun sait que dans ce cas elle subirait l'influence de la pesanteur due à l'attraction de la terre ».

L'exemple de la bille roulant indéfiniment sur une table parfaitement horizontale est typique. Sans même se poser de questions sur ce que signifie concrètement « être horizontal », en illustrant ainsi le principe d'inertie il faut, d'une part indiquer qu'on extrapole au cas des frottements nuls, ce qui n'est concevable qu'idéalement, et d'autre part, coupler ce principe à celui de l'action et la réaction selon lequel la force d'attraction de la terre sur la bille est strictement compensée par la force de réaction de la table. Il faut encore ajouter que dans ces conditions, « tout se passe comme si » la bille était soumise à une force nulle et même à pas de force du tout.

Est-ce à dire que l'exemple de la bille est une escroquerie? Bien au contraire. Si on le présente en débusquant tous les sous-entendus, c'est une parfaite illustration de ce qu'est un principe et en particulier le principe d'inertie : un des piliers d'une théorie physique qu'aucune expérience n'a encore contredite.

Au cours du vingtième siècle le principe d'inertie a été remis en cause par deux fois, sous le nom de « principe de relativité ». Néanmoins on a réussi à le sauvegarder en modifiant le sens de certaines notions : tout d'abord celles d'espace et de temps, puis celles d'inertie et de gravitation. Patience, nous verrons comment au chapitre suivant.

2) LE PROBLÈME DU RÉFÉRENTIEL

Jusqu'ici nous ne nous sommes pas posés le problème du choix d'un référentiel. Notre intuition nous dit qu'un bateau sur une mer agitée, une voiture en train de freiner ou de virer, un manège en fonctionnement, etc., ne sont pas de bons référentiels pour illustrer le principe d'inertie. Un observateur fixé, par exemple, au mât d'un bateau et insensible à toute agitation, aurait l'impression que les objets déposés sur le pont se mettent en mouvement sans cause apparente. Il serait prêt à énoncer le « principe de chaos » suivant : les objets livrés à eux-mêmes se mettent spontanément en mouvement dans des directions imprévisibles. Ainsi fondée, la science sur un bateau n'avancerait pas très vite.

Il n'est pas question de signifier par là qu'on ne peut pas faire de physique en prenant comme référentiel un bateau sur une mer agitée. Simplement, la description des phénomènes y est compliquée et le principe d'inertie n'y est pas reconnu (car le bateau est sans cesse accéléré par rapport à la terre ferme et de même pour la voiture, le manège, etc.). En effet, supposons un instant que la terre soit un bon référentiel pour illustrer le principe d'inertie. Supposons de plus que ce principe y soit effectivement respecté, c'est-à-dire qu'un objet mis à l'abri de toute force y soit observé en mouvement rectiligne uniforme ($\vec{v} = \overrightarrow{\text{cte}}$). Ceci revient à dire que dans ce référentiel R

l'objet en question n'est pas accéléré, soit $\vec{a}_R = 0$. Soit maintenant un deuxième observateur fixé à un référentiel R' en mouvement par rapport à R. Cet observateur trouvera que le mouvement de cet objet se caractérise par une accélération $\vec{a}_{R'}$ reliée à $\vec{a}_R$ par la formule (II.33), à savoir :

$$\vec{a}_{R'} = \vec{a}_R - \vec{a}_e - \vec{a}_c \tag{III.1}$$

On aura donc ici :

$$\vec{a}_{R'} = -(\vec{a}_e + \vec{a}_c) \tag{III.2}$$

Ainsi, bien que $\vec{a}_R$ soit nul, par hypothèse, $\vec{a}_{R'}$ ne l'est pas, sauf dans le cas particulier où R' est en translation uniforme par rapport à R $(\vec{v}_e = \overrightarrow{\text{cte}})$, pour lequel $\vec{a}_e$ et $\vec{a}_c$ sont nuls. En d'autres termes, si R' est accéléré par rapport à R, l'observateur fixé à R' trouvera que l'objet en mouvement rectiligne uniforme dans R ne l'est pas dans son référentiel et qu'en conséquence, le principe d'inertie n'y est pas respecté.

Il n'est donc pas bon de choisir un référentiel accéléré pour illustrer le principe d'inertie. Mais la notion d'accélération est relative et comment être sûr qu'un référentiel n'est pas accéléré? Par exemple, ci-dessus, nous avons pris R' accéléré par rapport à la terre et raisonné comme si la terre ne l'était pas. Or, nous savons que, par rapport au soleil, la terre est accélérée. Le soleil lui-même est accéléré par rapport au centre de notre galaxie, etc. Dès lors, comment être sûr qu'il existe un référentiel non accéléré dans notre univers fait d'objets matériels en perpétuelle interaction, source de leurs changements de vitesse et donc de leurs accélérations?

Il n'est pas nécessaire de répondre dès maintenant à cette question pour illustrer le principe d'inertie à l'aide de l'exemple « d'une bille roulant un temps très long sur une table de marbre » : les murs de la pièce où a lieu l'expérience sont une bonne première approximation d'un référentiel d'inertie. De plus, on pourra corriger cette première approximation en tenant compte de l'influence du mouvement diurne de la terre, et même, si besoin est, de son mouvement autour du soleil. Il suffira pour cela d'utiliser la formule cinématique de composition des accélérations en faisant comme si le soleil, principale source du mouvement de la terre, était un parfait référentiel d'inertie. Si cette deuxième approximation était jugée insuffisante, on pourrait alors tenir compte de l'influence du mouvement du soleil dans la galaxie, etc. Retenons donc pour l'instant que le choix d'un référentiel d'inertie nécessite un certain sens physique. Par exemple, le soleil est une bonne approximation d'un référentiel d'inertie lorsqu'on veut étudier le mouvement de la terre sur son orbite. Le référentiel de Copernic, dont l'origine est au centre du système solaire et les axes sont pointés vers trois étoiles dites « fixes », est une meilleure approximation pour les problèmes astronomiques.

Toutes ces précautions étant prises, on peut maintenant énoncer le principe d'inertie de la façon suivante* :

Un référentiel d'inertie est un référentiel dans lequel un point matériel soumis à une force idéalement nulle est caractérisé par un mouvement rectiligne uniforme.

---

* En mécanique newtonienne il n'est pas indispensable de préciser les limites spatio-temporelles de ce type de référentiels. Quand on sort de ce cadre il faut adopter l'énoncé qui se trouve à la page 112.

II Principe fondamental de la dynamique : énoncés

Ayant admis le principe d'inertie, il faut décrire maintenant comment les corps, sous l'action de forces, changent de vitesse, c'est-à-dire sont accélérés. Pour atteindre ce but, Newton formula une deuxième loi, appelée aujourd'hui principe fondamental de la dynamique.

On peut l'énoncer en ces termes :

Dans un référentiel d'inertie, la vitesse d'un point matériel varie à un rythme proportionnel à la force qui lui est appliquée et inversement proportionnel à sa masse.

Soit, en version mathématique :

$$\frac{\mathrm{d}\vec{v}}{\mathrm{d}t} = \frac{\vec{F}}{m} \tag{III.4}$$

relation valable uniquement dans un référentiel d'inertie. Puisque $\dfrac{\mathrm{d}\vec{v}}{\mathrm{d}t}$ est l'accélération, notée ici $\vec{a}$, un autre énoncé pourrait être :

Dans un référentiel d'inertie, quand une force, $\vec{F}$, s'exerce sur un point matériel de masse m, l'accélération du mouvement est donnée par la relation :

$$\vec{F} = m\vec{a} = m\,\frac{\mathrm{d}\vec{v}}{\mathrm{d}t} = m\,\frac{\mathrm{d}^2\vec{r}}{\mathrm{d}t^2} \tag{III.5}$$

Enfin, la forme la plus naturellement déduite de la loi de conservation de la quantité de mouvement (cf. deuxième partie) est :

$$\boxed{\vec{F} = \frac{\mathrm{d}\vec{p}}{\mathrm{d}t} \ \text{ avec } \ \vec{p} = m\vec{v}} \tag{III.6}$$

où $\vec{p}$ est la quantité de mouvement associée au point matériel de masse m. L'énoncé est alors :

Dans un référentiel d'inertie, quand une force s'exerce sur un point matériel, elle induit une variation de quantité de mouvement par unité de temps qui lui est égale vectoriellement.

On aura remarqué que, dans ces énoncés, il n'est pas fait état de la nature de la force responsable du mouvement. Il peut s'agir tout aussi bien de forces gravitationnelle, électrique, de viscosité, etc., le principe reste le même : il caractérise la relation cherchée entre la grandeur dynamique $\vec{F}$ et la grandeur cinématique $\vec{a}$. Et cette relation est la plus simple que l'on puisse imaginer puisque c'est une relation linéaire.

Remarquons aussi que tous les énoncés précédents commencent par : «Dans un référentiel d'inertie...». C'est pour insister sur le fait que le principe fondamental n'englobe pas logiquement le principe d'inertie, même si dans le cas particulier où $\vec{F} = 0$, la relation (III.5) conduit à $\vec{a} = 0$ (et donc $\vec{v} = \overrightarrow{\text{cte}}$), ce qui caractérise un mouvement rectiligne uniforme. En effet, on ne peut se dispenser d'énoncer à part et en premier le principe d'inertie car c'est lui qui permet de définir la notion de référentiel d'inertie, classe des référentiels dans lesquels le principe fondamental est respecté.

Enfin, les relations (III.4) et (III.5) montrent qu'une force d'intensité donnée communique une accélération d'autant plus grande à un objet qu'il est peu massif. On a donc raison de dire que la masse ici introduite, appelée masse d'inertie, caractérise « la résistance au mouvement » d'un objet, c'est-à-dire sa résistance aux changements de vitesse, ce que l'on nomme encore d'un seul mot, son inertie, d'où vient l'expression : masse d'inertie.

Dans le cadre de la mécanique classique, cette masse est indépendante de la vitesse relative de l'objet considéré. C'est une excellente approximation tant que des vitesses proches de celle de la lumière ne sont pas envisagées. Dans le cas contraire il faut faire appel à la mécanique relativiste et réinterpréter la notion de masse. Par exemple, Einstein introduisit une «masse relativiste» dont la valeur dépend du référentiel, selon la formule :

$$m(v) \equiv m = \frac{m_o}{\sqrt{1 - \beta^2}} = m_o\gamma, \ \text{avec} \ \left. \begin{array}{l} \beta = v/c \\ \gamma = (1 - \beta^2)^{-1/2} \end{array} \right\} \tag{III.7}$$

où m_o est la masse de l'objet quand il est au repos dans ce référentiel, et où v/c est le rapport de sa célérité dans ce référentiel à la célérité de la lumière. Dans cette démarche d'Einstein vers la relativité, la définition de la quantité de mouvement est sauvegardée sous la forme $\vec{p} = m\vec{v}$, mais le concept de masse est changé. Aujourd'hui on préfère réserver le nom de masse à m_o (souvent appelé « masse au repos » ou, mieux, « masse invariante »; cf. chapitre VI) et écrire la quantité de mouvement sous la forme* $\vec{p} = m_o\gamma\vec{v}$. Même si l'on sait qu'il se cache derrière cela deux approches théoriques différentes, on retiendra pour l'instant qu'elles conduisent toutes deux à des valeurs numériques identiques pour $\vec{p}$, selon la relation :

$$\vec{p} \equiv m_o\gamma\vec{v} = m\vec{v}, \ \text{avec} \ m \equiv m(v) = m_o\gamma \tag{III.8}$$

On retiendra aussi que la masse d'un objet composite n'est égale à la somme des masses de ses constituants que dans le cadre des approximations de la mécanique

---

* L'approche historique a pour elle de mettre l'accent sur la stratégie de la découverte : sauvegarder des concepts familiers, ici $\vec{p} = m\vec{v}$, quitte à jouer sur le sens de certains d'entre-eux, ici m. Certes, après pasteurisation et à l'usage, la notion de masse invariante s'intègre mieux dans la formalisation actuelle de la théorie, maintenant pétrifiée jusqu'à nouvel ordre... ou plutôt désordre. Cependant elle fait courir le risque au débutant de passer à côté du message théorique proprement dit : quand on introduit ex-abrupto la relation $\vec{p} = m_0\gamma\vec{v}$, certains en tirent l'impression, voire la conviction, que γ n'est qu'un vulgaire paramètre phénoménologique, voire empirique. L'annexe A devrait permettre au débutant de comprendre qu'il n'en est rien.

classique. Traiter ainsi un objet composite n'est justifié que si ses constituants n'ont pas, à l'intérieur du système, des vitesses proches de celle de la lumière ou, ce qui revient au même, ne subissent pas entre eux des interactions assez fortes pour mettre en jeu des énergies comparables à l'énergie de masse, $m_o c^2$, des dits constituants. Le contre exemple des noyaux atomiques est bien connu : leurs masses sont sensiblement inférieures à la somme des masses des nucléons qui les composent.

La dernière remarque portera sur les unités. Puisque le principe fondamental est applicable à n'importe quel type de force, il est possible de l'utiliser pour obtenir l'équation aux dimensions des forces, à savoir :

$$[F] = MLT^{-2}$$

Il est bon également de l'exploiter pour définir l'unité de force, quelle qu'en soit la nature. Dans le système international (S.I.), cette unité s'appelle le Newton. La formule (III.6) permet la définition suivante :

Le Newton est l'intensité d'une force constante susceptible de faire changer la quantité de mouvement de un (kilogramme) (mètre par seconde) en une seconde ou encore de communiquer une accélération de 1 m/s² à une masse de 1 kg.

Pour fixer les idées, rappelons que l'attraction gravitationnelle de la terre sur vous même équivaut à une force comprise entre 500 et 1 000 Newton, selon votre masse. Ceci correspond, en gros, à la force qu'il vous faudrait exercer sur un objet ayant votre masse, initialement au repos, pour le faire arriver sur vous en une seconde avec une vitesse de 10 m/s.

III Illustration du principe fondamental : modélisation

A titre de première illustration du principe fondamental, nous allons chercher selon quel mouvement glisse, sur une table horizontale, un objet de masse m, attaché à l'extrémité d'un ressort dont l'autre bout est fixe (cf. fig. III.1). Nous allons prendre tout notre temps car la démarche que je vais adopter schématise celle que suit tout physicien devant la plupart des problèmes qu'il rencontre dans ses propres recherches : observer le phénomène, s'en faire une image mentale, c'est-à-dire un modèle, faire des approximations pour se ramener à un cas idéalement simple, le mathématiser, puis le résoudre, et revenir enfin au phénomène pour traiter, si possible, tout ce qui a été négligé comme des petites perturbations.

1) OBSERVATION ET MODÉLISATION DU PHÉNOMÈNE

Le phénomène que nous voulons interpréter est le suivant : un objet attaché à un ressort fixé à l'autre bout glisse sur une table horizontale où il finit par s'arrêter après plusieurs oscillations amorties autour de sa position d'équilibre.

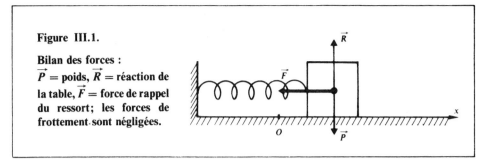

Figure III.1.

Bilan des forces :
$\vec{P}$ = poids, $\vec{R}$ = réaction de la table, $\vec{F}$ = force de rappel du ressort; les forces de frottement sont négligées.

Puisqu'en dernière analyse la matière est faite de particules fondamentales, un réductionniste impénitent dirait que notre problème relève de la physique des hautes énergies, sans même avoir observé le phénomène.

Si, en lui rappelant les arguments du chapitre I, nous arrivons à le convaincre que les particules n'ont rien à faire ici, peut-être nous suggérera-t-il de nous tourner vers la physique atomique et donc de prendre en compte le nombre incalculable de forces atome-atome du système, bien supérieur au nombre d'atomes qui le constituent. Plutôt que de le renvoyer une fois de plus au chapitre I, abandonnons-le pour aller modéliser le problème en invoquant initialement quatre forces : la force de rappel du ressort, notée $\vec{F}$, le poids $\vec{P}$ de l'objet, la réaction $\vec{R}$ de la table et la force de frottement $\vec{f}$ de l'objet sur la table.

Débarrassons-nous sommairement de deux d'entre elles en faisant appel au fait que la réaction de la table, $\vec{R}$, compense strictement le poids $\vec{P}$ de l'objet. Ceci se justifie semi-empiriquement en notant que l'objet ne s'enfonce pas dans la table, ni ne s'envole, ce qui signifie que son accélération est selon l'axe du mouvement, c'est-à-dire sur une ligne horizontale. En conséquence, d'après le principe fondamental, « tout se passe comme si » aucune force n'agissait selon la verticale.

Ainsi, il ne nous reste plus à prendre en compte que $\vec{F}$ et $\vec{f}$. A cette fin, observons encore le phénomène : une fois écarté de sa position d'équilibre, puis lâché, l'objet décrit sur la table des oscillations amorties. Il s'arrête après un certain temps, d'autant plus long que la table est plus lisse. Cette dernière observation nous suggère de rendre la force de frottement responsable de l'amortissement du mouvement, et, passant dans l'idéal, d'imaginer des « oscillations éternelles » si les frottements n'existaient pas.

2) MATHÉMATISATION DU PROBLÈME IDÉAL

Intéressons-nous tout d'abord à ce cas idéal où seule la force $\vec{F}$ est prise en compte et où l'objet peut être assimilé à un point matériel. Limitons-nous à des petits déplacements autour de la position d'équilibre, notée $\vec{x}_E$. Dans ce cas, la force de rappel, exercée par le ressort sur l'objet, est donnée par :

$$\boxed{\vec{F} = -k\,[\vec{x}(t) - \vec{x}_E]}$$

(III.9)

où $\vec{x}(t)$ est la position de l'objet (point matériel) au temps t, et k (exprimé en Newton par mètre), appelé constante de raideur, traduit la proportionnalité qui existe entre la force du ressort et son élongation $(\vec{x} - \vec{x}_E)$. Quant au signe moins dans la formule (III.9), il signifie qu'une force de rappel, comme son nom l'indique, est toujours dirigée vers la position d'équilibre où elle tend à ramener l'objet.

On facilitera l'écriture en prenant l'origine du référentiel au point O coïncidant avec l'objet à l'équilibre. En effet, on a alors $\vec{x}_E = 0$ et l'élongation du ressort $(\vec{x} - \vec{x}_E)$ coïncide avec la position de l'objet, $\vec{x}$. Dans ce référentiel, supposé d'inertie, le principe fondamental, appliqué au système idéal, s'écrit :

$$\vec{a} = \frac{d^2\vec{x}}{dt^2} = \frac{\vec{F}}{m} = -\frac{k}{m}\,\vec{x} \qquad (III.10)$$

On en déduit ce que l'on appelle l'équation du mouvement, à savoir :

$$\frac{d^2\vec{x}}{dt^2} + \frac{k}{m}\,\vec{x} = 0 \qquad (III.11)$$

3)   RÉSOLUTION DU PROBLÈME IDÉAL

Maintenant que nous avons modélisé, puis mathématisé le problème idéal, il ne nous reste plus, pour le résoudre, qu'à trouver les solutions de l'équation (III.11), c'est-à-dire, par définition, les fonctions $\vec{x}(t)$ qui la satisfont. Pour cela, la méthode la plus rapide consiste à se reporter aux ouvrages de mathématique donnant les techniques générales de résolution des « équations différentielles », c'est-à-dire, par définition, des équations où interviennent à la fois des fonctions et leurs dérivées successives*. Ici, l'équation différentielle à résoudre est très simple puisqu'elle ne fait intervenir que la fonction vectorielle $\vec{x}(t)$ et sa dérivée seconde $d^2\vec{x}(t)/dt^2$.

Une autre méthode, fort utile lorsque les mathématiciens n'ont pas la solution de votre problème, ce qui n'est pas le cas ici, consiste à s'inspirer de ce que l'on observe pour deviner le résultat. Par exemple, dans notre cas idéal, nous avons vu que l'on s'attend à des « oscillations éternelles », et ceci nous incite à rechercher les solutions sous la forme :

$$\vec{x}(t) = \vec{A} \cos(\omega_o t + \varphi) \qquad (III.12)$$

où $\vec{A}$ et φ sont des constantes à déterminer et à interpréter, et où ω_o est la pulsation du mouvement oscillatoire escompté, reliée à sa période, T_o, par :

$$\omega_o = 2\,\pi/T_o \qquad (III.13)$$

---

* Ces techniques font partie du programme de mathématique du DEUG-A. On les retrouvera pendant les travaux dirigés et les séances de laboratoire où l'on étudiera divers systèmes oscillants. Je ne ferai appel à aucune d'entre elles dans ce livre où j'insisterai surtout sur la démarche intuitive qui a fait dire au mathématicien Poincaré : «La physique ne nous donne pas seulement l'occasion de résoudre des problèmes..., elle nous fait pressentir la solution».

Pour vérifier notre conjecture, la première chose à faire est de nous assurer que les fonctions vectorielles (III.12) satisfont à l'équation (III.11). Dérivant deux fois les fonctions essayées, $\vec{x}(t)$, on obtient :

$$\frac{d^2\vec{x}}{dt^2} = -\omega_o^2 \,\vec{A}\, \cos(\omega_o t + \varphi) = -\omega_o^2 \,\vec{x} \tag{III.14}$$

Et ceci montre que $\vec{x}$ est solution de l'équation (III.11), quel que soit t, avec la contrainte :

$$\boxed{\omega_o^2 = \frac{k}{m}} \tag{III.15}$$

4) SOLUTIONS PHYSIQUES DU PROBLÈME IDÉAL

La période du mouvement idéal attendu est donc fixée à la fois par la constante de raideur du ressort et la masse de l'objet, selon la relation :

$$T_o = \frac{2\pi}{\omega_o} = 2\pi \sqrt{\frac{m}{k}} \tag{III.16}$$

Au facteur 2π près, les arguments d'analyse dimensionnelle, exposés au chapitre I, montrent qu'on ne pouvait pas espérer autre chose que la formule (III.16), dans le cadre de notre modèle. Nous n'en avons pas fini pour autant.

Pour l'instant, nous sommes en présence d'une infinité de solutions, selon les valeurs de $\vec{A}$ et de φ, a priori arbitraires. Ceci vient du fait qu'il existe une infinité de façons de lancer le système. Pour aboutir à une solution unique, il faut revenir à la physique et préciser les conditions initiales du lancement, c'est-à-dire, d'une part la position initiale de l'objet, et d'autre part, sa vitesse initiale*. Voilà deux conditions, et c'est assez pour fixer les constantes, à savoir $\vec{A}$ et φ.

Par exemple, supposons que nous ayons abandonné l'objet en $\vec{x}_o$ sans vitesse initiale. Alors, pour être physiquement acceptable, c'est-à-dire pour représenter le mouvement qui s'en suivra, la solution à retenir devra satisfaire aux deux conditions suivantes :

$$\left.\begin{array}{l} \vec{x}(o) = \vec{A}\cos\varphi = \vec{x}_o \quad\text{(a)} \\ \vec{v}(o) = -\omega_o\,\vec{A}\sin\varphi = 0 \quad\text{(b)} \end{array}\right\} \tag{III.17}$$

On en déduit que $\varphi = 0$ et $\vec{A} = \vec{x}_o$. Dès lors la solution pour ce mouvement particulier s'écrit :

$$\vec{x}(t) = \vec{x}_o \cos\omega_o t \tag{III.18}$$

---

* Puisqu'on ne peut pas tout voir dans une expérience, seule la théorie des équations différentielles peut nous permettre d'affirmer que nous n'avons pas oublié d'autres solutions.

Elle représente le mouvement périodique idéal, attendu lorsqu'on néglige les frottements, dont elle reproduit toutes les caractéristiques.

5)   MODÉLISATION MATHÉMATIQUE DU PHÉNOMÈNE

A présent, il ne nous reste plus qu'à prendre en compte les forces de frottement, simulées par $\vec{f}$, responsables de l'amortissement du système. Pour cela, il faut résoudre l'équation du mouvement complète, à savoir :

$$\frac{d^2\vec{x}}{dt^2} + \frac{k}{m}\,\vec{x} - \frac{\vec{f}}{m} = 0 \tag{III.19}$$

Mais que prendre pour $\vec{f}$? Cela dépend d'un tas de choses : des caractéristiques géométriques du système, des propriétés mécaniques des matériaux utilisés pour le construire, de la vitesse de glissement, etc. Il est rare qu'une forme analytique simple puisse représenter tous les aléas du problème.

Même si l'on ne cherche à mettre en évidence que les effets de la vitesse, il y a lieu d'envisager des termes qui n'en dépendent pas, qui en dépendent linéairement, puis quadratiquement, etc., selon le développement suivant :

$$\vec{f}(t) = -\left[C_o \frac{\vec{v}}{v} + C_1\vec{v} + C_2 v\vec{v} + ... \right] \tag{III.20}$$

où $\vec{v} = \vec{v}(t)$ est la vitesse du mouvement et $v = v(t)$ sa célérité, où C_0, C_1, C_2... sont des constantes d'autant plus grandes que les frottements associés sont plus rudes, et où le signe moins signifie que $\vec{f}(t)$, qui ralentit le mouvement, agit toujours dans un sens opposé à $\vec{v}(t)$.

En reportant le développement (III.20) dans l'équation du mouvement (III.19), on aboutit à une équation différentielle dont les solutions sont connues. Mais on peut aussi la résoudre par approximations successives, ce qui oblige à suivre pas à pas la physique, comme on est tenu de le faire quand les solutions ne sont pas découvertes. Par exemple, si c'est le terme linéaire en $\vec{v}$ qui domine dans l'expression de $\vec{f}$, on commencera par résoudre l'équation suivante :

$$\frac{d^2\vec{x}}{dt^2} + \frac{C_1}{m}\frac{d\vec{x}}{dt} + \frac{k}{m}\,\vec{x} = 0 \tag{III.21}$$

appelée « équation différentielle linéaire à coefficients constants » parce qu'elle ne fait intervenir qu'une fonction et ses dérivées successives (ici les deux premières, d'où son qualificatif supplémentaire de « second ordre »).

6)   SOLUTIONS PHYSIQUES DE L'APPROXIMATION LINÉAIRE EN $\vec{v}$

Ses solutions sont classiques, mais, si on les ignore, on peut les deviner en s'inspirant, là encore, de ce que l'on observe, à savoir : un mouvement oscillatoire amorti dont l'amplitude en fonction du temps est schématisée sur la figure III.2 dans le cas particulier où $\vec{v}(o) = 0$.

La position de la masse est apparemment bien décrite en pondérant les solutions (III.12) du problème idéal par une exponentielle décroissante qui reflète l'amortissement des oscillations. On peut donc essayer d'écrire :

$$\vec{x}(t) = \vec{A} \cos(\omega_1 t + \varphi)\, e^{-t/\tau} \tag{III.22}$$

où τ, appelé constante de temps du système, est d'autant plus grand que les oscillations sont nombreuses avant l'arrêt définitif.

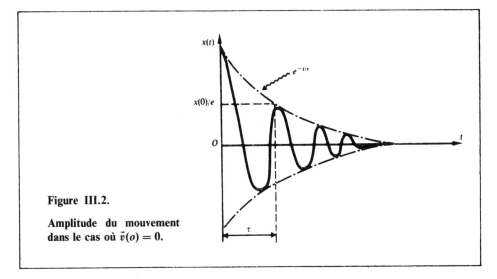

Figure III.2.

Amplitude du mouvement dans le cas où $\vec{v}(o) = 0$.

En vérifiant, après calcul des dérivées, que les fonctions (III.22) sont solutions de l'équation (III.21), on aboutit aux conditions suivantes :

$$\left.\begin{array}{ll} \dfrac{2}{\tau} - \dfrac{C_1}{m} = 0 & \text{(facteur devant le sinus)} \\[2ex] -\omega_1^2 + \dfrac{1}{\tau^2} - \dfrac{C_1}{m\tau} + \dfrac{k}{m} = 0 & \text{(facteur devant le cosinus)} \end{array}\right\}$$

On en déduit les expressions de τ et ω_1 en fonction des propriétés physiques du système, m, k et C_1 :

$$\left.\begin{array}{ll} \tau = \dfrac{2m}{C_1} & \text{(a)} \\[3ex] \omega_1 = \sqrt{\dfrac{k}{m} - \dfrac{C_1^2}{4m^2}} & \text{(b)} \end{array}\right\} \tag{III.23}$$

Ainsi la constante de temps croît lorsque la masse augmente ou quand les frottements diminuent, ce que chacun a déjà observé, et la pulsation ω_1 n'est égale à la pulsation idéale, ω_o, qu'à la limite des frottements nuls, ce qui n'était pas évident.

Pour obtenir la solution correspondant à chaque lancement particulier, il faut écrire les conditions aux limites, ce qui a pour effet de fixer $\vec{A}$ et φ. Par exemple, si l'objet est abandonné en x_o sans vitesse initiale, son mouvement sera représenté par :

$$\vec{x}(t) = \frac{\vec{x}_o}{\cos \varphi} \cos(\omega_1 t + \varphi) e^{-t/\tau}; \quad \text{avec} \quad \text{tg } \varphi = -\frac{1}{\omega_1 \tau} \qquad \text{(III.24)}$$

Je n'en dirai pas plus ici sur ce sujet que vous approfondirez par la suite* et déjà en partie pendant les travaux de laboratoire, où vous aurez à observer et à interpréter plus en détail le phénomène que je viens de schématiser, ainsi que des phénomènes analogues.

IV Deuxième illustration : découverte d'une force

Dans l'illustration précédente du principe fondamental, nous sommes partis de forces connues pour en déduire le mouvement qu'elles impriment. Nous allons maintenant prendre un chemin inverse : je vais schématiser les arguments qui permirent à Newton, connaissant le mouvement des planètes, de découvrir la force de gravitation qui porte son nom. En fait, je ne suivrai pas fidèlement l'histoire (Newton s'exprima en termes d'inertie) et j'adopterai quelques approximations sur lesquelles je reviendrai au cours des chapitres suivants.

1) L'ATTRACTION TERRESTRE

Partons du fait qu'un objet abandonné sans vitesse initiale au voisinage de la terre tombe finalement sur le sol. Sa vitesse a donc changé entre l'instant initial et l'instant final, ce qui implique une accélération non nulle. En vertu du principe fondamental, il faut en conclure que la terre a exercé sur l'objet une force non nulle, cause de son accélération. C'est cette force d'attraction par la terre que l'on appelle pesanteur.

A l'époque de Newton, on avait abondamment étudié cette force et l'on savait en particulier, grâce aux travaux de Galilée, que, sous son action, tous les corps, quelle que soit leur masse m_c, tombent au voisinage du sol avec la même accélération $\vec{a}$, quand les frottements sont négligeables (ce que l'on traduit en disant : « dans le vide »). Ceci implique une force d'intensité proportionnelle à la masse du corps en question, que l'on peut donc écrire, avec l'indice T mis pour Terre :

$$\boxed{\vec{F}_{Tc} = m_c \vec{g}_T} \qquad \text{(III.25)}$$

---

* L'étude théorique des systèmes oscillants (ressorts, circuits RLC...) étant plutôt de type phénoménologique, il nous a semblé raisonnable de la traiter comme telle, c'est-à-dire à partir d'observations expérimentales, artéfacts compris, lors de travaux pratiques.

où $\vec{g}_T$, appelé champ de pesanteur, est l'ensemble des vecteurs dirigés vers le centre de la terre, de module constant au voisinage du sol (cf. fig. III.4a). En effet, on rend compte ainsi d'une accélération indépendante de la masse des objets, puisqu'en exploitant le principe fondamental, on a :

$$\vec{a} = \frac{\vec{F}_{Tc}}{m_c} = \frac{m_c \vec{g}_T}{m_c} = \vec{g}_T \qquad (III.26)$$

Newton savait également que, lorsque l'on jette un objet, il retombe sur terre selon une trajectoire parabolique* (si les frottements sont négligeables) dont les caractéristiques dépendent de la vitesse initiale (cf. fig. III.3a). Cela lui suggéra d'interpréter le mouvement de la lune, énigme qui passionnait à l'époque, en invoquant l'attraction terrestre**. Son cheminement peut se résumer ainsi (cf. fig. III.3b) : la lune (L) serait en mouvement rectiligne uniforme si aucune force n'agissait sur elle (principe d'inertie); si elle « tombe » sur la terre (T), sans cependant l'atteindre, c'est donc qu'une force l'attire; puisque le mouvement de la lune autour de la terre est pratiquement circulaire uniforme, son accélération $\vec{a}_L$ est dirigée vers le centre de la terre; or, selon le principe fondamental, force et accélération sont colinéaires; donc la force responsable du mouvement de la lune est elle-même dirigée vers le centre de la terre.

---

* Ceci se retrouve aisément en appliquant le principe fondamental, soit :

$$a_x = \frac{d^2 x}{dt^2} = \frac{F_x}{m} = 0 \qquad \text{et} \qquad a_y = \frac{d^2 y}{dt^2} = \frac{F_y}{m} = \frac{-mg}{m} = -g.$$

Avec les conditions initiales représentées sur la figure III.3a, on obtient :

$$x = v_{ox} t + x_o \quad \text{et} \quad y = -\frac{1}{2} g t^2 + v_{oy} t + y_o.$$

Exprimant t à l'aide de x, on aboutit à une expression de la forme :

$$y = ax^2 + bx + c$$

où a, b et c sont des constantes liées aux conditions initiales. C'est effectivement l'équation caractéristique d'une parabole.

** Je recommande l'expérience suivante à ceux qui ont des difficultés à admettre qu'il faille une force dirigée vers le centre de la terre pour astreindre la lune à tourner sur un cercle, ou encore à ceux, trop marqués par la statique, qui pensent qu'une telle force devrait faire tomber directement (en ligne droite) la lune sur la terre.

Donnez la main à un de vos amis, et, bras tendus, demandez lui de courir autour de vous sans vous tirer. Vous constaterez que vous, par contre, vous devrez exercer une force, dirigée de lui vers vous, pour qu'il tourne sans effort de sa part. Si vous cessez d'exercer cette force, en lui lâchant la main, il partira en ligne droite, conformément au principe d'inertie. C'est uniquement s'il cesse de courir qu'il tombera sur vous (et vous avec lui), si vous continuez à exercer votre force.

Ensuite, inversez les rôles pour bien prendre conscience vous-même que vous ne faites aucun autre effort que celui de courir en souplesse pendant que votre ami s'efforce de vous retenir sur un cercle. Puis, demandez-lui de vous lâcher la main pour vérifier que vous partez, dans l'instant, selon la tangente au cercle. Enfin, recommencez à courir autour de lui pendant qu'il vous retient et, sans le prévenir, arrêtez-vous brutalement... si le sol est bien matelassé.

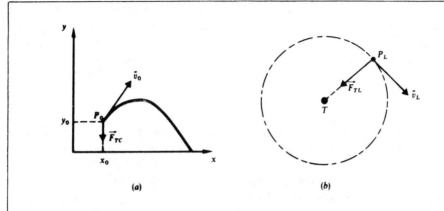

Figure III.3.

(a) Trajectoire d'un corps jeté au voisinage de la terre avec la vitesse initiale $\vec{v}_o$, à partir du point P_o et (b) trajectoire de la lune « jetée » avec la vitesse initiale $\vec{v}_L$, à partir du point P_L. La force exercée par la terre sur la lune est notée $\vec{F}_{TL}$.

Penser à une seule et même cause devant des phénomènes aussi différents d'apparence que la chute des corps et le mouvement de la lune, était faire une synthèse révolutionnaire pour l'époque. Mais il restait à trouver l'intensité de la force, capable de faire effectuer à la lune un tour complet de la terre en environ 27 jours.

2)   L'ATTRACTION SOLAIRE

Pour cela, Newton proposa une synthèse encore plus révolutionnaire. Il supposa que le mouvement des planètes était dû à une force d'attraction solaire, de même nature que la force d'attraction terrestre, que, par analogie à la formule (III.25), il rechercha sous la forme :

$$\vec{F}_{SP} = m_p \vec{g}_S(r_{SP}) \tag{III.27}$$

où m_P est la masse de la planète considérée, et où $\vec{g}_S(r_{SP})$, appelé champ gravitationnel solaire, est l'ensemble des vecteurs dirigés vers le centre du soleil, dont Newton supposa le module variable en fonction de r_{SP}, la distance entre le centre du soleil et le centre de la planète envisagée (cf. fig. III.4b).

Pour trouver la forme analytique de $g_S(r_{SP})$, le module des vecteurs $\vec{g}_S(r_{SP})$, Newton exploita les résultats de Kepler sur le mouvement des planètes :
— la trajectoire d'une planète est plane (première loi de Kepler)
— c'est une ellipse dont le soleil est un foyer (deuxième loi de Kepler)
— chacune balaye des aires égales en des temps égaux (troisième loi de Kepler).

Nous démontrerons ces trois lois par la suite. Ici je les simplifierai de la façon suivante : la trajectoire des planètes autour du soleil est, en première approximation,

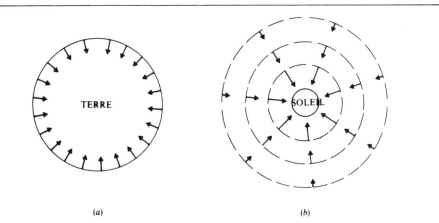

(a)   (b)

Figure III.4.

Champ de pesanteur engendré par la terre dans son voisinage (a) et champ de gravitation engendré par le soleil en tout point de l'espace (b). L'échelle des rayons n'est pas respectée puisqu'on a $R_T \simeq 6,4 \cdot 10^6$ m et $R_\odot \simeq 6,7 \cdot 10^8$ m.

un cercle de rayon r_{SP} qu'elles parcourent de façon uniforme en un temps, T, appelé période de révolution, obéissant à la relation :

$$T^2 = C_S r_{SP}^3 \qquad (III.28)$$

où C_S est la même constante pour toutes les planètes solaires.

On en déduit que l'accélération centripète d'une planète, sur son orbite de rayon r_{SP}, a pour module :

$$a_P = \frac{v_P^2}{r_{SP}} = \frac{(2\pi\, r_{SP}/T)^2}{r_{SP}} = \frac{4\pi^2\, r_{SP}}{T^2} = \frac{4\pi^2}{C_S}\frac{1}{r_{SP}^2} \qquad (III.29)$$

L'application du principe fondamental, avec $\vec{F}_{SP}$ donné par (III.27), conduit alors à la relation :

$$m_P g_S(r_{SP}) \equiv \|\vec{F}_{SP}\| = m_P a_P \equiv m_P \frac{4\pi^2}{C_S}\frac{1}{r_{SP}^2} \qquad (III.30)$$

On obtient donc pour résultat final :

$$g_S(r_{SP}) = \frac{4\pi^2}{C_S}\frac{1}{r_{SP}^2} \qquad (III.31)$$

Ainsi, l'intensité de la force exercée par le soleil sur une planète décroît comme le carré de la distance relative, r_{SP}, puisqu'elle s'écrit finalement :

$$\|\vec{F}_{SP}\| = \frac{4\pi^2}{C_S}\frac{m_P}{r_{SP}^2} \qquad (III.32)$$

3) L'ATTRACTION UNIVERSELLE

Newton généralisa son résultat à l'ensemble de l'univers en postulant l'existence d'une force d'attraction universelle, dite de gravitation, qu'en vertu du principe de l'action et la réaction, on peut écrire sous la forme :

$$\boxed{\vec{F}_{12} = - \frac{Gm_1 m_2}{r_{12}^2} \left(\frac{\vec{r}_{12}}{r_{12}} \right)} \qquad (III.33)$$

où G est une constante universelle, appelée constante de Newton ou de gravitation, où m_1 et m_2 sont les masses des deux objets en présence, et r_{12} est leur distance et où $(\vec{r}_{12}/r_{12})$ est un vecteur unitaire dirigé du centre d'inertie de l'objet 1 vers le centre d'inertie de l'objet 2 ; d'où le signe moins, en tête de l'expression, pour indiquer le sens de l'attraction.

Elle a toutes les propriétés requises : elle est proportionnelle aux masses des objets en présence, décroît comme le carré de leur distance relative et, en tant que force centrale, obéit au principe de l'action et la réaction puisque l'on a manifestement :

$$\vec{F}_{12} = - \vec{F}_{21} \qquad (III.34)$$

Pour qu'elle conduise aux expressions (III.25) et (III.27), il suffit de la transcrire ainsi :

$$\vec{F}_{12} = m_2 \vec{g}_1(r_{12}) \qquad (III.35)$$

où m_2 est la masse de l'objet 2 et où $\vec{g}_1(r_{12})$, appelé champ de gravitation de l'objet 1, est l'ensemble des vecteurs définis par :

$$\vec{g}_1(r_{12}) = - G \frac{m_1}{r_{12}^2} \left(\frac{\vec{r}_{12}}{r_{12}} \right) = - G \frac{m_1}{r_{12}^3} \vec{r}_{12} \qquad (III.36)$$

Cette loi de gravitation universelle est vérifiée avec une grande précision. C'est elle que l'on utilise, en particulier pour régler les vols spatiaux. Mais à l'époque où Newton la découvrit, elle renforça chez certains l'angoisse déjà créée par Galilée, et chez d'autres, l'idée d'un univers machine et même d'« hommes machines » (21). Quant à Newton, il fut surtout intrigué par l'idée de forces capables d'agir à distance, sans support matériel. Puis il abandonna à d'autres cette énigme. Avec Feynman (3), on peut dire qu'elle est résolue de la façon suivante :

« ... qu'est-ce qui fait tourner les planètes autour du soleil ? Au temps de Kepler, il y avait des gens pour répondre qu'il y avait derrière chaque planète un ange battant des ailes et la poussant sur son orbite... Cette réponse n'est pas très loin de la vérité. La seule différence est que les anges ont une autre position et battent des ailes vers l'intérieur de l'orbite. »

4)   EXPÉRIENCE DE CAVENDISH : MESURE DE LA CONSTANTE G

Pour connaître l'intensité de « la » force gravitationnelle (III.33), il faut avoir la valeur numérique de la constante G. C'est ce qu'obtint Cavendish dans sa célèbre expérience. Je laisse Feynman la raconter*.

« J'ai déjà montré que la gravitation s'étend sur de vastes distances, mais Newton dit aussi que n'importe quoi attire n'importe quoi d'autre. Deux choses quelconques s'attirent-elles vraiment l'une l'autre? Peut-on le vérifier directement au lieu de toujours attendre pour voir si les planètes s'attirent mutuellement? Cavendish fit une vérification directe, utilisant un appareil schématisé par la figure (III.5). L'idée consistait à suspendre à une très, très fine fibre de quartz une tringle portant deux boules, puis à placer de part et d'autre deux grosses boules de plomb, comme le montre la figure. L'attraction mutuelle des boules entraînerait une torsion de la fibre, très légère car la force gravitationnelle entre objets ordinaires est en fait très, très faible. La force entre les deux boules put être mesurée. Par cette expérience, dit Cavendish, on « pesait la Terre ». Avec notre enseignement pédant et méticuleux, nous ne laisserions pas nos étudiants parler comme ça aujourd'hui ; il faudrait dire « mesurer la masse de la terre ». Par son expérience directe, Cavendish put mesurer la force, les deux masses et la distance, et donc déterminer la constante gravitationnelle. Vous direz : « Oui, mais c'est la même situation ici. Nous connaissons l'attraction, et nous connaissons la masse de l'objet attiré, et nous savons à quelle distance nous sommes, mais nous ne connaissons ni la masse de la terre, ni la constante G, seulement leur combinaison, leur produit ». Justement, en mesurant la constante, on put déterminer la masse de la terre à partir de la connaissance de l'attraction terrestre. »

Effectivement, nous connaissons l'attraction terrestre puisqu'elle est entièrement caractérisée par le vecteur $\vec{g}_T$ de la formule (III.26). Son module, d'ordinaire

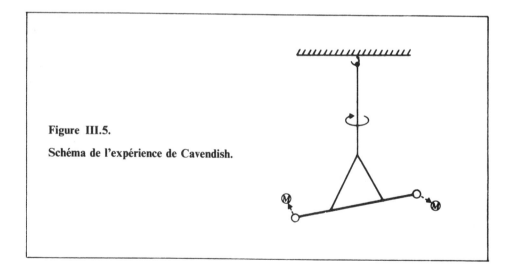

Figure III.5.

Schéma de l'expérience de Cavendish.

---

* L'intérêt de cette version des faits tient au style de l'auteur. Elle ne décrit ni la diversité des phénomènes parasites (dus aux courants de convection, au champ magnétique terrestre, aux petites secousses telluriques... contre lesquels il a fallu se prémunir pour diminuer les multiples causes d'erreur), ni la variété des astuces, des moyens et des développements technologiques qui ont été nécessaires pour y parvenir. Bref, on ne sent pas ici pourquoi la difficile expérience de Cavendish peut être considérée comme le prototype des expériences modernes (22).

noté g, fournit l'intensité du champ de pesanteur, qui n'est pas autre chose que le champ gravitationnel engendré par la terre dans son voisinage immédiat, c'est-à-dire à proximité du sol ou encore à une distance du centre de la terre voisine de R_T, son rayon.

La formule (III.36) nous permet donc d'écrire :

$$g = \frac{GM_T}{R_T^2}$$ (III.37)

On en déduit la masse de la terre, $M_T = 5{,}98\ 10^{24}$ kg, puisque l'on connaît $g = 9{,}81$ m/s², $R_T = 6{,}37\ 10^6$ m, et G, obtenu non pas par Cavendish, mais par des mesures plus récentes et plus précises, à savoir :

$$\boxed{G = 6{,}67\ 10^{-11}\ \text{S.I. (m}^3\ \text{s}^{-2}\ \text{kg}^{-1})}$$ (III.38)

Ainsi, l'expérience de Cavendish donna les premières valeurs numériques à la fois de la constante de Newton, G, et de la masse de la terre, M_T.

5)   VARIATION DU CHAMP DE PESANTEUR À FAIBLE ALTITUDE

Quelques remarques finales sur g ne seront pas inutiles. Tout d'abord, la formule (III.26) montre que l'accélération communiquée par la pesanteur a la même valeur numérique que g. C'est pourquoi on appelle souvent improprement g : l'accélération de la pesanteur. Ceci est à la source de nombreuses confusions et je préfère employer exclusivement l'expression : g est l'intensité du champ de pesanteur.

Ensuite, la formule (III.37) n'est strictement valable qu'au niveau du sol, mais elle reste une bonne approximation à très faible altitude, c'est-à-dire tant que la distance au sol, h, est très faible devant R_T.

En effet, écrivons l'expression (III.36) pour une distance au centre de la terre notée $r = R_T + h$, soit :

$$g\,(R_T + h) = \frac{GM_T}{(R_T + h)^2}$$ (III.39)

Supposons maintenant h très petit devant R_T ($h/R_T = \varepsilon \ll 1$). Alors, au premier ordre du développement selon les puissances de h/R_T, on a :

$$g\,(R_T + h) \simeq \frac{GM_T}{R_T^2}\left(1 - \frac{2h}{R_T}\right) \simeq g\left(1 - \frac{2h}{R_T}\right)$$ (III.40)

Par exemple, pour $h = 3$ km, l'approximation faite en prenant pour $g\,(R_T + h)$ la valeur de $g = g\,(R_T)$ au niveau du sol, n'est encore que de l'ordre du pour mille.

Bien entendu, à très haute altitude l'expression (III.40) est incorrecte et il faut nécessairement utiliser la formule générale (III.39) ou, si l'on veut l'exprimer à l'aide de g :

$$g\ (R_T + h) = g\ (r) = g\ \frac{R_T^2}{r^2} \tag{III.41}$$

La dernière remarque portera sur l'expression de g donnée par la formule (III.37). Tant que l'on s'intéresse à des distances très grandes devant le rayon des objets qui s'attirent, on peut traiter sans difficulté ces objets comme des points matériels. C'est le cas, par exemple, pour le système Terre-Soleil et Terre-Lune. Mais que faire dans le cas de la pesanteur, c'est-à-dire quand la distance au sol est très faible devant le rayon de la terre ?

Newton fut très longtemps embarrassé par cette question. Pour y répondre, il dut développer, en parallèle avec Leibnitz, la technique mathématique dite du « calcul intégral ». Elle lui prouva que le champ gravitationnel produit par la terre en un point extérieur, fût-il très proche de sa surface, est obtenu comme si toute la masse de la terre était située en son centre. Cette propriété remarquable de la gravitation justifie, en particulier, l'expression (III.37) donnant l'intensité du champ de pesanteur. On aurait tort de la croire évidente : les éléments de masse les plus proches d'un point donné de l'espace fournissent les plus grandes contributions au champ total engendré par la terre en ce point ; ceux qui se trouvent aux antipodes donnent les plus faibles ; alors comment se fait-il qu'en sommant toutes les contributions comprises entre ces deux extrêmes, on obtienne finalement un résultat si simple ? Le miracle tient au fait que le champ gravitationnel varie comme $1/r^2$. On peut le montrer par plusieurs méthodes. Je vais détailler l'une d'elles comme modèle de mise en forme d'un calcul intégral.

V   Champ gravitationnel : un exemple de calcul intégral

Pour calculer le champ gravitationnel produit par une distribution de masses, celle de la terre en l'occurence, nous allons nous représenter la terre comme un oignon ou plus précisément comme une série de sphères creuses emboîtées les unes dans les autres, leurs rayons respectifs croissant de zéro à R_T, le rayon de la terre. Dans cette perspective, traitons d'abord le problème suivant : quel est le champ gravitationnel produit par une sphère creuse homogène (de rayon R et de masse m), en un point P extérieur à la sphère, situé à une distance r de son centre O ?

1)   CHAMP GRAVITATIONNEL PRODUIT PAR UNE COURONNE SPHÉRIQUE

Afin de répondre à cette question préliminaire, exploitons la symétrie du problème et décomposons la sphère creuse considérée en fines couronnes d'ouverture dθ, comme indiqué sur la figure III.6. Chacune d'entre elles est caractérisée par sa distance au point P, notée x, ou encore par l'angle θ repéré par rapport à l'axe de symétrie OP : dans un calcul différentiel, ces variables prennent la même valeur pour tous les points d'une même couronne quand on passe à la limite d'un nombre infini de couronnes.

Par raison de symétrie, le champ produit au point P par l'une quelconque de ces couronnes est porté sur l'axe OP et son intensité s'écrit :

$$dg = \frac{G \, dm}{x^2} \cos \alpha \qquad \text{(III.42)}$$

où G est la constante de Newton, où dm est l'élément de masse correspondant à la couronne repérée par x, et où la présence du cosinus de l'angle α, défini sur la figure, est dûe au fait que l'expression du champ produit par la couronne entière ne fait intervenir que les projections sur l'axe OP des champs élémentaires associés aux points matériels qui composent cette couronne. En effet, les projections sur le plan perpendiculaire à OP des champs associés à deux points matériels symétriques par rapport à OP s'annulent mutuellement.

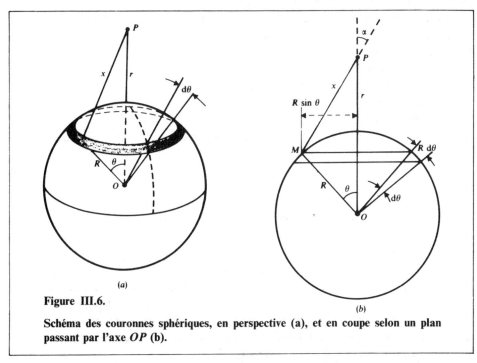

Figure III.6.

Schéma des couronnes sphériques, en perspective (a), et en coupe selon un plan passant par l'axe OP (b).

Dans l'expression (III.42), x, $\cos \alpha$, et dm varient conjointement quand on passe progressivement de la couronne la plus proche de P (une calotte polaire), repérée par $x_{min} = r - R$, à la plus éloignée (aux antipodes de la précédente), repérée par $x_{max} = r + R$. Avant de sommer, par une intégrale, les contributions de toutes les couronnes, il convient donc de récrire l'expression (III.42) en fonction d'une seule variable.

2) CHOIX DE LA VARIABLE D'INTÉGRATION

On peut choisir soit l'angle θ, soit la distance x, soit encore tout autre variable annexe, par exemple la distance du centre de la couronne au point P. Prenons la décision d'exprimer $\cos \alpha$ et dm en fonction de x. Le problème est vite résolu pour $\cos \alpha$. Dans le triangle OMP, on a la relation* :

$$R^2 = x^2 + r^2 - 2rx \cos \alpha \qquad (\text{III.43})$$

On en déduit :

$$\cos \alpha = \frac{x^2 + r^2 - R^2}{2rx} \qquad (\text{III.44})$$

Pour dm, on procède en trois étapes. On commence par écrire :

$$dm = \sigma dS \qquad (\text{III.45})$$

où dS est l'élément d'aire de la couronne considérée et où σ est la densité de masse par unité d'aire qui la caractérise. Ensuite on écrit que dS est donné par le produit du périmètre de cette couronne, $2\pi R \sin \theta$, par l'élément de corde, $Rd\theta$. On récrit donc dm sous la forme :

$$dm = 2\pi R^2 \sigma \sin \theta \, d\theta \qquad (\text{III.46})$$

Enfin, on exploite la relation suivante, dans le triangle OMP :

$$x^2 = r^2 + R^2 - 2rR \cos \theta \qquad (\text{III.47})$$

qui permet de relier entre eux les éléments différentiels $d\theta$ et dx. En effet, puisque r^2 et R^2 sont des constantes, on en déduit :

$$2x \, dx = -2rR \, (-\sin \theta \, d\theta) \qquad (\text{III.48})$$

soit encore :

$$\sin \theta \, d\theta = \frac{x \, dx}{rR} \qquad (\text{III.49})$$

Ainsi, on obtient finalement :

$$dm = \frac{2\pi R \sigma}{r} x \, dx \qquad (\text{III.50})$$

3) CHAMP GRAVITATIONNEL PRODUIT PAR UNE SPHÈRE CREUSE

Compte tenu des relations (III.44) et (III.50), l'expression (III.42), récrite en fonction de la seule variable x, devient :

$$dg = \frac{G\pi R \sigma}{r^2} \frac{x^2 + r^2 - R^2}{x^2} \, dx \qquad (\text{III.51})$$

---

* On la retrouve aisément à l'aide du produit scalaire $\vec{r} \cdot \vec{x}$. On a en effet :
$(\vec{R})^2 = (\vec{r} + \vec{x})^2 = (\vec{r})^2 + (\vec{x})^2 + 2\vec{r} \cdot \vec{x} = r^2 + x^2 + 2rx \cos(\pi - \alpha) = r^2 + x^2 - 2rx \cos \alpha$.

Le calcul du champ gravitationnel produit par la sphère creuse tout entière, en un point qui lui est extérieur, consiste alors à intégrer cette expression pour x variant de $x_{\min} = r - R$ à $x_{\max} = r + R$, soit :

$$g = \int_{r-R}^{r+R} \frac{G\pi R\sigma}{r^2} \frac{x^2 + r^2 - R^2}{x^2}\, dx \tag{III.52}$$

que l'on peut encore écrire comme une somme de deux intégrales :

$$g = \frac{G\pi R\sigma}{r^2} \left[\int_{r-R}^{r+R} dx + (r^2 - R^2) \int_{r-R}^{r+R} \frac{dx}{x^2} \right] \tag{III.53}$$

Dans le cas présent, chacun des deux termes entre crochets apporte la même contribution, $2R$, et l'on obtient donc au total :

$$g = \frac{G4\pi R^2 \sigma}{r^2} = \frac{Gm}{r^2} \tag{III.54}$$

où $m = 4\pi R^2 \sigma$ est la masse totale de la sphère creuse puisque $4\pi R^2$ représente l'aire de cette sphère.

Ainsi, le champ gravitationnel produit par une sphère creuse homogène en un point extérieur repéré à la distance r de son centre, peut être calculé en faisant comme si toute la masse de cette sphère était rassemblée en son centre.

Si maintenant nous voulons calculer le champ gravitationnel en un point P situé non plus à l'extérieur mais à l'intérieur d'une sphère creuse, la seule modification à apporter, par rapport au cas précédent, consiste à changer les bornes d'intégration dans la formule (III.53). Puisque l'on a maintenant $x_{\min} = R - r$ et $x_{\max} = R + r$, le premier terme entre crochets, $2r$, est l'opposé du second. On obtient donc :

$$g = 0; \text{ si } r < R \tag{III.55}$$

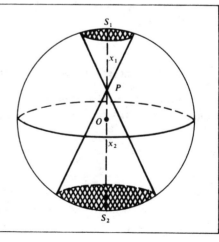

Figure III.7.

Les nombres de points matériels contenus dans les surfaces S_1 et S_2 découpées par le cône sont dans le rapport $S_1/S_2 = x_1^2/x_2^2$. Un point matériel de S_1 et un autre dans S_2 produisent au point P des champs gravitationnels opposés dont les intensités sont dans le rapport $g_1/g_2 = x_2^2/x_1^2$. L'effet de nombre, en x^2, compense donc l'effet de décroissance, en $1/x^2$. C'est une propriété miraculeuse des champs décroissant comme $1/x^2$.

Ainsi, le champ gravitationnel qui règne en n'importe quel point situé à l'intérieur d'une sphère creuse homogène est nul. Pour un point situé exactement au centre de la sphère, ce résultat est évident, par raison de symétrie; mais pour tout autre point, il semble miraculeux. Là encore, le miracle tient au fait que le champ gravitationnel produit par un point matériel varie comme $1/x^2$. Nous venons de le démontrer par le calcul et la figure III.7 en donne une interprétation qualitative.

4)   CHAMP GRAVITATIONNEL PRODUIT PAR UNE SPHÈRE PLEINE

A présent, nous pouvons revenir à notre problème initial : quel est le champ gravitationnel produit par la terre en un point P qui lui est extérieur? Pour obtenir la réponse, il suffit de sommer les contributions de toutes les sphères creuses de masse m_i emboîtées les unes dans les autres, soit :

$$g_T(r) = \sum_{i=1}^{\infty} \frac{Gm_i}{r^2} = \frac{G}{r^2} \sum_{i=1}^{\infty} m_i = \frac{GM_T}{r^2} \qquad \text{(III.56)}$$

où $M_T = \sum_i m_i$ est la masse de la terre entière. C'est ce résultat qui justifie les expressions établies au paragraphe IV : pour la gravitation tout se passe à l'extérieur d'une source sphérique de champ comme si toute la masse de cette source était rassemblée en son centre.

Pour un point P situé à l'intérieur de la terre, la seule modification à apporter au calcul précédent consiste à ne sommer que sur les sphères creuses contenues à l'intérieur de celle qui passe par le point P. En effet, compte tenu du résultat (III.55), toutes les autres apportent des contributions nulles. On écrira donc :

$$g_T(r) = \frac{GM(r)}{r^2}; \text{ si } r < R_T \qquad \text{(III.57)}$$

où $M(r)$ est la masse contenue dans la sphère pleine passant par le point P. Si la terre était homogène en volume, on aurait $M(r) = M_T r^3 / R_T^3$ et donc :

$$g_T(r) = \frac{GM_T}{R_T^3} r; \text{ si } r < R_T \qquad \text{(III.58)}$$

L'intensité du champ croîtrait alors linéairement du centre de la terre à sa périphérie. Il n'en est pas exactement ainsi car la densité de la terre décroît dans cet intervalle. Enfin, notons qu'à l'approche du sol, l'intensité du champ interne se raccorde à la valeur $g = GM_T/R_T^2$ que fournit également l'expression (III.56) pour $r = R_T$.

5)   L'INFLUENCE D'UNE EXPÉRIENCE

On prétend bien souvent que le problème que nous venons de résoudre bloqua Newton pendant 17 ans, puisque c'est le temps qui sépare la publication de ses résultats des écrits de jeunesse où se trouve son interprétation du mouvement de la lune. Mais il y a aussi une autre cause à ce retard. On connaissait depuis Hipparque (2 siècles avant J.-C.) le rapport du rayon de l'orbite lunaire au rayon de la terre ($r_{TL}/R_T = 60$), mais, quand Newton commençait à croire à sa théorie, la valeur du rayon de la terre était incorrecte (mesures de Snellius et Norwood). En conséquence, la période lunaire de 27 jours n'était pas reproduite, puisqu'il la calculait en prenant pour $g\ (r_{RT})$ la valeur tirée de la formule (III.41) :

$$g\ (r_{TL}) = \left(\frac{R_T}{r_{TL}}\right)^2 g \qquad\qquad \text{(III.59)}$$

Or, c'est précisément quelques semaines après la publication par Picard de la valeur correcte de R_T, que Newton fit éditer sa théorie.

VI Masse et force : couplage des principes

Après ces deux illustrations des principes de la mécanique, je vous fais remarquer que je n'ai toujours pas défini de façon précise les notions de masse et de force. J'ai implicitement supposé que vous en aviez quelque intuition. En ce qui concerne la masse, la notion a dû vous venir en jouant avec des billes et des calots, ou encore, de façon indirecte, en soulevant des objets, puis, dans vos études, en manipulant le concept. Pour la force, la sensation d'effort musculaire a dû vous guider au début, mais il vous a fallu sauter dans l'abstrait pour imaginer, par exemple, la force d'attraction du soleil sur la terre, à moins que vous ne rêviez encore des muscles du soleil.

Mais peut-on définir dans l'abstrait ce que sont force et masse? Poincaré (15) aborde cette question de la façon suivante :

« Qu'est-ce que la masse? C'est, répond Newton, le produit du volume par la densité. — Il vaudrait mieux dire, répondent Thomson et Tait, que la densité est le quotient de la masse par le volume. — Qu'est-ce que la force? C'est, répond Lagrange, une cause qui produit le mouvement d'un corps ou qui tend à le reproduire. — C'est, dira Kirchhoff, le produit de la masse par l'accélération. Mais alors, pourquoi ne pas dire que la masse est le quotient de la force par l'accélération?

Ces difficultés sont inextricables.

Quand on dit que la force est la cause d'un mouvement, on fait de la métaphysique, et cette définition, si on devait s'en contenter, serait absolument stérile. Pour qu'une définition puisse servir à quelque chose, il faut qu'elle nous apprenne à mesurer la force; cela suffit d'ailleurs, il n'est nullement nécessaire qu'elle nous apprenne ce que c'est que la force en soi, ni si elle est la cause ou l'effet du mouvement. »

Il poursuit en montrant que force et masse n'ont pas été définies de façon disjointe, et il termine son analyse en résumant la position des mathématiciens de son temps de la façon suivante :

« Il ne nous reste donc rien et nos efforts ont été infructueux; nous sommes acculés à la définition suivante, qui n'est qu'un aveu d'impuissance : les masses sont des coefficients qu'il est commode d'introduire dans les calculs. »

En effet, la relation $\vec{F} = m\vec{a}$ nous permettrait de dire que la masse est le coefficient de proportionnalité entre $\vec{F}$ et $\vec{a}$. Mais cela, qu'on pourrait prendre pour une définition de m, nous renvoie à la force qui elle-même renvoyait à la masse. Ainsi, dans l'analyse de Poincaré, les définitions de $\vec{F}$ et m sont couplées et celle de la masse en tant que « coefficient commode » n'est qu'un trompe l'œil qui ne nous fait saisir en rien ce que sont physiquement forces et masses.

Bien plus, pour arriver à ce constat d'échec, Poincaré a dû embarquer au passage dans la même galère les trois principes de la mécanique classique dont il montre l'étroit couplage. Par exemple, pour mesurer des forces il faut invoquer le principe de l'action et la réaction et pour clarifier la notion de force, il faut faire appel au principe d'inertie, dont je vous rappelle l'énoncé : dans un référentiel d'inertie, un point matériel est en mouvement rectiligne uniforme quand aucune force n'agit sur lui.

Mais en fait, ce principe est-il une définition de la force ou d'un référentiel d'inertie? Au début de ce chapitre, nous avons vu qu'on se heurte à une difficulté, qu'Einstein résume de la façon suivante (12) :

« *Pour nous rendre mieux compte de cette difficulté, nous voulons interviewer le physicien classique et lui poser quelques questions simples*.*

— Qu'est-ce qu'un système d'inertie?

— C'est un SC où les lois de la mécanique sont valables. Un corps sur lequel n'agit aucune force extérieure se meut uniformément dans un tel SC. Cette propriété nous rend ainsi capables de distinguer un système d'inertie de tout autre.

— Mais quand vous dites qu'aucune force n'agit sur un corps, que signifie cette expression?

— Elle signifie simplement que le corps se meut uniformément dans un SC d'inertie.

Ici, nous pourrions une fois de plus poser la question : « Qu'est-ce qu'un SC d'inertie? » Mais comme il y a peu d'espoir d'obtenir une réponse différente de celle de tout à l'heure, essayons d'obtenir quelque information concrète en modifiant la question :

— Un SC rigidement lié à la Terre, est-il un SC d'inertie?

— Non, parce que les lois de la mécanique ne sont pas rigoureusement valables sur la Terre, à cause de sa rotation. Un SC rigidement lié au Soleil peut être regardé pour beaucoup de problèmes comme un SC d'inertie; mais quand nous parlons du Soleil en rotation, nous entendons de nouveau qu'un SC qui lui est lié ne peut pas être regardé rigoureusement comme un SC d'inertie.

— Qu'est-il alors, concrètement, votre SC d'inertie, et comment son état de mouvement doit-il être choisi?

— C'est tout simplement une fiction utile, et je n'ai aucune idée comment on pourrait la réaliser. Si je pouvais seulement m'éloigner assez de tous les corps matériels et me libérer de toutes les influences extérieures, mon SC serait alors un SC d'inertie.

— Mais qu'entendez-vous pas un SC libre de toutes les influences extérieures?

— J'entends que le SC est un SC d'inertie.

Une fois de plus, nous nous trouvons devant notre question initiale.

Notre interview révèle une grave difficulté dans la physique classique. Nous avons des lois, mais nous ne savons pas à quel cadre il faut les rapporter, et toute notre structure physique paraît être bâtie sur le sable. »

En présentant le principe d'inertie, j'ai peut-être donné l'impression d'éviter finalement ce problème. Dans un premier temps, je n'ai pas recherché de définition abstraite d'un référentiel d'inertie. L'aurais-je fait que je n'aurais pas trouvé le moindre

---

* Dans tout ce texte d'Einstein et Infeld, SC signifie système de coordonnées.

morceau de matière pour entrer dans cette définition. En isolant des morceaux d'univers sur lesquels les forces externes n'agissent pratiquement pas, j'ai finalement adopté une définition par approximations successives, jusqu'à sauter dans l'abstrait en imaginant un morceau d'univers parfaitement isolé. Mais en procédant ainsi, j'ai simplement pris le temps de poser le problème car, en fin de compte, j'ai fait comme si l'énoncé du principe d'inertie était une définition d'un référentiel d'inertie. Or, c'est une définition en trompe l'œil tant qu'on ne nous a pas défini ce qu'est une force, fut-elle nulle. Et l'on retrouve ici encore les difficultés rencontrées à propos du principe fondamental.

Pour s'en sortir, on est tenté de dire que le principe d'inertie couplé aux deux autres principes est une façon de définir non seulement un référentiel d'inertie, mais encore une force nulle. Mais alors, comment interprètera-t-on le fait que, sous des contraintes bien adaptées, un point matériel peut très bien, dans un référentiel non inertiel, être trouvé au repos ou amené à se déplacer à vitesse constante. Ceci s'observe aussi bien dans une capsule spatiale en orbite circulaire autour de la terre, que sur un manège en fonctionnement, ou sur la terre elle-même, cette sorte de gros manège sur lequel nous vivons.

Tout au long du chapitre suivant, nous allons voir que les principes de relativité fournissent un moyen de sortir de l'impasse. Pour l'instant, nous ne sommes pas encore parvenus à éviter les ambiguïtés. Faut-il s'en plaindre? Nous n'avions pas de définitions abstraites des forces et des masses et pourtant n'avons-nous pas compris comment fonctionne un oscillateur et interprété le mouvement des planètes? Et ce faisant, n'avons-nous pas progressé en compréhension des forces et des masses? Alors « marchons pour prouver le mouvement ». Nos intuitions initiales sur les masses et les forces s'affineront progressivement. Nous les corrigerons encore en passant de la mécanique classique aux mécaniques relativiste puis quantique, où ces notions changent de sens en relation avec « les théories, les concepts, les lois et les méthodes de mesure » qui leur sont adaptés. Taylor et Wheeler le disent de la façon suivante (10) :

> « Toutes les lois et toutes les théories de la physique ont ce caractère profond et subtil de définir pour nous des concepts plein d'utilité en même temps qu'elles permettent de faire des constatations au sujet de ces concepts... Combien est périmé le genre de science qui affirmait : « Définissez vos termes avant d'aller plus avant! ». La nature vraiment créatrice de toute étape en avant de la connaissance humaine tient justement à ce que la théorie, le concept, la loi et la méthode de mesure, à jamais inséparables, viennent au monde en même temps. »

VII   Conclusions

Ainsi dans ce chapitre, tout se tient et tout s'entrecroise : les trois principes *, qui seraient des tautologies s'ils n'étaient pas couplés entre eux, et les notions de masse et

---

* Le troisième principe, dit de l'action et la réaction, n'a été que cité en passant. Nous le critiquerons au cours des chapitres VI et VII, à partir des lois de conservation de la quantité de mouvement et du moment cinétique.

de force qui interviennent dans ces principes, y vivent, s'y adaptent en toute circonstance, quitte à changer de sens.

Nous avons bricolé, modélisé, mathématisé...; il en est resté quelque chose puisque nous avons compris la seule « formule à retenir » :

$$\vec{F} = \frac{d\vec{p}}{dt}; \text{ avec } \vec{p} = m\vec{v}.$$

Elle nous a permis aussi bien d'interpréter le mouvement d'un oscillateur dont la force est connue, que de « redécouvrir » la forme analytique d'une force fondamentale, celle de gravitation. De façon générale, elle suffit pour déterminer entièrement la trajectoire d'un objet en chaque instant pourvu que l'on connaisse sa position et sa vitesse initiales. La mécanique quantique fera prendre conscience qu'il y a des limites à cela et qu'il vaut mieux parler en termes de probabilité. Mais ceci est une autre histoire!

Enfin, n'oublions pas en terminant que le principe fondamental ne vaut a priori que dans des référentiels d'inertie. Il nous reste à en modifier le sens pour l'étendre aux référentiels accélérés. C'est l'objet du chapitre suivant.

Exercices

III.1. Quand une voiture roule à vitesse constante (vecteur vitesse constant), que peut-on dire de la somme des forces qui lui sont appliquées?

III.2. Pendant qu'un ressort oscille, où l'accélération du mouvement est-elle nulle? la plus forte? la plus faible? Répondre d'abord intuitivement, puis à l'aide du principe fondamental. (S)

III.3. Vous jetez un objet en l'air, à la verticale. Quand il s'arrête au sommet de sa trajectoire, que vaut son accélération? Répondez selon votre intuition, et contrôlez la en utilisant le principe fondamental. (S)

III.4. Vous jetez encore votre objet en l'air, à la verticale. Il s'arrête à l'altitude h au bout du temps t. Et vous recommencez la même expérience dans le vide. Cette fois, comme il n'y a plus de frottement, il va plus haut en un temps t'. Dites lequel est le plus grand de t ou de t'. Prouvez-le sans démonstration savante, à partir de la relation $\vec{F} = d\vec{p}/dt$.

Lorsque l'objet redescend, il acquiert une vitesse $\vec{v}_o$ en des temps, repérés par rapport à l'instant d'arrêt au sommet de la trajectoire, que l'on note t_o et t'_o, selon qu'il est dans l'air ou dans le vide. A-t-on $t_o > t'_o$ ou l'inverse? Prouvez-le encore simplement. (S)

III.5. Ne trouvez-vous pas miraculeusement simple le principe fondamental puisqu'il ne fait intervenir que la dérivée seconde de la position, pondérée par une constante m? Pourquoi ne pas songer à faire intervenir la position et ses dérivées successives jusqu'à l'infini, chacune pondérée par une constante de dimension appropriée? (S)

III.6. En utilisant les arguments d'analyse dimensionnelle du chapitre I, retrouvez comment varie, en fonction de k et m, la période d'un oscillateur, dit harmonique, caractérisé par $\vec{F} = -k(\vec{x} - \vec{x}_E)$.

III.7. De la même façon, retrouvez la loi de Kepler : $T^2 = cR^3$.

III.8. Au paragraphe III.5 de ce chapitre, nous avons obtenu comme solution de l'équation (III.21), l'expression (III.24), quand l'objet est abandonné en $\vec{x}_o$ sans vitesse initiale. N'auriez-vous pas attendu tout simplement $\vec{x} = \vec{x}_o \cos \omega t \, e^{-t/\tau}$? Pourquoi n'en est-il pas ainsi ?

III.9. Galilée est capable de composer avec tout adversaire en inventant des arguments faux mais rusés. Par exemple, dans ses dialogues, après avoir montré que l'expérience l'a conduit à la loi de la chute des corps, il ajoute, pour un adversaire très théoricien, qu'on aurait pu l'établir même sans expérience. Ses arguments peuvent se résumer ainsi en langage actuel. Supposons que tous les objets abandonnés sans vitesse initiale ne tombent pas avec la même vitesse, et que, par exemple, les plus lourds soient les plus rapides. Considérons un objet tombant avec la vitesse $\vec{v}$. Par la pensée, isolons deux morceaux de cet objet qui tomberaient avec des vitesses $\vec{v}_1$ et $\vec{v}_2$ s'ils étaient seuls. Puisque ces morceaux sont moins lourds que l'objet, $\vec{v}$ serait supérieur aussi bien à $\vec{v}_1$ qu'à $\vec{v}_2$. Mais, si nous recollons les morceaux, il est évident que $\vec{v}$ sera inférieur à la plus grande des deux vitesses $\vec{v}_1$ et $\vec{v}_2$, puisque le morceau qui a la plus faible vitesse handicapera celui qui a la plus grande, c'est-à-dire le ralentira. Au total $\vec{v}$ sera à la fois plus grand et plus faible que le plus grand de $\vec{v}_1$ et $\vec{v}_2$. Et ceci prouve bien que l'on doit nécessairement avoir $\vec{v} = \vec{v}_1 = \vec{v}_2$, car c'est la seule façon de se sortir de la contradiction. Qu'auriez-vous à répondre devant cette apparente démonstration ? (S)

III.10. Sachant que le rapport du rayon de l'orbite lunaire au rayon de la terre est de 60 et que $g \simeq 10$ m/s², calculer l'ordre de grandeur :
1) de l'intensité de la force gravitationnelle exercée par la terre sur la lune ;
2) de la période lunaire.

III.11. Comparer l'intensité de la force gravitationnelle exercée par la terre sur la lune, à celle exercée par le soleil sur la terre d'une part, et sur la lune d'autre part. Pourquoi les résultats de l'exercice 10 sont-ils néanmoins corrects ?

III.12. Sur une table horizontale de longueur $L = 2$ m et de hauteur $H = 1$ m peut glisser un bloc de masse $M = 3$ kg et de dimensions négligeables relié, par l'intermédiaire d'un fil inextensible passant dans la gorge d'une poulie, à une masse $m = 1$ kg ainsi suspendue dans le champ de pesanteur. Initialement le bloc se trouve à l'extrémité de la table opposée à la poulie et la masse m est à une hauteur $h = 0,5$ m au-dessus du sol. On libère alors le bloc. En négligeant tous les frottements dissipatifs et les masses du fil et de la poulie, décrire qualitativement le mouvement du bloc et donner son accélération. (S)

III.13. Une courbe d'autoroute horizontale a un rayon de 200 m.
1) Une voiture prend ce virage à une célérité égale à 80 km/h. Quel est le coefficient de frottement minimum qui permet d'éviter tout glissement de la voiture ?
2) Si le virage était relevé et «ajusté» pour une célérité égale à 80 km/h, quel serait le coefficient de frottement nécessaire pour éviter tout glissement si une voiture prend ce virage à 120 km/h ? (S)

III.14. Pour atteindre une cible resprésentée par un carré de 2 m de côté, dont le centre est à une distance $D = 50$ m du point de lancement du projectile (sur la même horizontale), vous utilisez une fronde de longueur $\ell = 0,6$ m que vous faites tourner dans un plan vertical perpendiculaire à la cible à une fréquence de N tours à la seconde. Vous lâchez le projectile de masse m quand la fronde fait un angle α avec la verticale.

Dans tout cet exercice tournant autour du calcul différentiel, on négligera la résistance de l'air. La trajectoire du projectile est la parabole :

$$y = x \operatorname{tg} \alpha - g \frac{x^2}{2 v_o^2 \cos^2 \alpha}$$

où v_o est la célérité initiale de ce projectile et $g \simeq 9,8$ m s^{-2} l'intensité de la pesanteur.

1) Si $\alpha = 30°$, quelle est la fréquence N nécessaire pour atteindre le centre de la cible ?

2) Avec cette valeur de l'angle α, utiliser le calcul référentiel pour obtenir les fréquences N_H et N_B permettant d'atteindre le haut et le bas de la cible.

3) Toujours à l'aide du calcul différentiel, déterminer les angles α_H et α_B nécessaires pour atteindre le haut et le bas de la cible quand la fréquence est maintenue à la valeur calculée à la question 2.

4) Commenter l'adresse que doit avoir le frondeur pour atteindre son but, et justifier l'emploi du calcul différentiel dans les questions 3 et 4. (S)

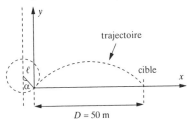

III.15. On lance un objet d'une hauteur h avec une vitesse initiale $\vec{v_o}$.

1) On supposera un mouvement suffisamment lent pour que la force de frottement soit proportionnelle à la vitesse, soit $\vec{F} = -k\vec{v}$. Établir les équations du mouvement et montrer que la trajectoire a une asymptote verticale. Comparer les caractéristiques de la trajectoire à celles obtenues en l'absence de frottement. En particulier, comparer les temps de montée jusqu'au sommet et de descente à partir du sommet.

2) Si la force résistante est de la forme $-k'v\vec{v}$, on ne sait résoudre les équations en termes de fonctions élémentaires que si le mouvement a lieu sur un axe. Établir alors l'expression de la vitesse pour la phase ascendante, puis pour la phase descendante du mouvement et la calculer au moment de l'arrivée au sol. (S)

III.16. Une voiture, dont la consommation est de 10 litres aux cent quand elle roule à 100 km/h, parcourt un circuit sinueux sur lequel sa célérité en km/h peut être mise sous la forme $v = 100 - 50 \cos (10s)$, où s est le nombre de kilomètres parcourus. En supposant que, dans la gamme des vitesses balayées, cette voiture ait une consommation à peu près proportionnelle au carré de sa célérité, estimez la quantité d'essence qu'il lui faudrait pour parcourir 100 km de ce circuit.

III.17. Supposons que le champ de gravitation créé par une particule ponctuelle de masse m soit en $1/r^3$ au lieu de $1/r^2$.

1) Donner l'équation aux dimensions de la constante G qui le caractériserait.

2) Calculer le champ qui en résulterait à l'extérieur d'une sphère creuse de rayon R et de masse M uniformément répartie sur toute sa surface.

3) Que devient l'expression obtenue lorsqu'on se trouve à une distance très grande d'une planète creuse ? Interpréter le résultat.

4) Que devient-elle lorsqu'on s'approche de la surface d'une telle planète ? Donner le sens de ce résultat.

5) Que se passerait-il dans l'univers si la gravitation devenait un jour en $1/r^3$? Ne trouvez-vous pas miraculeux qu'elle soit en $1/r^2$?

CHAPITRE IV

Référentiels en mouvement relatif : inertie, masse et relativité

Lorsqu'au début du chapitre précédent nous avons abordé le problème des référentiels d'inertie, nous avons écarté de cette classe les référentiels accélérés, comme un bateau sur une mer agitée, une voiture modifiant sa vitesse, un manège en fonctionnement, etc. A priori, non seulement on ne peut pas les utiliser pour énoncer les principes de la mécanique, mais la description des phénomènes semble plus compliquée quand on les emploie. Nous allons voir que ces difficultés peuvent être surmontées quand on maîtrise les formules de transformation des accélérations établies à la fin du chapitre II.

Je commencerai par illustrer ces formules dans le cas le plus simple des référentiels en translation uniforme les uns par rapport aux autres. Ceci me conduira à commenter l'énoncé du principe de relativité. Ensuite, j'introduirai la méthode des pseudo-forces qui permet d'interpréter les phénomènes qui se déroulent dans des référentiels non inertiels. Puis, pour insister sur l'accélération de Coriolis, je décrirai les effets associés à la rotation diurne de la terre. Nous aurons alors manipulé les formules de transformation des accélérations dans le cas général et je pourrai enfin donner quelques indications sur la relativité générale, tout en revenant sur la notion de référentiel d'inertie.

I   Principe de relativité

Depuis le chapitre I, nous savons que les quatre interactions fondamentales se caractérisent par des lois différentes, dont la loi de gravitation de Newton, établie au chapitre III, n'est qu'un exemple. Lorsqu'on envisage d'étudier comment ces lois se transforment, quand on passe d'un référentiel à un autre, il est bon de commencer par le cas le plus simple : celui où, toutes choses égales par ailleurs, on considère des référentiels en translation uniforme les uns par rapport aux autres, c'est-à-dire des référentiels gardant leurs vecteurs vitesses relatives constants.

Ce cas est régi par le principe de relativité, que l'on peut énoncer de la façon suivante :

Dans des référentiels en translation uniforme les uns par rapport aux autres, appelés référentiels galiléens, les lois de la physique sont invariantes. Ou encore : les lois de la physique restent les mêmes dans n'importe quel référentiel galiléen ; ce qui ne veut pas dire que les quantités mesurées ont la même valeur dans ces référentiels*.

Dès 1632, Galilée formulait ainsi ce principe :

« *Salvatius : Enfermez-vous avec quelque ami dans la grande cabine qui se trouve sous le pont d'un grand navire et gardez avec vous des mouches, des papillons et d'autres petits animaux capables de voler. Conservez également un grand bassin d'eau dans lequel nage un poisson ; et suspendez une bouteille qui se vide goutte à goutte dans un large vase placé au-dessous d'elle. Quand le navire est immobile, observez soigneusement que les petits animaux volent à la même vitesse vers n'importe quel côté de la cabine. Le poisson nage indifféremment dans n'importe quelle direction ; les gouttes tombent dans le vase placé sous la bouteille : et si vous lancez un objet à votre compagnon, il n'est pas nécessaire de le lancer plus fort dans une direction que dans une autre pour qu'il parvienne à la même distance ; en sautant à pieds joints, vous retombez à la même distance dans toutes les directions. Quand vous aurez observé soigneusement tout cela (bien qu'il ne puisse y avoir de doute à ce sujet et que tout doive se passer comme cela sur un navire immobile), commandez de faire avancer le navire à la vitesse que vous voudrez pourvu que son mouvement reste uniforme et qu'il n'oscille pas d'un bord à l'autre. Vous ne constaterez pas le moindre changement dans les effets énumérés plus haut et aucun d'eux ne vous permettra de dire si le navire avance ou s'il est toujours immobile. En sautant, vous retomberez à la même distance qu'auparavant et votre saut ne sera pas plus long vers la poupe que vers la proue, même si le vaisseau se déplace très vite, et en dépit du fait que le plancher se déplace en sens inverse de votre saut pendant que vous êtes en l'air. En lançant un objet à votre compagnon, votre effort pour l'atteindre ne sera pas plus grand s'il est vers la proue que s'il est vers la poupe, vous-même étant du côté opposé de la cabine. Les gouttes tomberont toujours dans le vase placé sous la bouteille ; elles ne tomberont pas vers la poupe bien que le navire parcoure plusieurs coudées pendant qu'elles tombent. Le poisson ne fera pas plus d'effort pour nager vers l'avant de son bassin que pour nager vers l'arrière et il viendra tout aussi facilement prendre un appât placé en n'importe quel point du bord du bassin. Les papillons et les mouches poursuivront enfin indifféremment leur vol vers n'importe quel côté de la cabine et vous ne les verrez jamais concentrés vers la poupe comme s'ils se dissociaient de la course du vaisseau dont ils ont été séparés pendant les longs intervalles qu'ils ont passé en l'air... ».*

Le principe de la relativité repose donc sur des constatations devenues familières qui justifient cette impression que l'on a d'être à l'arrêt quand on est dans un véhicule qui se déplace sans cahot à vitesse constante. La dynamique newtonienne et la physique actuelle l'adoptent toutes deux mais dans le cadre de théories différentes.

---

* Si l'on choisit de fonder la mécanique classique sur le principe de relativité, on n'évitera pas pour autant les problèmes que nous avons soulevés au § V du chapitre III à propos des notions de force et de masse. Comme le dit Poincaré (15) :

« *... on a même cherché à tirer (du principe de relativité) une démonstration (du principe fondamental de la dynamique)... L'obstacle qui nous empêchait de démontrer (ce principe) c'est que nous n'avons pas de définition de la force ; cet obstacle subsiste tout entier, puisque le principe (de relativité) ne nous a pas fourni la définition qui nous manquait.* »

La discussion sur ce point sera reprise en fin de chapitre, lorsque j'esquisserai le point de vue adopté en relativité générale.

1) POINTS DE VUE DE NEWTON ET DE LEIBNITZ

En mécanique classique le principe de relativité est appliqué en traitant comme des variables découplées les coordonnées d'espace et de temps d'un événement (hypothèse newtonienne d'un temps absolu). On lui associe alors ce qu'on appelle les formules de transformation de Galilée (cf. fig. IV.1) :

$$t' = t \qquad \text{(a)} \left. \vphantom{\begin{matrix}1\\1\end{matrix}} \right\}$$
$$\vec{r}' = \vec{r} - \vec{v}t \qquad \text{(b)} \qquad \text{(IV.1)}$$

où t et $\vec{r}$ sont le temps et le vecteur position repérés dans un référentiel R, et où t' et $\vec{r}'$ sont ces mêmes entités dans un autre référentiel R', dont la vitesse relative, par rapport à R, notée ici $\vec{v}$, est constante.

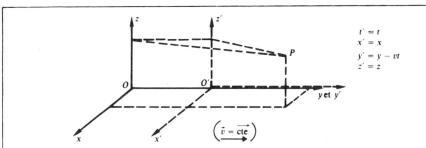

$$t' = t$$
$$x' = x$$
$$y' = y - vt$$
$$z' = z$$

$$\left(\vec{v} = \overrightarrow{\text{cte}} \right)$$

Figure IV.1.

La figure est tracée dans le cas particulier où les axes cartésiens sont parallèles, avec les axes Oy et $O'y'$ confondus. Dans ce cas, les coordonnées cartésiennes d'un même événement, localisé en P, sont reliées entre elles par les formules (IV.2) qui traduisent le point de vue adopté en mécanique classique.

Cette transformation laisse manifestement invariantes les forces qui ne dépendent que de la distance relative. C'est le cas de la loi de gravitation de Newton, des forces de rappel des ressorts, etc. La chose est évidente puisque, la distance relative étant un invariant classique ($\vec{r}'_1 - \vec{r}'_2 = \vec{r}_1 - \vec{r}_2$), on a :

$$\vec{F}_{R'} (|\vec{r}'_1 - \vec{r}'_2|) = \vec{F}_R (|\vec{r}_1 - \vec{r}_2|) \qquad \text{(IV.3)}$$

Postuler que toutes les forces sans exception sont invariantes sous la transformation de Galilée, c'est formaliser le principe de relativité dans le cadre de la dynamique newtonienne. En effet, la transformation de Galilée laisse également invariant le principe fondamental de la dynamique lorsqu'on suppose les masses indépendantes du référentiel (hypothèse newtonienne des masses constantes). C'est encore une évidence puisque, la vitesse relative étant constante, on a :

$$m\vec{a}_{R'} = m\vec{a}_R \qquad \text{(IV.4)}$$

et en conséquence, si l'on a, dans R, $\vec{F}_R = m\vec{a}_R$ on aura de même dans R', $\vec{F}_{R'} = m\vec{a}_{R'}$.

On aboutit ainsi à une première formalisation (celle de la théorie newtonienne) des considérations de Galilée sur la relativité du mouvement : puisque, dans le cadre des hypothèses newtoniennes (sur l'espace, le temps, les forces et les masses), le principe fondamental de la dynamique est invariant par transformation de Galilée il n'est pas possible de différencier des référentiels galiléens en y étudiant des mouvements. Par exemple, on n'observera aucune différence dans des mouvements de chute des corps étudiés dans un véhicule à l'arrêt ou en mouvement rectiligne uniforme, pourvu que le dispositif, comprenant la terre elle-même *, puisse être considéré comme invariant par translation.

Newton fut embarrassé du statut particulier accordé aux seuls référentiels en translation uniforme les uns par rapport aux autres. Néanmoins, il persista dans sa croyance en un espace absolu pensant que l'invariance du principe fondamental suggérait l'existence, au centre de l'univers, d'un référentiel absolu parfaitement au repos et donc parfaitement d'inertie. Pour lui, le statut particulier des référentiels galiléens n'était qu'un reflet du statut fort particulier de ce référentiel absolu.

Leibnitz prit la position inverse. Pour lui, l'invariance du principe fondamental par transformation de Galilée ne prouve qu'une chose : qu'il n'est pas possible d'identifier le référentiel absolu de Newton et qu'en conséquence l'imaginer est pure métaphysique. En effet, s'il en existe un, il en existe une infinité : tous ceux qui sont en translation uniforme par rapport à lui. Les lois de la physique y étant invariantes, aucune expérience ne pourra trancher en faveur de l'un d'entre eux. Ce point de vue, soutenu par Leibnitz, est celui qui a prévalu. Il a permis d'évacuer de la théorie newtonienne la notion d'espace absolu, et, du même coup, le concept de vitesse absolue car il n'existe aucune expérience susceptible de la mesurer. Il restait à rejeter de la physique le concept de temps absolu. Ceci allait survenir 150 ans plus tard, pendant l'étude des phénomènes électromagnétiques.

2) POINT DE VUE DE POINCARÉ ET D'EINSTEIN

En effet, le principe de relativité faillit être abandonné à la fin du siècle dernier lorsqu'on découvrit que les lois de l'électromagnétisme ne sont pas invariantes par transformation de Galilée. Ceci se manifeste clairement dans le fait que la vitesse de la lumière, phénomène électromagnétique, est indépendante du référentiel où on la mesure (cf. paragraphe I.3 du chapitre II), contrairement à ce que laisse prévoir la formule classique (II.29) de composition des vitesses, déduite de la transformation de Galilée.

A ce problème, on peut trouver deux solutions. Ou bien on rejette le principe de relativité, ou plus exactement on en exclut les lois électromagnétiques. Ou bien on garde le principe de relativité, mais alors il faut rejeter la transformation de Galilée en

---

* C'est pour éviter toute confusion que j'insiste sur cette condition qui impose, en particulier, d'effectuer les mesures dans un lopin de terre suffisamment petit pour qu'on puisse le traiter comme un plan sur lequel la pesanteur ne varie pas.

la considérant comme une approximation d'une transformation respectant en toutes circonstances ce principe.

C'est cette dernière solution que Poincaré suggéra d'adopter. Einstein la reprit à son compte. Ceci le conduisit à rejeter la notion newtonienne de temps absolu qui intervient dans la transformation de Galilée. Il fallut perdre l'habitude de croire que la durée des phénomènes que nous observons est définie de façon universelle : avec notre chronomètre nous ne mesurons sans parallaxe que la durée des phénomènes qui se passent au repos dans le référentiel où nous nous trouvons (cf. Appendice A)*.

Pour décrire des phénomènes qui surviennent dans des référentiels en mouvement relatif, on pourrait croire a priori que cette théorie impose d'installer partout un réseau de mètres et de chronomètres, comme indiqué sur la figure IV.2, en demandant à des opérateurs de nous communiquer leurs informations codées, là où nous sommes, près du chronomètre qui a servi à synchroniser le tout. Il n'en est rien :

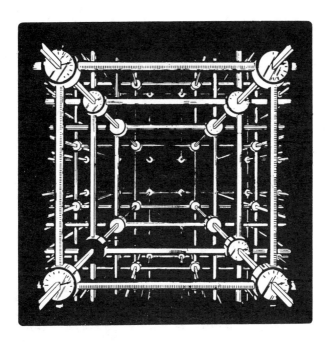

Figure IV.2.

Dispositif permettant de définir objectivement des événements avec une certaine précision. Cette figure est tirée de la référence (10).

---

* Ne serait-ce que pour approfondir les notions de référentiel, d'espace, de temps, de mesure... ou encore pour mieux comprendre le principe de relativité dans ses fondements, je conseille de lire dès maintenant l'appendice A. Bien qu'il soit, pour l'instant, à la limite du programme de première année de DEUG, je le traite à cette place comme un chapitre à part entière.

on peut éviter cette installation encombrante et onéreuse grâce au principe de relativité car il permet de formuler l'ensemble des lois physiques de façon « invariante », c'est-à-dire sans qu'il soit nécessaire de préciser le référentiel galiléen où l'on se trouve pour les étudier* (muni de son mètre et de son chronomètre). La théorie d'Einstein consiste à formaliser cela. Sa démarche peut être résumée ainsi :
— le principe de relativité a déjà conduit à rejeter la notion d'espace absolu ;
— il en résulte que l'on peut formaliser la dynamique newtonienne sans se soucier du référentiel galiléen où l'on se trouve ;
— il faut donc sauvegarder ce principe à tout prix, si possible ;
— pour cela il faut rejeter aussi la notion de temps absolu ;
— tant mieux car on gagne ainsi un point de vue plus physique sur ce qu'est un événement défini dans l'espace et le temps ;
— par la même occasion on étend le principe de relativité à toute la physique, et non plus seulement à la mécanique.

C'est ainsi que, dans le bouillonnement des idées autour des phénomènes électromagnétiques (23), Einstein a pu effectivement étendre à l'ensemble des lois physiques le principe de relativité dont je vous rappelle l'énoncé :

Les lois de la physique restent les mêmes dans n'importe quel référentiel galiléen.

A ce jour, aucune expérience n'a pu le mettre en défaut. Et il est si bien inscrit dans les mœurs qu'on l'utilise implicitement quand on fait les plans des appareils, électromagnétiques ou non, qui entreront dans un avion ou une fusée en fonctionnement. Il ne vient à l'idée de personne d'invoquer des lois différentes en chacune de ces circonstances.

---

* Cette formulation invariante est introduite dans l'appendice A. On peut la résumer ainsi : en mécanique relativiste les intervalles de temps Δt et d'espace Δr qui séparent deux événements ne sont plus des invariants découplés, comme en mécanique classique, et l'invariant unique est l'intervalle d'espace-temps ΔS défini par :

$$(\Delta S)^2 = (\Delta r)^2 - c^2 (\Delta t)^2 \qquad \text{(IV.5)}$$

où c est la vitesse de la lumière, ou plus généralement de toute particule de masse nulle, comme le photon et le neutrino, tout au moins tels qu'on les connaît aujourd'hui.

On obtient cet invariant ($\Delta S = \Delta S'$), en exploitant les formules dites de la transformation de Lorentz qui remplacent celles de la transformation de Galilée. Par exemple, dans le cas de la figure IV.1, les formules (IV.2) deviennent :

$$t' = \frac{t - vy/c^2}{\sqrt{1 - v^2/c^2}}$$
$$x' = x$$
$$y' = \frac{y - vt}{\sqrt{1 - v^2/c^2}} \qquad \text{(IV.6)}$$
$$z' = z$$

Elles tendent vers celles de la transformation de Galilée lorsque v, la célérité relative des deux référentiels R et R' devient négligeable devant c. Elles traduisent formellement l'abandon de la notion de temps absolu au profit du concept d'espace-temps : les durées et les longueurs dépendent du référentiel et elles sont couplées.

II   Référentiels non inertiels

Après avoir traité le cas des référentiels galiléens, nous allons maintenant décrire des mouvements en nous plaçant dans des référentiels non inertiels, c'est-à-dire dans des systèmes accélérés par rapport à un référentiel supposé d'inertie. J'aborderai le sujet par des exemples tirés de la vie quotidienne.

Placez sur votre table une feuille de papier bien lisse. Déposez sur cette feuille un objet susceptible de glisser facilement, par exemple votre stylo, et tirez d'un coup sec la feuille. Vous constaterez que le stylo reste pratiquement sur place par rapport à vous, c'est-à-dire par rapport au référentiel, supposé d'inertie, dans lequel vous êtes immobile. Cette observation est conforme au principe d'inertie : vous avez exercé une force $\vec{F}$ sur la feuille, en tirant dessus, mais elle n'a pas été transmise au stylo puisque, compte tenu de l'absence de frottements entre lui et la feuille, tout se passe comme s'il était en apesanteur et flottant au-dessus de la table.

Mettons-nous maintenant à la place des atomes de carbone rivés à la feuille, c'est-à-dire au référentiel non inertiel qu'elle constitue pendant qu'elle est sèchement accélérée. Pour eux, s'ils se croient dans un référentiel d'inertie, tout se passe comme si le stylo avait été soumis à une «force» de même intensité que $\vec{F}$ mais dirigée en sens inverse. En effet en se référant à la feuille, par rapport à laquelle ils sont «manifestement» immobiles (puisqu'ils la constituent) ils observent que le stylo prend brutalement une accélération qui l'amène à sortir rapidement de la feuille. Des mesures effectuées dans leur référentiel, la feuille, leur permettraient d'obtenir la valeur exacte de cette accélération en chaque instant. Vous, qui êtes dans le référentiel d'inertie lié à la table immobile par rapport à vous, vous pouvez bien imaginer le résultat de ces mesures : l'accélération du stylo par rapport à la feuille devrait «logiquement» être de même intensité que celle de la feuille par rapport à la table mais dirigée en sens inverse ; d'où l'effet observé par les atomes de la feuille. Reprenons maintenant le même thème dans un contexte plus familier mais psychiquement plus troublant : dédoublons notre personnalité pour raisonner successivement dans deux référentiels, l'un d'inertie et l'autre non.

Lorsque nous sommes dans une voiture (cf. fig. IV.3a) roulant à vitesse constante, tout se passe pour nous comme si nous étions à l'arrêt, aux cahots de la route près. En particulier, nous restons assis au même endroit de notre siège (a.1). Mais si la voiture est accélérée vers l'avant, lors d'une reprise, nous avons l'impression de partir en arrière vers le dossier de la banquette (a.2). Si la voiture est freinée («accélérée vers l'arrière»), c'est en avant, vers le pare-brise, que nous nous croyons propulsés (a.3). Et quand la voiture est amenée à virer, par exemple vers la droite (accélérée vers la droite), nous nous sentons partir vers la portière gauche (a.4).

C'est ainsi que nous traduisons nos impressions en langage courant : dans le référentiel de la voiture qui nous transporte, nous invoquons implicitement des forces, appelées « forces d'inertie » parce qu'elles ne s'apparentent a priori ni aux forces d'interaction associées aux quatre interactions fondamentales décrites au chapitre I, ni

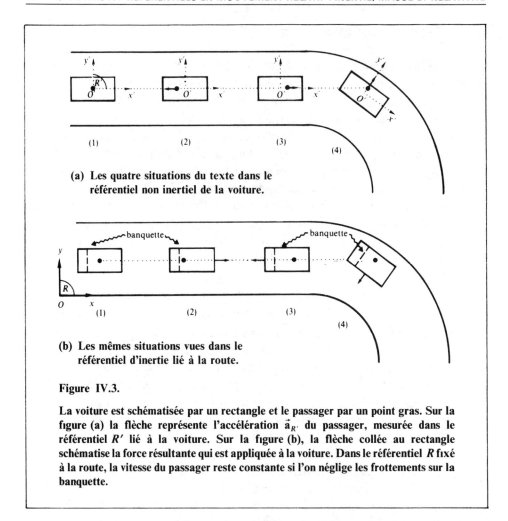

(a) Les quatre situations du texte dans le référentiel non inertiel de la voiture.

(b) Les mêmes situations vues dans le référentiel d'inertie lié à la route.

Figure IV.3.

La voiture est schématisée par un rectangle et le passager par un point gras. Sur la figure (a) la flèche représente l'accélération $\vec{a}_{R'}$ du passager, mesurée dans le référentiel R' lié à la voiture. Sur la figure (b), la flèche collée au rectangle schématise la force résultante qui est appliquée à la voiture. Dans le référentiel R fixé à la route, la vitesse du passager reste constante si l'on néglige les frottements sur la banquette.

à celles qui en découlent par l'intermédiaire de modèles (cf. également chapitre I). En procédant ainsi, nous croyons nous en remettre au principe fondamental de la dynamique. Nous nous disons : puisque je suis accéléré, c'est que je suis soumis à des forces. Nous oublions simplement que l'accélération dont nous parlons est évaluée dans le référentiel de la voiture ; que ce référentiel n'est pas d'inertie puisque la voiture est accélérée par rapport à la route ; et qu'en conséquence le principe fondamental ne s'y applique pas, tout au moins dans la version que nous avons adoptée au chapitre précédent.

1)   INTERPRÉTATION DES PHÉNOMÈNES DANS UN RÉFÉRENTIEL D'INERTIE

Mettons nous donc dans un référentiel d'inertie pour décrire les phénomènes (cf. fig. IV.3b). Par exemple, reformulons-les tels qu'ils apparaissent à un observateur situé sur le bord de la route. Pour lui, tant que la voiture et le passager progressent à vitesse constante, c'est qu'ils sont soumis tous les deux à des forces résultantes nulles, en vertu du principe d'inertie, valable dans son référentiel supposé d'inertie (b.1). Mais si la voiture, de masse en charge m, est soumise à une force résultante motrice, $\vec{F}$, elle prend une accélération $\vec{a} = \vec{F}/m$, en vertu du principe fondamental, valable dans ce référentiel, et sa célérité augmente donc. Cependant, le passager, tant que le dossier de la banquette ne l'a pas rattrapé, reste soumis à une force résultante nulle*. Il poursuit son mouvement inertiel : il garde sa vitesse initiale (b.2). En d'autres termes, c'est le dossier qui le rattrape et le plaque contre lui.

Si la voiture est freinée, l'inverse se produit : c'est le passager qui, gardant sa vitesse constante, rattrape le pare-brise dont la célérité a diminué sous l'action d'une force de freinage dirigée vers l'arrière (b.3). Et quand la voiture est soumise à une force de braquage, par exemple vers la droite, c'est la portière gauche qui vient heurter le passager pendant qu'il poursuit son mouvement inertiel, c'est-à-dire rectiligne uniforme (b.4).

Ainsi, dans toutes ces descriptions des phénomènes, à partir d'un référentiel d'inertie, il n'intervient aucune « force d'inertie », mais uniquement des forces bien connues : la force motrice dans le premier cas, la force de freinage dans le deuxième, et la force associée au braquage dans le troisième. Ce sont des forces que l'on peut estimer dans le référentiel d'inertie, lié à l'observateur, dès que l'on connaît les conditions météorologiques, le descriptif géométrique de la voiture, les indices de performances de son moteur et les caractéristiques mécaniques du revêtement de la route, des pneus et de la suspension du véhicule dont le poids en charge est facile à obtenir par pesée à l'arrêt.

2) INTERPRÉTATION DES PHÉNOMÈNES DANS UN RÉFÉRENTIEL NON INERTIEL

Pour interpréter maintenant les mouvements observés dans le référentiel non inertiel R', lié à la voiture, la seule chose importante à connaître, outre les conditions initiales, est l'accélération $\vec{a}_{R'}$, que nous y éprouvons. On peut la mesurer dans R', mais on peut aussi la calculer en communiquant avec l'observateur situé dans le référentiel R supposé d'inertie (lié à la terre), pour obtenir de lui tout renseignement utile. La formule (II.33) fournit en effet :

$$\vec{a}_{R'} = \vec{a}_R - \vec{a}_e - \vec{a}_c \qquad\qquad (IV.7)$$

où $\vec{a}_R$ est l'accélération du mouvement dans R, et où $\vec{a}_e$ et $\vec{a}_c$ sont les accélérations d'entraînement et de Coriolis, toutes caractéristiques que l'observateur dans R peut nous communiquer.

---

* Ceci suppose, bien entendu, que l'on néglige les frottements sur le siège, ce qui n'est jamais le cas. C'est la raison pour laquelle, lorsque le tronc est flexible, comme en cas de surprise, la tête est plus vite rattrapée par la banquette précisément parce que son mouvement est celui qui se rapproche le plus d'un mouvement inertiel.

Par exemple, si l'on nous apprend que dans R nous suivons un mouvement inertiel, caractérisé par $\vec{a}_R = 0$, nous en conclurons que l'accélération que nous ressentons, en nous référant à la carosserie, est donnée par :

$$\vec{a}_{R'} = -(\vec{a}_e + \vec{a}_c) \tag{IV.8}$$

Dès lors, si nous connaissons le mouvement relatif de la voiture par rapport à la route, nous pouvons interpréter ce qui nous arrive. En particulier, si le véhicule accélère brutalement (somme $\vec{a}_e + \vec{a}_c$ dirigée vers l'avant) notre accélération relative, $\vec{a}_{R'}$, est dirigée vers l'arrière et nous nous sentons partir vers le dossier de la banquette. L'inverse se produit en cas de freinage (somme $\vec{a}_e + \vec{a}_c$ dirigée vers l'arrière) et nous croyons qu'on nous propulse vers l'avant jusqu'à rencontrer le pare-brise (si la ceinture de sécurité est mal attachée). Enfin, si la voiture vire à droite (somme $\vec{a}_e + \vec{a}_c$ dirigée vers la droite) nous avons l'impression de glisser à gauche.

De façon générale, si l'observateur nous communique notre accélération $\vec{a}_R$, dans son référentiel, ou encore les forces, $\vec{F}_R$, qui agissent sur nous, telles qu'il les connaît, nous pouvons calculer l'accélération que nous éprouvons, $\vec{a}_{R'}$, en utilisant la formule générale (IV.7) ou encore :

$$\vec{a}_{R'} = \frac{\vec{F}_R}{m} - \vec{a}_e - \vec{a}_c \tag{IV.9}$$

où m est notre masse dans R aussi bien que dans R', puisque nous avons adopté ici l'approximation classique pour exploiter le principe fondamental, valable dans R, $\vec{a}_R = \vec{F}_R/m$.

3) MÉTHODE DES PSEUDO-FORCES

Il nous reste maintenant à traduire en langage courant ce que nous venons d'observer. Dans ce langage on appelle « effets d'inertie » les effets associés à l'accélération de la voiture par rapport à la route et plus généralement de R' par rapport à R. Pour en rendre compte, on invoque des « forces d'inertie » que nous nommerons « pseudo-forces » pour insister sur le fait qu'elles n'ont a priori rien à voir ni avec les quatre forces d'interaction, ni avec celles qui en découlent, par l'intermédiaire de modèles, comme par exemple, les forces motrices, de freinage, de braquage, etc.

Tout ce vocabulaire est lié à la méthode dite des pseudo-forces, qui consiste à faire comme si le principe fondamental était valable dans n'importe quel référentiel. Il suffit pour cela d'interpréter les expressions suivantes comme des forces :

$$\left.\begin{aligned} \vec{\psi}_e &= -m\vec{a}_e, \text{ dite pseudo-force d'entraînement} \\ \vec{\psi}_c &= -m\vec{a}_c, \text{ dite pseudo-force de Coriolis} \end{aligned}\right\} \tag{IV.10}$$

En effet, la relation (IV.9) peut alors être récrite :

$$\vec{a}_{R'} = \frac{\vec{F}_R - m\vec{a}_e - m\vec{a}_c}{m} = \frac{\vec{F}_R + \vec{\psi}_e + \vec{\psi}_c}{m} = \frac{\vec{F}_{R'}}{m} \tag{IV.11}$$

où $\overrightarrow{\mathcal{F}}_{R'}$ est la somme des forces et pseudo-forces ressenties par l'objet de masse m, dans le référentiel R'.

Ainsi, pourvu qu'on nous communique les forces qui agissent sur nous, telles qu'on les connaît dans un référentiel d'inertie, on pourra énoncer une sorte de principe fondamental généralisé :

Dans mon référentiel, quel qu'il soit, si je suis un point matériel, je pourrai calculer mon accélération grâce à la relation :

$$\vec{a} = \overrightarrow{\mathcal{F}}/m \tag{IV.12}$$

où m est la masse et où $\overrightarrow{\mathcal{F}}$ est la somme des forces et des pseudo-forces qui s'exercent sur moi.

En particulier, si le mouvement d'un point matériel est étudié dans un référentiel d'inertie, R, il n'y a pas à considérer de pseudo-forces, puisqu'elles sont nulles, et l'on retrouve le principe fondamental $\vec{a}_R = \overrightarrow{F}_R/m$. Par contre, si l'on choisit de raisonner dans un référentiel non inertiel, il y a lieu de prendre en compte non seulement les forces, telles qu'on les connaît dans un référentiel d'inertie, mais aussi l'ensemble des pseudo-forces dont l'expression analytique nécessite la connaissance des accélérations d'entraînement, $\vec{a}_e$, et de Coriolis, $\vec{a}_c$.

Dans les paragraphes suivants, nous insisterons sur la pseudo-force de Coriolis, couramment appelée : force de Coriolis. Mais notons dès maintenant qu'elle s'annule lorsque l'accélération de Coriolis est nulle, c'est-à-dire dans les deux cas particuliers cités à la fin du chapitre II :

— d'une part, quand le référentiel non inertiel est caractérisé par un mouvement de translation, uniforme ou non, par rapport à un référentiel d'inertie, comme, par exemple, dans une voiture lors des démarrages et des freinages en ligne droite;
— d'autre part, quand l'objet considéré est immobile dans le référentiel non inertiel, comme c'est le cas, par exemple, quand on s'est fixé sur un manège en fonctionnement, ou lorsqu'un cosmonaute, en état d'apesanteur, est au repos dans son satellite tournant autour de la terre.

4)   EXEMPLE DE LA PSEUDO-FORCE CENTRIFUGE

A titre de première illustration de la méthode des pseudo-forces, nous allons étudier ce dernier cas particulier. Soit donc un cosmonaute dans son satellite, tournant autour de la terre en un mouvement circulaire uniforme.

Dans un référentiel supposé d'inertie, fixé au centre de la terre, le mouvement s'interprète en invoquant la force de gravitation (exercée par la terre sur le satellite en charge) dont l'intensité est :

$$F = G\frac{mM_T}{R^2} \tag{IV.13}$$

où R est le rayon de l'orbite et où M_T et m sont les masses de la terre et du satellite en charge, supposés ponctuels. Le principe fondamental s'écrit dans ce référentiel :

$$F = \frac{GmM_T}{R^2} = ma = m\,\frac{v^2}{R} \qquad\qquad (IV.14)$$

où v est la célérité du mouvement et où v^2/R est le module de son accélération centripète.

On en déduit que la célérité est reliée au rayon de l'orbite par :

$$v = \sqrt{\frac{GM_T}{R}} = \sqrt{\frac{GM_T}{R_T^2}\,\frac{R_T^2}{R}} = R_T\sqrt{\frac{g}{R}} \qquad\qquad (IV.15)$$

où, par un jeu d'écriture, on fait apparaître le rayon de la terre R_T et l'intensité du champ de pesanteur g, ce qui facilite parfois les applications numériques. On note ainsi que cette célérité ne dépend pas de la masse du point matériel considéré, et qu'elle est donc la même pour le satellite, pourvu qu'on puisse tous les traiter comme des points matériels. En particulier, elle vaut environ 8 km/s pour un satellite circulant dans le voisinage immédiat du sol terrestre, c'est-à-dire pour $R \simeq R_T$.

Raisonnons maintenant comme pourrait le faire un cosmonaute dans son référentiel non inertiel, R', lié au satellite. Pour lui, puisqu'il est en apesanteur au centre de son satellite, son accélération est nulle. Pour en rendre compte, il invoquera une somme nulle des forces et pseudo-forces, ce qu'il obtiendra en ajoutant à $\vec{F}$ (la force de gravitation qu'il savait exister avant de quitter la terre) la pseudo-force d'entraînement dite « force centrifuge », donnée par :

$$\vec{\psi}_e = -m\vec{a}_e \qquad\qquad (IV.16)$$

avec $\|\vec{a}_e\| = a_e = v^2/R$.

Il écrira alors le « principe fondamental généralisé » sous la forme :

$$\mathcal{F} = G\,\frac{mM_T}{R^2} - m\,\frac{v^2}{R} = ma_{R'} = 0 \qquad\qquad (IV.17)$$

où $a_{R'} = 0$ est le module de l'accélération dans R'. Ainsi, pourvu que le cosmonaute sache qu'il est en mouvement circulaire uniforme de célérité v par rapport à la terre, il peut calculer le rayon de son orbite en utilisant l'équation (IV.17) qui conduit au même résultat que la formule (IV.15).

La méthode des pseudo-forces que je viens d'illustrer dans un cas particulièrement simple peut être employée en toute circonstance. Avant de l'exploiter pour traiter les pseudo-forces de Coriolis, je vais faire une sorte d'intermède mathématique.

III Transformation des vitesses et des accélérations

Telles que nous les avons écrites à la fin du chapitre II, les formules de transformation des vitesses et des accélérations sont difficiles à manipuler, sauf dans quelques cas particuliers. Nous allons nous tourner vers la mathématique pour les récrire d'une façon simple dans le cas général. L'objet mathématique adapté à notre problème est le produit vectoriel dont je vous rappelle tout d'abord la définition.

1) DÉFINITION DU PRODUIT VECTORIEL

Par définition, le produit vectoriel de deux vecteurs $\vec{A}$ et $\vec{B}$, noté indifféremment $\vec{A} \times \vec{B}$ ou $\vec{A} \wedge \vec{B}$, est un troisième vecteur, $\vec{V}$ dont les caractéristiques sont les suivantes (cf. fig. IV.4) :

— il est perpendiculaire au plan défini par les vecteurs $\vec{A}$ et $\vec{B}$,
— son module est donné par :

$$\| \vec{V} \| \equiv \| \vec{A} \times \vec{B} \| = \| \vec{A} \| \, \| \vec{B} \| \, |\sin \alpha| = AB \sin \alpha, \qquad (IV.18)$$

où, par convention, α est l'angle dont il faut faire tourner, en minimisant son « effort » (c'est-à-dire $\alpha < \pi$, et donc $\sin \alpha > 0$), le premier vecteur du produit vectoriel, ici $\vec{A}$, pour l'aligner sur le second, ici $\vec{B}$,

— son sens est celui de la progression d'une vis ordinaire (dite : à pas à droite), ou d'un tire-bouchon, que l'on ferait tourner en respectant les prescriptions ci-dessus $(\alpha < \pi)$.

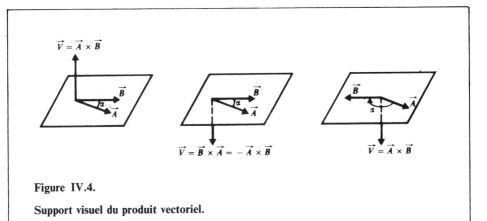

Figure IV.4.

Support visuel du produit vectoriel.

On notera que le produit vectoriel ainsi défini possède les propriétés suivantes :

$$\begin{aligned}
&\vec{A} \times \vec{A} = \vec{B} \times \vec{B} = 0 \\
&(\alpha \vec{A}) \times \vec{B} = \alpha \, (\vec{A} \times \vec{B}) \\
&\vec{B} \times \vec{A} = - \vec{A} \times \vec{B} \\
&\vec{A} \times (\vec{B} + \vec{C}) = \vec{A} \times \vec{B} + \vec{A} \times \vec{C}
\end{aligned} \qquad (IV.19)$$

On en déduit, en explicitant $\vec{A}$ et $\vec{B}$ sur une base cartésienne, que les composantes cartésiennes de $\vec{V} = \vec{A} \times \vec{B}$ sont données par :

$$V_x = A_y B_z - A_z B_y$$
$$V_y = A_z B_x - A_x B_z \qquad\qquad\qquad (IV.20)$$
$$V_z = A_x B_y - A_y B_x$$

où A_x, A_y, A_z et B_x, B_y, B_z, sont les composantes cartésiennes des vecteurs $\vec{A}$ et $\vec{B}$.

2)   VECTEUR $\vec{\omega}$ ET VITESSE D'ENTRAÎNEMENT

Avant de montrer que le produit vectoriel est un outil mathématique très commode pour traiter les rotations, je vais introduire le vecteur vitesse angulaire, noté $\vec{\omega}$, dont le module est la célérité angulaire ω. A cette fin, considérons un référentiel d'inertie R, centré en O, par rapport auquel tourne, autour d'un axe Δ, un référentiel supposé indéformable, R', centré en O' (cf. fig. IV.5).

Tous les points du référentiel R' tournent autour de Δ avec la même célérité angulaire ω, mais avec une célérité $v_{M'}$ d'autant plus grande que le point M' considéré est distant de l'axe Δ. Si $H'M'$ est sa distance à l'axe, on a en effet :

$$v_{M'} \equiv \|\vec{v}_{M'}\| = \omega H'M' = \omega r' \sin \alpha \qquad\qquad (IV.21)$$

où r' est le module du vecteur position $\overrightarrow{O'M'}$ et où $\alpha < \pi$ est l'angle défini par Δ et $\overrightarrow{O'M'} = \vec{r}'$. On est donc conduit à écrire la vitesse, $\vec{v}$, en chaque point M' du référentiel R', sous la forme :

$$\vec{v}_{M'} = \vec{\omega} \times \vec{r}' \qquad\qquad\qquad (IV.22)$$

où $\vec{\omega}$ est appelé vecteur rotation instantanée, ou plus simplement vitesse angulaire. Il est défini de la façon suivante :
— il est porté par l'axe Δ

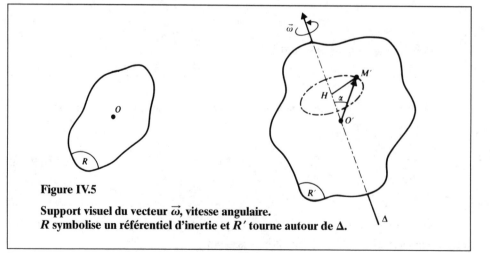

Figure IV.5

Support visuel du vecteur $\vec{\omega}$, vitesse angulaire.
R symbolise un référentiel d'inertie et R' tourne autour de Δ.

— son module est ω, la célérité angulaire
— sa direction est celle que prendrait un tire-bouchon si on le faisait tourner dans le sens de rotation de R'.

Ainsi, le vecteur $\vec{\omega}$ est à ω, dans les rotations, ce que le vecteur $\vec{v}$ est à v, dans les translations : il véhicule plus d'informations que la célérité angulaire, car en plus du rythme imprimé en chaque instant à la rotation, ce que donne son module ω, il fournit également la direction de l'axe autour duquel tourne le référentiel et le sens de la rotation instantanée.

On vérifiera aisément qu'avec cette définition de $\vec{\omega}$, le produit vectoriel $\vec{\omega} \times \vec{r}'$ reproduit fidèlement toutes les caractéristiques de $\vec{v}_{M'}$ aussi bien en ce qui concerne son orientation que son module. C'est donc un moyen très commode pour écrire la vitesse d'entraînement de R', définie précisément, je vous le rappelle, comme la vitesse du point M', lié à R', qui coïncide avec le point matériel mobile lorsqu'il est repéré en M à l'instant t. Dans le cas général, où l'on ne se limite pas aux rotations, on récrira donc la formule (II.30) sous la forme :

$$\boxed{\vec{v}_e = \frac{\mathrm{d}\overrightarrow{OO'}}{\mathrm{d}t} + \vec{\omega} \times \vec{r}'} \qquad\qquad \text{(IV.23)}$$

3) REPRÉSENTATION CARTÉSIENNE DU PRODUIT VECTORIEL $\vec{\omega} \times \vec{r}'$

Afin de nous familiariser avec le produit vectoriel, nous allons vérifier que les formules (II.30) et (IV.23) sont équivalentes. Pour ne pas compliquer les choses, nous nous limiterons à un mouvement de rotation autour d'un axe fixe, celui de la plateforme du manège en fonctionnement représenté sur la figure (IV.6). Il est caractérisé par $\mathrm{d}\overrightarrow{OO'}/\mathrm{d}t = 0$ (pas de translation) et donc $\vec{v}_e = \vec{\omega} \times \vec{r}'$.

Il est judicieux de prendre l'axe $O'z'$ confondu avec Δ. Alors, la vitesse angulaire n'a de composante que sur $O'z'$, soit $\vec{\omega} = \omega_z \vec{k}'$. Par contre, $\vec{r}'$ n'a pas de composante sur cet axe, soit : $\vec{r}' = x'\vec{i}' + y'\vec{j}'$. On peut donc écrire successivement :

$$\vec{\omega} \times \vec{r}' = \omega_z \vec{k}' \times (x'\vec{i}' + y'\vec{j}') = (\omega_z \vec{k}') \times (x'\vec{i}') + (\omega_z \vec{k}') \times (y'\vec{j}')$$

$$= x'\omega_{z'} (\vec{k}' \times \vec{i}') + y'\omega_{z'} (\vec{k}' \times \vec{j}')$$

$$= x'\omega_z \vec{j}' + y'\omega_{z'} (-\vec{i}') = x'\omega_z \vec{j}' - y'\omega_z \vec{i}'$$

Jusqu'ici, nous n'avons fait que retrouver les expressions (IV.20) dans un cas particulier. Il nous reste maintenant à montrer que le résultat obtenu s'identifie à l'expression cartésienne (II.30) de $\vec{v}_e$ dans le cas d'une pure rotation plane, à savoir :

$$\vec{v}_e = x' \frac{\mathrm{d}\vec{i}'}{\mathrm{d}t} + y' \frac{\mathrm{d}\vec{j}'}{\mathrm{d}t}$$

Pour cela, il suffit d'utiliser ce que nous avons démontré au chapitre II au sujet de la dérivée d'un vecteur unitaire, soit :

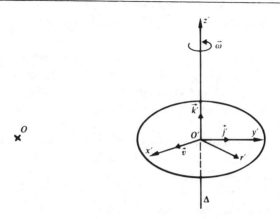

Figure IV.6.

Le référentiel d'inertie est centré en O, et le manège tourne avec la vitesse angulaire $\vec{\omega}$ autour de son axe Δ, sur lequel l'axe $O'z'$ a été aligné. Le vecteur $\vec{r}'$ est dans le plan défini par la plateforme du manège.

$$\frac{\mathrm{d}\vec{i}'}{\mathrm{d}t} = \frac{\mathrm{d}\vec{i}'}{\mathrm{d}\theta'}\frac{\mathrm{d}\theta'}{\mathrm{d}t} = \vec{j}'\omega_{z'} \qquad \text{(tourner } \vec{i} \text{ de } \pi/2 \text{ conduit à } \vec{j}')$$

$$\frac{\mathrm{d}\vec{j}'}{\mathrm{d}t} = \frac{\mathrm{d}\vec{j}'}{\mathrm{d}\theta'}\frac{\mathrm{d}\theta'}{\mathrm{d}t} = -\vec{i}'\omega_{z'} \qquad \text{(tourner } \vec{j} \text{ de } \pi/2 \text{ conduit à } \vec{i}')$$

Cette démonstration se généralise aisément au cas des rotations à trois dimensions où l'on a :

$$\vec{\omega} \times \vec{r}' = x'\frac{\mathrm{d}\vec{i}'}{\mathrm{d}t} + y'\frac{\mathrm{d}\vec{j}'}{\mathrm{d}t} + z'\frac{\mathrm{d}\vec{k}'}{\mathrm{d}t} \qquad (\text{IV.24})$$

La façon la plus rapide de l'effectuer consiste à établir au préalable les formules qui nous serviront souvent par la suite :

$$\boxed{\frac{\mathrm{d}\vec{i}'}{\mathrm{d}t} = \vec{\omega} \times \vec{i}'; \; \frac{\mathrm{d}\vec{j}'}{\mathrm{d}t} = \vec{\omega} \times \vec{j}'; \; \frac{\mathrm{d}\vec{k}'}{\mathrm{d}t} = \vec{\omega} \times \vec{k}'} \qquad (\text{IV.25})$$

formules qui ne sont que des cas particuliers de la relation (IV.24) obtenus en prenant successivement $\vec{r}' = \vec{i}'$, $\vec{r}' = \vec{j}'$ et $\vec{r}' = \vec{k}'$.

4) ACCÉLÉRATION D'ENTRAÎNEMENT

Dès maintenant on peut les utiliser pour établir l'expression de l'accélération d'entraînement en fonction de la vitesse angulaire $\vec{\omega}$. Pour cela, on part de la formule (II.35) dans laquelle on écrit :

$$\frac{d^2\vec{i}'}{dt^2} = \frac{d}{dt}(\vec{\omega} \times \vec{i}') = \frac{d\vec{\omega}}{dt} \times \vec{i}' + \vec{\omega} \times (\vec{\omega} \times \vec{i}')$$

et les expressions semblables pour $d^2\vec{j}'/dt^2$ et $d^2\vec{k}'/dt^2$. On obtient finalement* :

$$\boxed{\vec{a}_e = \frac{d^2\overrightarrow{OO'}}{dt^2} + \frac{d\vec{\omega}}{dt} \times \vec{r}' + \vec{\omega} \times (\vec{\omega} \times \vec{r}')} \qquad \text{(IV.26)}$$

Dans le cas particulier d'une pure rotation uniforme, $\overrightarrow{OO'}$ et $\vec{\omega}$ sont indépendants du temps, et l'on a donc :

$$\vec{a}_e = \vec{\omega} \times (\vec{\omega} \times \vec{r}') \qquad \text{(IV.27)}$$

On retrouve ainsi un résultat déjà exploité (cf. fig. IV.7) : dans le cas d'une rotation uniforme, l'accélération d'entraînement est un vecteur de module $\omega^2 H'M'$ dirigé de M' vers H' où H' est la projection orthogonale de M' sur l'axe de rotation et

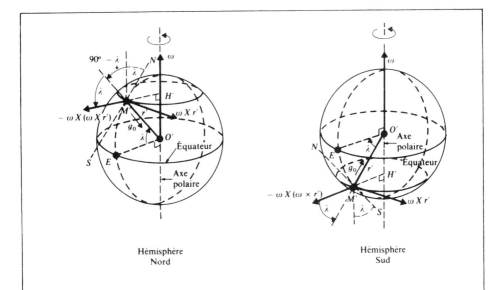

Hémisphère Nord

Hémisphère Sud

Figure IV.7.

Au paragraphe suivant, nous allons nous intéresser au « référentiel terre » qui tourne autour de son axe en un jour. Je l'ai choisi ici pour illustrer la formule (IV.27). Le vecteur $-\vec{\omega} \times (\vec{\omega} \times \vec{r}')$ indique la direction de la pseudo-force centrifuge puisque l'on a $\vec{\psi}_e = -m\vec{a}_e$. Pour la suite de l'exposé, notons encore que $\vec{g}_o$ est le champ de pesanteur au point M' considéré et que l'angle λ est ce que l'on appelle la latitude de ce point.

---

* On notera que $\vec{a}_e$ n'est pas égal à $d\vec{v}_e/dt$ car $d\vec{r}'/dt$ n'est pas égal à $\vec{v}$. En effet, on a $d\vec{r}'/dt = \vec{v}' + \vec{\omega} \times \vec{r}'$ et donc $d\vec{v}_e/dt = \vec{a}_e + \vec{\omega} \times \vec{v}'$.

où $H'M'$ est donc la distance de M' à l'axe de rotation; c'est une accélération centripète ayant pour centre le point H' de l'axe autour duquel M' tourne sur un cercle à célérité angulaire constante ω.

Si maintenant $\vec{\omega}$ varie au cours du temps mais garde une orientation fixe (comme c'est le cas pour un manège en rotation non uniforme), il faut ajouter à cette accélération centripète une accélération tangente au cercle décrit par M', comme l'indique le terme $(d\vec{\omega}/dt) \times \vec{r}'$ dans lequel $d\vec{\omega}/dt$ est alors aligné sur l'axe de rotation puisque $\vec{\omega}$ est lui aussi toujours aligné sur cet axe.

Enfin, si $\vec{\omega}$ change d'orientation au cours du temps, il faut se résigner à employer la formule (IV.26) dans le cas général. L'exemple d'un référentiel en toupie, dont l'axe précesserait autour de son point de contact avec le sol, est encore un cas très simple par rapport à un bateau sur une mer agitée.

5) ACCÉLÉRATION DE CORIOLIS

Pour clore cet intermède mathématique, il ne nous reste plus qu'à établir l'expression de l'accélération de Coriolis en fonction de $\vec{\omega}$. Partant de l'expression (II.36), et utilisant encore les formules (IV.25) on obtient :

$$\vec{a}_c = 2 \left(\frac{dx'}{dt} \frac{d\vec{i}'}{dt} + \frac{dy'}{dt} \frac{d\vec{j}'}{dt} + \frac{dz'}{dt} \frac{d\vec{k}'}{dt} \right)$$

$$= 2 \left(\frac{dx'}{dt} \vec{\omega} \times \vec{i}' + \frac{dy'}{dt} \vec{\omega} \times \vec{j}' + \frac{dz'}{dt} \vec{\omega} \times \vec{k}' \right)$$

$$= 2 \vec{\omega} \times \left(\frac{dx'}{dt} \vec{i}' + \frac{dy'}{dt} \vec{i}' + \frac{dz'}{dt} \vec{k}' \right)$$

Mais l'expression entre parenthèses n'est rien d'autre que la vitesse $\vec{v}'$, du point matériel exprimée dans le référentiel R' (cf. formule II.31), et on obtient donc finalement :

$$\boxed{\vec{a}_c = 2 \vec{\omega} \times \vec{v}'} \qquad (IV.28)$$

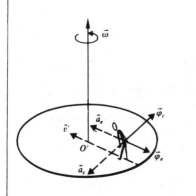

Figure IV.8.

La pseudo-force de Coriolis, $\vec{\psi}_c = - m\vec{a}_c$, est orientée en sens inverse de $\vec{a}_c$. De même la pseudo-force centrifuge, $\vec{\psi}_e = - m\vec{a}_e$, est orientée en sens inverse de $\vec{a}_e$. La figure est tracée dans le cas d'une progression de la périphérie vers le centre O' du manège. Le sens de $\vec{\psi}_c$ est opposé lors du retour.

Dans la formule de transformation des accélérations, $\vec{a} = \vec{a}' + \vec{a}_e + \vec{a}_c$, nous avons vu au chapitre II que l'accélération de Coriolis vient pour moitié de $d\vec{v}'/dt = \vec{a}' + \vec{\omega} \times \vec{v}'$, et, pour l'autre moitié, de $d\vec{v}_e/dt = \vec{a}_e + \vec{\omega} \times \vec{v}'$. Ce terme est probablement celui qui nous semble le moins familier. Pourtant, nous avons tous éprouvé ses effets lorsqu'en nous déplaçant le long du diamètre d'un manège en rotation uniforme ($\vec{\omega} = \overrightarrow{cte}$), nous avons dû marcher en nous penchant sur le côté. Par exemple, si le manège tourne dans le sens direct, indiqué sur la figure IV.8, et si nous progressons de la périphérie vers le centre, c'est sur le côté gauche que nous nous pencherons instinctivement pour lutter contre la pseudo-force de Coriolis, qui donne l'impression de vouloir nous propulser vers la droite*. C'est l'inverse qui se produirait si nous cherchions à revenir du centre vers la périphérie (changer le sens de $\vec{v}'$), ou encore si le manège tournait en sens inverse (changer le sens de $\vec{\omega}$).

On notera enfin qu'en plus de l'effet de Coriolis, il y a lieu de tenir compte de l'effet centrifuge**, qui fait que nous nous penchons instinctivement non seulement sur le côté (Coriolis), mais aussi vers l'axe de rotation (centrifuge). Si nous nous arrêtons de marcher, jugeant la situation risquée ou trop inélégante, l'effet de Coriolis cessera (car $\vec{v}' = 0$ entraîne $\vec{a}_c = 0$), mais l'effet centrifuge subsistera.

Nous allons maintenant approfondir les effets que je viens de décrire, et tout particulièrement l'effet de Coriolis, en étudiant la terre en tant que référentiel non inertiel.

IV Effets de la rotation diurne de la Terre

Effectivement, la terre n'est un référentiel d'inertie qu'en première approximation. Quand on regarde les choses de plus près, on peut y mettre en évidence des effets dûs à sa rotation en un an autour du soleil et d'autres, plus importants, dûs à sa rotation sur elle-même en un jour, appelée rotation diurne autour de l'axe polaire. Je me limiterai ici à ces derniers effets.

1) EFFETS CENTRIFUGES : PESANTEUR APPARENTE

Les plus simples d'entre eux sont ceux qui sont associés à la pseudo-force centrifuge. Pour les mettre en évidence, considérons un fil à plomb pendu au plafond d'une pièce fixée sur le sol (cf. fig. IV.9). Lorsqu'il est en équilibre dans le référentiel non inertiel de la terre, R', on a $\vec{a}_{R'} = 0$ et la méthode des pseudo-forces, résumée par la formule (IV.12), permet d'écrire :

$$\vec{\mathcal{F}} = \vec{T} + \vec{P} - m\vec{\omega} \times (\vec{\omega} \times \vec{r}') = 0 \tag{IV.29}$$

---

* Exercez-vous à interpréter le phénomène du point de vue de l'observateur immobile situé en O. Pour lui nous nous penchons dans le sens de $\vec{a}_c$.

** Sur la figure j'ai supposé que le manège tourne à plein régime ($\vec{\omega}$ constant). Quand il n'en est pas ainsi, $\vec{a}_e$ comporte de plus une composante tangentielle $(d\vec{\omega}/dt) \times \vec{r}'$ (cf. relation IV.26) dont le sens dépend de celui de $d\vec{\omega}/dt$ ($d\vec{\omega}/dt$ est dans le sens de $\vec{\omega}$ pendant le démarrage et de sens opposé pendant la phase d'arrêt ; cf. exercice IV.5).

où $\overrightarrow{T}$ est la force de tension du fil, où $\overrightarrow{P} = m\overrightarrow{g}_o$ est la force de pesanteur dirigée vers le centre de la terre (cf. fig. IV.7), et où la pseudo-force centrifuge $\overrightarrow{\psi}_e = \, = - m\overrightarrow{a}_e$ a été exprimée à l'aide de la vitesse angulaire de la terre, $\overrightarrow{\omega}$, et du vecteur position, $\overrightarrow{r}'$, de la bille de plomb, supposée ponctuelle, par rapport au centre de la terre, O'.

On constate ainsi que le fil à plomb, qui prend la direction de la somme vectorielle $\overrightarrow{P} + \overrightarrow{\psi}_e$, définit une verticale qui ne passe par le centre de la terre qu'aux pôles et à l'équateur.

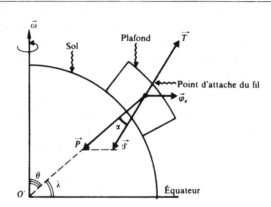

Figure IV.9.

Dans cette coupe de la figure IV.6, l'échelle n'est pas respectée ! En particulier, l'angle alpha est très petit ($\alpha = 0{,}14°$ à Paris, où $\lambda = 49°$) car $\|\overrightarrow{\varphi}_e\| / \|\overrightarrow{P}\|$ n'excède jamais $1/288$, valeur obtenue à l'équateur ($\lambda = 0$). Le poids apparent, noté $\mathcal{P}$, est l'opposé de la force de tension du fil, $\overrightarrow{T}$. C'est un vecteur, somme vectorielle de $\overrightarrow{P}$ et $\overrightarrow{\varphi}_e$, qui n'est pas dirigé exactement vers le centre de la terre, et dont le module peut être obtenu techniquement en mettant un dynamomètre à la place du fil à plomb.

Mais l'écart angulaire α, représenté sur la figure IV.9, est toujours très faible car le rapport $\|\overrightarrow{\psi}_e\| / \|\overrightarrow{P}\|$ n'excède jamais $1/288$, valeur obtenue à l'équateur. On a en effet :

$$\|\overrightarrow{a}_e\| = a_e = \omega^2 r' \cos \lambda \simeq \omega^2 R_T \cos \lambda$$
$$= \left(\frac{2\pi}{24.3600}\right)^2 (6{,}4 \cdot 10^6) \cos \lambda$$
$$= 3{,}4 \cdot 10^{-2} \cos \lambda \qquad\qquad (IV.30)$$
$$= \frac{\|\overrightarrow{g}_o\|}{288} \cos \lambda = \frac{g_o}{288} \cos \lambda$$

On vérifiera par exemple qu'à Paris, où $\lambda = 49°$, on a $\alpha \simeq 0{,}14°$.

La somme vectorielle $\overrightarrow{P} + \overrightarrow{\psi}_e$, dont la direction indique la verticale en chaque point de la surface terrestre, est ce que l'on appelle la pesanteur apparente, notée ici $\mathcal{P}$. C'est en effet le module de ce vecteur que l'on obtient lors d'une pesée avec un dynamomètre : cet appareil donne à lire le module de sa force de tension $\overrightarrow{T}$, précisément égal au module de $\mathcal{P}$ lorsque l'équilibre est atteint (cf. fig. IV.9).

Comme l'angle α est toujours très petit, l'angle entre $\overrightarrow{T}$ et $\overrightarrow{\psi}_e$ est pratiquement égal à λ et l'on peut donc écrire avec une excellente approximation :

$$\|\vec{\mathcal{F}}\| \simeq \|\vec{P}\| - \|\vec{\psi}_e\| \cos \lambda$$

$$\simeq m \left(g_o - a_e \cos \lambda\right) \qquad\qquad\qquad\qquad\qquad\qquad (IV.31)$$

$$\simeq mg_o \left(1 - \frac{\cos^2 \lambda}{288}\right)$$

Ainsi, le rapport $\vec{\mathcal{F}}/m = \vec{g}$, improprement appelé accélération de la pesanteur, devrait diminuer en module de $3{,}4 \cdot 10^{-2}\,\text{m/s}^2$ quand on passe des pôles ($\lambda = \pm\, \pi/2$) à l'équateur ($\lambda = 0$). Si les valeurs observées ($9{,}83\,\text{m/s}^2$ au pôle nord et $9{,}78\,\text{m/s}^2$ à l'équateur) présentent un écart d'environ $5 \cdot 10^{-2}\,\text{m/s}^2$, c'est parce que s'ajoute à l'effet de la force centrifuge, celui dû à l'applatissement de la terre dont les pôles sont plus proches du centre que l'équateur.

En terminant, notons que si la terre tournait plus de 17 fois plus vite, ω^2 serait plus de 288 fois plus élevé et, partant du pôle comme si rien n'était changé, on serait en apesanteur pour une latitude donnée, en-dessous de laquelle on finirait par être éjecté. Il faudrait donc franchir l'équateur bien casqué, en bondissant assez allègrement pour anticiper les sections suivantes.

2) EFFETS DE CORIOLIS LORS DE DÉPLACEMENTS PARALLÈLES AU SOL

Jusqu'ici nous n'avons considéré que des objets en équilibre par rapport à la terre. L'accélération de Coriolis est alors nulle. Il n'en est plus de même lorsqu'on envisage d'étudier des objets se déplaçant au voisinage du sol. Dans ce cas, les effets de Coriolis peuvent se manifester de façon spectaculaire, comme dans les cyclones tropicaux ou les alizés. L'interprétation de ces phénomènes est comparable à celle d'un effet moins souvent cité, appelé loi de Baer : la rive droite des fleuves et des rivières est généralement plus érodée que leur rive gauche, dans l'hémisphère nord, et l'inverse est observé dans l'hémisphère sud.

Pour en rendre compte, on se reportera tout d'abord à la figure IV.8 en se représentant la terre comme un manège. Le personnage qui se déplace sur la plateforme, tel qu'il est représenté, simule le courant d'un fleuve dans l'hémisphère nord. La pseudo-force de Coriolis tend à le plaquer vers sa rive droite*. On comprend alors qu'au fil des temps géologiques cette rive finisse par s'user plus que la gauche. L'inverse se produit dans l'hémisphère sud car la situation analogue sur le manège est décrite en faisant marcher le personnage comme une mouche, les pattes en l'air, en dessous de la plateforme. C'est alors vers sa « rive gauche » qu'agit la pseudo-force de Coriolis.

Le seul défaut de cette analogie est que la terre n'est pas plate. Quand, partant d'un pôle, on se dirige vers l'équateur en suivant un méridien, l'exemple du manège reflète bien la situation rencontrée dans les premiers kilomètres. Mais plus nous nous approchons du but, plus l'accélération de Coriolis diminue, pour finalement s'annuler à l'équateur, où $\vec{v}'$ et $\vec{\omega}$ sont devenus parallèles.

Par contre, si nous nous déplaçons sur un parallèle, fût-il l'équateur lui-même, l'accélération reste la même en chaque point de notre trajectoire, car $\vec{v}'$ et $\vec{\omega}$ sont constamment perpendiculaires. Comme tout mouvement peut être décomposé sur un

---

* Et ceci, qu'il aille vers le pôle ou qu'il s'en éloigne, car la rive droite d'un fleuve est définie comme celle qui est à votre droite lorsque vous regardez dans le sens du courant.

méridien et un parallèle, on comprend ainsi que ce qui intervient dans la loi de Baer, c'est essentiellement la composante de la vitesse du fleuve sur un méridien, et en conséquence, la composante de la pseudo-force de Coriolis sur un parallèle.

La même interprétation vaut pour l'usure dissymétrique des rails, à droite dans l'hémisphère nord et à gauche dans le sud, et pour les cyclones tropicaux, qui tourbillonnent dans le sens des aiguilles d'une montre dans l'hémisphère sud, et dans le sens inverse dans l'hémisphère nord. Dans tous ces phénomènes, plus la vitesse des mobiles est élevée, plus les effets sont spectaculaires, comme le savent d'expérience les aviateurs.

3)   EFFETS DE CORIOLIS DANS LA CHUTE LIBRE

Un autre effet de la pseudo-force de Coriolis est ce que l'on appelle la déviation vers l'Est des corps en chute libre : dans la chute libre, la vitesse du mouvement par rapport à la terre, $\vec{v}'$, est dirigée vers le centre de la terre (en première approximation); donc l'accélération de Coriolis, $\vec{a}_c = 2\,\vec{\omega} \times \vec{v}'$ est pointée vers l'Ouest, quel que soit l'hémisphère; et, en conséquence, la pseudo-force de Coriolis, $\overrightarrow{\psi}_c = -\,m\vec{a}_c$, dévie les corps vers l'Est.

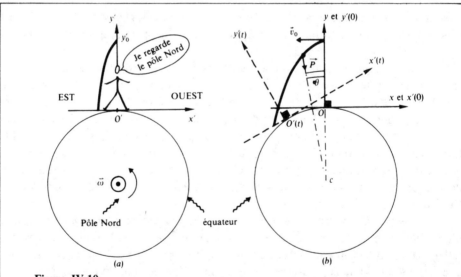

Figure IV.10.

La terre est schématisée par sa projection sur le plan de l'équateur. Elle tourne donc autour d'un axe perpendiculaire à la feuille, passant par les pôles (dit axe polaire), qui porte le vecteur $\vec{\omega}$ orienté vers le lecteur. La figure (a) schématise le phénomène tel qu'il est décrit par un observateur effectuant ses mesures dans le référentiel non inertiel lié à la terre en O. La figure (b) représente ce que décrirait un observateur situé dans le référentiel d'inertie R, supposé «immobile».

Cette déviation croît lorsque la latitude, λ, décroît en valeur absolue. Elle est nulle aux pôles ($\lambda = \pm \pi/2$), car alors $\vec{\omega}$ et $\vec{v}'$ sont parallèles; et elle est maximale à l'équateur ($\lambda = 0$) où $\vec{\omega}$ et $\vec{v}'$ sont perpendiculaires. C'est donc au voisinage de l'équateur que nous allons chiffrer l'effet maximum attendu, dans un calcul au premier ordre, tout à fait justifié puisque nous obtiendrons en fin de compte une déviation de l'ordre de 2 cm ($2 \cdot 10^{-2}$ m) pour une chute de 100 m.

A cette fin, considérons un référentiel R', fixé en un point O' de l'équateur, et soient $O'x'$ et $O'y'$ ses axes cartésiens (il n'est pas nécessaire de préciser $O'z'$ car le mouvement est plan : cf. fig. IV.10). Abandonnons, sans vitesse initiale dans ce référentiel ($\vec{v}'_o = 0$), un point matériel de masse m situé initialement, pour $t = 0$, en $y'(o) = y'_o$ et $x'(o) = 0$.

Son mouvement ultérieur est décrit, par la méthode des pseudo-forces, en exploitant la formule (IV.12) qui s'écrit ici :

$$\vec{a}_{R'} = \frac{\vec{\mathcal{F}} + \vec{\psi}_c}{m} = \vec{g} - 2\,\vec{\omega} \times \vec{v}' \qquad \text{(IV.32)}$$

où $\vec{a}_{R'}$ est l'accélération dans R' et où $\vec{\mathcal{F}} = m\vec{g}$ est la pesanteur apparente ici dirigée vers le centre de la terre car l'expérience se passe à l'équateur.

Puisque $\vec{\omega}$ est parallèle à l'axe $O'z'$, les formules (IV.20) permettent de récrire la relation (IV.32) sous la forme :

$$
\begin{aligned}
a_{x'} &= \frac{\mathrm{d}^2 x'}{\mathrm{d}t^2} = g_{x'} + 2\omega v'_{y'} \simeq -2\omega g t \quad \text{(a)} \\
a_{y'} &= \frac{\mathrm{d}^2 y'}{\mathrm{d}t^2} = g_{y'} - 2\omega v'_{x'} \simeq -g \qquad \text{(b)}
\end{aligned}
\qquad \text{(IV.33)}
$$

où l'on a finalement négligé la composante $v'_{x'}$ de $\vec{v}'$ sur l'axe $o'x'$, pratiquement nulle* tout au long de la trajectoire, et où, en conséquence, on a pris les composantes de $\vec{g}$ constantes (à savoir : $g_{x'} = 0$ et $g_{y'} = -g$) et donc $v'_{y'} = -gt$.

La résolution des équations différentielles (IV.33) fournit alors :

$$y'(t) = -\frac{1}{2} g t^2 + y'_o \qquad \text{et} \qquad x'(t) = -\frac{\omega g t^3}{3}$$

On en déduit que pour une chute amenant le mobile jusqu'au sol, atteint au temps t_f (donc $y'(t_f) = 0$), la déviation vers l'Est est caractérisée par :

$$\Delta x' = x'(t_f) - x'(0) = -\frac{1}{3}\omega g \left(\frac{2y'_o}{g}\right)^{3/2} = -\frac{2}{3}\omega y'_o \sqrt{\frac{2y'_o}{g}} \qquad \text{(IV.34)}$$

Par exemple, pour $y'_o = 100$ m, on vérifiera que l'on obtient $\Delta x' = -2$ cm, le signe moins indiquant que la déviation est vers les x' négatifs, c'est-à-dire vers l'Est.

---

* La figure IV.10a ne doit pas nous tromper : elle ne respecte pas du tout l'échelle puisqu'on trouvera au terme du calcul une déviation $\Delta x'$ d'environ $2 \cdot 10^{-2}$ m pour une hauteur de chute $\Delta y' = y'_o = 100$ m.

4) DESCRIPTION DE LA DÉVIATION VERS L'EST DANS UN RÉFÉRENTIEL D'INERTIE

Pour montrer une dernière fois que la méthode des pseudo-forces est très commode pour calculer ce qui se passe dans un référentiel non inertiel, raisonnons maintenant comme pourrait le faire un observateur situé dans un référentiel d'inertie R, fixé dans le référentiel de Copernic.

Soient donc Ox et Oy les axes cartésiens de ce référentiel, « fixe dans l'espace », coïncidant en $t = 0$ avec les axes $O'x'$ et $O'y'$ du référentiel non inertiel centré au point O' de l'équateur et tournant autour de l'axe polaire qui porte $\vec{\omega}$ (cf. fig. IV.10b).

La première constatation que fera l'observateur « suspendu » en O dans l'espace, est que O' se déplace vers l'Est, par rapport à lui, sur un trajet dont la longueur au fil du temps, t, est donnée par $\omega R_T t$, soit environ 2 km ($2 \cdot 10^3$ m) pour un temps associé à 100 m de chute libre*. Quand l'expérience de chute libre commencera en $t = 0$, $y(o) = y_o$ et $x(o) = 0$, sa deuxième constatation sera que ce qui apparaît à l'observateur en O' comme une vitesse initiale $\vec{v}'_o$ nulle, est, en fait, pour lui, observateur en O, une vitesse initiale $\vec{v}_o$, dirigée vers l'Est, dont les composantes sont données par (cf. fig. IV.10b) :

$$v_{ox} = -\omega (R_T + y_o) \quad \text{et} \quad v_{oy} = 0 \quad (IV.35)$$

En effet, avant d'être abandonné en chute libre, le corps est en « haut de la tour », solidaire de la terre, et tourne donc d'Ouest en Est, par rapport à l'observateur suspendu en O, avec une célérité angulaire ω. Il aura donc la vitesse $\vec{v}_o$ citée, quand on le libèrera en y_o, c'est-à-dire à la distance $(R_T + y_o)$ du centre de la terre, C.

Pour décrire le mouvement ultérieur, l'observateur en O exploitera le principe fondamental, valable dans son référentiel, soit :

$$\vec{a}_R = \frac{\vec{P}}{m} = \frac{m\vec{g}_o}{m} = \vec{g}_o \quad (IV.36)$$

où $\vec{g}_o$ est le champ de pesanteur. Cette relation, projetée sur les axes Ox et Oy, fournit :

$$a_x = \frac{d^2x}{dt^2} = g_o \sin\theta \simeq g_o\theta \simeq g_o\omega t \quad \text{(a)}$$

$$a_y = \frac{d^2y}{dt^2} = -g_o \cos\theta \simeq -g_o \quad \text{(b)} \quad (IV.37)$$

où g_o est le module de $\vec{g}_o$ et où $\theta = \omega t$ est l'angle entre Oy et la direction de $\vec{P}$ en chaque instant (cf. fig. IV.10b; avec θ toujours assez petit pour que les approximations finales soient justifiées).

La solution des équations différentielles (IV.37) est alors :

$$x(t) = \frac{1}{6} g_o \omega t^3 + v_{ox}t = \frac{1}{6} g_o \omega t^3 - \omega (R + y_o) t$$

$$y(t) = -\frac{1}{2} gt^2 + y_o \quad (IV.38)$$

On en déduit que le mobile atteint le sol au temps t_f (donc $y(t_f) = 0$), à une distance Δx de 0 donnée par :

---

* On a $\omega \simeq 2\pi/(24.3600)$, $R_T \simeq 6,4 \cdot 10^6$ m et $t = \sqrt{2y_o/g_o} \simeq 4,5$ s pour $y_o = 100$ m.

$$\Delta x = x\,(t_f) - x\,(o) = \frac{1}{6}\,g_o\,\omega\left(\frac{2y_o}{g_o}\right)^{3/2} - \omega\,(R_T + y_o)\left(\frac{2y_o}{g_o}\right)^{1/2}$$

$$= -\frac{2}{3}\,\omega y_o\sqrt{\frac{2y_o}{g_o}} - \omega R_T\sqrt{\frac{2y_o}{g_o}}$$

Pour en déduire la déviation vers l'Est, $\Delta x'$, observée dans R', il suffit de noter qu'au temps t_f le point O' a effectué, par rapport à O, un trajet de longueur $\omega R_T t_f = \omega R_T\sqrt{2y_o/g_o}$. On écrira donc au premier ordre :

$$\Delta x' = \Delta x + \omega R_T\sqrt{\frac{2y_o}{g_o}} = -\frac{2}{3}\,\omega y_o\sqrt{\frac{2y_o}{g_o}} \tag{IV.39}$$

Et l'on retrouve ainsi le résultat (IV.34), puisque l'on a $y'_o = y_o$. Si cette dernière méthode peut éclairer l'interprétation du phénomène, on aura noté qu'elle est bien plus lourde à manier que la méthode des pseudo-forces et beaucoup moins expéditive dans les calculs.

V Aperçus de relativité générale

Maintenant que nous avons approfondi les bases de la mécanique classique, pour clore cette première partie, nous allons reprendre quelques unes des questions que nous nous sommes posées depuis le début. Nous le ferons autour d'aperçus de relativité générale qu'on pourra lire sans s'y arrêter, en y cherchant matière à réflexion.

1) ÉQUIVALENCE DES MASSES GRAVITATIONNELLE ET D'INERTIE

Commençons par nous interroger sur un fait expérimental qui semble miraculeux : comment se fait-il que, quelle que soit la nature d'un objet, le rapport de sa masse d'inertie à sa masse de gravitation soit une constante que l'on peut prendre égale à un par un jeu d'unités? En d'autres termes : comment se fait-il que la masse qui intervient dans le principe fondamental de la dynamique, appelée masse d'inertie, soit la même que celle qui apparaît dans la loi de gravitation de Newton, nommée masse de gravitation?

Ces questions ont intrigué tous ceux qui, Newton compris, se sont intéressés à la gravitation. La masse d'inertie d'un objet caractérise la difficulté à le mettre en mouvement. Sa masse de gravitation influe sur l'intensité de la force gravitationnelle qu'il est susceptible d'éprouver s'il vient à passer dans le champ gravitationnel d'un autre objet? Il s'agit de deux notions qui, a priori, n'ont rien à voir l'une avec l'autre*.

---

* Tout comme la masse d'inertie d'un objet et son éventuelle charge électrique qui caractérise l'intensité de la force électromagnétique qu'il peut subir dans un champ du même nom.

Alors, pourquoi le rapport de ces deux masses serait-il indépendant de la nature de l'objet en question? Nous aurions dû nous interroger là-dessus quand nous avons vu que, dans le vide, tous les corps tombent vers le sol avec la même accélération $\vec{a} = \vec{g}_T$. Au lieu de la relation (III.26), nous aurions dû écrire :

$$\vec{a} = \frac{\vec{F}_{TC}}{m_I} = \frac{m_G}{m_I} \, \vec{g}_T \tag{IV.40}$$

où m_G et m_I sont les masses de gravitation et d'inertie du corps envisagé. Il apparaît clairement ainsi que les corps ne tombent avec la même accélération que s'ils ont tous le même rapport m_G/m_I (que l'on peut prendre égal à 1, par convention, si l'on choisit d'adapter l'unité de m_G à celle de m_I).

C'est également cette équivalence des deux masses qui permet à un cosmonaute de se sentir en apesanteur dans sa capsule spatiale. Si le rapport m_G/m_I dépendait de la nature des objets, par exemple les objets en bois pourraient être en apesanteur sans que ceux en acier le soient. De même les molécules de carbone, d'oxygène, d'azote, de fer, etc. du cosmonaute ne seraient pas en apesanteur dans la même région, ce qui pourrait occasionner des tensions internes violentes en cas d'accélérations brutales. La même remarque s'applique aux effets de Coriolis et de façon générale à tous les mouvements non inertiels dans un champ de gravitation. L'équivalence est donc heureuse : sans elle nous risquerions de ressentir des douleurs intenses lors de nos mouvements quotidiens les plus accélérés.

De nombreuses expériences ont été effectuées pour vérifier avec un haut degré de précision l'équivalence des masses gravitationnelle et d'inertie. La plus connue est celle d'Eötvos, qui opérait avec une sorte de dispositif de Cavendish pour comparer des éléments en bois et en platine. La plus précise est celle de Dicke et Roll, qui utilisèrent le soleil comme source supplémentaire de gravitation pour accélérer des cylindres d'aluminium et d'or. Ils obtinrent ainsi une précision de $3 \cdot 10^{-11}$.

2) MOUVEMENT INERTIEL : PROGRAMME DE LA RELATIVITÉ GÉNÉRALE

Einstein n'attendit pas que l'expérience ait atteint ce degré de précision pour faire de l'équivalence des masses m_G et m_I un principe de base de la relativité générale. Dans le cadre de sa théorie relativiste de la gravitation cette équivalence change de statut : d'énigme elle devient pierre angulaire. Bien plus, l'énigme disparaît en même temps que les ambiguïtés de la notion de référentiel d'inertie. Il s'agit donc de faire d'une pierre trois coups, petit jeu favori des fondateurs de théories*.

En effet, à la base de la relativité générale, il y a la volonté à la fois d'évacuer les définitions tautologiques des référentiels d'inertie, de rendre compte de l'égalité des

---

* En fait c'est plus qu'il n'en faut car, pour fonder une théorie nouvelle, on se contente bien souvent d'unifier deux secteurs jusque là séparés (cf. introduction de la deuxième partie, page 122).

masses de gravitation et d'inertie et d'aboutir à une théorie relativiste de la gravitation dont la théorie newtonienne ne serait qu'une approximation. Dans « L'évolution des idées en physique » (12), Einstein et Infeld abordent la description de ce programme par le texte cité page 77, dont voici la suite :

« Notre interview révèle une grave difficulté dans la physique classique. Nous avons des lois, mais nous ne savons pas à quel cadre il faut les rapporter, et toute notre structure physique paraît être bâtie sur le sable.

On serait tenté de croire qu'il n'y a pas d'issue à ces difficultés et qu'aucune théorie physique ne peut les éviter. Leur racine se trouve dans la validité des lois de la nature pour une classe spéciale seulement de SC, c'est-à-dire de SC d'inertie. La possibilité de résoudre ces difficultés dépend de la réponse qu'on donne à la question suivante. Pouvons-nous formuler les lois de la physique de telle manière qu'elles soient valables pour tous les SC, c'est-à-dire non seulement pour ceux qui se meuvent uniformément, mais aussi pour ceux qui se meuvent d'une façon quelconque l'un par rapport à l'autre? Si on peut le faire, c'en sera fini de nos difficultés. Nous serons alors capables d'appliquer les lois de la nature à n'importe quel SC. La lutte, si violente au début de la science, entre le point de vue de Ptolémée et celui de Copernic, serait aussi complètement dépourvue de sens. On pourrait se servir de l'un ou de l'autre avec un droit égal. Les deux propositions, « le Soleil tourne et la Terre est immobile », signifieraient simplement deux conventions différentes concernant deux SC différents. »

Reprenons donc une dernière fois le problème du référentiel d'inertie : comment le concevoir rigoureusement pour y mettre à l'épreuve de l'expérience la première loi de Newton, c'est-à-dire le principe d'inertie? Supposons que j'arrive, par des blindages appropriés, à rendre nulle l'influence des champs magnétiques, des champs électriques, etc. qui traînent toujours dans l'univers, qu'on soit près ou loin de la terre. Mais comment me prémunir contre la gravitation? Newton aurait répondu : éloignez-vous suffisamment de la terre et allez là où la gravitation est, sinon nulle, du moins négligeable; imaginez un morceau d'univers isolé de la gravitation.

Cette réponse est insatisfaisante car il y a des masses partout dans l'univers et donc de la gravitation partout. Dès lors, faut-il renoncer à savoir ce qu'est exactement un référentiel d'inertie et accepter de « bâtir la physique sur le sable »? A cette question Einstein répond de la façon suivante : puisqu'on ne peut se prémunir contre la gravitation, intégrons-la dans la définition du mouvement inertiel; on y gagnera en plus une vision unitaire sur la gravitation et l'inertie.

En effet, nous avons vu au début du chapitre III que la première loi de Newton contient en fait deux parties. Sa première partie définit le mouvement inertiel comme le mouvement rectiligne uniforme. Einstein la modifie : il définit le mouvement inertiel comme celui que suit un point matériel dans le champ de gravitation partout présent dans l'univers. La deuxième partie de la loi de Newton définit la force comme ce qui fait sortir un point matériel du mouvement inertiel. Einstein la garde intacte. Cependant, il faut noter que la première partie en modifie le sens : la gravitation n'est plus une force puisqu'elle est contenue dans la définition de l'inertie.

En énonçant ainsi le principe d'inertie, on y gagne sur tous les tableaux : on parvient à une définition physiquement acceptable du mouvement inertiel; on interprète l'égalité des masses m_G et m_I; et l'on espère unifier sur ces bases la gravitation et l'inertie dans le cadre d'une théorie relativiste.

Je vais maintenant préciser ces trois points en faisant fréquemment appel au texte d'Einstein et Infeld dont le point de vue est : la gravitation et l'inertie, qui agissent toutes deux sur un corps proportionnellement à sa masse, ne sont qu'une seule et même chose.

3)   PRINCIPE D'ÉQUIVALENCE

Pour faire admettre leur point de vue, Einstein et Infeld utilisent une « expérience par la pensée » devenue célèbre : l'étude imaginaire de la chute des corps (en l'occurence un mouchoir et une montre) effectuée dans un ascenseur en chute libre supposé dans le vide.

« Revenons à notre mouchoir et à notre montre en chute ; pour l'observateur extérieur, ils tombent tous les deux avec la même accélération. Mais il en est de même de l'ascenseur, de ses parois, de son plancher et de son plafond. Donc : la distance entre les deux corps et le plancher ne variera pas. Pour l'observateur intérieur les deux corps restent exactement où ils étaient quand il les a laissé tomber. Il peut ignorer le champ de gravitation, puisque sa cause se trouve à l'extérieur de son SC. Il trouve qu'aucune force n'agit à l'intérieur de l'ascenseur sur les deux corps, et ils sont ainsi au repos tout comme s'ils étaient dans un SC d'inertie. Des choses étranges se produisent dans l'ascenseur. Si l'observateur imprime à un corps un mouvement dans une direction quelconque, vers le haut ou vers le bas par exemple, il se meut toujours uniformément tant qu'il ne heurte pas le plafond ou le plancher de l'ascenseur. Bref, les lois de la mécanique classique sont valables pour l'observateur intérieur. Tous les corps se comportent conformément à la loi de l'inertie.

Voyons maintenant de quelle façon les deux observateurs à l'intérieur et à l'extérieur, décrivent ce qui se passe dans l'ascenseur.

L'observateur extérieur observe le mouvement de l'ascenseur ainsi que celui de tous les corps à son intérieur et trouve qu'ils sont en accord avec la loi de gravitation de Newton. Pour lui, le mouvement n'est pas uniforme, mais accéléré, à cause de l'action du champ de gravitation de la Terre.

Cependant, des physiciens nés et élevés dans l'ascenseur raisonneraient d'une manière totalement différente. Ils se croiraient en possession d'un système d'inertie et rapporteraient toutes les lois de la nature à leur ascenseur, en justifiant leur procédé par le fait que les lois de la nature revêtent dans leur SC une forme particulièrement simple. Il serait tout à fait naturel pour eux de supposer que leur ascenseur est au repos et que leur SC est un SC d'inertie.

Il est impossible de se prononcer entre ces divergences de vue des deux observateurs. Chacun d'eux pourrait revendiquer le droit de rapporter tous les événements à son SC. Les deux descriptions des événements pourraient être également cohérentes.

Cet exemple nous montre qu'une description cohérente des phénomènes physiques dans deux SC différents est possible, même s'ils ne se meuvent pas uniformément l'un par rapport à l'autre. Mais, pour une telle description, nous devons tenir compte de la gravitation, en construisant pour ainsi dire le « pont », qui rend possible le passage d'un SC à l'autre. Le champ de gravitation existe pour l'observateur extérieur, il n'existe pas pour l'observateur intérieur. Pour l'observateur extérieur existe le mouvement accéléré de l'ascenseur dans le champ de gravitation, tandis que pour l'observateur intérieur, il y a repos et le champ de gravitation est inexistant. Mais le « pont », c'est-à-dire le champ de gravitation qui rend la description dans les deux SC possible, repose sur un pilier très important : l'équivalence de la masse pesante et de la masse inerte. Sans ce fil conducteur, qui est resté inaperçu dans la mécanique classique, notre argumentation présente serait complètement en défaut.

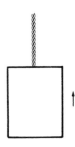

Imaginons maintenant une expérience idéalisée quelque peu différente. Supposons un SC d'inertie où la loi de l'inertie soit valable. Nous avons déjà décrit ce qui se passe dans un ascenseur se trouvant dans un tel SC. Mais changeons notre image. Une personne extérieure attache une corde au toit de l'ascenseur et tire avec une force constante dans la direction indiquée dans notre dessin. Il importe peu de savoir comment cela peut se faire. Puisque les lois de la mécanique sont valables dans ce SC, l'ascenseur se meut avec une accélération constante dans la direction du mouvement. Écoutons maintenant l'explication que donnent l'observateur extérieur des phénomènes qui se passent dans l'ascenseur.

L'observateur extérieur : mon SC est un SC d'inertie. L'ascenseur se meut avec une accélération constante, à cause de la force constante qui agit sur lui. L'observateur intérieur est en mouvement absolu, pour lui les lois de la mécanique ne sont pas valables. Il ne se trouve pas que des corps ne subissant l'action d'aucune force sont au repos. Si on laisse tomber un corps il heurte tôt ou tard le plancher de l'ascenseur, étant donné que le plancher monte vers le corps. Ceci se produit exactement de la même manière pour une montre et pour un mouchoir. C'est étrange, mais il me semble que l'observateur intérieur devrait être hors d'état de quitter le « plancher », car s'il fait un saut l'ascenseur montant le rejoint aussitôt.

L'observateur intérieur : Je ne vois aucune raison de croire que mon ascenseur soit en mouvement absolu. Je concède que mon SC, rigidement lié à l'ascenseur, n'est pas réellement un système d'inertie, mais je ne crois pas que cela ait le moindre rapport avec le mouvement absolu. Ma montre, mon mouchoir et tous les autres corps tombent, parce que l'ascenseur se trouve dans un champ de gravitation. Je constate exactement les mêmes genres de mouvements que l'homme sur la Terre. Il les explique très simplement par l'action d'un champ de gravitation, et cela est aussi vrai pour moi.

Les deux descriptions sont tout à fait logiques, et il n'y a aucune possibilité de décider laquelle est vraie. Nous pouvons supposer l'une ou l'autre comme explication des phénomènes dans l'ascenseur : ou bien le mouvement non uniforme et l'absence d'un champ de gravitation avec l'observateur extérieur, ou bien le repos et la présence d'un champ de gravitation avec l'observateur intérieur.

L'observateur extérieur pourrait supposer que l'ascenseur est en mouvement « absolu » non uniforme. Mais un mouvement qu'on peut éliminer en supposant l'action d'un champ de gravitation ne peut pas être regardé comme absolu. »

Ainsi, il ne semble pas possible de trouver une expérience susceptible de trancher entre les deux points de vue contradictoires soutenus dans ce paragraphe. On peut adopter le principe d'équivalence suivant :

On a des points de vue équivalents sur la gravitation dans un référentiel d'inertie où règne un champ uniforme de gravitation ou dans un référentiel accéléré par rapport au précédent de façon uniforme mais où la gravitation n'existe pas en tant que force. La masse de gravitation et la masse d'inertie apparaissent alors comme une seule et même chose.

Cet énoncé peut être généralisé à n'importe quel champ de gravitation, et donc à n'importe quel type d'accélération, en utilisant la notion de référentiel local que je vais définir maintenant.

4) RÉFÉRENTIEL D'INERTIE : CARACTÈRE LOCAL

En effet, même l'énoncé ci-dessus a un caractère local : l'équivalence supposée idéale en un point devient de moins en moins bonne quand on s'en éloigne. Le référentiel uniformément accéléré (en chute libre) qui permettrait de supprimer la pesanteur au-dessus de Paris ne peut pas être celui qui la supprimerait aux antipodes ou plus généralement en un endroit différent : le champ de gravitation terrestre n'est pas uniforme et donc il ne peut pas être équivalent à un champ uniforme d'accélération.

« Ce caractère local du SC est tout à fait essentiel. Si notre ascenseur imaginaire s'étendait du pôle Nord à l'Équateur, et si on laissait tomber le mouchoir au-dessus du pôle Nord et la montre au-dessus de l'Équateur, alors les deux corps n'auraient plus, pour l'observateur extérieur, la même accélération ; ils ne seraient pas au repos l'un par rapport à l'autre. Toute notre argumentation serait en défaut. Les dimensions de l'ascenseur doivent être limitées de telle sorte que l'égalité d'accélération de tous les corps, relativement à l'observateur extérieur, puisse être supposée. »

Taylor et Wheeler (10) illustrent ce paragraphe d'Einstein et Infeld par la figure IV.11 et l'énoncé suivant :

On dit qu'un système de référence est inertiel dans une certaine région de l'espace et du temps, si, dans toute cette région de l'espace-temps et pour un degré de précision donné, toute particule initialement au repos reste au repos et que toute particule

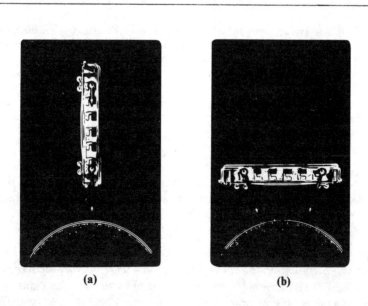

(a)   **(b)**

Figure IV.11.

Support visuel à la notion de référentiel local d'inertie envisagé comme « un référentiel en chute libre ». Il faut que les dimensions du véhicule soient limitées dans le sens vertical (a) et dans le sens horizontal (b).

initialement en mouvement poursuive son mouvement sans changer de vitesse ni de direction. On lui donne aussi le nom de système de référence de Lorentz. D'après cette définition, les systèmes de référence inertiels sont toujours locaux, c'est-à-dire seulement inertiels dans des régions limitées de l'espace-temps.

Par exemple, une capsule spatiale en orbite autour de la terre constitue un excellent référentiel d'inertie au sens défini ci-dessus, pourvu que l'on puisse négliger la variation du champ gravitationnel sur toute son étendue. Effectivement, dans une telle capsule, il faudra imputer à des forces (non gravitationnelles) toute déviation d'un point matériel par rapport à son mouvement inertiel : c'est exactement ce qu'il nous faut pour pouvoir illustrer le principe fondamental de la dynamique après avoir intégré la gravitation dans l'énoncé du principe d'inertie. Pour illustrer ce dernier c'est même une situation idéale car on se dispense alors d'invoquer conjointement le « principe de l'action et la réaction » : nul besoin de tables à coussin d'air ou de « marbre lisse » avec des objets en apesanteur.

5)   LA THÉORIE DE LA GRAVITATION DEVIENT RELATIVISTE

Reprenons maintenant l'expérience par la pensée d'Einstein et Infeld :

« Il y a peut-être moyen de sortir de l'ambiguïté de ces deux descriptions différentes et de se décider en faveur de l'une en rejetant l'autre. Supposons qu'un rayon lumineux pénètre dans l'ascenseur horizontalement par une fenêtre et frappe la paroi opposée après un intervalle de temps très court. Voyons maintenant comment la trajectoire du rayon lumineux sera déterminée par les deux observateurs.

L'observateur extérieur, qui croit que l'ascenseur effectue un mouvement accéléré, argumenterait ainsi : le rayon lumineux pénètre par la fenêtre horizontalement et se meut en ligne droite, avec une vitesse constante, vers la paroi opposée. Mais l'ascenseur se meut vers le haut et change, pendant que la lumière se meut vers la paroi, sa position. Le rayon frappera par conséquent un point qui n'est pas exactement opposé à son point d'entrée, mais situé un peu au-dessous. La différence sera très légère, mais elle n'existera pas moins, et le rayon lumineux se propage, relativement à l'ascenseur, non pas en ligne droite, mais légèrement courbe. La différence est due à la distance parcourue par l'ascenseur pendant le temps que le rayon traversait l'intérieur.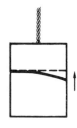

L'observateur intérieur, qui croit au champ de gravitation agissant sur tous les objets de son ascenseur, dirait : il n'y a pas de mouvement accéléré de l'ascenseur, mais seulement l'action du champ de gravitation. Un rayon lumineux n'a pas de poids et c'est pourquoi il ne sera pas affecté par le champ de gravitation. S'il est envoyé dans une direction horizontale, il frappera la paroi en un point exactement opposé à celui par lequel il est entré.

De cette discussion, il paraît ressortir qu'il y a une possibilité de se prononcer entre ces deux points de vue opposés, puisque le phénomène serait différent pour les deux observateurs. S'il n'y a rien d'illogique dans chacune des explications que nous venons de citer, toute notre argumentation précédente est sans valeur, et nous ne pouvons pas décrire tous les phénomènes de deux manières également logiques avec et sans champ de gravitation.

Mais il y a, heureusement, un grave défaut dans le raisonnement de l'observateur intérieur, qui sauve notre conclusion précédente. Il disait : « Un rayon de lumière n'a pas de poids, et c'est pourquoi il ne sera pas affecté par le champ de gravitation ». Ceci ne peut pas être vrai. Un rayon de lumière transporte de l'énergie et celle-ci a une masse. Mais toute masse inerte est attirée par le champ de gravitation, étant donné que la masse inerte et la masse pesante sont équivalentes. Un rayon de lumière s'incurvera dans un champ de gravitation, exactement comme le ferait un corps lancé horizontalement avec une vitesse égale à celle de la lumière. Si l'observateur intérieur avait raisonné correctement et tenu compte de l'incurvation des rayons lumineux dans un champ de gravitation, ses résultats auraient été exactement les mêmes que ceux de l'observateur extérieur.

Le champ de gravitation de la Terre est naturellement trop faible pour qu'on puisse y prouver directement par l'expérience l'incurvation des rayons lumineux. Mais les fameuses observations faites pendant l'éclipse solaire de 1919 et les suivantes montrent d'une façon concluante, bien qu'indirecte, l'influence du champ de gravitation sur la marche d'un rayon lumineux. »

Ainsi, la théorie d'Einstein sur la gravitation contredit celle de Newton, en ce qui concerne le comportement des particules dites de masse nulle, comme les photons des rayons lumineux, dans un champ de gravitation. C'est une bonne chose car la théorie newtonienne, étant non relativiste, devait être dépassée. Celle d'Einstein, construite pour cela, se devait de préserver à la fois les acquis de la relativité restreinte et ceux de la théorie newtonienne à la limite non relativiste. Il en est ainsi. En champ faible, on retrouve les résultats newtoniens concernant le mouvement des planètes, et en champ fort, on peut vérifier sur les photons la relation fondamentale de la relativité restreinte :

$$E = mc^2 \qquad (IV.41)$$

où E est l'énergie totale d'un objet et où m est sa masse relativiste.

Dans ce cadre, il faut attribuer à un photon d'énergie E une masse équivalente donnée par :

$$\boxed{m_{eq} = E/c^2} \qquad (IV.42)$$

C'est grâce à cette relation et au principe d'équivalence que l'on a pu calculer la déviation de la lumière observée pendant l'éclipse solaire de 1919. Depuis lors, d'autres faits expérimentaux, que la théorie newtonienne est incapable d'interpréter, sont venus confirmer l'accord de la théorie d'Einstein avec la relativité restreinte. Ainsi l'énergie, la masse et le champ gravitationnel sont comme les trois facettes d'une seule et même chose.

6)   RECOURS AUX GÉOMÉTRIES NON EUCLIDIENNES

Malgré ses succès, cette théorie relativiste de la gravitation a longtemps souffert de son formalisme, lourd à manier. En effet, pour traiter le problème des référentiels locaux, il faut faire appel à des notions de géométries non euclidiennes. Einstein et Infeld montrent la nécessité de ces géométries en décrivant des expériences par la pensée se déroulant sur un disque en rotation. Ils font dialoguer à ce sujet un physicien ancien, A, situé dans un référentiel supposé d'inertie, et un physicien moderne, M, raisonnant dans des référentiels liés au disque. Tous les deux reconnaissent que pour décrire les phénomènes à partir du disque, il faut recourir à un vocabulaire non euclidien. En particulier, le rapport du périmètre des cercles (centrés sur l'axe de rotation) à leurs rayons n'est pas égal à 2π : en vertu des formules de la transformation de Lorentz, ce rapport décroît au fur et à mesure que le rayon croît puisque la vitesse d'un point décrivant un cercle croît elle aussi en fonction du rayon. Cette bizarrerie conforte A dans son idée de n'énoncer des lois qu'à partir de référentiels galiléens :

« A — *Dans votre SC, la géométrie euclidienne n'est pas valable. J'ai suivi le procédé de vos mesures et je concède que le rapport des deux circonférences n'est pas, dans votre SC, égal au rapport des deux rayons. Mais cela montre que votre SC est un SC interdit. Mon SC, par contre, est un SC d'inertie et je puis tranquillement appliquer la géométrie euclidienne. Votre disque est en mouvement absolu et forme, du point de vue de la physique classique, un SC interdit, où les lois de la mécanique ne sont pas valables.*

M — *Je ne veux pas entendre parler de mouvement absolu. Mon SC est aussi bon que le vôtre. Ce que j'ai observé, c'était votre rotation relativement à mon disque. Personne ne peut me défendre de rapporter tous les mouvements à mon disque.*

A — *Mais n'avez-vous pas senti une force étrange vous tirer du centre vers la périphérie ? Si votre disque n'avait pas tourné rapidement, les deux phénomènes que vous avez observés ne se seraient certainement pas produits. Vous n'auriez pas senti la force vous pousser vers l'extérieur et vous n'auriez pas non plus constaté que la géométrie euclidienne n'est pas applicable dans votre SC. Ces faits ne suffisent-ils pas pour vous convaincre que votre SC est en mouvement absolu ?*

M — *Point du tout. J'ai certes observé les deux faits que vous mentionnez, mais j'en rends responsable un champ de gravitation étrange qui agit sur mon disque. Le champ de gravitation étant dirigé vers l'extérieur du disque, déforme mes barres rigides et modifie le rythme de mes horloges*. Le champ de gravitation, la géométrie non euclidienne, des horloges avec des rythmes différents sont pour moi étroitement liés. En adoptant un SC quelconque, je dois en même temps supposer l'existence d'un champ de gravitation approprié et son influence sur des barres rigides et des horloges.*

A — *Mais tout cela montre dans quelle situation gênante et compliquée on se trouve quand on abandonne la structure simple de la géométrie euclidienne pour l'échafaudage compliqué que vous êtes obligé d'employer. Est-ce réellement nécessaire ?*

M — *Certainement, si nous voulons appliquer notre physique à n'importe quel SC, sans nous préoccuper du mystérieux SC d'inertie. Je reconnais que mon appareil mathématique est plus compliqué que le vôtre, mais mes suppositions physiques sont plus simples et plus naturelles.*

La discussion a été limitée au continuum bidimensionnel. Dans la théorie de la relativité générale le point controversé est encore plus compliqué, parce qu'il ne s'agit pas du continuum bidimensionnel, mais du continuum quadrimensionnel. Mais les idées sont les mêmes que celles esquissées dans le cas bidimensionnel. Nous ne pouvons pas, dans la théorie de la relativité générale, nous servir de la structure de barres parallèles et perpendiculaires les unes aux autres et d'horloges synchronisées, comme nous l'avons fait dans la théorie de la relativité restreinte. Dans un SC arbitraire, nous ne pouvons pas déterminer le point et l'instant où un événement se produit au moyen de barres rigides et d'horloges rythmiques synchronisées, comme dans le SC d'inertie de la théorie de la relativité restreinte. Nous pouvons toujours ordonner les événements au moyen de nos règles non euclidiennes et de nos horloges dont le rythme est changé. Mais les mesures réelles, qui exigent des règles rigides et des horloges parfaitement rythmiques et synchronisées, ne peuvent être effectuées que dans les SC d'inertie locaux. Pour cela, toute la théorie de la relativité restreinte est valable, mais notre « bon » SC est seulement local, son caractère d'inertie étant limité dans l'espace et le temps. »

7) PRINCIPE D'ÉQUIVALENCE ET PRINCIPE DE MACH

Dans l'esprit d'Einstein le principe d'équivalence, sur lequel se fonde sa théorie, signifie que la gravitation est un effet géométrique lié à la présence de masses dans

---

* Les barres rigides et les horloges en question sont celles qui sont représentées sur la figure IV.2.

l'univers. On peut alors espérer un rejet complet de l'idée de mouvement absolu. Avec le principe de relativité, dite restreinte, énoncé au début du chapitre, on ne rejetait que la notion de vitesse absolue, comme l'avait suggéré Leibnitz. Pourrait-on rejeter, à partir de la relativité générale, la notion d'accélération absolue ?

Einstein a indiqué lui-même que Mach l'avait influencé dans ce sens par sa critique de l'argument du seau d'eau, que Newton utilisait pour justifier sa croyance en l'existence d'un référentiel absolu. L'argument est le suivant. Un seau immobile dans un référentiel d'inertie constitue lui-même un référentiel d'inertie. L'eau contenue dans un tel seau présente à l'équilibre une surface plane. Mais si le seau est accéléré, la surface du liquide cesse d'être plane. Par exemple si, par rapport à un référentiel d'inertie le seau tourne autour de son axe de symétrie (axe passant par le centre du seau et le milieu de l'anse), la surface du liquide présente une forme parabolique quand l'eau est à l'équilibre dans ce référentiel accéléré, c'est-à-dire dans le seau. Newton, qui effectua lui-même cette expérience, en conclut que l'accélération d'un référentiel a de l'importance et qu'en conséquence il faut repérer les accélérations par rapport à un référentiel absolu, immobile, par exemple le référentiel de Copernic lié aux étoiles dites fixes. Pour lui, il allait de soi que si le seau était immobile et si les étoiles du référentiel de Copernic tournaient par rapport au seau, la surface de l'eau resterait plane à l'équilibre.

Mach prit le parti inverse. Pour lui, si l'on pouvait effectuer l'expérience par la pensée qui consiste à faire tourner l'univers entier autour d'un seau fixe, on verrait la surface du liquide prendre la même forme que celle observée à l'équilibre lorsque l'univers est fixe et le seau tourne en sens inverse du précédent. Cette expérience n'est pas réalisable mais postuler que son résultat serait celui escompté par Mach, c'est adopter ce que l'on appelle le principe de Mach (24). On peut le résumer par cette phrase :

L'accélération est une notion relative et l'univers est un tout solidaire.

La première partie de cet énoncé est contenue dans la critique portée par Mach à l'argument de Newton. La seconde en découle : dans les phénomènes d'inertie tout se passe comme si c'était l'ensemble de l'univers qui résistait à la mise en mouvement de l'une de ses parties ; chaque morceau d'univers, si éloigné soit-il, intervient pour modeler l'espace au lieu où se trouve le point matériel étudié. Comme le dit Jean Perrin (8), défenseur de ce qu'il appelle « la solidarité de l'univers » :

> « Et c'est entre cet espace défini à ce moment et le corps qu'on accélère que se produit une action réciproque traduite par l'inertie, qui ne dépend pas seulement du corps accéléré, mais aussi du reste de la Matière.
>
> Comprenons qu'il ne s'agit pas d'une influence très petite de l'ensemble de la matière lointaine. Au premier abord, nous pouvions raisonnablement supposer que les étoiles de la voie lactée, que les étoiles colossalement plus éloignées qui forment les autres voies lactées que sont les Galaxies, n'ont aucune influence pratique sur nous-mêmes et sur les objets qui nous entourent. Mais à présent, nous concevons que ce sont ces étoiles qui pour la plus grande part fixent la masse des objets familiers. De l'air, par exemple, ou de l'eau. Ce que nous appelons eau n'existerait pas dans un univers matériel ignorant le nôtre (à supposer que cette hypothèse ait un sens) et qui par exemple

contiendrait beaucoup plus de matière. Et de même la réalité eau changerait si (à supposer que cette hypothèse ait un sens) la matière de notre univers disparaissait progressivement. »

A ce jour, on n'a pas encore trouvé le moyen de mettre le principe de Mach à l'épreuve de l'expérience : il n'a toujours rien prédit que d'autres théories ne puissent interpréter. De ce fait, il n'est pas nécessaire de l'admettre et certains physiciens le croient même injustifiable. Il faut donc s'en tenir aux conclusions suivantes.

VI Conclusions

L'énoncé du principe d'équivalence n'est une sorte de principe de relativité généralisé qu'en ce qui concerne la gravitation. On pourrait le reformuler ainsi :

On a des points de vue équivalents sur les lois de la gravitation dans tous les référentiels.

Mais si l'on voulait adopter un point de vue géométrique sur les quatre interactions citées au chapitre I, un chemin resterait à faire pour remplacer dans cet énoncé « lois de gravitation » par « lois de la physique », incluant les lois des interactions électromagnétique, forte et faible.

Pour l'instant, rien ne prouve que ce qui a été fait pour le champ gravitationnel, grâce à l'égalité des masses m_G et m_I, pourra être mené à bien pour les trois autres champs. En particulier dans une représentation géométrique de ces champs, il faut se demander comment interpréter par exemple la charge électrique, pour ne citer que ce paramètre jouant dans les lois électromagnétiques le rôle de la masse gravitationnelle dans les lois de gravitation.

Des tentatives d'interprétation, par Einstein et d'autres (25), ont vu le jour, mais l'ardeur a baissé quand les interactions forte et faible furent découvertes, mobilisant l'attention des physiciens. Elles reprennent aujourd'hui dans le cadre des théories unitaires, mais sans que le point de vue géométrique d'Einstein soit unanimement accepté. Bien au contraire, beaucoup préfèrent traiter la gravitation comme les trois autres, en gardant le point de vue de la théorie des champs.

Ainsi, pour l'instant, la relativité générale est moins générale que la relativité restreinte qui s'appuie sur l'énoncé donné au début du chapitre :

On a des points de vue équivalents sur toutes les lois de la physique dans les référentiels galiléens.

Ceci ne nous empêche nullement d'interpréter ce qui se passe dans des référentiels non inertiels, que l'on raisonne soit dans un référentiel d'inertie (au sens de Newton) en exploitant les formules de transformation des accélérations, soit dans un référentiel non inertiel en y introduisant des pseudo-forces d'entraînement et de Coriolis, ou encore en le considérant comme localement inertiel (au sens d'Einstein) après y avoir intégré la gravitation.

Exercices

IV.1. Le principe de relativité est le principe de base de la mécanique classique implicitement contenu dans la physique de Newton. Dites ce qu'il affirme et énoncez-le. Comment Einstein a-t-il réussi à le sauvegarder malgré les problèmes rencontrés à la fin du siècle dernier à propos des lois de l'électromagnétisme et de la vitesse de la lumière ? (S)

IV.2. Un tapis roulant se déplace à la célérité constante de 5 km/h. Un enfant, immobile sur le tapis, laisse tomber d'une hauteur de 1 m une bille à l'aplomb d'un trou dans le tapis roulant.

1) La bille atteint-elle son but ? Quelle est la trajectoire de la bille vue du couloir du métro, vue du tapis roulant et vue par une personne se trouvant sur le tapis roulant se dirigeant dans le sens opposé (à la même célérité) ?
2) En fait, à l'instant $t = 0$ où l'enfant lâche la bille, le tapis roulant ralentit à la suite d'un incident et s'arrête en 1 s. Répondre alors aux questions précédentes. (S)

IV.3. Une étudiante (de masse égale à 55 kg), cherchant à vérifier les lois de la dynamique newtonienne, emmène un pèse-personne dans un ascenseur. Elle lit successivement sur la balance : a) 70 kg, b) 45 kg et c) 0. Préciser dans ces trois cas le mouvement de l'ascenseur. Doit-elle s'inquiéter dans le dernier cas ? (S)

IV.4. Un manège tourne à vitesse angulaire constante $\vec{\omega}$ dans le sens trigonométrique direct (par rapport à la Terre dont on négligera tout mouvement). Vous êtes sur ce manège et situé initialement à la distance d de son axe. Pour les applications numériques (A.N.) proposées à la fin de chacune des questions suivantes, on supposera que votre masse m est 70 kg, que le manège fait 3 tours par minute et que d vaut 5 m.

1) Exprimez la vitesse par rapport au manège à laquelle vous devez marcher pour paraître immobile par rapport à la Terre. A.N. Calculez en km/heure votre célérité.
2) Citez les pseudo-forces qui agissent sur vous dans le référentiel lié au manège. Précisez leurs orientations. A.N. Explicitez le rapport de leurs intensités.
3) Caractérisez la résultante des forces et pseudo-forces à invoquer pour interpréter votre mouvement en raisonnant dans le référentiel lié au manège. A.N. Calculez en Newton son intensité.
4) Même question en raisonnant dans un référentiel lié à la Terre.

IV.5. Le sol d'un manège est équipé d'un dispositif à coussin d'air pour permettre à un palet déposé dessus de rester immobile, par rapport à un observateur extérieur, quand le manège tourne à vitesse angulaire constante. Après avoir dit ce qu'il faut pour qu'il en soit ainsi, interprétez le mouvement du palet tel qu'il apparaît à un observateur lié à l'axe du manège, en précisant le bilan des forces et pseudoforces qu'il invoque.

IV.6. Un manège tourne à vitesse angulaire $\vec{\omega}$ constante autour d'un axe vertical Δ fixé dans le sol de la Terre, traitée comme un référentiel d'inertie. Un expérimentateur, immobile sur ce sol, dépose de l'extérieur sur la plateforme de ce manège un palet, assimilé à un point matériel de masse m, retenu par un fil tendu de masse négligeable et de longueur ℓ coulissant autour de l'axe Δ. On constate que le palet s'immobilise sur la plateforme quand le manège a fait un tour.

1) Exprimez à l'aide uniquement de ω et ℓ, la célérité $v'(t)$ du palet par rapport au manège. On supposera que le ralentissement du palet est régi par des frottements solides, c'est-à-dire par une force d'intensité constante et de sens opposé à celui de la vitesse.

2) En déduire que le palet s'immobilise sur la plateforme en un point diamétralement opposé à celui où on l'a déposé.

3) Exprimez et tracez la tension du fil en fonction du temps. Commentez votre graphe schématique selon les deux phases du mouvement.

4) Interprétez le phénomène comme le ferait un observateur immobile situé à l'extérieur du manège.

IV.7. Un homme, assimilé à un point matériel M, se déplace, en allant du centre vers la périphérie, sur un axe Ox lié à la plateforme horizontale d'un manège tournant à vitesse angulaire variable, $\vec{\omega}$, autour d'un axe vertical passant par le centre O et fixe par rapport au sol. Son accélération d'entraînement par rapport au sol (assimilé à un référentiel d'inertie) s'écrit donc :

$$\vec{a}_e = \frac{d\vec{\omega}}{dt} \times \overrightarrow{OM} + \vec{\omega} \times (\vec{\omega} \times \overrightarrow{OM})$$

1) Comment sont orientées en M l'accélération de Coriolis et les deux composantes (données ci-dessus) de l'accélération d'entraînement, lorsque le manège tourne dans le sens trigonométrique direct avec $\vec{\omega}$ croissant ? Faites figurer les trois vecteurs correspondants sur un même schéma.

2) Même question lorsque le manège tourne encore dans ce sens mais avec une vitesse angulaire décroissante.

3) Pour un manège tournant en sens inverse, donnez les deux schémas associés à des célérités angulaires (norme de $\vec{\omega}$) respectivement croissante et décroissante.

4) Parmi les deux composantes de $\vec{a}_e$, laquelle associez-vous à ce qu'on nomme traditionnellement la pseudoforce centrifuge ? Donnez l'orientation de cette pseudoforce selon les circonstances de rotation du manège et exprimez son intensité en fonction de la position, $x(t)$, du passager de masse m se déplaçant sur l'axe Ox.

5) Pensant faciliter ainsi sa progression le long de cet axe, le passager a demandé au conducteur du manège de régler son moteur de façon à ce que l'effet de Coriolis soit strictement compensé par un effet d'entraînement ne laissant subsister que l'effet centrifuge. Dites qualitativement comment cette demande vous semble a priori réalisable et, sans la résoudre, donnez l'équation différentielle qui permettra au conducteur de la satisfaire lorsque le manège tourne dans le sens trigonométrique direct.

6) En déduire, dans ce cas, la loi de variation à imposer à $\vec{\omega}$ selon la position $x(t)$ du passager, sachant que la valeur $\vec{\omega}_0$ est atteinte quand celui-ci passe en x_0. Vérifiez qu'elle fournit le résultat attendu lorsque le passager a la prudence de rester immobile par rapport au manège.

7) Explicitez cette loi en fonction du temps quand celui-ci s'acharne à garder une vitesse constante (non nulle) par rapport au manège. On notera v la norme de cette vitesse et on prendra l'origine des temps en x_0.

8) En déduire, dans ce cas particulier, l'expression en fonction de v de l'intensité de la pseudoforce centrifuge ressentie par le passager en chaque instant.

9) Après avoir effectué des estimations numériques, faites tous les commentaires que vous jugez utiles sur le caractère réaliste de la demande du passager.

IV.8. Le principe de relativité, dite restreinte, que nous avons approfondi (cf. Appendice A), ne doit pas être confondu avec la relativité générale que nous n'avons fait que schématiser à la fin du chapitre, d'où les deux exercices suivants.

1) Énoncer le principe d'inertie sous la forme de la première loi de Newton.

2) Quelles modifications Einstein a-t-il apporté à ce principe dans le cadre de sa théorie de la gravitation ?

3) Dans ce cadre qu'est-ce qu'un référentiel d'inertie ?

4) En quoi le point de vue d'Einstein est-il préférable à celui de Newton ? (S)

IV.9. Faut-il admettre le principe d'inertie ? Pour répondre à cette question on se contentera de donner le plan détaillé de sa dissertation et d'en préciser la conclusion.

IV.10. Si les avions pouvaient voler dans le vide, quelle serait la trajectoire d'un objet abandonné en chute libre à l'altitude h, vue par un passager et par un observateur sur terre :

1) quand l'avion vole à vitesse constante à l'horizontale ?

2) quand l'avion vole à vitesse constante à la verticale ?

3) quand l'avion est uniformément accéléré ?

IV.11. Si un cosmonaute en apesanteur au centre de sa capsule perd sa chaussure, sans lui donner de vitesse initiale, que fera-t-elle si l'on attend longtemps ? Même question pour son chapeau, puis ses gants.

IV.12. Est-ce qu'un pèse-personne du commerce donne exactement la pesanteur apparente, comme le fait un dynamomètre ?

IV.13. Montrer que dans la chute des corps la pseudo-force centrifuge dévie les objets vers le Nord ou le Sud suivant l'hémisphère. S'agit-il d'une déviation plus forte en valeur absolue que la déviation vers l'Est due à la pseudo-force de Coriolis ?

IV.14. Qu'est-ce qui fait que, même si vous êtes immobile sur un manège (et regardez en direction de son axe), vous devez vous pencher sur le côté droit quand il démarre et jusqu'à ce qu'il atteigne son régime uniforme ? Et pendant la phase d'arrêt du manège, quelle posture prenez-vous ?

IV.15. Sachant que l'écart entre g au pôle Nord et g à l'Équateur est de $5 \cdot 10^{-12}$ m/s^2 et que l'écart attendu à cause de la pseudo-force centrifuge est de $3,4$ m 10^{-2} m/s^2, calculer la différence de «rayon» de la terre entre le pôle Nord et l'Équateur.

IV.16. D'un point de l'Équateur, on jette un objet en l'air à la verticale. Retombera-t-il au même point ?

IV.17. Pour certains noyaux atomiques, tout se passe comme s'ils tournaient autour d'un axe. C'est le cas des noyaux de nombre de masse $A \simeq 240$ qui ont une célérité angulaire de l'ordre de $5 \cdot 10^{19}$ rd/s. Sachant que les nucléons dans ces noyaux ont une célérité de l'ordre de $c/10$, où c est la célérité de la lumière, calculer l'intensité maximale de la pseudo-force de Coriolis qu'ils ressentent et la comparer à celle que l'on peut ressentir quand on marche sur un manège.

DEUXIÈME PARTIE

Les lois de conservation

La mécanique peut être fondée «d'une infinité de manières différentes». Dans la première partie, nous avons analysé l'une d'entre elles : celle qui consiste à énoncer trois principes pour fonder les lois de Newton. Nous allons maintenant en introduire une autre : celle qui s'appuie sur les trois lois de conservation, *de l'énergie, de la quantité de mouvement,* et *du moment cinétique,* reliées à trois principes d'invariance des lois physiques appelés respectivement *le principe d'invariance par translation dans le temps, le principe d'invariance par translation dans l'espace* et *le principe d'invariance par rotation dans l'espace.* Notons bien que ces principes reposent essentiellement sur l'intensité de nos convictions concernant l'invariance de l'ensemble de l'univers ou, mieux, son indifférence à nos choix subjectifs de référentiels.

1) LES PRINCIPES D'INVARIANCE

Les mots translation et rotation peuvent prêter à équivoque. Il ne s'agit pas ici de mouvements, mais de déplacements des objets étudiés d'un point donné à un autre. Plus précisément, les trois principes cités stipulent que des expériences effectuées respectivement à des dates, en des endroits et dans des orientations différents donnent les mêmes résultats, toutes choses égales par ailleurs. Ce «toutes choses égales par ailleurs» est essentiel. En effet, en toute rigueur, pour illustrer un principe d'invariance sous une transformation quelconque, il faudrait faire subir cette transformation à tout l'univers, ce qui est insensé. Mais on peut respecter cette condition de façon approximative, en s'assurant que les morceaux d'univers auxquels on n'a pas fait subir la transformation, ont une influence négligeable sur les résultats des expériences, ou en tenir compte, si besoin est, dans le cadre d'une meilleure approximation.

Par exemple, pour vérifier l'invariance par rotation des lois impliquées dans la chute des corps (pesanteur), on pourra se contenter de faire subir la même rotation aux corps étudiés et au laboratoire qui sert de référentiel. Si l'une des expériences est effectuée à l'équateur et l'autre au pôle Nord (rotation de $\pi/2$ du dispositif autour d'un axe perpendiculaire à l'axe polaire), on pourra négliger l'influence ridicule de la masse gravitationnelle des ours polaires, et même en première approximation, celle du soleil. Mais il faudra tenir compte de l'aplatissement de la terre et de son mouvement diurne.

De plus, comme les deux expériences ne seront pas effectuées en même temps, il faudra s'assurer que la date n'a pas d'importance. Ceci nécessitera d'invoquer en parallèle le principe d'invariance par déplacement dans le temps. On retrouve ici les conclusions du chapitre III : de même que les trois principes de la mécanique ne peuvent être illustrés qu'en les couplant entre eux, de même les trois principes d'invariance ne peuvent être exploités qu'en raisonnant sur des événements dans l'espace-temps : reprenant la phrase de Minkowski, citée au chapitre II, « *les objets de notre perception impliquent invariablement temps et lieu à la fois...* ».

2)   NATURE ET ARTIFICE

A présent, pour faciliter la compréhension des lois de conservation, posons-nous la question suivante : pourquoi la nature accepte-t-elle de se plier à des principes d'invariance ? Il existe autant de réponses que de physiciens. Certains insisteront sur cet aspect : sous quels traits pourrions-nous exister « ici et maintenant » et comment notre cerveau se serait-il formé si les lois physiques variaient d'instant en instant, de place en place, et de direction en direction ? Comment fixerions-nous des rendez-vous ? Comment pourrions-nous comprendre ce qui nous arrive ? Il est donc heureux que les lois de conservation existent et qu'aucun fait expérimental ne les ait remises en cause pour l'instant. Sinon, l'univers serait proprement invivable et nous ne serions pas là pour l'observer (26).

Mais à la question ci-dessus, d'autres répondront, en insistant sur un aspect complémentaire : la nature ne se prête à rien; ce sont les physiciens qui se débrouillent pour sauver leurs principes. Par exemple, la conservation de l'énergie, associée à l'invariance des lois physiques par translation dans le temps, a été sauvegardée en modifiant au cours des deux derniers siècles son contenu physique (27) : après les énergies cinétiques et potentielles, il a fallu introduire l'énergie thermique (la chaleur), puis l'énergie de masse.

Dans cette volonté délibérée de sauvegarder le bilan d'énergie, l'artifice consiste à introduire des constantes fondamentales rendant homogènes des quantités apparemment sans rapport entre elles. Par exemple, la constante $J = 4,18$ Joule/calorie, appelée équivalent mécanique de la calorie, fait que l'on peut exprimer par un nombre « sans odeur, sans saveur, etc. » des choses aussi différentes, a priori, que la chaleur et l'énergie mécanique associées qualitativement aux sensations de chaud et de froid, d'une part (énergie thermique), et d'autre part aux déplacements dans l'espace-temps (énergie cinétique) ou à leurs virtualités (énergie potentielle).

La constante de Boltzmann, k, introduite au chapitre I, peut jouer le même rôle unificateur. Nous avons vu qu'elle permet de relier la température d'un système à l'énergie cinétique moyenne de ses constituants. On constate ainsi la place importante des constantes fondamentales dans les démarches unificatrices de la physique. Ce qui vaut pour J ou k dans l'unification de la chaleur et de l'énergie mécanique vaut aussi pour c, la célérité de la lumière, dans l'unification de ces énergies avec l'énergie de masse, grâce à la relation $E = mc^2$, établie en mécanique relativiste. En mécanique quantique, c'est la constante de Planck, h, qui permet d'unifier les facettes corpusculaires et ondulatoires des phénomènes, grâce, par exemple, à la relation d'Einstein, $E = hv$, où E est l'énergie du corpuscule et où v est la fréquence de l'onde qui lui est associée (28).

Ainsi, à notre question initiale, l'artificialiste répond que les physiciens interprètent la nature en la réduisant à des nombres, et le naturaliste ajoute qu'ils arrivent à le faire parce que nous existons ici et maintenant avec nos sensations. Au lecteur de prendre conscience de sa propre philosophie.

3) INTÉRÊT DES QUANTITÉS CONSERVÉES

Ainsi, c'est à force d'observer des phénomènes reproductibles que l'on a eu l'idée de construire certaines lois de conservation. Les principes d'invariance qui leur sont associés ont pour mérite d'indiquer clairement les hypothèses sur lesquelles se fondent nos convictions à leur sujet.

Mais les lois de conservation n'ont pas pour seul intérêt de fonder la mécanique sur d'autres principes que ceux issus des trois lois de Newton. En particulier, elles fournissent des méthodes d'analyse plus simples que celles qui consistent à résoudre les équations différentielles auxquelles on aboutit quand on utilise le principe fondamental de la dynamique. Par exemple, nous allons montrer que la conservation de l'énergie est une forme intégrée de la relation $\vec{F} = m\vec{a}$ permettant de décrire des mouvements sans faire intervenir le temps.

Une autre conséquence appréciable des lois de conservation est de conduire à des techniques de mesure souvent plus performantes que celles qui exploitent la notion de force. Par exemple, on utilise plus couramment des détecteurs d'énergie adaptés à chaque situation que des étalonneurs de forces. Bien plus, en microphysique, il n'est pas possible d'étalonner directement les forces responsables de la déviation d'une particule sous l'action d'une autre, avec laquelle elle a interagi dans un petit domaine de dimension nucléaire ou même moléculaire. Dans ces domaines microscopiques, on ne peut pas loger de «dynamomètre», mais il n'y a aucune difficulté de principe à mesurer l'énergie d'une particule avant et après la collision, lorsqu'elle est en mouvement inertiel, loin de l'autre particule, là où le champ est nul.

Tous ces aspects des lois de conservation vont être précisés au cours des chapitres ultérieurs. Dans la deuxième partie, que nous abordons maintenant, je présenterai uniquement les traits généraux de l'énergie (chapitre V), de la quantité de mouvement (chapitre VI) et du moment cinétique (chapitre VII). Tout en manipulant ces notions, nous allons nous convaincre qu'une loi de conservation ne se démontre pas par les mathématiques : on l'admet, puis on la formalise ; ou on la conteste... et la reformalise. En d'autres termes nous allons mettre le formalisme à sa place : après l'intuition. Ensuite, dans la troisième partie, nous approfondirons les trois lois de conservation en les exploitant toutes ensemble pour décrire les mouvements dans un champ central et les propriétés des systèmes comportant un grand nombre de constituants.

CHAPITRE V

Conservation de l'énergie

Même si personne ne sait ce qu'est l'énergie « en soi », tout le monde exploite aujourd'hui cette quantité qui se conserve, tout en se transformant. Je commencerai par expliciter, sur un exemple simple, le vocabulaire du chapitre et son contenu physique. Ceci me conduira à rappeler la définition du travail, c'est-à-dire l'opérateur qui effectue les transformations d'énergie. Ensuite, j'introduirai les forces dites conservatives. Leur travail ne dépend pas du chemin suivi et la notion d'énergie potentielle en découle. Enfin, je ferai quelques commentaires sur les diverses formes d'énergie.

I   Vue d'ensemble : construction d'un bilan

Abordons le sujet par un exemple simple et classique : le mouvement d'une masse, attachée à un ressort, glissant sur une table horizontale. Au chapitre III, nous avons vu qu'à la limite idéale des frottements nuls, un tel système, abandonné hors de sa position d'équilibre, oscillerait indéfiniment. Dans ce «mouvement perpétuel», tout change sans cesse de forme, de position et de vitesse, mais, manifestement, quelque chose se conserve au fil du temps puisque, périodiquement, tout se retrouve dans la même configuration de forme, de position et de vitesse.

1)   ÉNERGIE CINÉTIQUE ET ÉNERGIE POTENTIELLE

Ce quelque chose qui se conserve au cours du temps est ce que l'on est convenu d'appeler l'énergie mécanique du système. Lorsque la masse s'arrête aux positions extrêmes avant de revenir sur ses pas, on dit que l'énergie mécanique est mise totalement sous forme potentielle, mot inventé pour exprimer la potentialité d'un mouvement ultérieur. A l'opposé, quand la masse passe avec la vitesse maximale devant la position d'équilibre, on dit que l'énergie mécanique apparaît totalement sous forme cinétique, mot qui exprime le mouvement.

Mais la plupart du temps l'énergie mécanique est répartie, en des proportions variables, sur les deux formes cinétique et potentielle. Vous savez que si la masse du ressort est négligeable, l'énergie cinétique du système est donnée, à une constante près, par :

$$E_c(t) = \frac{1}{2}\, mv^2(t) \tag{V.1}$$

où m est la masse de l'objet attaché au ressort et où $v^2(t)$ est le carré de sa vitesse $\vec{v}(t)$, au temps t.

Vous savez également (et nous le remontrerons ici) que pour une force de rappel de la forme :

$$\vec{F} = -k\vec{x}(t) \tag{V.2}$$

l'énergie potentielle du système s'écrit, à une constante près :

$$E_p(t) = \frac{1}{2}\, kx^2(t) \tag{V.3}$$

où k est la constante de raideur et où $x^2(t)$ est le carré de l'élongation $\vec{x}(t)$, qui coïncide avec le vecteur position quand l'origine du référentiel est prise à la position d'équilibre.

2) ÉNERGIE MÉCANIQUE

Les notions d'énergie cinétique et d'énergie potentielle proviennent de l'intégration, au sens mathématique, de la relation $\vec{F} = m\vec{a}$ qui traduit le principe fondamental de la dynamique. Une très grande part de ce chapitre est consacrée à le montrer.

Commençons par la démarche inverse qui consiste à vérifier qu'en dérivant par rapport au temps l'énergie mécanique, on aboutit à la relation $\vec{F} = m\vec{a}$. Pour cela, écrivons tout d'abord que, dans le cas idéal décrit ci-dessus, l'énergie mécanique du système masse-ressort se conserve au cours du temps, soit :

$$E_M = E_c(t) + E_p(t) = \frac{1}{2}\, mv^2(t) + \frac{1}{2}\, kx^2(t) = \text{Cte} \tag{V.4}$$

Ensuite, notons qu'en dérivant, par rapport au temps, cette relation, on obtient :

$$\frac{dE_M}{dt} = \frac{d}{dt}\left[\frac{1}{2}\, mv^2 + \frac{1}{2}\, kx^2\right] = 0 \tag{V.5}$$

soit, en explicitant la dérivée :

$$\frac{1}{2}\, m\, \frac{d(\vec{v}^2)}{dt} + \frac{1}{2}\, k\, \frac{d(\vec{x}^2)}{dt} = m\vec{v} \cdot \frac{d\vec{v}}{dt} + k\vec{x} \cdot \frac{d\vec{x}}{dt} = 0.$$

Ceci peut être récrit :

$$\vec{v} \cdot (m\vec{a} + k\vec{x}) = 0 \qquad (V.6)$$

On aboutit donc au résultat escompté puisque cette équation n'est satisfaite, quel que soit $\vec{v}$, que si l'on a, en chaque instant, la relation* :

$$m\vec{a} = -k\vec{x} = \vec{F} \qquad (V.7)$$

où l'on a utilisé la formule (V.2) définissant la force de rappel du ressort.

Ainsi, dans le cas du système idéal masse-ressort, il n'y a rien de plus dans la conservation de l'énergie mécanique que dans le principe fondamental. Ce que l'on gagne est un autre point de vue physique, ouvert sur l'énergétique, et de la simplicité mathématique. En effet, il est souvent plus simple d'exploiter la conservation de l'énergie que de résoudre l'équation différentielle associée au principe fondamental.

3) FORCES CONSERVATIVES ET TRANSFORMATIVES

Les forces qui conduisent à la conservation de l'énergie mécanique sont appelées forces conservatives. Mais il existe d'autres types de forces qui empêchent l'existence du mouvement perpétuel, telles les forces de frottement. Ce sont ces forces qui sont responsables de l'arrêt du système réel masse-ressort après un certain nombre d'oscillations amorties. Manifestement, dans ce cas, le « mouvement perpétuel » n'existe pas et l'énergie mécanique n'est donc pas conservée.

Néanmoins, on peut sauvegarder la conservation de l'énergie en inventant, pour les besoins de la cause, de nouvelles formes d'énergie qui se manifestent de diverses façons, chacune avec un nom approprié : l'énergie d'agitation thermique, pour l'élévation de température du système, l'énergie acoustique, pour ses grincements éventuels, l'énergie de structure, pour les modifications de structure des matériaux au fil des oscillations, etc. Chacune de ces énergies peut être mesurée avec des détecteurs appropriés, comme un thermomètre, un récepteur acoustique, une sonde des matériaux, etc. Ceci renseigne, selon les proportions observées, sur la nature des forces responsables de l'amortissement du système.

Pour nommer globalement toutes ces forces, j'emploierai le néologisme « forces transformatives » car c'est par leur intermédiaire que l'énergie mécanique du système se transforme progressivement ; soit qu'elle augmente, par exemple quand on active le système masse-ressort, ou encore quand on jette un objet en l'air ; soit qu'elle diminue, par exemple sous l'action des forces de frottements.

En particulier, la partie de l'énergie mécanique du système masse-ressort qui se transforme en énergie d'agitation thermique, se manifeste par une élévation de température, c'est-à-dire à l'échelle microscopique, par une augmentation de l'énergie cinétique moyenne des molécules constituant le système (cf. chapitre I). On peut donc

---

* L'autre solution, $\vec{v}$ perpendiculaire en chaque instant à $(m\vec{a} + k\vec{x})$, est à exclure comme physiquement trop miraculeuse.

dire que la transformation de l'énergie mécanique en énergie thermique est un processus au cours duquel le mouvement d'ensemble des molécules du système disparaît au profit d'un accroissement de leurs mouvements d'agitation. Pour l'énergie acoustique, la transformation s'effectue en deux temps : tout d'abord par l'intermédiaire des vibrations d'une partie du système, qui disparaissent ensuite au profit du mouvement d'agitation des molécules internes et externes. En ce qui concerne l'énergie de structure, l'interprétation des phénomènes est plus complexe. Nous ne l'aborderons qu'à la fin de la troisième partie, lorsque nous reviendrons de façon plus approfondie sur les diverses formes d'énergie que nous venons d'évoquer.

4)   UNITÉS D'ÉNERGIE ET DE PUISSANCE

Terminons cette synthèse des notions supposées connues par quelques remarques concernant les unités. Tout d'abord, je vous rappelle que l'énergie, E, et le travail, W, sont des quantités homogènes. Le travail étant lui-même homogène au produit d'une force par une longueur, on a pour équations aux dimensions :

$$[E] = [W] = [F] \cdot [\ell] = ML^2T^{-2}$$

Dans le système international (S.I.), l'unité d'énergie est le Joule qui correspond au travail d'une force constante de 1 Newton dans un déplacement de 1 mètre selon la direction de la force. Pour fixer les idées, quand une personne de 70 kg monte un étage (environ 3 mètres de dénivelé), elle dépense, rien que pour lutter contre la pesanteur, une énergie mgh d'à peu près 2000 Joule ou encore près de 500 calories puisque :

1 calorie = 4,18 Joule.

En technologie thermique ou en diététique, on utilise souvent la « grande calorie » écrite Calorie (avec un c majuscule), qui vaut 1 000 calories, soit une kilocalorie. On dépense donc 0,5 Calorie pour monter un étage.

Ce qui limite la possibilité d'effectuer certains travaux est la puissance dont on dispose, la puissance étant définie comme l'énergie échangée par unité de temps. Dans le système international l'unité de puissance est le Watt qui correspond à une énergie de 1 Joule échangée en 1 seconde. Par exemple, pour monter un étage en 10 secondes, il faut disposer d'une puissance d'environ 200 W. Notre ration alimentaire quotidienne est de l'ordre de 2000 Calories, soit $2 \cdot 10^6$ calories. En moyenne, sur 24 heures, notre organisme est donc comparable à une lampe de 100 W allumée en permanence.

Le kilowatt-heure, unité employée à l'échelle sociale, est une unité d'énergie et non pas de puissance. C'est l'énergie échangée en 1 heure quand on dispose d'une puissance de 1 kW, ou, par exemple, l'énergie échangée en 10 heures quand on dispose d'une puissance de 100 W, soit :

$$1 \text{ kW} \cdot 3\,600 = 3,6 \cdot 10^6 \text{ Joule}.$$

L'ordre de grandeur de la consommation française d'énergie pour 1980 est de 280 Milliards de kW · h, soit environ 10^{18} Joule, et l'on prévoit une consommation de 1 000 Milliards de kW · h pour l'an 2000. Ainsi, à cette date, en moyenne, chaque français sera comparable dans ses échanges sociaux à 30 lampes de 100 W allumées en permanence.

L'unité d'énergie utilisée en microphysique est l'électron-Volt qui équivaut à l'énergie acquise par un électron soumis à une différence de potentiel de 1 Volt, soit, puisque la charge d'un électron est de $1,6 \cdot 10^{-19}$ Coulomb :

$$1 \text{ eV} = 1,6 \cdot 10^{-19} \text{ Joule}$$

Par exemple, l'énergie qu'il faut fournir à l'électron de l'atome d'hydrogène pour le désolidariser du proton, son noyau, est de 13,6 e.V. (appelée énergie d'ionisation de l'atome d'hydrogène). A titre de comparaison l'énergie d'agitation thermique kT, où k est la constante de Boltzmann (cf. chapitre I), est de 1/40 eV à 300 °K. Ainsi :

$$1 \text{ eV correspond à } T = 12\,000 \text{ °K}.$$

L'énergie qu'il faut dépenser pour arracher un nucléon d'un noyau est beaucoup plus élevée, car il faut vaincre l'interaction forte. Elle est de l'ordre de 8 MeV, avec :

$$1 \text{ MeV} = 1 \text{ Mégaélectron-Volt} = 10^6 \text{ eV}.$$

C'est la raison pour laquelle la fission d'un noyau d'uranium libère beaucoup plus d'énergie que la combustion d'un atome de carbone, à savoir environ 200 MeV, soit près de $5 \cdot 10^7$ fois plus. En effet, la combustion d'une mole de carbone fournit environ $4 \cdot 10^5$ Joules, soit près de 4 eV pour chaque mise en commun d'un électron lors d'une réaction $C + O_2 \rightarrow CO_2$ ($4 \cdot 10^5 / 6 \cdot 10^{23} \times 1,6 \cdot 10^{-19}$).

Signalons enfin que l'unité d'énergie employée dans l'armement est la kilotonne d'équivalent T.N.T. (Trinitrotoluène explosif) définie par :

$$1 \text{ kt} = 10^9 \text{ Calories} = 4,18 \cdot 10^{12} \text{ Joule}.$$

La bombe A, utilisée par les U.S.A. à Hiroshima, était de 14 kt, et la bombe H record, essayée par l'U.R.S.S., faisait 10^5 kt, soit environ $4 \cdot 10^{17}$ Joule, c'est-à-dire la moitié de la consommation française d'énergie pour 1980.

II   Travail des forces : l'opérateur de transfert

Nous allons maintenant préciser ces notions connues. Je commencerai par rappeler la définition du travail d'une force, car le travail est ce qui opère le passage d'une forme d'énergie à une autre. Par exemple, le travail de la force conservative du ressort opère le passage incessant de l'énergie cinétique à l'énergie potentielle du système idéal masse-ressort, et inversement ; et c'est le travail des forces transformatives qui effectue la transition de l'énergie mécanique du système réel vers d'autres formes d'énergie.

1)   DÉFINITION DU TRAVAIL

Mais comment définir mathématiquement le travail pour qu'il représente un transfert d'énergie associé au déplacement d'une force? Puisque l'énergie est une fonction scalaire et que forces et déplacements sont des fonctions vectorielles, la seule possibilité est d'utiliser le produit scalaire de la force, $\vec{F}$, par le déplacement, $\vec{d}$, soit :

$$W = \vec{F} \cdot \vec{d} \tag{V.8}$$

Cependant, ceci n'a de sens que si la force est constante et si le déplacement est rectiligne. Or, en règle générale, les forces responsables d'un mouvement varient tout au long de la trajectoire. Dès lors, pour calculer le travail d'une force quelconque sur un trajet $\overgroup{MM'}$ (cf. fig. V.1a), il faut découper ce trajet en tronçons $\overgroup{M_iM_{i+1}}$ suffisamment petits pour que l'arc $\overgroup{M_iM_{i+1}}$ puisse être confondu avec le vecteur $\overrightarrow{M_iM_{i+1}} = \Delta\vec{r_i}$ et pour que la force puisse être considérée comme constante sur tout le tronçon. Le travail sur tout le trajet est obtenu en sommant l'ensemble des travaux élémentaires $\delta W_i = \vec{F}(M_i) \cdot \overrightarrow{M_iM_{i+1}}$, soit :

$$W = \sum_{i=1}^{N} \delta W_i = \sum_{i=1}^{N} \vec{F}(M_i) \cdot \overrightarrow{M_iM_{i+1}} = \sum_{i=1}^{N} \vec{F}(M_i) \cdot \Delta\vec{r_i} \tag{V.9}$$

où $\vec{F}(M_i)$ est la force au point M_i, supposée constante sur la corde $\overrightarrow{M_iM_{i+1}}$.

Quand on fait tendre vers zéro la longueur de chaque tronçon, leur nombre devenant infini, on aboutit à la définition rigoureuse du travail, traduite, en notation intégrale, par l'expression mathématique :

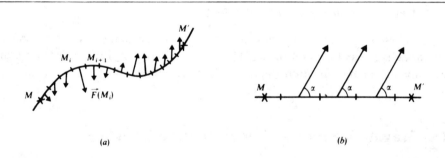

(a)   (b)

Figure V.1.

Puisque la force varie sur le trajet MM', il faut découper le trajet en tronçons $\overline{M_iM_{i+1}}$ suffisamment petits pour y considérer la force $\vec{F}(x, y, z)$ comme localement constante (a). On retrouve le résultat $W = \vec{F} \cdot \overrightarrow{MM'}$ quand la force est constante et le trajet rectiligne (b).

$$\boxed{W = \int_{\widehat{MM'}} \vec{F}(M) \cdot \mathrm{d}\vec{r}}$$ (V.10)

où $\mathrm{d}\vec{r}$ est l'élément différentiel de trajet et où le signe $\displaystyle\int_{\widehat{MM'}}$ indique que l'intégrale doit être effectuée de M à M' en suivant le trajet $\widehat{MM'}$.

2) TRAVAIL MOTEUR ET TRAVAIL RÉSISTANT

L'expression (V.8) est donc un cas particulier de la définition (V.10), obtenu quand la force est constante et le trajet rectiligne (cf. fig. V.1b). En effet, on a alors :

$$W = \int_{\widehat{MM'}} \vec{F}(M) \cdot \mathrm{d}\vec{r} = \vec{F} \cdot \int_{\widehat{MM'}} \mathrm{d}\vec{r} = \vec{F} \cdot \overrightarrow{MM'}$$ (V.11)

soit encore :

$$W = \|\vec{F}\| \, \|\overrightarrow{MM'}\| \cos \alpha$$

où α est l'angle constant entre $\overrightarrow{MM'}$ et $\vec{F}$.

La notion générale de travail moteur ou résistant peut être illustrée sur ce cas particulier, à savoir, par définition :

si $\alpha < \pi/2$, le travail est positif; on dit qu'il est moteur $\Big\}$
si $\alpha > \pi/2$, le travail est négatif; on dit qu'il est résistant

Par exemple*, le travail de pesanteur lors d'une chute vers le sol est moteur, puisque la vitesse du mobile augmente, et il vaut $W = + mg_0 h$, où h est la hauteur de chute. Le produit scalaire traduit directement ce résultat puisqu'alors $\vec{F}$ et $\overrightarrow{MM'}$ sont tous les deux dirigés vers le sol, soit $\cos \alpha = 1$. Par contre, quand on jette l'objet en l'air, le travail de la pesanteur est résistant jusqu'à ce que l'objet s'arrête avant de redescendre, et il vaut $W = - mg_0 h$, où h est l'altitude atteinte. Dans ce cas, $\vec{F}$ est dirigé vers le sol et $\overrightarrow{MM'}$ vers le ciel; on a donc $\alpha = \pi$ et $\cos \alpha = - 1$.

---

* Lorsqu'on introduit la notion de travail, on a coutume de distinguer entre travail, tel qu'il est défini en physique, et effort, tel qu'on le ressent physiologiquement. L'exemple favori est celui de la valise immobile tenue à bout de bras. Là; il y aurait effort mais pas de travail puisque la force musculaire ne se déplace pas. Cette notion floue d'effort est un expédient : demandez à un physiologiste s'il est vrai qu'il ne faut pas nourrir un haltérophile immobile. Car à quoi bon lui transférer de l'énergie s'il ne travaille pas. En fait, dans ce que l'on appelle un effort, les muscles travaillent même si on ne le voit pas quand on regarde les choses de façon superficielle. Les fibres musculaires passent leur temps à se contracter et à se détendre à un rythme élevé, imperceptible quand l'organisme est bien régulé (et perceptible quand il n'en est pas ainsi : cas de la tétanie ou de la danse de Saint Guy). Comme ces mouvements de va-et-vient ne sont pas dus à des forces conservatives, il en résulte un travail d'autant plus grand que le temps s'écoule, d'où la sensation d'effort. Ainsi, à l'échelle des fibres musculaires, l'effort est lié au travail au sens de la physique, c'est-à-dire au sens de l'énergie : le déplacement des forces musculaires n'est pas alors visible à l'œil mais il existe néanmoins et réclame sa dose d'énergie.

Ainsi, le produit scalaire est bien adapté pour comptabiliser les bilans d'énergie puisqu'il prend en compte automatiquement les signes des travaux. Il découle également de sa définition que le travail d'une force perpendiculaire au déplacement ($\alpha = \pi/2$) est nul. Ceci s'interprète en termes de transfert d'énergie nul. Par exemple, dans son mouvement « circulaire uniforme » autour de la terre, la lune ne consomme pas d'énergie puisqu'elle tourne sans cesse à célérité constante. De fait le travail de la force de gravitation est nul puisque cette force est constamment perpendiculaire au déplacement.

3) EXEMPLE DU SYSTÈME MASSE-RESSORT

A titre d'illustration, calculons le travail de la force de rappel, définie par la formule (V.2). Commençons par tirer sur le ressort pour amener la masse de la position d'équilibre du système, repérée en $x = 0$, jusqu'en un point repéré par x_0. Dans cette opération, c'est nous-mêmes qui fournissons une certaine énergie pour lutter contre la force de rappel. Le travail de cette force est donc résistant, et, en effet, on a :

$$W = \int_0^{x_0} - k\vec{x} \cdot \mathrm{d}\vec{x} = \left[- k\,\frac{x^2}{2} \right]_0^{x_0} = - k\,\frac{x_0^2}{2} < 0$$

Inversement, quand on abandonne le système en x_0, sans vitesse initiale, le travail de la force de rappel est moteur jusqu'à ce que la masse passe devant la position d'équilibre. Et, en effet, on a dans ce cas :

$$W = \int_{x_0}^{0} - k\vec{x} \cdot \mathrm{d}\vec{x} = \left[- k\,\frac{x^2}{2} \right]_{x_0}^{0} = + k\,\frac{x_0^2}{2} > 0$$

De façon générale, quand la masse passe de x_1 en x_2, le travail de la force de rappel est donné par :

$$W = \int_{x_1}^{x_2} - k\vec{x} \cdot \mathrm{d}\vec{x} = \left[- k\,\frac{x^2}{2} \right]_{x_1}^{x_2} = \frac{k}{2}\,(x_1^2 - x_2^2) \qquad (V.12)$$

Il est nul pour un cycle entier, c'est-à-dire pour un aller-retour : les travaux moteurs compensent alors les travaux résistants.

III   Forces conservatives

En général, trouver l'expression du travail d'une force quelconque sur un trajet quelconque n'est pas aussi simple. Par exemple, si l'on explicite la définition (V.10) en représentation cartésienne, ce qu'il faut calculer est :

$$W = \int_{\widehat{MM'}} (F_x \mathrm{d}x + F_y \mathrm{d}y + F_z \mathrm{d}z) \qquad (V.13)$$

où F_x (x, y, z), F_y (x, y, z) et F_z (x, y, z) sont les composantes cartésiennes de champ de force $\vec{F}$ (x, y, z) et où dx, dy et dz sont celles de d$\vec{r}$.

1)   PROPRIÉTÉS DES FORCES CONSERVATIVES

Cependant, il existe des champs de force pour lesquels cette intégration est facile. Ce sont les champs des forces dites conservatives pour lesquelles le travail ne dépend pas du chemin suivi pour aller de M à M'. L'intégration peut alors être effectuée en suivant le chemin le plus commode.

Il est clair que, par exemple, les forces de frottement ne sont pas de cette nature : plus le chemin est long pour se rendre du point M au point M', plus il faut fournir d'énergie pour lutter contre ces forces. Et si l'on envisage une boucle avec retour en M en passant par M', le travail total ne sera pas nul puisqu'il sera résistant aussi bien à l'aller qu'au retour. Par contre, le travail des forces conservatives est nul dans ce cas puisque le chemin le plus commode pour partir de M et y revenir est le trajet nul.

Pour des forces conservatives, on aura donc :

$$W (M \to M') + W (M' \to M) = 0 \qquad (V.14)$$

Ainsi, lorsqu'un mouvement est régi par des forces conservatives, son énergie reprend la même valeur après un cycle complet. Bien plus, nous allons voir que l'énergie mécanique qui lui est associée est constante en tout point de la trajectoire, et donc en chaque instant. Les forces radiales qui ne dépendent que de la distance relative entre les partenaires, appelées forces centrales, jouissent de cette propriété.

2)   FORCES CENTRALES

Pour montrer que les forces centrales sont conservatives, considérons un point matériel soumis à une telle force, et soit O le point fixe où se trouve la source du champ de forces (cf. fig. V.2). Envisageons deux chemins C_1 et C_2 pour se rendre de M en M', et notons δW_1 et δW_2 les travaux élémentaires associés aux déplacements différentiels d$\vec{r}_1$ et d$\vec{r}_2$, tous deux compris entre les sphères centrées en O de rayon r et $r + $ dr.

On a, puisque d$r_1 \cos \alpha_1 = $ d$r_2 \cos \alpha_2 = $ dr :

$$\delta W_1 = \vec{F} (M_1) \cdot \mathrm{d}\vec{r}_1 = \| \vec{F} (M_1) \| \, \| \mathrm{d}\vec{r}_1 \| \cos \alpha_1 = F (M_1) \, \mathrm{d}r$$

$$\delta W_2 = \vec{F} (M_2) \cdot \mathrm{d}\vec{r}_2 = \| \vec{F} (M_2) \| \, \| \mathrm{d}\vec{r}_2 \| \cos \alpha_2 = F (M_2) \, \mathrm{d}r$$

Mais des forces radiales qui ne dépendent que de la distance relative, r, sont caractérisées par :

$$\| \vec{F} (M_1) \| = \| \vec{F} (M_2) \| = F (r)$$

On a donc :

$$\delta W_1 = \delta W_2 = F\,(r)\,\mathrm{d}r \tag{V.15}$$

Sommant tous les travaux élémentaires sur les deux chemins, on obtient le résultat escompté, soit :

$$W_1 = \int_{C_1} \vec{F}\,(r) \cdot \mathrm{d}\vec{r} = \int_{C_2} \vec{F}\,(r) \cdot \mathrm{d}\vec{r} = W_2 \tag{V.16}$$

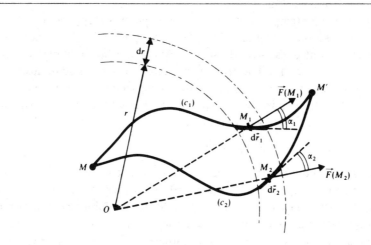

Figure V.2.

Pour un champ de forces centrales on a $\| F\,(\vec{M_1}) \| = \| F\,(\vec{M_2}) \|$.

3)   EXEMPLE DE FORCES DE GRAVITATION

Ce résultat s'applique, en particulier, à la force de rappel V.2, mais nous allons l'illustrer par un autre exemple : la force de gravitation. Considérons donc un point matériel de masse m se déplaçant dans le champ de gravitation créé par une masse M située en O. Soient r_1 et r_2 les vecteurs positions initiale et finale de ce point matériel par rapport à O (cf. fig. V.3).

Pour calculer le travail de la force de gravitation, subie par la masse m, sur n'importe quel trajet l'amenant de P_1 en P_2, on choisira le chemin le plus commode constitué par le tronçon rectiligne allant de P_1 à P_0, situé à la même distance de O que P_2, suivi du tronçon circulaire joignant P_0 à P_2, pour lequel on a $\| \vec{r_2} \| = r_2 = \| \vec{r_0} \| = r_0$.

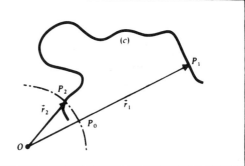

Figure V.3.

Pour calculer le travail sur le chemin (C) de P_1 à P_2, on choisira un chemin plus commode : de P_1 à P_0 en ligne droite, puis de P_0 à P_2 sur le cercle de centre O.

Sur ce deuxième tronçon le travail de la force de gravitation est nul puisque cette force est alors constamment perpendiculaire au déplacement. Le travail cherché se réduit alors au travail sur le tronçon rectiligne, soit :

$$W = \int_{(c)} - G \frac{mM}{r^2} \left(\frac{\vec{r}}{r} \right) \cdot \mathrm{d}\vec{r} = \int_{r_1}^{r_0 = r_2} - \frac{GmM}{r^2} \, \mathrm{d}r$$

Le résultat final est donc :

$$W = GmM \left(\frac{1}{r_2} - \frac{1}{r_1} \right) \tag{V.17}$$

Il est positif (travail moteur) pour $r_1 > r_2$ (cas de la figure) et négatif pour $r_1 < r_2$ (travail résistant).

Dans le cas particulier où la source du champ de gravitation est la terre, $M = M_T$, et où le point matériel passe d'une altitude h ($r_1 = R_T + h$), jusqu'au niveau du sol ($r_2 = R_T$), la formule (V.17) fournit :

$$W = GmM_T \left(\frac{1}{R_T} - \frac{1}{R_T + h} \right) = \frac{mg_0 h}{(1 + h/R_T)} \tag{V.18}$$

où $g_0 = GM_T/R_T^2$ est l'intensité du champ de pesanteur au niveau du sol. Si l'altitude h est faible devant le rayon de la terre, R_T, on obtient, au premier ordre en h/R_T :

$$W \simeq mg_0 h \tag{V.19}$$

IV   Énergie mécanique : construction d'un formalisme

Les forces conservatives ont aussi cette particularité d'être associées à la conservation de l'énergie mécanique. Tout en le vérifiant je vais préciser quelques points du formalisme « étudié pour » : nous allons intégrer la relation $\vec{F} = m\vec{a}$ en interprétant le travail comme un opérateur de transfert d'énergie.

1)   ÉNERGIE CINÉTIQUE

Par exemple, quand on agit sur un objet avec une force $\vec{f}$ pour le mettre en mouvement, l'accélérer, ou le ralentir, son énergie cinétique varie d'une quantité égale au travail de cette force sur le trajet considéré. On peut donc dire dans ce cas que le travail effectué a permis de transférer de l'énergie cinétique à l'objet.

Pour formaliser cela il suffit d'exploiter le principe fondamental de la dynamique selon lequel la force $\vec{f}$ et l'accélération $\vec{a}$ de l'objet, point matériel de masse m, sont reliées en chaque instant par l'égalité $\vec{f} = m\vec{a}$. On écrira donc, quel que soit le trajet AB :

$$W = \int_{\widehat{AB}} \vec{f}(M) \cdot d\vec{r} = \int_{\widehat{AB}} m\vec{a} \cdot d\vec{r} \tag{V.20}$$

Mais, puisque $\vec{a} = d\vec{v}/dt$ et $d\vec{r} = \vec{v}dt$, on a :

$$W = \int_{A}^{B} m \frac{d\vec{v}}{dt} \cdot \vec{v}dt = \int_{A}^{B} m\vec{v} \cdot d\vec{v} = \left[\frac{1}{2} mv^2 + C \right]_{A}^{B} \tag{V.21}$$

où C est la constante arbitraire de la primitive, qui disparaît lorsqu'on effectue la différence de ses valeurs en B et en A, soit :

$$W = \left(\frac{1}{2} mv_B^2 + C \right) - \left(\frac{1}{2} mv_A^2 + C \right) = \frac{1}{2} m (v_B^2 - v_A^2) \tag{V.22}$$

Cette relation peut encore s'écrire :

$$W = \frac{1}{2} mv_B^2 - \frac{1}{2} mv_A^2 = E_c(B) - E_c(A) \tag{V.23}$$

où $E_c(M) = \frac{1}{2} mv_M^2$ est appelé, par définition, l'énergie cinétique du point matériel au point M de sa trajectoire. En adoptant cette définition de l'énergie cinétique, on a pris nulle la constante arbitraire C, ce qui revient à prendre nulle, par convention, l'énergie cinétique d'un point matériel au repos dans le référentiel où l'on effectue les mesures de vitesse. Avec cette convention, l'énergie cinétique est une fonction définie positive.

L'intérêt de cette forme intégrée de la relation $\vec{f} = m\vec{a}$ est, d'une part, d'éliminer le temps dans la description du mouvement et, d'autre part, d'aboutir à un résultat indépendant de la trajectoire envisagée. De plus, puisque l'intégration est une opération linéaire, ce résultat se généralise à un ensemble de forces quelconques appliquées à un point matériel, selon l'égalité :

$$W = \int_{\widehat{AB}} (\vec{f}_1 + \vec{f}_2 \cdots + \vec{f}_n) \cdot d\vec{r} = \int_{\widehat{AB}} m\vec{a} \cdot d\vec{r} \tag{V.24}$$

que l'on peut écrire :

$$W = W_1 + W_2 + \ldots W_n = \int_A^B m\vec{v} \cdot \mathrm{d}\vec{v} = E_c(B) - E_c(A) \qquad (V.25)$$

où W_1, $W_2\ldots$, W_n sont les travaux des forces $\vec{f_1}, \vec{f_2}\ldots \vec{f_n}$, respectivement.

La formule (V.24) s'énonce alors :

La variation d'énergie cinétique d'un point matériel est égale à la somme des travaux des forces qui lui sont appliquées, que les forces envisagées soient conservatives ou non.

Par exemple, si l'on abandonne sans vitesse initiale ($\vec{v}_A = 0$) un objet de masse m sur une pente, on pourra calculer sa vitesse en chaque point en exploitant la formule (V.25), même si les forces de frottement ne sont pas négligeables. En particulier, s'il s'agit de frottements solides, caractérisés par une force $\vec{f}$ constante et opposée au déplacement, on écrira que le travail résistant de cette force transformative est donné par $W_f = -f\ell$, où $f = \|\vec{f}\|$ et où ℓ est la longueur du déplacement effectué. On exprimera aussi le travail moteur de la force conservative de pesanteur P, soit $W_p = mg_0 h$, où h est la hauteur de dénivelé. L'expression (V.25) donnera alors, avec $E_c(B) = mv_B^2/2$:

$$v_B = \sqrt{\frac{2\,(mg_0 h - f\ell)}{m}} = \sqrt{2\,g_0 h - \frac{2\,f\ell}{m}}$$

où B est n'importe quel point de la trajectoire.

2)   ÉNERGIE POTENTIELLE

Ainsi, en faisant travailler des forces, il est possible de fournir à un objet de l'énergie cinétique. Mais on peut aussi utiliser une force pour déplacer un objet d'un point A à un point B sans lui communiquer d'énergie cinétique. Par exemple, on peut élever une masse m en s'arrangeant pour exercer une force $\vec{f}$ égale en module à la pesanteur $\vec{P}$ et dirigée en sens inverse, soit $\vec{f} = -\vec{P}$. Dans ces conditions la masse arrivera en B avec la même vitesse qu'en A, en vertu du principe d'inertie. Le travail de $\vec{f}$ n'aura donc pas servi à transférer de l'énergie cinétique.

Dans ce cas, on dit que le travail de $\vec{f}$ a permis de transférer à l'objet de l'énergie potentielle dans le champ de pesanteur, ce que l'on écrit :

$$W_f = \int_B^A \vec{f} \cdot \mathrm{d}\vec{r} = E_p(B) - E_p(A) = -W_P \qquad (V.26)$$

où $E_p(M)$ est appelé, par définition, l'énergie potentielle de l'objet au point M où règne un champ de pesanteur.

Pour obtenir l'expression de $E_p(M)$, on exploite le fait que $\vec{f} = -\vec{P}$ et que $\vec{P}$ est une force conservative, c'est-à-dire, rappelons-le, une force dont le travail ne dépend que des positions initiale et finale du point matériel. On écrira alors :

$$W_f = \int_A^B (-\vec{P}) \cdot d\vec{r} = \left[mgh + C \right]_A^B \tag{V.27}$$

où h est l'altitude du point matériel et où C est la constante arbitraire de la primitive qui disparaît lorsqu'on effectue la différence de ses valeurs en B et en A, soit :

$$W_f = (mg_0 h_B + C) - (mg_0 h_A + C) = mg_0(h_B - h_A) \tag{V.28}$$

Cette relation peut encore s'écrire :

$$W_f = mg_0 h_B - mg_0 h_A = E_p(B) - E_p(A) \tag{V.29}$$

où $E_p(M) = mg_0 h_M$ est appelé, par définition, l'énergie potentielle de pesanteur du point matériel au point M. En adoptant cette définition de l'énergie potentielle de pesanteur, on a pris nulle la constante arbitraire C, ce qui revient à prendre nulle, par convention, l'énergie potentielle de pesanteur du point matériel au niveau du sol, par rapport auquel on effectue les mesures de position. Avec cette convention, l'énergie potentielle de pesanteur est une fonction définie positive pour les altitudes positives (au-dessus du sol) et définie négative pour les altitudes négatives (en-dessous du sol).

Insistons maintenant sur le fait que la relation (V.29) est due à la nature conservative de la force de pesanteur $\vec{P}$. Nous avons exploité cette propriété de $\vec{P}$ pour établir la formule (V.27), en écrivant :

$$W_f (A \to B) = \int_A^B (-\vec{P}) \cdot d\vec{r} = -W_P (A \to B) \tag{V.30}$$

où $W_P (A \to B)$ est le travail de $\vec{P}$ lors d'un déplacement du point matériel de A en B, soit :

$$W_P (A \to B) = \int_A^B \vec{P} \cdot d\vec{r} \tag{V.31}$$

On déduit alors, des formules (V.29) à (V.31), la relation :

$$W_P (A \to B) = - (E_p(B) - E_p(A)) = mg_0(h_A - h_B) \tag{V.32}$$

relation qui exprime tout simplement que les travaux de $\vec{f}$ et de $\vec{P}$ sont opposés lorsque $\vec{f}$ et $\vec{P}$ s'équilibrent en chaque instant.

La démarche que nous avons suivie peut être adoptée pour n'importe quelle force conservative, $\vec{F_c}(M)$. On écrira donc, de façon générale :

$$W_{F_c} (A \to B) = \int_A^B \vec{F_c}(M) \cdot d\vec{r} = - (E_p(B) - E_p(A)) \tag{V.33}$$

où $E_p(M)$ est l'énergie potentielle du point matériel au point M où règne un champ de forces conservatives $\vec{F_c}(M)$.

L'expression de $E_p(M)$ dépend de celle de la force $\vec{F_c}(M)$. Par exemple, la formule (V.12) permet d'identifier la fonction énergie potentielle associée à la force conservative $\vec{F} = -k\vec{x}$, soit :

$$E_p(x) = \frac{1}{2} kx^2 \qquad\qquad (V.34)$$

où en prenant nulle la constante arbitraire C, on est convenu de repérer les énergies potentielles par rapport à la position d'équilibre du ressort, là où la force de rappel est nulle. Avec cette convention, l'énergie potentielle du ressort est une fonction définie positive.

De même, la formule (V.17) permet d'obtenir la fonction énergie potentielle associée à la force de gravitation, soit :

$$\boxed{E_p(r) = -\frac{GmM}{r}} \qquad\qquad (V.35)$$

où l'on a pris nulle la constante arbitraire, ce qui revient à prendre nulle l'énergie potentielle de gravitation à l'infini de la source du champ, là où la force de gravitation est nulle. Avec cette convention, l'énergie potentielle de gravitation est une fonction définie négative. Elle est donc maximale quand elle est nulle.

De façon générale, la constante arbitraire C qui intervient dans la définition de l'énergie potentielle est prise nulle, ce qui coïncide d'ordinaire avec une énergie potentielle nulle là où la force qui lui est associée est elle-même nulle. Une exception notable est l'énergie potentielle de pesanteur, prise nulle au niveau du sol quand on l'écrit *mgh*. Bien entendu, ceci est sans conséquence puisque ce qui intervient dans le calcul du travail d'une force conservative est une différence d'énergies potentielles. En particulier la formule (V.19) peut être obtenue soit directement de la relation (V.32), soit comme approximation de la formule (V.17), équivalente à l'expression (V.33) avec $E_p(r) = -GmM_T/r$.

Notons enfin que, l'intégration étant une opération linéaire, on généralise la formule (V.33) à un ensemble de forces conservatives, selon l'énoncé suivant :

La variation d'énergie potentielle d'un point matériel soumis à plusieurs forces conservatives est égale à l'opposé de la somme des travaux de ces forces.

3)   ÉNERGIE MÉCANIQUE

La force $\vec{f}$ que nous avons utilisée pour communiquer à un objet, soit de l'énergie cinétique, soit de l'énergie potentielle, peut aussi transférer à cet objet à la fois de l'énergie cinétique et de l'énergie potentielle. Par exemple, lorsqu'on élève rapidement une masse dans le champ de pesanteur en employant une force $\vec{f}$ supérieure à $\vec{P}$ et dirigée en sens inverse, on augmente à la fois son énergie cinétique et son énergie potentielle. On dit alors que le travail de $\vec{f}$ a permis d'augmenter l'énergie mécanique d'un point matériel, définie comme la somme de ses énergies cinétique et potentielle, soit :

$$E_M = E_c + E_p \qquad\qquad\qquad (V.36)$$

Dans cette opération, c'est le système utilisé pour appliquer la force $\vec{f}$ qui a consommé de l'énergie pour en transférer une partie (car le rendement énergétique d'un système n'est jamais 100 %) au point matériel. Mais si l'on cesse d'exercer la force $\vec{f}$ pour abandonner le point matériel dans le champ de la force conservative $\vec{F_c}(M)$, son énergie mécanique restera constante par la suite. Pour le vérifier, il suffit de rapprocher la formule (V.33) et la formule (V.22), dans laquelle on prendra pour $\vec{f}$ la force $\vec{F_c}$ elle-même; soit :

$$\Delta E_c = W_{F_c}(A \rightarrow B) = -\Delta E_p \qquad\qquad (V.37)$$

où $\Delta E_c \equiv E_c(B) - E_c(A)$ et $\Delta E_p \equiv E_p(B) - E_p(A)$ sont les variations d'énergie cinétique et d'énergie potentielle. On en déduit :

$$E_c(A) + E_p(A) = E_c(B) + E_p(B) = \text{cte} \qquad\qquad (V.38)$$

ou encore :

$$\Delta E_M = \Delta (E_c + E_p) = \Delta E_c + \Delta E_p = 0 \qquad\qquad (V.39)$$

Ceci se généralise à un ensemble de forces conservatives selon l'énoncé :

Lorsqu'un point matériel est soumis à plusieurs forces, toutes conservatives, son énergie mécanique se conserve au cours du temps.

V Quelques illustrations simples

Illustrons maintenant le paragraphe précédent par quelques applications simples de la conservation de l'énergie mécanique.

1) VITESSE DE LIBÉRATION

Commençons par nous poser la question suivante : quelle vitesse initiale minimale, $\vec{v}_L$, faut-il communiquer à un objet, initialement situé à la surface de la terre, pour qu'il puisse échapper à l'attraction gravitationnelle terrestre? Pour aborder la réponse, reformulons la question en ces termes : quelle vitesse $\vec{v}_L$ faut-il donner à un point matériel, de masse m, pour qu'il s'éloigne de la terre jusqu'à parvenir à l'infini (là où l'attraction gravitationnelle terrestre est nulle) avec la vitesse finale la plus faible possible, c'est-à-dire avec une vitesse nulle? C'est dans ce cas, en effet, que la vitesse $\vec{v}_L$, appelée vitesse de libération terrestre, sera elle-même minimale.

Le calcul de $\vec{v}_L$ est simple quand on exploite la conservation de l'énergie mécanique (on néglige les frottements) puisqu'alors la seule force à considérer est la force conservative de gravitation. Au départ, c'est-à-dire dans l'état initial, l'énergie mécanique est donnée par :

$$E_M(I) = \frac{1}{2} mv_L^2 - \frac{GmM_T}{R_T} \tag{V.40}$$

où R_T est le rayon de la terre et M_T est sa masse*. Dans l'état final, l'énergie mécanique s'écrit :

$$E_M(F) = \frac{1}{2} mv_F^2 - \frac{GmM_T}{r_F} \tag{V.41}$$

Mais alors, à l'arrivée à l'infini, on a, par hypothèse, $v_F = 0$ et $r_F = \infty$, soit $E_M(F) = 0$. Dès lors, puisque la conservation de l'énergie mécanique se traduit par $E_M(I) = E_M(F)$, on a la relation :

$$\frac{1}{2} mv_L^2 - \frac{GmM_T}{R_T} = 0 \tag{V.42}$$

On en déduit :

$$v_L = \sqrt{\frac{2GM_T}{R_T}} = \sqrt{2R_T g_0} \simeq 11,2 \text{ km/s} \tag{V.43}$$

On notera que la vitesse de libération de la terre est indépendante de la masse de l'objet considéré. Ceci se généralise à n'importe quelle étoile ou planète de masse M et de rayon R, selon la relation :

$$\boxed{v_L = \sqrt{\frac{2GM}{R}}} \tag{V.44}$$

2)   LIMITE RELATIVISTE : TROU NOIR

Plus exactement, pour être en droit d'utiliser la formule (V.44), il faut que le résultat obtenu par v_L soit faible par rapport à la vitesse de la lumière. Quand il n'en est pas ainsi, on doit faire appel à la mécanique relativiste pour calculer v_L. C'est le cas, par exemple, quand on envisage des systèmes stellaires ayant des masses de l'ordre de quelques masses solaires, et des rayons très petits, de l'ordre de quelques dizaines de kilomètres. Il arrive même alors que la vitesse de libération devienne comparable à la vitesse de la lumière, vitesse insurpassable selon la relativité. A la limite on a ce que l'on appelle un « trou noir », c'est-à-dire un système stellaire dont aucune particule ne peut s'échapper, fut-elle un photon. Le nom de trou noir vient de là : il

---

* On a négligé ici la rotation diurne de la terre, qui, au niveau de l'équateur communique à l'objet une vitesse initiale vers l'Est de l'ordre de 0,5 km/s dans le système de Kepler. Il faut en tenir compte quand on veut réussir le lancement d'un satellite.

s'agit d'un objet invisible, au sens de la luminosité, mais éventuellement repérable par les mouvements étranges qu'il imprime aux objets stellaires dans son voisinage, quand il ne va pas jusqu'à les engloutir.

3)   ÉNERGIE DE LIBÉRATION

Si la vitesse de libération d'un objet ne dépend pas de sa masse, par contre l'énergie à lui fournir en dépend. La relation (V.44) montre en effet que l'énergie cinétique de libération est donnée par :

$$E_L = \frac{1}{2} mv_L^2 = \frac{GmM}{R} \qquad \text{(V.45)}$$

Plus l'objet est massif, plus il faut dépenser d'énergie pour le libérer du champ de gravitation qui le retient, soit environ $6 \cdot 10^7$ Joule par kilogramme pour l'attraction terrestre et seulement 300 fois plus pour l'attraction solaire, car le soleil a une densité moyenne plus faible que la terre ($R_\odot \simeq 109\, R_T$ et $M_\odot \simeq 3,3\ 10^4\, M_T$).

Si l'on avait envisagé d'utiliser une «énorme catapulte» de 100 m de haut pour communiquer au LEM ($m \simeq 15$ tonnes) de l'expédition Apollo XI la vitesse $v_L = 11,2$ km/s, c'est-à-dire pour lui communiquer près de 10^{12} Joule en environ un centième de seconde, il aurait fallu utiliser un dispositif d'une puissance de l'ordre de 10^{14} W et ceci en prenant un rendement énergétique de 1. Comme par ailleurs les frottements dans l'atmosphère ne sont pas négligeables dans les premières dizaines de kilomètres, on voit clairement, sans même se poser les problèmes de sécurité au décollage, qu'une telle entreprise n'est pas envisageable. C'est la raison pour laquelle on utilise des fusées capables de fournir l'énergie nécessaire en des temps plus longs. Par exemple, la fusée de l'opération Apollo XIII ($m \simeq 3\,000$ tonnes) avait un premier étage équipé de 5 moteurs consommant 15 tonnes de combustible-comburant par seconde, pendant 2,5 minutes, soit environ 2 200 tonnes brûlées pour ce seul premier étage. L'accélération au décollage était de $1,2\ g_0 \simeq 12$ m/s², ce qui représente, pour enlever les 3 000 tonnes initiales, une puissance $\vec{F} \cdot \vec{v}$ de l'ordre 10^9 W, soit plus d'un million de chevaux (un cheval équivaut à 736 W). Voilà déjà un bel attelage...

Si l'on envisage de libérer du champ gravitationnel solaire un électron ($m_e \simeq 9,1 \cdot 10^{-31}$ kg) ou un proton ($m_p \simeq 1,67\ 10^{-27}$ kg), particules en abondance à la surface du soleil, ceci nécessite respectivement des énergies de l'ordre de 0,1 eV et 200 eV (cf. formule V.45). Comme la température à la surface du soleil ($T_S \simeq 5\,700$ °K) correspond à une énergie cinétique moyenne de 0,5 eV (300°K correspond à 1,40 eV), pour que des vents solaires, comprenant des protons, parviennent jusque sur la lune, on doit invoquer d'autres mécanismes que la seule agitation thermique, survenant, par exemple, lors des éruptions solaires. Observer de tels vents sur terre est pratiquement impossible car l'atmosphère terrestre les absorbe.

4)   ÉNERGIE DE LIAISON

Posons-nous maintenant la question suivante : quelle énergie faut-il fournir à un satellite circulant initialement sur une orbite de rayon R pour qu'il puisse échapper ensuite à l'attraction terrestre qui le lie à la terre? L'énergie minimale à fournir est celle qui permettra au satellite d'arriver à une distance infinie de la terre avec une vitesse nulle. Il aura alors une énergie cinétique et une énergie potentielle nulles et donc une énergie mécanique finale $E_M(F) = 0$.

Si l'on note ε l'énergie à fournir pour libérer le satellite de la pesanteur, et $E_M(I)$ son énergie mécanique initiale sur son orbite, on aura donc la relation :

$$\varepsilon + E_M(I) = E_M(F) = 0 \tag{V.46}$$

soit encore :

$$\varepsilon = - E_M(I) = - \left(\frac{1}{2}\, mv_R^2 - \frac{GmM_T}{R} \right) \tag{V.47}$$

où v_R est la célérité du satellite sur son orbite de rayon R.

Or, en appliquant le principe fondamental de la dynamique, nous avons obtenu au chapitre IV (cf. formule IV.15) :

$$v_R = \sqrt{\frac{GM_T}{R}} \tag{V.48}$$

On peut donc écrire :

$$\varepsilon = - \left(\frac{1}{2}\, m\, \frac{GM_T}{R} - \frac{GmM_T}{R} \right) = \frac{1}{2}\, \frac{GmM_T}{R} \tag{V.49}$$

Ainsi, l'énergie à fournir pour libérer le satellite est égale à l'opposé de la moitié de l'énergie potentielle de ce satellite sur son orbite initiale. Cette énergie à fournir s'identifie à ce que l'on appelle l'énergie de liaison du satellite.

La même démarche peut être suivie pour calculer l'énergie de liaison de l'atome d'hydrogène dans le cadre du modèle de Bohr. Dans ce modèle, l'atome d'hydrogène dans son état de plus basse énergie, appelé état fondamental, est décrit comme un électron se mouvant en orbite circulaire de rayon r_B autour du proton, son noyau. Ce qui satellise l'électron dans le champ du proton est alors la force coulombienne associée à la fonction énergie potentielle, nulle à l'infini, donnée par :

$$E_p(r) = - k\, \frac{e^2}{r} \tag{V.50}$$

où $- e^2$ est le produit des charges de l'électron et du proton et où $k = 1/(4\,\pi\varepsilon_0) = 9\ 10^9$ MKSA. Par analogie, l'équivalent de la formule (V.49) est donc :

$$E_L = \frac{1}{2}\, \frac{ke^2}{r_B} \tag{V.51}$$

Or, pour ioniser un atome d'hydrogène, il faut lui fournir une. énergie $\varepsilon = E_L = 13,6$ eV, encore appelée énergie d'ionisation. On en déduit que, dans le modèle de Bohr, le rayon de Bohr de l'atome d'hydrogène a pour valeur $r_B \simeq 0,53$ Å $\simeq 0,53 \cdot 10^{-10}$ m.

L'énergie d'ionisation des atomes est de cet ordre de grandeur, avec des maxima pour les gaz rares, comme He ($\varepsilon \simeq 25$ eV), Ne, A, etc., et des minima pour les alcalins comme Li ($\varepsilon \simeq 5$ eV), Na, K, etc.

Des variations analogues se produisent pour les noyaux, à l'échelle de quelques MeV car les énergies de liaisons nucléaires sont dues à l'interaction forte, beaucoup plus intense que l'interaction coulombienne (cf. chapitre I).

5)   LIAISONS CHIMIQUES ET ADN

L'énergie de dissociation d'une molécule, c'est-à-dire l'énergie à lui fournir pour en extraire un atome, est aussi de l'ordre de quelques eV dans le cas des molécules les plus stables, dites à liaison ionique. Par exemple, l'énergie de liaison de la molécule KCl est de 4,4 eV. Pour la dissocier en ions K^+ et Cl^-, il faut donc lui fournir 4,4 eV. Il n'est pas surprenant qu'il en soit ainsi : briser une liaison ionique équivaut à arracher un électron de valence à l'atome de potassium pour en faire l'ion K^+.

Parmi les autres types de liaisons chimiques, la liaison de Van der Waals est la plus faible. L'énergie de dissociation des molécules qu'elle engendre est à peine supérieure à l'énergie d'agitation thermique aux températures du corps humain ($kT \simeq 1/40$ eV pour $T \simeq 300\,°K$). Dans notre organisme, ces molécules se dissocient et se reconstituent donc sans cesse de façon relativement aléatoire.

Entre ces deux extrêmes que sont les liaisons ioniques et de Van der Waals, se situe la liaison hydrogène qui assure les ponts de la double hélice de l'ADN. Son énergie de dissociation est de l'ordre du dixième d'électronvolt. Si cette liaison n'existait pas, la sélection naturelle aurait joué en faveur d'êtres vivants très étranges. En effet, la vie serait apparue soit aux très hautes températures, si la replication génétique reposait sur la liaison ionique (5 eV correspond à 60 000 °K), soit à très basse température, si la sélection naturelle avait retenu la liaison de Van der Waals, car la stabilité de la replication ne serait alors assurée qu'aux températures de l'ordre de quelques degrés Kelvin. Dans le premier cas, les êtres vivants auraient dû apprendre à se reproduire sur les étoiles, en respirant des protons et des électrons ; et dans le second, il leur aurait fallu se contenter de l'espace intergalactique, à 3 °K. Avis aux amateurs de science fiction et appel à leur imagination.

6)   ÉTATS LIÉS ET ÉTATS LIBRES

Revenons maintenant à la formule (V.46). Elle montre que, quand on prend le zéro d'énergie à l'infini, c'est-à-dire quand on prend l'énergie de référence nulle à l'infini de la source du champ, alors l'énergie mécanique initiale d'un point matériel dans ce champ s'identifie à l'opposé de l'énergie de libération, $\mathcal{E}$. En effet, on a dans ce cas :

$$E_M(I) = E_M(F) - \mathcal{E} = 0 - \mathcal{E} = -\mathcal{E} = -E_L \tag{V.52}$$

où E_L est l'énergie de liaison définie par :

$$E_L = |E_M(I)| \tag{V.53}$$

Ainsi, par rapport à l'état de référence ($E = 0$), l'énergie mécanique d'un point matériel lié à la source du champ est négative (mais son énergie de liaison est une quantité définie positive). En d'autres termes une valeur négative de E_M caractérise ce que l'on appelle un état lié du système (point matériel + source du champ). Par exemple, $E_M = -13,6$ eV caractérise l'état lié de plus basse énergie de l'atome d'hydrogène, système électron-proton. La figure V.4a illustre cette situation : l'électron ne peut s'éloigner du proton que jusqu'à la distance r_B. Au delà, son énergie cinétique, $E_c = E_M - E_p$, serait négative, ce qui est interdit puisque l'énergie cinétique est une fonction définie positive.

Par contre, si l'énergie mécanique E_M est positive, rien ne s'oppose à ce que l'électron sorte définitivement du champ du proton. On dit alors que l'électron est dans un état libre, où encore que cet électron est un électron libre.

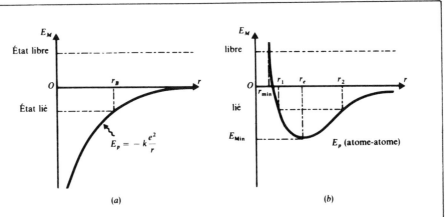

(a)   (b)

Figure V.4.

Support visuel aux notions d'états liés et d'états libres. Le cas de l'atome d'hydrogène est représenté sur la figure (a) et celui d'un système de deux atomes est en (b). Si $E_M < 0$, le point matériel ne peut aller au-delà de la limite fixée par $E_c = 0$. Si $E_M > 0$, le mouvement ne peut être limité éventuellement qu'aux faibles distances (cas du système atome-atome).

7) FORCE ET ÉNERGIE POTENTIELLE

La figure V.4b illustre ces notions dans le cas d'un système de deux atomes. Là aussi, le zéro d'énergie est pris à l'infini, là où la force atome-atome est nulle, c'est-à-dire quand les deux atomes sont séparés par une distance infinie à l'échelle atomique, soit ici quelques dizaines d'Angström car les forces atome-atome décroissent très vite.

Pour commenter la courbe d'énergie potentielle représentée sur la figure, considérons deux atomes dont l'un est fixe en O. Lorsque l'autre, initialement au plus près, s'éloigne de lui en allant en droite ligne vers l'infini, son énergie potentielle diminue jusqu'à ce qu'il parvienne à la distance r_e où la courbe présente un minimum. Ensuite, l'énergie potentielle augmente jusqu'à devenir nulle à l'infini. Ceci signifie que l'interaction atome-atome est répulsive pour $r < r_e$, c'est-à-dire aux courtes distances relatives, et devient attractive ensuite pour $r > r_e$.

En effet, le travail d'une force conservative est donné par (cf. formule V.33) :

$$W = \int_{AB} \vec{F}(r) \cdot d\vec{r} = - \Delta E_p(M) \tag{V.54}$$

où $E_p(r)$ est la fonction énergie potentielle associée à cette force $\vec{F}(r)$. Pour un déplacement différentiel $d\vec{r}$, le travail élémentaire δW d'une force conservative est donc relié à la différentielle de $E_p(r)$, par :

$$\delta W = \vec{F}(r) \cdot d\vec{r} = - dE_p(r) \tag{V.55}$$

où dE_p est cette différentielle. Or, comme la force centrale $\vec{F}(r)$ est radiale, on peut déterminer son module en employant cette expression pour un déplacement particulier, $d\vec{r}$, radial lui aussi, soit :

$$F(r)dr = - dE_p(r)$$

On peut donc écrire :

$$\vec{F}(r) = - \frac{dE_p(r)}{dr} \vec{u} \tag{V.56}$$

où $\vec{u}$ est le vecteur unitaire dirigé de O vers l'infini, porté par l'axe fixe passant par O sur lequel la distance relative des deux atomes est notée r.

Ainsi, quand la fonction $E_p(r)$ décroît ($dE_p/dr < 0$), la force centrale $\vec{F}(r)$ est dirigée dans le sens de $\vec{u}$: ceci signifie que cette force est répulsive. Par contre, si $E_p(r)$ croît ($dE_p/dr > 0$), $\vec{F}(r)$ est dirigée vers O : c'est le propre d'une force attractive. En d'autres termes, deux atomes s'attirent lorsqu'ils sont à des distances supérieures à r_e, mais guère au-delà de quelques r_e car alors $dE_p/dr \simeq 0$, et donc $\vec{F}(r) \simeq 0$. Par contre, ils se repoussent pour des distances inférieures à r_e, la répulsion devenant pratiquement infinie aux très courtes distances ($dE_p/dr \to \infty$, si $r \to 0$). Là, les deux atomes se chevauchent suffisamment pour ressentir d'une part la répulsion coulombienne de leurs deux noyaux et d'autre part les effets d'un principe de mécanique quantique, appelé principe de Pauli, qui interdit à leurs électrons d'être au même point dans le même état de mouvement.

8)   LIMITES DU MOUVEMENT

Notons maintenant, sur la figure V.4b, que pour $E_M > 0$, les deux atomes ne sont pas liés. Pour décrire une collision élastique, susceptible de survenir dans ce cas, considérons un atome envoyé de l'infini sur l'autre, fixé en O, avec une énergie cinétique initiale $E_c(\infty) = E_M(\infty)$ (car $E_p(\infty) = 0$). En vertu de la conservation de l'énergie mécanique, son énergie mécanique restera constante tout au long de sa trajectoire ($E_M(r) = E_M(\infty) > 0$), mais il sera accéléré tant que $E_p(r)$ diminuera : son énergie cinétique augmentera au rythme de la diminution de son énergie potentielle. Si cet atome suit l'axe passant par O, ceci subsistera jusqu'en r_e. Ensuite son énergie cinétique diminuera jusqu'à devenir nulle en r_{Min}, distance minimale d'approche. Alors, il repartira sur ses pas pour finir sa course à l'infini où il retrouvera son énergie cinétique initiale. Il s'agit donc bien d'un état libre, encore appelé état de collision élastique, car après son rebond en r_{Min} l'atome finit par retrouver à l'infini toute son énergie cinétique initiale.

Intéressons-nous à présent aux états liés définis par $E_M < 0$ (avec $E_M > E_{Min}$, car pour $E_M < E_{Min}$ l'atome aurait une énergie cinétique négative, ce qui est inacceptable). Dans chacun de ces états, tout se passe comme si le système constitué par les deux atomes pouvait osciller entre les deux distances extrêmes r_1 et r_2, l'amplitude des oscillations étant d'autant plus faible que le système est à basse énergie mécanique et donc plus lié ($E_L = |E_M|$). Plus le minimum de $E_p(r)$ est bas, plus la molécule formée des deux atomes est stable car son état fondamental est fortement lié.

Les oscillations éventuelles de cette molécule diatomique s'effectuent autour de r_e, qui est une position d'équilibre puisque, l'énergie potentielle y étant minimale, on a en ce point $dE_p(r)/dr = 0$ et donc $\vec{F}(r_e) = 0$. Ainsi le paramètre r_e représente le rayon de la molécule diatomique dans son état fondamental ou, plus précisement, la distance entre les noyaux des deux atomes.

9) CAS DES GAZ RARES : LIQUÉFACTION

Mais il est des cas où la molécule ne peut être stable aux conditions normales de température (300 °K). Par exemple, la courbe de la figure V.4b représente, pour deux atomes identiques de gaz rare (He, Ne, Ar, etc.), l'énergie potentielle dite de Lennard-Jones* :

$$E_p(r) = E_p(r_e) \left[2 \left(\frac{r_e}{r} \right)^6 - \left(\frac{r_e}{r} \right)^{12} \right] \qquad (V.57)$$

avec, pour l'argon, $r_e \simeq 3,6$ Å et $E_p(r_e) \simeq -0,01$ eV. La comparaison de $E_p(r_e)$ avec l'énergie cinétique d'agitation thermique, kT, montre alors qu'aux conditions normales (kT $\simeq 0,025$ eV), deux atomes d'argon ne peuvent rester liés. Dans l'enceinte qui les contient en grand nombre, ils passent leur temps à rebondir les uns sur les autres.

Cette comparaison permet également de comprendre pourquoi les gaz rares ne sont liquéfiables qu'aux basses températures. Par exemple, la température de liquéfaction de l'argon est de l'ordre de -186 °C, soit 87 °K, ou encore kT $\simeq 0,007$ eV. On a alors kT $< |E_p(r_e)|$ et les atomes d'argon peuvent s'agglutiner les uns aux autres pour former un liquide, et même, presque à la même température, un solide puisque la température de solidification de l'argon est de l'ordre de -189 °C, soit 84 °K. De façon générale, plus le minimum de l'énergie potentielle de deux éléments identiques constituant un système est profond, plus la température de liquéfaction de ce système est élevée.

---

* Bien entendu, cette expression ne vaut que pour des atomes de basse énergie cinétique; quelques dizaines d'électronvolt. En particulier, il serait insensé de l'employer si l'énergie était suffisante pour que les noyaux entrent en contact.

10) EXPRESSION FORMELLE DES FORCES CONSERVATIVES

Pour terminer ce paragraphe je vais introduire et commenter l'expression couramment employée pour formaliser la notion de force conservative. Il s'agit d'une généralisation de la relation (V.56). Elle s'écrit :

$$\boxed{\vec{F}(M) = - \overrightarrow{\text{grad}}\ E_p(M)}$$

(V.58)

où $\overrightarrow{\text{grad}}\ E_p(M)$, appelé gradient de la fonction $E_p(M)$, est, par définition, un vecteur dirigé selon la ligne de plus grande pente de l'énergie potentielle, et dont le module est précisément égal à cette pente.

En coordonnées cartésiennes, le gradient d'une fonction scalaire $f(x, y, z)$ est un vecteur $\vec{V}$ dont les composantes sont définies par :

$$V_x = \frac{\partial f}{\partial x}; \ V_y = \frac{\partial f}{\partial y}; \ V_z = \frac{\partial f}{\partial z},$$

(V.59)

où $\frac{\partial f}{\partial x}$ est la notation universellement utilisée pour indiquer que l'on a calculé la dérivée de la fonction $f(x, y, z)$, par rapport à x, en laissant y et z fixés, c'est-à-dire en traitant y et z comme des constantes. On dit encore : $\partial f/\partial x$ est la dérivée partielle de la fonction de trois variables, $f(x, y, z)$, par rapport à x. Les notations $\partial f/\partial y$ et $\partial f/\partial z$ représentent de même les dérivées partielles de f par rapport à y et z respectivement.

Par exemple la fonction énergie potentielle de gravitation :

$$E_p(r) = - \frac{GmM}{r} = - \frac{GmM}{\sqrt{x^2 + y^2 + z^2}}$$

(V.60)

a pour gradient un vecteur $\vec{V}$ dont la composante V_x est par définition :

$$V_x = \frac{\partial E_p}{\partial x} = \frac{GmMx}{(x^2 + y^2 + z^2)^{3/2}} = \frac{GmM}{r^3}\ x$$

(V.61)

et de même pour V_y et V_z en remplaçant x respectivement par y et z. On peut donc écrire :

$$\vec{V} = \frac{GmM}{r^3}\ \vec{r}$$

(V.62)

et (la définition est « étudié pour ») l'expression (V.59) redonne effectivement la force gravitationnelle :

$$\vec{F}(r) = - \vec{V} = - \frac{GmM}{r^2} \left(\frac{\vec{r}}{r} \right)$$

(V.63)

Notons qu'avec cette notation le travail d'une force conservative prend la forme : $\delta W = - \overrightarrow{\text{grad}}\ E_p \cdot d\vec{r}$, où E_p est la fonction énergie potentielle associée à cette force. Explicitant le produit scalaire, par exemple en coordonnées cartésiennes, on écrira donc :

$$W = \int_{MM'} - \left(\frac{\partial E_p}{\partial x}\ dx + \frac{\partial E_p}{\partial y}\ dy + \frac{\partial E_p}{\partial z}\ dz \right) = \int_{M}^{M'} - dE_p = - \Delta E_p$$

(V.64)

où $dE_p \equiv \frac{\partial E_p}{\partial x}\ dx + \frac{\partial E_p}{\partial y}\ dy + \frac{\partial E_p}{\partial z}\ dz$, porte le nom de différentielle totale de la fonction E_p des trois variables x, y et z. Son expression donne la variation de la fonction E_p lorsqu'on passe du point P_1, caractérisé par x, y et z, au point P_2, repéré par $x + dx$, $y + dy$ et $z + dz$. Elle signifie que cette variation est la somme des variations partielles*.

VI   L'énergie et ses formes

Jusqu'à présent, nous nous sommes presque exclusivement intéressés à des systèmes régis par des forces conservatives. Dans ce cas, la notion d'énergie potentielle a un sens qui conduit à la conservation de l'énergie mécanique au cours du temps :

$$dE_M/dt = 0 \qquad\qquad (V.65)$$

avec $E_M = E_c + E_p$, où $E_c = mv^2/2$ est l'énergie cinétique du point matériel et où E_p est son énergie potentielle que l'on peut définir, lorsque son zéro est pris à l'infini par :

$$E_p(r) = -\int_\infty^r \vec{F}_c(r) \cdot d\vec{r} = \int_r^\infty \vec{F}_c(r) \cdot d\vec{r} \qquad\qquad (V.66)$$

où $\vec{F}_c(r)$ est une force conservative, ici centrale.

1)   VARIATION DE L'ÉNERGIE MÉCANIQUE D'UN SYSTÈME NON ISOLÉ

En fait l'énergie mécanique d'un objet dans un champ de forces centrales n'est strictement conservée que si la source du champ a une masse infinie ou, en termes physiques, suffisamment grande par rapport à celle de l'objet pour qu'on puisse considérer cette source comme immobile et dans le même état d'énergie pendant tout le temps de son interaction avec l'objet. Par exemple, l'énergie mécanique d'un caillou dans le champ de pesanteur est dite conservée parce qu'on peut négliger la variation d'énergie mécanique de la Terre (la source du champ de pesanteur) durant son interaction gravitationnelle avec le caillou. Cependant, en toute rigueur, c'est l'énergie mécanique du système constitué par la Terre et le caillou qu'il faut considérer comme conservée. En ce sens, l'énergie mécanique d'un système n'est conservée que s'il est isolé, c'est-à-dire si l'on peut négliger l'action de forces externes. Dorénavant nous adopterons ce point de vue.

A présent revenons sur l'exemple précédent pour préciser ceci : l'énergie mécanique du système S, constitué par la Terre et un caillou, n'est constante que si aucun agent extérieur n'intervient. Elle augmente si l'agent extérieur est un homme exerçant une force motrice, ou un ressort effectuant la même intervention. Par contre, elle diminue si la force extérieure est résistante, comme c'est le cas si l'agent extérieur est l'air, dont les molécules en contact avec le caillou en mouvement engendrent de la viscosité.

---

* J'ai introduit toutes ces définitions pour rassurer ceux qui utilisent divers recueils d'exercices où on les emploie. Je ne les exploiterai pas dans ce livre.

La relation (V.25), appelée « théorème » de l'énergie cinétique*, permet de formuler ce résultat dans le cas général. Quelle que soit la nature des forces extérieures, $\vec{f}_e$, agissant sur le système considéré, s'il est régi par des forces intérieures conservatives, $\vec{F}_c$, dérivant d'une énergie potentielle, E_p, on déduit de cette relation :

$$\Delta E_c = W_{f_e} + W_{F_c} \tag{V.67}$$

soit encore :

$$\Delta E_M = \Delta E_c + \Delta E_p = \Delta E_c - W_{F_c} = W_{f_e} \tag{V.68}$$

Ainsi, la variation d'énergie mécanique d'un système est égale au travail des forces extérieures. C'est ce résultat que l'on exploite pour préparer un système dans un état d'énergie mécanique donné, en faisant agir sur lui des forces extérieures, ou encore pour en tirer un travail quelconque.

2) ÉNERGIE D'AGITATION THERMIQUE

Mais si ce que l'on veut illustrer est la conservation de l'énergie, rien ne nous empêche a priori de faire entrer dans un nouveau système les agents précédemment considérés comme extérieurs, pour les rendre intérieurs. Par exemple, rien ne nous interdit d'appeler système l'ensemble constitué par la Terre, le caillou, l'homme ou le ressort, et les molécules de l'atmosphère. Et si ce nouveau système Σ est supposé isolé, on pourra postuler que l'énergie se conserve en inventant, pour les besoins de la cause, d'autres formes d'énergie que l'énergie mécanique de l'objet dans le champ de la Terre.

Par exemple, la partie de l'énergie mécanique du système S (Terre-objet) transformée en énergie d'agitation thermique, sous l'action de la force de frottement de l'air $\vec{f}$, extérieure à S, apparaît à l'échelle microscopique comme une augmentation en proportion de l'énergie cinétique des molécules qui constituent le système Σ (terre-caillou-air), dans lequel la force $\vec{f}$ est intérieure. Ainsi, cette partie de l'énergie mécanique qui semble disparaître dans S, n'a fait que changer de forme dans Σ : elle est devenue de l'énergie d'agitation thermique, invisible à l'œil nu, c'est-à-dire de l'énergie cinétique prélevée par les molécules d'air sur celles du caillou et répartie de façon finalement chaotique sur le nombre pratiquement infini des molécules de Σ. Pour mettre en évidence et mesurer cette forme d'énergie, il faut utiliser un détecteur approprié, par exemple le bout des doigts si l'on se contente d'à peu près, ou un thermomètre pour se donner un sentiment d'objectivité.

Bien entendu, si le système Σ n'est pas isolé (thermiquement et mécaniquement) il pourra échanger de l'énergie avec le monde extérieur, mais rien ne nous interdira d'envisager un système comprenant au besoin l'univers entier pour y postuler que l'énergie est conservée.

---

* L'appellation « théorème » subsiste encore en souvenir du dix-neuvième siècle où la mécanique était enseignée par les mathématiciens comme une science déductive.

3) ÉNERGIE INTERNE

Notons que pour interpréter l'énergie d'agitation thermique, nous sommes implicitement sortis du cadre de la mécanique du point matériel. Nous avons considéré les objets qui nous environnent comme ce qu'ils sont après tout, à savoir comme des systèmes faits d'un grand nombre de constituants, les molécules ou les atomes, en perpétuelle interaction.

Dans cette feuille de papier sur laquelle j'écris, de l'énergie est cachée, ou plus exactement est stockée. C'est ce que l'on appelle de l'énergie interne car elle est contenue à l'intérieur de ce système relativement stable de molécules qui la constituent. Il y a là dedans de l'énergie cinétique interne, d'agitation thermique, mais aussi de l'énergie potentielle interne, car les forces intermoléculaires qui en assurent la cohésion sont conservatives, étant d'origine électromagnétique. Si je la froisse, la déchire ou la brûle, son énergie interne varie en proportion du travail et de la chaleur qu'elle a échangés avec le monde extérieur. Mais je peux aussi interpréter cette variation en termes microscopiques comme le travail que ses molécules ont dû effectuer pour se déplacer, se disjoindre ou s'éloigner à l'infini.

Il en est ainsi de tout système. Par exemple l'énergie interne du soleil comprend la somme des énergies cinétiques de ses constituants, pour l'essentiel électrons et protons, et aussi leurs énergies potentielles internes gravitationnelles, soit :

$$E_{\text{interne}} = \sum_i \frac{1}{2} m_i v_i^2 + \sum_i \sum_{j<i} \left(- \frac{Gm_i m_j}{r_{ij}} \right) \qquad (V.69)$$

où m_i est la masse du constituant de vitesse $\vec{v}_i$, où r_{ij} est la distance entre deux constituants distincts, et où, dans la somme sur i et j à effectuer pour calculer l'énergie potentielle interne, l'indication $j < i$ évite de comptabiliser deux fois l'énergie potentielle associée à chaque paire. Dans la troisième partie, nous aurons tous les éléments pour mener le calcul jusqu'au bout.

4) ÉNERGIE TOTALE

Si l'on ne s'arrête pas à l'échelle atomique, à leur tour les atomes, les noyaux et même les particules doivent être considérés comme des systèmes dans lesquels les constituants, électrons, nucléons ou quarks éventuels, ont une énergie cinétique interne et une énergie potentielle interne, susceptibles de varier quand on les excite en utilisant des agents extérieurs.

Le calcul de ces énergies internes sort du cadre de la mécanique classique mais il n'est pas nécessaire de l'effectuer pour connaître l'énergie totale E d'un système, c'est-à-dire toute l'énergie qu'on pourrait en tirer si l'on disposait de moyens appropriés. Cette énergie totale, encore appelée « énergie de masse », est donnée par la relation d'Einstein :

$$E = Mc^2 \qquad (V.70)$$

où M est la masse du système considéré, quel qu'il soit, et où c est la vitesse de la lumière.

Par exemple, même si l'on ne connaît rien en physique nucléaire, on peut calculer l'énergie $\tilde{E}$ que l'on récupère lorsqu'un noyau d'uranium de masse M_u fissionne en deux noyaux de masses m_1 et m_2 en appliquant la conservation de l'énergie totale, soit :

$$\tilde{E} = M_u c^2 - (m_1 + m_2)c^2 \tag{V.71}$$

L'énergie $\tilde{E}$ est alors emportée par les fragments sous forme cinétique et par des « rayonnements », γ et β ou d'autres particules, en particulier des neutrons qui induiront d'autres fissions.

La relation d'Einstein s'applique à n'importe quel système. Par exemple, en vertu de la conservation de l'énergie totale la masse du soleil diminue légèrement au fur et à mesure que de la chaleur s'en échappe principalement sous forme de photons. En effet, rien ne nous empêche d'appeler système l'ensemble comprenant le soleil et les photons qu'il a émis dans l'univers. Dans ce système l'énergie totale reste constante bien que la masse du soleil diminue : ce qui compense cette perte « d'énergie de masse », c'est l'énergie de rayonnement répartie dans tout le système, c'est-à-dire en fin de compte dans l'univers entier.

Mais on peut encore dire que l'énergie de masse de l'univers entier reste constante, si l'on comptabilise l'énergie de rayonnement en équivalent de masse selon la relation :

$$E_{\text{Rayonnement}} = M_{\text{Equivalente}} c^2 \tag{V.72}$$

En particulier, nous avons vu au chapitre IV que la masse équivalente d'un photon d'énergie E est donnée par :

$$m_{\text{Equivalente}} = E/c^2 \tag{V.73}$$

VII Conclusions

Ainsi, quand on affirme que l'énergie totale de l'univers se conserve au même titre que sa masse équivalente, on se réfère à la relation :

$$E = \mathcal{M} c^2 \tag{V.74}$$

où $\mathcal{M}$ est l'équivalent de masse de l'univers. Ce faisant, on se réfugie derrière une chose invérifiable car il est exclu de mesurer la masse équivalente de l'univers. Mais on peut illustrer la conservation de l'énergie en restant à notre échelle. Pour cela, il faut faire revivre l'énergie dans toutes ses variétés de forme, mesurables avec des détecteurs appropriés, comme un thermomètre, un récepteur acoustique, une sonde des matériaux, etc. Et s'il manque quelque chose au bilan, c'est toujours, pour l'instant, parce que l'on a oublié un agent extérieur. C'est ainsi par exemple que Pauli a procédé pour postuler l'existence du neutrino, particule qui s'échappe lors d'une radioactivité β en emportant de l'énergie.

Cette volonté de sauvegarder la loi de conservation de l'énergie est soutenue chez la plupart des physiciens par le principe d'invariance des lois physiques par translation dans le temps. Mais rien ne prouve qu'un jour où l'autre on ne finira pas par découvrir que certaines lois physiques sont « évolutives ». Par exemple, qu'adviendrait-il de la conservation de l'énergie si les constantes fondamentales qui caractérisent les forces d'interaction, comme G pour la gravitation, ou celles qui fondent la relativité et la mécanique quantique, comme c et h, variaient au cours du temps de façon imperceptible à l'échelle humaine? Pour l'instant, rien ne conduit à envisager de telles constantes « évolutives » (29). Cependant, personne ne peut rejeter a priori cette éventualité. Si elle se présentait un jour, gageons qu'on s'efforcerait de sauver la face en introduisant une nouvelle forme d'énergie et/ou une nouvelle notion du temps. Mais qu'on y parvienne ou pas *« ça remettrait en cause beaucoup de choses. Jusqu'à maintenant la physique s'est efforcée de découvrir des lois et des constantes sans se demander d'où elles venaient. Mais peut-être en sommes-nous arrivés au point où il nous faudra prendre en compte l'histoire? »* (3).

Exercices

V.1. *Quelques ordres de grandeurs*

1) En période d'activité quasi-nulle (sommeil, présence au cours, ...) un adulte dissipe par jour une quantité d'énergie de l'ordre de 1 500 Cal soit $6,3 \cdot 10^6$ J (1 Cal = 10^3 cal et 1 cal = 4,18 J). Calculer la puissance correspondante puis rechercher les ordres de grandeur des puissances mises en jeu dans différentes activités humaines, ainsi que celui de la puissance moyenne dont on dispose (alimentation).

2) Quelle quantité d'énergie doit-on fournir pour monter au troisième étage d'un immeuble sans ascenseur?

3) Quelle est la puissance fournie par un homme lorsqu'il saute à pieds joints?

4) Un cycliste entraîné peut fournir, pendant un temps non négligeable, une puissance utile de l'ordre de 1 200 W. Quelle vitesse peut-il atteindre si cette puissance lui sert à vaincre la résistance de l'air? On exprime celle-ci sous la forme KAv^2 où K est un coefficient $\simeq 1$ S.I. et A la section (maître-couple) que présente le cycliste à la masse d'air qu'il traverse. Estimer la quantité d'énergie perdue par un coureur du Tour de France pendant une étape plate de 6 heures. Comment fait-il pour compenser cette perte?

5) Une voiture consomme, à 100 km/h, environ 7 litres aux 100 km (pouvoir énergétique de l'essence : 40 MJ/kg). Comparer cette consommation à celle d'un homme parcourant 100 km à 5 km/h de moyenne.

6) Estimer la puissance moyenne $\mathscr{P}_M$ d'une voiture de 800 kg qui atteint en 30 s sa vitesse maximale de 150 km/h (on suppose un mouvement uniformément accéléré). Comparer avec la puissance indiquée par les constructeurs.

7) La *fission* d'un noyau d'uranium 235 (^{235}U) libère environ 200 MeV. Calculer le pouvoir énergétique d'un kilogramme d'oxyde d'uranium naturel UO_2 (celui-ci contient 99,3 % de ^{238}U et 0,7 % de ^{235}U). D'un point de vue énergétique, à quelle quantité de pétrole (pouvoir énergétique du pétrole : 40 MJ/kg) équivaut 1 kg de UO_2 ? Que deviendrait ce résultat, si l'oxyde d'uranium contenait de l'uranium 235 pur ?

8) En supposant qu'on sache récupérer totalement les 4 MeV libérés lors de la réaction de *fusion* de deux noyaux de deutérium ($d = {}^2_1H$) : $d + d \rightarrow t + p + 4$ MeV, combien pourrait-on récupérer d'énergie à partir d'un kilogramme de deutérium ? Quelle est la quantité de pétrole équivalente ?

9) Sachant que la consommation française annuelle d'énergie est de l'ordre de 300 milliards de kilowatt-heure (kWh), quelle devrait être la surface totale de *capteurs solaires* permettant de faire face à une telle dépense d'énergie ? On supposera que le rendement de ces capteurs est de 25 % (optimiste), et que l'ensoleillement moyen au sol est de 200 W m^{-2} à la latitude des pays tempérés. (S)

V.2. *Énergie potentielle gravitationnelle au voisinage de la Terre*

On cherche à expliciter la relation existant entre les deux expressions usuelles de l'énergie potentielle gravitationnelle terrestre : l'expression exacte «$E_p(r) = - GM_T m/r$» et l'expression approchée «mgh» utilisée lorsque r est voisin du rayon R_T de la Terre ($r = R_T + h$).

Montrer en exprimant d'abord $E_p(r)$ en fonction de m, g, R_T et h, puis en effectuant un développement limité de $E_p(r)$ au voisinage de R_T, que, pour r proche de R_T, les deux expressions sont identiques au premier ordre à une constante près. La valeur de cette constante est-elle pertinente ? Représenter sur un même graphique, en fonction de r, $E_p(r)$, son développement limité au premier ordre et mgh. Jusqu'à quelle altitude h l'expression mgh permet-elle d'effectuer des calculs avec une précision de 1 % ? (S)

V.3. *Méthode graphique*

L'énergie potentielle $E_p(r)$ d'un objet ponctuel M en fonction de sa position est donnée ici par le graphe de $E_p(r)$ où r est la distance de M à un point O pris comme origine. On ne s'intéresse ici qu'à la partie radiale du mouvement de M. On considère ci-dessous que le mouvement de M est à une dimension.

1) Dessiner pour chacun des cas représentés ci-dessous le graphe de $F(r)$ tel que $\vec{F}(r) = F(r)\,\vec{u}_r$ est la force qui dérive de $E_p(r)$. Quelles sont les positions d'équilibre, stable ou instable, du point M ?

2) Pour un objet ponctuel d'énergie mécanique E, comprise entre 0 et E_0, préciser les régions accessibles de l'espace et décrire, à l'aide des résultats de 1., son mouvement pour diverses conditions initiales possibles.

3) Dessiner le graphe de l'énergie cinétique $E_c(r)$ de cet objet.

4) Quelles régions de l'espace seraient accessibles à l'objet si l'on avait $E \geq 0$ dans le cas de la figure 1 et $E \geq E_0$ dans le cas de la figure 2 ?

5) Donner des exemples de systèmes dont l'énergie potentielle serait représentée par de tels graphes. (S)

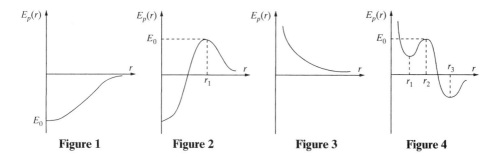

Figure 1   **Figure 2**   **Figure 3**   **Figure 4**

V.4. Une particule de masse m tourne (de façon non relativiste) sur un cercle sous l'action d'une force centrale caractérisée par l'énergie potentielle :

$$E_p(r) = \frac{a}{r^\alpha}\ ;\ \text{avec } \alpha \text{ strictement positif.}$$

1) Déterminer le signe de la constante a pour qu'il puisse en être ainsi et donnez, avec son interprétation, l'expression de la force associée.

2) Exprimez, en justifiant votre calcul, l'énergie mécanique de la particule en fonction de a, r et α.

3) Pour quelles valeurs de α une particule initialement en orbite proche du centre de force n'aura-t-elle aucune chance de partir vers l'infini sous l'action d'une petite perturbation ? En d'autres termes, pour quelles valeurs de α le système restera-t-il confiné dans l'espace (à proximité du centre de force) si on ne lui fournit qu'une énergie faible par rapport à celle qui le caractérise ? Ensuite, pour α entier commentez votre conclusion en vous référant aux interactions connues.

V.5. Soit un objet de longueur L (schématisé à une dimension) dont une extrémité coïncide avec l'origine O d'un axe Ox servant à repérer la position d'une particule qui interagit avec lui. Imaginons que l'interaction de cette particule avec l'objet immobile soit assez bien représentée par l'énergie potentielle suivante : $E_p(x) = E_0 \sin(2N\pi x/L)$, si $0 \leq x \leq L$ (avec la constante E_0 positive et N entier) et $E_p(x) = 0$, si $x \geq L$.

1) Trouvez les valeurs de x pour lesquelles la force associée est nulle.

2) Délimitez les domaines où cette force est attractive. Schématisez ensuite vos résultats sur un graphique.

3) Si la particule a une énergie mécanique $E_M = E_0/2$, où peut-elle se trouver ? Précisez les régions associées aux états liés.

4) Si l'objet envisagé était un cristal, quel ordre de grandeur faudrait-il prendre pour le rapport L/N ?

V.6. Au paragraphe V du chapitre III nous avons effectué le calcul (intégral) du champ gravitationnel engendré par une sphère pleine homogène. Vérifiez que ce calcul est plus simple lorsqu'on l'effectue en calculant d'abord, à l'aide d'une intégrale, l'énergie potentielle associée à la présence d'une telle sphère.

V.7. Supposons que l'énergie potentielle gravitationnelle de deux particules ponctuelles de masses m_1 et m_2 soit en $1/r^3$ au lieu de $1/r$, soit $E_p(r) = -Km_1m_2/r^3$.

1) Donner l'équation aux dimensions de la constante K.

2) Établir l'expression de la force qu'exercerait la particule de masse m_2 sur celle de masse m_1.

3) Calculer l'énergie potentielle qui serait associée à un système constitué d'une particule ponctuelle de masse m située à l'extérieur d'un objet assimilé à une sphère creuse de rayon R et de masse M uniformément répartie sur toute sa surface.

4) Vérifier que votre expression est correcte en donnant sa limite lorsque la distance relative des deux partenaires tend vers l'infini.

5) En supposant que les atomes puissent rester tels qu'on les connaît, que ressentirions-nous lors de nos déplacements au niveau du sol? Pour fixer les idées, on supposera que l'intensité de la «pesanteur imaginaire» à 1 millimètre du sol est égale à celle de la pesanteur réelle. Que se passerait-il si ces deux intensités étaient prises égales au sommet de la tour Eiffel?

V.8. L'énergie potentielle d'un proton en présence d'un noyau atomique de nombre de masse A et du numéro atomique Z comporte deux contributions. L'une, due à l'interaction forte, peut être assimilée à un «puits carré» (cf. figure ci-dessous) de profondeur $V_0 = -50$ MeV (1 MeV $= 10^6$ eV) et de rayon $R = r_0 A^{1/3}$ avec $r_0 = 1,3\,fm = 1,3 \cdot 10^{-15}$ m.

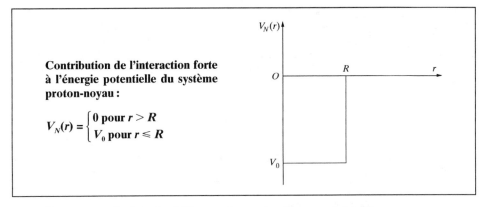

Contribution de l'interaction forte à l'énergie potentielle du système proton-noyau :

$$V_N(r) = \begin{cases} 0 \text{ pour } r > R \\ V_0 \text{ pour } r \leq R \end{cases}$$

L'autre contribution, due à l'interaction coulombienne, est donnée par :

$$V_c(r) = \begin{cases} \dfrac{kZe^2}{r} & \text{pour } r \geq R \\[2ex] \dfrac{kZe^2}{2R}\left[3 - \left(\dfrac{r}{R}\right)^2\right] & \text{pour } r \leq R \end{cases}$$

1) Donnez l'expression de la force associée à $V_c(r)$ et interprétez-la.

2) Tracez, à l'aide de valeurs calculées en quelques points remarquables, l'allure de la fonction $E_p(r) = V_N(r) + V_c(r)$ dans le cas du noyau d'aluminium ($A = 27$, $Z = 13$). On rappelle que $ke^2/\hbar c = 1/137$ et $\hbar c/200$ MeV $= 1$ fm.

3) Quelle est, en MeV, l'énergie cinétique minimale à donner au proton pour qu'il puisse ressentir l'interaction forte du noyau d'aluminium?

4) Si le proton n'a que la moitié de cette valeur minimale, jusqu'à quelle distance pourra-t-il s'approcher du centre du noyau d'aluminium ? Donnez le résultat en fm.

V.9. Une fusée éjecte son carburant consumé au rythme d'un kilo par tonne de matière à propulser et par seconde.

1) Sachant que sa masse initiale est de 20 tonnes, calculez sa masse après 10 minutes de propulsion.

2) En admettant que le rendement énergétique de son moteur est indépendant des conditions de carburation, exprimez la puissance qu'elle développe en fonction de sa masse.

V.10. *Voyage dans l'espace*

Pour aller mettre sur orbite une capsule spatiale de 10 tonnes, on utilise une fusée de 5 000 tonnes se propulsant à la verticale avec une accélération initiale de 12 m/s².

1) En supposant que l'accélération reste pratiquement constante pendant les premières secondes du trajet, quelle est la puissance développée par la fusée à la première seconde ? Exprimer le résultat en chevaux (un cheval équivaut à 736 Watt). Aimeriez-vous être le cocher de cet attelage ?

2) Vers quel point cardinal la fusée sera-t-elle déviée ? Justifier.

3) Après être sortie de l'atmosphère, elle a complètement épuisé son carburant lorsqu'elle parvient à 200 km d'altitude. Elle abandonne alors la capsule spatiale en lui laissant une vitesse ascensionnelle verticale de 3 km/s. A quelle altitude la capsule aura-t-elle une vitesse nulle ?

4) Pour vérifier que votre résultat est correct, faites une estimation au premier ordre en $\Delta h/R_T$ où Δh est la différence d'altitude et où R_T est le rayon de la terre. Assurez-vous ensuite que l'écart entre les deux valeurs obtenues est raisonnable.

5) Arrivés à cette altitude finale, les cosmonautes mettent en marche les moteurs de leur capsule de façon à la satelliser sur orbite circulaire. Quelle vitesse doivent-ils adopter pour qu'il en soit ainsi ?

6) Quelle énergie a-t-il fallu dépenser juste pour l'opération de satellisation en supposant que la masse de la capsule ($m = 10$ tonnes) n'a pratiquement pas varié et que le rendement des moteurs est de l'ordre de 30 % ?

7) Quelle est alors l'énergie mécanique de la capsule ?

8) Rapidement l'ordinateur apprend aux cosmonautes que, par suite d'une petite erreur de manœuvre, ils sont satellisés sur une orbite légèrement plus haute que celle prévue, à savoir 1 km trop haut. Pour repasser sur la bonne orbite, doivent-ils augmenter ou diminuer leur énergie mécanique ? Calculer de façon différentielle la variation nécessaire.

9) Calculer aussi de façon différentielle la variation de vitesse de la capsule entre ces deux orbites.

10) S'agit-il d'une augmentation ou d'une diminution de vitesse ?

11) Décrire l'opération en indiquant le sens d'action des moteurs à réaction de la capsule par rapport à l'orientation de sa vitesse.

12) Enfin arrivés sur la bonne orbite, pendant que des détecteurs mesurent la composition du rayonnement galactique, les cosmonautes se livrent à des expériences en apesanteur. Avec quelle précision peuvent-ils considérer leur capsule comme un référentiel d'inertie? Pour fixer cette précision, on donnera à la capsule des dimensions jugées réalistes.

13) Leur mission étant accomplie, on décide de les faire revenir sur terre. Dès sa rentrée dans l'atmosphère, la capsule se trouve ralentie par des frottements que l'on représentera par une force $\vec{f}$. Dites pourquoi la capsule peut éventuellement rebondir sur l'atmosphère.

14) Après quelques rebonds éventuels, la capsule aborde enfin sa descente verticale. On supposera que la force de frottement a pour intensité :

$$f = k\rho Sv^2$$

où k est une constante, S est l'aire de la capsule, v est le module de la vitesse et où ρ est la densité de l'atmosphère dont on prendra la variation avec l'altitude, notée z, de la forme :

$$\rho = \rho_0 e^{-z/\Lambda}$$

où ρ_0 est la densité au niveau du sol et où Λ est un paramètre de l'ordre de 20 km. Montrer que la capsule n'atteindra pas de vitesse limite.

15) En fait, si l'on néglige la variation de ρ sur les derniers kilomètres de chute, on pourra considérer que la capsule atteint une vitesse limite. Montrez que cette approximation est justifiée et calculez cette « vitesse limite » en prenant $S = 20$ m², et pour ces faibles altitudes $k \simeq 0{,}3$ et $\rho \simeq 1$ kg/m³.

16) Quelle énergie sera dissipée par frottements sur le dernier kilomètre effectué à la vitesse limite?

17) Si la récupération est prévue en un point de l'équateur, estimez, puis calculez la déviation vers l'est à laquelle on doit s'attendre sur le dernier kilomètre ainsi parcouru. (S)

V.11. *Jeux sur un manège*

Dans toutes les applications numériques de ce problème, on prendra $\pi \simeq 3$ et $g \simeq 10$ MKSA. Par ailleurs, on supposera que la terre est un référentiel d'inertie.

Sur un manège de rayon $R = 4$ m, on fixe un tube de section carrée dans lequel peut coulisser un cube de masse $M = 1$ kg, et de dimensions négligeables devant R. L'une des extrémités du tube se trouve au centre du manège et l'autre affleure son bord. Vous montez sur ce manège et vous vous fixez en son centre de façon suffisamment solide pour tourner rigidement avec lui. Quand vous commencez votre première expérience, le manège fonctionne à un régime de 20 tours par minute (qu'il gardera par la suite) et le cube se trouve à l'extrémité du tube située au bord du manège où vous le maintenez immobile par rapport à vous en serrant dans vos mains un fil, de masse totalement négligeable devant M, dont l'autre extrémité est attachée au milieu du cube.

1) Quelle tension devez-vous exercer sur le fil pour qu'il en soit ainsi?

2) Vous tirez maintenant sur le fil pour amener le cube vers vous. Vous constatez alors que pendant sa progression, le cube reste plaqué sur la face verticale du tube située à votre droite quand vous le regardez venir. En déduire le sens de rotation du manège par rapport à la terre ferme en interprétant le phénomène.

3) Après avoir amené le cube au milieu du tube, c'est-à-dire à égale distance du centre du manège et de son bord, vous relâchez le fil. Vous constatez alors que le cube repart vers le bord du manège en se plaquant sur l'une des deux faces verticales du tube. Pourquoi en est-il ainsi? On fera le bilan des forces et pseudo-forces et on en déduira quelle est la face du tube sur laquelle le cube est plaqué pendant son retour vers le bord du manège.

4) En négligeant les forces de frottement, calculer l'énergie cinétique qu'aura le cube en arrivant au bord du manège si vous l'avez abandonné sans vitesse initiale au milieu du tube, en astreignant le manège à garder la même vitesse angulaire. Exprimez le résultat dans le référentiel du manège, puis dans le référentiel lié à la terre.

5) En déduire la vitesse qu'il aura à l'arrivée, par rapport à vous, puis par rapport à un observateur immobile sur la terre ferme.

Dans la suite de ce problème, on supposera encore que le manège est astreint à tourner à 20 tours par minute quelle que soit l'expérience envisagée, mais on ne négligera plus les frottements. On les représentera par des forces notées $\vec{\psi}$:

    a) dirigées en sens opposé au déplacement du cube dans le tube

    b) d'intensité proportionnelle uniquement à la composante normale $F_{\perp}$ des forces et pseudo-forces $\vec{F}$ qui maintiennent le cube en contact avec les faces du tube (composante normale signifie : composante de la force ou pseudo-force envisagée sur la perpendiculaire à la face du tube sur laquelle elle fait frotter le cube).

    En d'autres termes, chaque force de frottement est bien représentée par :

$$\vec{\psi} = -kF_{\perp}\frac{\vec{v}}{v}$$

où $\dfrac{\vec{v}}{v}$ est un vecteur unitaire servant à indiquer que $\vec{\psi}$ est dirigée en sens inverse de $\vec{v}$ et où k est la constante de proportionnalité que l'on prendra égale à 0,1.

6) Vous tirez sur le fil de façon à imprimer au cube dans le tube une vitesse $\vec{v}$ constante par rapport à vous. A partir de quelle vitesse $\vec{v}$ la force de frottement du cube sur la face verticale du tube située à votre droite devient-elle supérieure à la force de frottement du cube sur la face horizontale du bas du tube?

7) Quel travail aurez-vous fourni pour amener le cube de la périphérie du manège au milieu du tube en opérant à $v = 3$ m/s?

8) Quel travail auriez-vous fourni si vous aviez opéré en imprimant au cube un mouvement uniformément accéléré conduisant à une même durée d'expérience que dans la question 7?

9) Pendant toutes ces expériences, si aucun opérateur n'intervient pour réguler le moteur du manège, il ne gardera pas sa vitesse angulaire constante. Pourquoi? (S)

CHAPITRE VI

Conservation de la quantité de mouvement

Avant que la physique newtonienne n'ait pris corps, Descartes écrivait dans ses « Principes de philosophie » (30) « *... bien que le mouvement ne soit qu'une « façon » en la matière qui se meut, elle en a pourtant une certaine quantité... qui n'augmente et ne diminue jamais..., encore qu'il y en ait tantôt plus et tantôt moins en quelques unes de ses parties. C'est pourquoi, lorsqu'une partie de la matière se meut deux fois plus vite qu'une autre, et que cette autre est deux fois plus grande que la première, nous devons penser qu'il y a tout autant de mouvement dans la plus petite que dans la plus grande ; et que toutefois quand le mouvement d'une partie diminue, celui de quelque autre partie augmente à proportion »*. C'est un très bon énoncé de la loi de conservation de la quantité de mouvement * même si on peut lui reprocher aujourd'hui de ne pas indiquer que la quantité de mouvement est une quantité vectorielle, notée $\vec{p} = m\vec{v}$ où m est la masse du point matériel considéré et où $\vec{v}$ est la vitesse.

Descartes donne aussi une cause à cette loi de conservation : « *il me semble qu'il est évident qu'il n'y en a point d'autre que Dieu, qui de sa toute puissance a créé la matière avec le mouvement et le repos, et qui conserve maintenant en l'univers, par son concours ordinaire, autant de mouvement et de repos qu'il y en a mis en le créant* ». Tous les physiciens ne sont pas d'accord sur ce point. Par exemple, certains pensent que la cause est d'un autre sexe. Selon eux, ce n'est plus Dieu le père mais la Nature notre mère à tous. D'autres invoquent religieusement l'invariance par translation dans l'espace (et le temps) et vénèrent les constantes qui tombent du ciel avec elle.

Je commencerai ce chapitre par des illustrations simples de la loi de conservation de la quantité de mouvement. J'insisterai sur le fait qu'elle ne s'applique qu'à des systèmes isolés. Ensuite, je commenterai une première fois le « principe de l'action et la réaction ». Enfin, j'établirai le « théorème du centre d'inertie » qui concerne les systèmes quelconques, isolés ou non.

---

* En fait Descartes doit cela à Beeckman, qui lui faisait part de toutes ses idées. Le « géomètre » disait à Beeckman qu'elles ne valaient rien ; les mettait à sa sauce mathématique ; les publiait à son nom sans citer son admirateur naïf ; et même en faisant tout pour qu'on ignore leur correspondance (30). Heureux Galilée qui fut son propre géomètre !

I   Illustrations simples de la loi de conservation

Considérons un système isolé comportant uniquement deux points matériels en interaction de masse m_1 et m_2 et de vitesse $\vec{v}_1$ et $\vec{v}_2$. La loi de conservation de la quantité de mouvement s'écrit dans ce cas :

$$\vec{p}_1 + \vec{p}_2 = \vec{P} \tag{VI.1}$$

où $\vec{P}$ est un vecteur constant, indépendant du temps, et où $\vec{p}_1 = m_1\vec{v}_1$ et $\vec{p}_2 = m_2\vec{v}_2$ sont, par définition, les quantités de mouvement associées aux deux points matériels. Son contenu physique mérite d'être souligné : quelle que soit la nature de leur interaction, les deux points matériels évoluent en gardant la somme de leur quantité de mouvement constante, qu'ils forment ensemble un état lié, comme dans le cas de l'atome d'hydrogène, ou qu'ils soient dans un état libre, comme dans le cas de la collision de deux atomes ou de deux boules de billard.

1)   COLLISION ÉLASTIQUE

C'est précisément en regardant des collisions que l'idée de la conservation de la quantité de mouvement est venue à Beeckman. Par exemple, lors du choc frontal de deux boules de masses égales, celle qui était initialement à l'arrêt se retrouve finalement avec la quantité de mouvement de la boule incidente qui, elle, se trouve alors à l'arrêt. Dans ce cas particulier, il y a eu transfert total de la quantité de mouvement d'une boule à l'autre. Mais, dans le cas général, les deux boules s'éloignent l'une de l'autre en se répartissant la quantité de mouvement initiale en des proportions qui dépendent de leurs masses et aussi de l'angle qu'elles font par rapport à la direction de la boule incidente.

Plus exactement, les masses et les angles sont les seuls paramètres des calculs cinématiques de collision lorsqu'il s'agit de collisions dites élastiques, pour lesquelles les transferts d'énergie se font uniquement sous forme d'énergie cinétique de translation. Pour qu'il en soit ainsi, il faut que l'on puisse négliger les énergies associées aux forces transformatives qui sont susceptibles d'agir pendant la durée de la collision, conduisant à de l'échauffement local, à des vibrations, à des rotations, à des déformations, etc.

Limitons-nous pour l'instant aux collisions élastiques au terme desquelles la conservation de l'énergie se réduit à la conservation de l'énergie cinétique, lorsque les partenaires se trouvent à l'infini (c'est-à-dire lorsqu'ils sont sortis de la portée des forces d'interaction responsables de leur collision). On a alors :

$$E_c(I) \equiv \frac{1}{2}m_1v_1^2 = E_c(F) \equiv \frac{1}{2}m_1v_1'^2 + \frac{1}{2}m_2v_2'^2 \tag{VI.2}$$

où l'on a pris l'objet de masse m_2 au repos dans l'état initial, et où $\vec{v}_1'$ et $\vec{v}_2'$ sont les vitesses dans l'état final.

Avec les mêmes notations, la conservation de la quantité de mouvement s'écrit :

$$\vec{P}(I) = m_1\vec{v}_1 = \vec{P}(F) = m_1\vec{v}_1' + m_2\vec{v}_2' \tag{VI.3}$$

ou encore, en fonction des angles définis sur la figure VI.1 :

(a) $\quad m_1 v_1 = m_1 v_1' \cos\theta + m_2 v_2' \cos\varphi$

(b) $\quad\quad 0 = m_1 v_1' \sin\theta - m_2 v_2' \sin\varphi$
$$\tag{VI.4}$$

Les relations (VI.2) et (VI.4) permettent d'obtenir les caractéristiques cinématiques de la collision. Par exemple, on vérifiera que l'énergie cinétique transférée de la masse m_1 à la masse m_2 est donnée par :

$$E_2' = \frac{1}{2} m_2 v_2'^2 = \frac{4\, m_1 m_2}{(m_1 + m_2)^2}\, E_1 \cos^2\varphi \tag{VI.5}$$

où $E_1 = m_1 v_1^2/2$ est l'énergie cinétique initiale de l'objet de masse m_1. Illustrons maintenant cette formule dans deux cas particuliers, $m_2 = m_1$ et $m_2 \gg m_1$.

Figure VI.1.

Diagramme des quantités de mouvement dans une collision ou avant le choc, l'objet de masse m_2 est au repos dans le référentiel choisi.

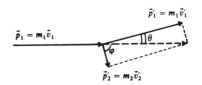

2) CAS DE DEUX OBJETS IDENTIQUES

Considérons tout d'abord deux objets identiques ($m_1 = m_2$). La formule (VI.5) devient :

$$E_2' = E_1 \cos^2\varphi \tag{VI.6}$$

Les relations (VI.2) et (VI.4b) fournissent alors :

$$E_1' = E_1 \sin^2\varphi = E_1 \cos^2\theta \tag{VI.7}$$

On en déduit* :

$$\theta + \varphi = \pi/2 \tag{VI.8}$$

---

* Ce résultat peut encore être obtenu de la façon suivante. On a :
$\vec{p}_1 = \vec{p}_1' + \vec{p}_2'$ et donc $p_1^2 = (\vec{p}_1' + \vec{p}_2')^2 = \vec{p}_1'^2 + \vec{p}_2'^2 + 2\vec{p}_1' \cdot \vec{p}_2'$. Mais la conservation de l'énergie cinétique s'écrit :
$\dfrac{p_1^2}{2m_1} = \dfrac{p_1^{2'}}{2m_1} + \dfrac{p_2^{2'}}{2m_2}$, et pour $m_1 = m_2$, $p_1^2 = p_1^{2'} + p_2^{2'}$. On en déduit $\vec{p}_1' \cdot \vec{p}_2' = 0$; donc $\vec{p}_1'$ et $\vec{p}_2'$ sont orthogonaux.

Ainsi, lorsque deux objets identiques subissent une collision élastique où l'un des partenaires est au repos dans l'état initial, on les retrouve en fin de compte dans des directions perpendiculaires, avec des énergies cinétiques réparties en des proportions qui dépendent de l'angle d'observation. En particulier, si $\varphi = 0$, $E'_2 = E_1$ et $E'_1 = 0$: l'objet de masse m_2 emporte toute l'énergie cinétique et toute la quantité de mouvement initiales, de sorte que l'objet de masse m_1, attendu à l'angle $\pi/2$, reste en fait au repos après le choc.

Toutes ces conclusions ne tiennent que si la vitesse de l'objet incident est faible par rapport à celle de la lumière. Lorsqu'il n'en est pas ainsi (ce qui est souvent le cas pour les particules fondamentales), il faut faire appel à la mécanique relativiste où l'angle $(\theta + \varphi)$ entre les deux partenaires de la collision diminue progressivement au fur et à mesure que la quantité de mouvement incidente augmente.

3)   CAS DE DEUX OBJETS DE MASSES TRÈS DIFFÉRENTES

Soient maintenant un objet de masse m_1 et un objet au repos de masse m_2 très grande devant m_1 ($m_1/m_2 \ll 1$). Dans ce cas, au premier ordre en m_1/m_2, la formule (VI.5) s'écrit :

$$E'_2 \simeq \frac{4\,m_1}{m_2}\,E_1\,\cos^2\varphi \qquad\qquad (\text{VI.9})$$

La relation (VI.2) conduit alors à :

$$E'_1 \simeq \left(1 - \frac{4m_1}{m_2}\cos^2\varphi\right)E_1 \qquad\qquad (\text{VI.10})$$

Ainsi, quel que soit φ, l'objet incident ne cède qu'une faible partie de son énergie cinétique. A la limite $m_1/m_2 \simeq 0$, on a $E'_2 \simeq 0$: l'objet incident a rebondi sur un objet très lourd au repos en récupérant en fin de compte toute son énergie cinétique, ou à peu près. Ceci se produit par exemple lors du choc élastique d'une balle sur un mur. Avec les notations de la figure VI.2, cet objet « infiniment lourd » reçoit une quantité de mouvement de module :

$$m_2 v'_2 = |m_1\vec{v}_1 - m_1\vec{v}'_1| \simeq 2\,m_1 v_1\,\cos i \qquad\qquad (\text{VI.11})$$

mais il l'encaisse sans broncher puisque cette relation lui attribue une vitesse v'_2 et une énergie de recul pratiquement nulles si $m_1/m_2 \simeq 0$.

La relation (VI.9) montre également que l'énergie transmise lors d'un choc croît avec le rapport m_1/m_2. C'est la raison pour laquelle on introduit dans les réacteurs nucléaires à uranium des modérateurs, c'est-à-dire des éléments de faible masse atomique, comme l'eau lourde ou le carbone. En effet, les réactions en chaîne induites par les neutrons sur l'uranium ^{235}U n'ont de fortes chances de se produire que si les neutrons incidents ont des énergies cinétiques dites thermiques, c'est-à-dire de l'ordre de kT, où T est la température du cœur du réacteur. Comme les neutrons issus de la

Figure VI.2.

Lors du choc élastique sur le mur de masse infinie à l'échelle de m_1, l'objet de masse m_1 rebondit en emportant une quantité de mouvement ayant même module que sa quantité de mouvement initiale, puisqu'il emporte toute son énergie cinétique ($v'_1 = v_1$). Le mur encaisse donc une quantité de mouvement portée par la normale $\vec{n}$ à sa surface, dont le module est donné par la formule (VI.11).

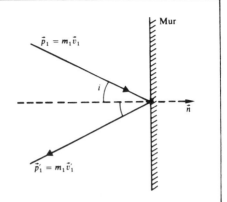

fission de ^{235}U sont émis avec des énergies cinétiques de quelques MeV, il convient de les thermaliser rapidement pour éviter de les perdre avant qu'ils n'aient induit de nouvelles fissions. Le modérateur joue ce rôle : étant de faible masse atomique, chaque choc sur un de ses atomes fait perdre au neutron une partie appréciable de son énergie incidente de sorte qu'après très peu de collisions les neutrons se trouvent à l'énergie requise.

4) COLLISIONS INÉLASTIQUES

La conservation de la quantité de mouvement d'un système isolé reste assurée en toute circonstance et en particulier lors de collisions inélastiques où interviennent des forces transformatives. Pour en calculer la cinématique, la seule modification à apporter consiste à introduire dans la relation (VI.2) des énergies transformées, notées globalement $\tilde{E}$, associées à la chaleur, aux vibrations, aux déformations, etc. En exploitant la relation (V.68), on écrit alors :

$$\Delta E_c \equiv E_c(F) - E_c(I) = \tilde{E} \tag{VI.12}$$

soit :

$$\left(\frac{1}{2} m_1 v'^2_1 + \frac{1}{2} m_1 v'^2_2 \right) - \frac{1}{2} m_1 v^2_1 = \tilde{E} \tag{VI.13}$$

Cette relation de conservation de l'énergie et les relations (VI.4) de conservation de la quantité de mouvement permettent de calculer tous les paramètres cinématiques d'une collision inélastique de deux objets isolés. Un cas particulièrement simple est celui d'une collision dite de capture au cours de laquelle l'objet de masse m_1 se colle ou fusionne avec l'objet de masse m_2, initialement au repos, pour former un objet composé, de masse $m_1 + m_2 = M$. Ceci se produit par exemple lorsque deux boules de chewing-gum se collent ou encore lorsque deux noyaux fusionnent. La conservation de la quantité de mouvement s'écrit alors :

$$\overrightarrow{P}(I) \equiv m_1 \vec{v}_1 = \overrightarrow{P}(F) \equiv (m_1 + m_2) \, \vec{V} \tag{VI.14}$$

où $\vec{V}$ est la vitesse finale de l'objet composé.

Ainsi, le système composé part dans la même direction que $\vec{v}_1$ et sa vitesse est donnée par :

$$\vec{V} = \frac{m_1}{m_1 + m_2} \, \vec{v}_1 \qquad\qquad\qquad (VI.15)$$

Il emporte toute l'énergie cinétique finale :

$$E_c(F) = \frac{1}{2} \, MV^2 = \frac{m_1}{m_1 + m_2} \, E_c(I) \qquad\qquad\qquad (VI.16)$$

où $E_c(I) = m_1 v_1^2 / 2$ est l'énergie cinétique initiale apportée par l'objet incident de masse m_1.

5) VERTU DES LOIS DE CONSERVATION

Il est intéressant de constater que, quelle que soit la nature des forces transformatives qui conduisent à la formation d'un objet composé, l'énergie $\tilde{E}$ qui leur est associée est donnée par (cf. relation VI.12) :

$$\tilde{E} = \Delta E_c = E_c(F) - E_c(I) = -\frac{m_2}{m_1 + m_2} \, E_c(I) \qquad\qquad\qquad (VI.17)$$

où le signe − signifie qu'il s'agit d'une énergie associée à des travaux globalement résistants. En d'autres termes, sans même connaître la structure des objets en présence, ni la nature des forces responsables de leur collision inélastique, on peut affirmer que la somme des énergies transformée en chaleur, en vibrations, en modifications de structure et de forme, etc. est donnée par la formule (VI.17), qui ne dépend que des masses et de la vitesse de l'objet incident. Les lois de conservation, ici de l'énergie et de la quantité de mouvement, ont en effet cette vertu : elles permettent de prédire des résultats généraux, indépendants de la nature des forces en présence et de la structure microscopique des objets considérés, qu'il s'agisse d'étoiles en interaction gravitationnelle, de boules de billard, de molécules, d'atomes, tous en interaction électromagnétique, ou encore de noyaux ou de particules en interaction forte ou faible. Bref, la texture de la matière passe au second plan ici.

Dans le cas des particules, les vitesses sont souvent proches de celle de la lumière et la relation (VI.17) doit être modifiée dans le cadre de la mécanique relativiste. Ceci ne change rien aux conclusions : la relation finale est différente mais elle reste établie en exploitant les lois de conservation de l'énergie et de la quantité de mouvement, valables à ce jour dans toutes les mécaniques. Nous aurons l'occasion d'apprécier cette vertu des lois de conservation dans d'autres exemples, et déjà dans l'illustration suivante.

6)   ÉCLATEMENT OU DÉSINTÉGRATION

En effet, ce que nous abordons maintenant est en quelque sorte le processus inverse du précédent : un objet de masse M, initialement au repos, éclate ou se désintègre en deux objets de masse m_1 et m_2. Dans ce cas, la conservation de la quantité de mouvement s'écrit :

$$\vec{P}(I) \equiv \vec{0} = \vec{P}(F) \equiv m_1\vec{v}'_1 + m_2\vec{v}'_2 \tag{VI.18}$$

Ainsi, lorsque l'objet de masse m_1 part avec la vitesse $\vec{v}'_1$, l'autre s'éloigne dans la direction opposée avec la vitesse :

$$\vec{v}'_2 = -\frac{m_1}{m_2}\,\vec{v}'_1 \tag{VI.19}$$

et donc avec une énergie cinétique :

$$E'_2 = \frac{1}{2}\,m_2 v'^2_2 = \frac{m_1}{m_2}\,E'_1 \tag{VI.20}$$

où E'_1 est l'énergie cinétique de l'objet de masse m_1.

C'est ainsi que s'interprète par exemple le recul des armes après le tir, ou encore le recul d'un noyau atomique après une désintégration radioactive. La conservation de la quantité de mouvement est également à l'origine du départ à 180° l'un de l'autre des deux fragments de fission de l'uranium. A eux deux ils emportent l'énergie cinétique récupérée par transformation de l'énergie interne de l'uranium, soit (cf. relation V.71) :

$$\tilde{E} = (M_u - m_1 - m_2)\,c^2 \tag{VI.21}$$

La vitesse des fragments, faible par rapport à celle de la lumière, peut être calculée, à l'approximation classique, en écrivant :

$$\tilde{E} = \Delta E_c = E_c(F) - E_c(I) = E_c(F) = E'_1 + E'_2 \tag{VI.22}$$

soit, compte tenu de la relation (VI.20) :

$$v'_1 \simeq \sqrt{\frac{2m_2\tilde{E}}{m_1\,(m_1 + m_2)}} \quad \text{et} \quad v'_2 \simeq \sqrt{\frac{2m_1\tilde{E}}{m_2\,(m_1 + m_2)}} \tag{VI.23}$$

Par exemple, la fission en deux fragments égaux ($m_1 = m_2$) de ^{236}U fournit une énergie $\tilde{E} = 210$ MeV et l'on a donc :

$$\frac{v'_1}{c} = \frac{v'_2}{c} \simeq \sqrt{\frac{2\tilde{E}}{(m_1 + m_2)\,c^2}} \simeq \sqrt{\frac{2 \cdot 210}{236 \cdot 10^3}} \simeq \frac{4}{100} \tag{VI.24}$$

Le fait que les vitesses ainsi trouvées soient de l'ordre de 4 % de celle de la lumière justifie a posteriori l'approximation classique.

Un autre type de désintégration est l'annihilation au repos d'un électron et d'un anti-électron (encore appelé positron) donnant deux photons selon le processus :

$$(e^+ + e^-)_{\text{repos}} \rightarrow \gamma + \gamma \qquad \text{(VI.25)}$$

Pour respecter les conservations de la quantité de mouvement, les deux photons issus du système initialement immobile $(e^+ + e^-)$, de masse $m_{e^-} + m_{e^+} = 2m_e$, doivent nécessairement s'éloigner à 180° l'un de l'autre en emportant la même énergie, à savoir la moitié de l'énergie initiale $2m_e c^2$, soit :

$$E_\gamma = m_e c^2 = 0{,}511 \text{ MeV} \qquad \text{(VI.26)}$$

7)   FUSÉES; MOTEURS À RÉACTION

Le principe du moteur à réaction repose lui aussi sur la conservation de la quantité de mouvement. Les véhicules équipés de tels moteurs sont des systèmes qui, en quelque sorte, se désintègrent lentement en émettant des gaz d'échappement, c'est-à-dire une partie de leur masse.

Soit par exemple une fusée initialement à la vitesse $\vec{v}_0$ dans un endroit de l'espace privé d'atmosphère et où le champ de gravitation est négligeable. Ainsi isolée du reste du monde, la seule façon de lui faire changer de mouvement consiste à exploiter le principe du moteur à réaction, c'est-à-dire la conservation de la quantité de mouvement appliquée ici au système fusée-gaz.

Supposons qu'en chaque instant la fusée éjecte une petite masse de gaz dm à la vitesse $\vec{V}_g(t)$ par rapport à un référentiel d'inertie dans lequel la fusée avait elle-même la vitesse initiale $\vec{v}_0$. La masse $M(t)$ de la fusée diminue de la quantité dm et sa vitesse passe de $\vec{v}(t)$ à $\vec{v}(t) + d\vec{v}$. Pendant ce temps, la masse de gaz, dm, emporte à l'extérieur de la fusée (dans l'espace interplanétaire; cf. fig. VI.3) la quantité de mouvement $dm\vec{V}_g$.

La conservation de la quantité de mouvement se traduit donc par la relation :

$$d(M\vec{v}) + dm\vec{V}_g = \vec{0} \qquad \text{(VI.27)}$$

qui exprime que l'accroissement de quantité de mouvement de la fusée, $d(M\vec{v})$, est compensé par la quantité de mouvement emportée par les gaz dans l'espace, $dm\vec{V}_g$. Comme la masse se conserve en mécanique classique, on a en chaque instant :

$$M(t) + m(t) = M_0 \qquad \text{(VI.28)}$$

où $m(t)$ est la masse des gaz échappés et où M_0 est la masse initiale du système. On a donc : $dm = -dM$, et la relation (VI.27) s'écrit :

$$
\begin{aligned}
dM\vec{v} + M d\vec{v} + dm\vec{V}_g &= \vec{0} \\
M d\vec{v} - dM(\vec{V}_g - \vec{v}) &= \vec{0} \qquad \text{(VI.29)} \\
M d\vec{v} - dM\vec{u} &= \vec{0}
\end{aligned}
$$

où $\vec{u} = \overrightarrow{V_g} - \vec{v}$ est la vitesse des gaz par rapport à la fusée, caractéristique fournie par le constructeur des tuyères.

Puisque $\vec{u}$ et $d\vec{v}$ sont de sens opposés, on obtient finalement, avec $dv = \| d\vec{v} \|$ et $u = \| \vec{u} \|$:

$$dv = - u \frac{dM}{M} \tag{VI.30}$$

La solution de cette équation différentielle dépend de la façon dont $u(t)$ varie avec le temps. Par exemple, si l'on suppose que les gaz sont évacués à vitesse constante par rapport à la fusée ($\vec{u} = \overrightarrow{\text{cte}}$), on obtient, compte tenu des conditions aux limites ($M(0) = M_0$ et $v(0) = v_0$) :

$$\int_{v_0}^{v} dv = v - v_0 = - u \int_{M_0}^{M} \frac{dM}{M} = - u \, \text{Log} \, \frac{M}{M_0} = u \, \text{Log} \, \frac{M_0}{M}$$

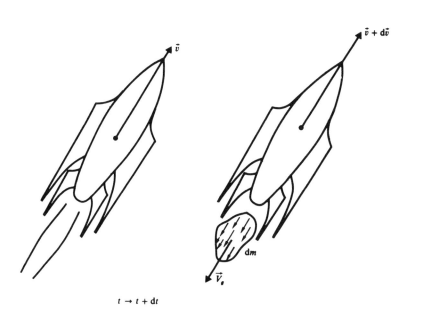

$$t \to t + dt$$

Figure VI.3.

Comme dans une désintégration, la masse dm emporte la quantité de mouvement $dm\overrightarrow{V_g}$, où $\overrightarrow{V_g}$ est la vitesse des gaz dans le référentiel d'observation, supposé d'inertie. Techniquement c'est la vitesse des gaz par rapport à la fusée, notée $\vec{u}$ dans le texte, que le pilote contrôle directement, comme s'il était au repos. Son réglage dépend du processus d'éjection adopté par le constructeur des tuyères.

et donc :

$$v(t) = v_0 + u \, \mathrm{Log} \, \frac{M_0}{M(t)} \tag{VI.31}$$

La vitesse finale est atteinte lorsque la fusée a épuisé tout son carburant, c'est-à-dire lorsque $M(t_f)$ est la masse de la fusée à sec.

8)   UNIVERSALITÉ DE LA LOI : GÉNÉRALISATION

Jusqu'à ce jour, aucune expérience n'a remis en cause la conservation de la quantité de mouvement d'un système isolé, quelle que soit la nature de ses constituants, qu'ils soient deux ou un nombre immense (par exemple les innombrables molécules du système fusée-gaz); qu'ils relèvent de la mécanique classique ou relativiste et quantique (comme pour les collisions ou les désintégrations de particules fondamentales); qu'ils subsistent en tant que matière ou deviennent du rayonnement (en particulier lors de l'annihilation électron-positron). Dans toutes ces circonstances, pour un système isolé comprenant N éléments, la conservation de la quantité de mouvement permet d'écrire :

$$\sum_{i=1}^{N} \vec{p}_i = \vec{P} \tag{VI.32}$$

où $\vec{p}_i$ est la quantité de mouvement de l'élément étiqueté par l'indice i, et où $\vec{P}$ est un vecteur indépendant du temps.

Si l'élément considéré a, dans le référentiel d'observation, une vitesse $\vec{v}_i$ telle qu'il relève de la mécanique relativiste, on écrira sa quantité de mouvement sous la forme :

$$\vec{p}_i \equiv m_{oi} \gamma_i \vec{v}_i = m_i \vec{v}_i = \frac{m_{oi}}{\sqrt{1 - (v_i/c)^2}} \, \vec{v}_i \tag{VI.33}$$

où m_{oi} est sa « masse au repos », mieux nommée « masse invariante », où m_i est sa « masse relativiste » (selon la formulation d'Einstein; cf. note en bas de la page 55) et où c est la vitesse de la lumière, ou plus exactement des particules dites de masse nulle.

S'il s'agit précisément d'une particule dite de masse nulle, comme le photon ou le neutrino, il n'existe aucun référentiel où elle soit au repos. Bien au contraire sa vitesse est invariablement c. Alors le module de sa quantité de mouvement est donné par :

$$p_i = E_i/c$$

où E_i est son énergie*. Cette expression est un cas particulier, pour $m_0 = 0$, de la

---

* Notons en passant que cette expression est cohérente avec la notion de « masse équivalente » du photon ($m_{eq} = E/c^2$; cf. relation IV.42), à n'employer qu'avec humour et discrétion. En effet elle équivaut elle-même à :

$$p_{\mathrm{photon}} = \frac{m_{eq} c^2}{c} = m_{eq} c$$

relation relativiste définissant la masse invariante, m_0, d'une particule :

$$m_0 c^2 \equiv \sqrt{E^2 - p^2 c^2} \qquad \text{(VI.34)}$$

où E est son énergie totale.

Pour les calculs de la cinématique des collisions et désintégrations, j'attire l'attention sur le fait que l'énergie cinétique, E_c, d'une particule de masse m_0 n'est donnée par $m_0 v^2/2$ que dans le cadre de la mécanique classique. Si cette approximation n'est pas justifiée, on exploitera l'expression de l'énergie totale (obtenue en combinant les relations VI.33 et VI.34) :

$$E \equiv m_0 \gamma c^2 = mc^2 \qquad \text{(VI.35)}$$

et l'on écrira :

$$E_c \equiv E - m_0 c^2 = m_0 c^2 (\gamma - 1) = mc^2 - m_0 c^2 \qquad \text{(VI.36)}$$

En effet l'énergie cinétique d'une particule est par définition la différence entre son énergie quand elle est en mouvement, E, et son « énergie au repos », $m_0 c^2$; sauf dans le cas des particules de masse nulle qui ont toujours dans le vide la vitesse de la lumière, quel que soit le référentiel d'observation. Dans ce cas particulier E_c s'identifie avec E.

Notons que l'on retrouve l'expression classique, à la limite $(v/c)^2 \ll 1$, en écrivant :

$$E_c \equiv E - m_0 c^2 = \frac{m_0 c^2}{\sqrt{1 - (v/c)^2}} - m_0 c^2 \qquad \text{(VI.37)}$$

soit, après développement limité selon les puissances de $(v/c)^2$:

$$E_c = m_0 c^2 \left(1 + \frac{1}{2} \frac{v^2}{c^2} + ... \right) - m_0 c^2 \simeq \frac{1}{2} m_0 v^2 \qquad \text{(VI.38)}$$

II « Principe de l'action et la réaction »

Ainsi, la loi de conservation de la quantité de mouvement, reliée au principe d'invariance par translation, est respectée en toute circonstance. Avant l'apparition de la mécanique relativiste on en faisait un « théorème » découlant du « principe de l'action et la réaction ». Aujourd'hui, ce « principe », lié historiquement à la troisième loi de Newton, n'est plus qu'une des règles du jeu adoptée en mécanique classique.

1) RÈGLE CLASSIQUE DES ACTIONS RÉCIPROQUES

Pour l'établir, considérons un système isolé comprenant deux points matériels et dérivons la relation (VI.1) par rapport au temps. Puisque $\overrightarrow{P}$ est indépendant du temps, on obtient :

$$\frac{d}{dt}(\overrightarrow{p}_1 + \overrightarrow{p}_2) = \frac{d\overrightarrow{p}_1}{dt} + \frac{d\overrightarrow{p}_2}{dt} = \frac{d\overrightarrow{P}}{dt} = 0 \qquad (VI.39)$$

soit encore, en appliquant le principe fondamental à chacun des deux points matériels :

$$\frac{d\overrightarrow{p}_1}{dt} = \overrightarrow{F}_{21} = -\frac{d\overrightarrow{p}_2}{dt} = -\overrightarrow{F}_{12} \qquad (VI.40)$$

où $\overrightarrow{F}_{21}$ est la force exercée par le point matériel 2, noté ②, sur le point matériel 1, noté ①, et où $\overrightarrow{F}_{12}$ est la force exercée par ① sur ②. Le résultat s'énonce :

En mécanique classique, lorsque deux points matériels forment un système isolé, ils exercent l'un sur l'autre des forces opposées.

Par exemple, selon cette règle, pendant qu'un caillou tombe dans le champ de pesanteur de la terre il exerce simultanément sur la terre une attraction gravitationnelle qui attire la terre vers lui. Si le mouvement de la terre sous l'action de cette force n'est pas perceptible, c'est que l'accélération $\overrightarrow{a}_T$ qui en résulte est dans le rapport des masses du caillou, m_c, et de la terre, M_T, selon le principe fondamental :

$$\overrightarrow{F}_{cT} = M_T \overrightarrow{a}_T = -\overrightarrow{F}_{Tc} = -m_c \overrightarrow{a}_c \qquad (VI.41)$$

où $\overrightarrow{a}_c$ est l'accélération du caillou sous l'action de la pesanteur terrestre. Pour $m_c = 1$ kg, on obtient $\overrightarrow{a}_T \simeq -2 \cdot 10^{-25} \overrightarrow{a}_c$.

2) REMARQUES SUR L'ÉNONCÉ DE LA RÈGLE

Notons que l'énoncé donné ci-dessus se limite à la mécanique classique. En effet, pour établir la règle des actions réciproques, nous avons dérivé par rapport au temps la loi de conservation (VI.1) en faisant comme si le temps était universel, c'est-à-dire en supposant que l'intervalle de temps dt est le même dans tous les référentiels et en particulier dans les deux référentiels en mouvement relatif que l'on peut attacher aux points matériels ① et ②. Ceci suppose des interactions à distance véhiculées à vitesse infinie, ce qu'exclut la physique relativiste*. C'est pourquoi le « principe de l'action et la réaction » n'est applicable que dans le cadre des approximations de la mécanique

---

* Se placer dans le référentiel du centre d'inertie ne change rien au problème.

classique. On peut s'en passer quand on manie avec dextérité la notion d'échange de quantité de mouvement entre les systèmes, mais je l'exploiterai quand même ici pour assurer la transition.

Enfin, la démonstration et l'énoncé de la règle des actions réciproques laissent croire qu'on pourrait l'appliquer même dans le cas de forces non coaxiales. En fait, il n'en est rien : les forces réciproques sont définies non seulement par une même intensité et des directions opposées, mais aussi par un axe commun qui les porte (cf. fig. VI.4a).

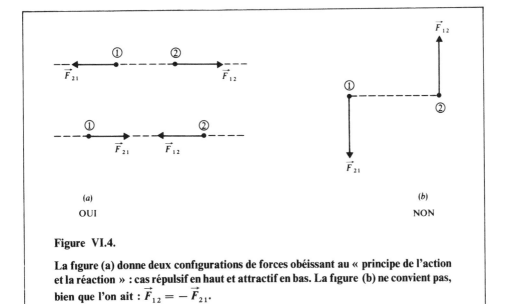

(a)
OUI

(b)
NON

Figure VI.4.

La figure (a) donne deux configurations de forces obéissant au « principe de l'action et la réaction » : cas répulsif en haut et attractif en bas. La figure (b) ne convient pas, bien que l'on ait : $\vec{F}_{12} = -\vec{F}_{21}$.

Dans le prochain chapitre, j'établirai l'existence d'un axe commun, mais on peut déjà comprendre sa nécessité par l'argument suivant : si les forces réciproques n'étaient pas coaxiales, les systèmes se mettraient à tourner spontanément. L'exemple de la figure VI.4b le montre : si les deux points matériels forment un état lié initialement immobile, ce système commencera à tourner spontanément dans le sens trigonométrique direct. En effet, les forces $\vec{F}_{12}$ et $\vec{F}_{21}$ forment un couple moteur dans ce cas.

Pour éviter toute confusion, j'énoncerai donc la règle classique des actions réciproques sous la forme :

Les forces classiques qu'exercent l'un sur l'autre deux points matériels sont coaxiales, de même intensité et de sens opposés.

III   Mouvement du centre d'inertie d'un système

Nous allons maintenant nous intéresser à des systèmes non isolés, S, c'est-à-dire à des morceaux d'univers en interaction avec le reste de l'univers, que j'appellerai « milieu extérieur de S » ou tout simplement l'extérieur. Par exemple, le système (caillou-Terre) constitue un « petit univers » relativement bien isolé en ce qui concerne l'attraction gravitationnelle que les deux constituants du système exercent l'un sur l'autre. Mais le caillou seul est un système non isolé : il ressent l'attraction gravitationnelle de la terre considérée maintenant comme extérieure.

Je noterai $\vec{P}$ et $\vec{P}_{ex}$ la somme des quantités de mouvement contenues respectivement à l'intérieur du système S et à l'extérieur :

$$\vec{P} = \sum_i \vec{p}_i \quad \text{et} \quad \vec{P}_{ex} = \sum_{i' \neq i}^{ex} \vec{p}_{i'} \tag{VI.42}$$

où $\sum$ signifie que l'on somme sur les points matériels· intérieurs au système, et $\sum^{ex}$ représente la somme effectuée sur les points matériels extérieurs (donc $i' \neq i$). La quantité de mouvement contenue dans S, $\vec{P}$, n'est donc pas constante, mais sa variation est équilibrée par celle de $\vec{P}_{ex}$ selon la relation :

$$\Delta \vec{P}_u = \vec{0} = \Delta \vec{P} + \Delta \vec{P}_{ex} \tag{VI.43}$$

où $\vec{P}_u = \vec{P} + \vec{P}_{ex}$ est la quantité de mouvement de « l'univers supposé isolé ».

Pour décrire le mouvement du système S en interaction avec l'extérieur, je commencerai par définir de façon générale le centre d'inertie d'un système quelconque. Ensuite, je me limiterai à la mécanique classique pour établir le « théorème du centre d'inertie ». Enfin, j'interpréterai les résultats obtenus.

1)   CENTRE D'INERTIE D'UN SYSTÈME

Par définition, le centre d'inertie d'un système est un « point matériel fictif » dont la masse M est la masse du système considéré et dont la quantité de mouvement $\vec{P}$ est définie par la relation (VI.32). Il est intéressant de considérer ce point matériel fictif car son mouvement est facile à déterminer, quel que soit l'état de mouvement des constituants du système. C'est lui que l'œil intègre inconsciemment lors d'une transformation au rugby ou d'un feu d'artifice.

En mécanique classique, le centre d'inertie coïncide avec le barycentre du système, défini par la formule :

$$\sum_i m_i \vec{r}_i = M\vec{R} \quad \text{avec} \quad M = \sum_i m_i \tag{VI.44}$$

où $\vec{r}_i$ est le vecteur position du point matériel de masse m_i, où $\vec{R}$ est la position du barycentre et où M, la masse du système, est identifiée à la somme des masses de ses constituants (ce qui n'est vrai qu'aux approximations de la mécanique classique*). En effet, en dérivant par rapport au temps la formule (VI.44), on retrouve la relation (VI.32), si l'on suppose le temps universel et les masses m_i indépendantes des rapports v_i/c. Par exemple, le centre d'inertie d'un système de deux points matériels de masses égales est situé au milieu du segment joignant ces points matériels. La figure (VI.5) donne d'autres exemples simples.

Dans le cas d'un système isolé quelconque, relevant de n'importe quelle mécanique, le mouvement du centre d'inertie est inertiel. En effet, puisque $\vec{P}$ est constant pour un système isolé, la vitesse de son centre d'inertie, définie par $\vec{V} = \vec{P}/M$, est elle-même constante et l'on a donc :

$$\vec{R}(t) = \frac{\vec{P}}{M}\,t + \vec{R}_0 \qquad\qquad (VI.45)$$

où $\vec{R}(t)$ est le vecteur position du centre d'inertie en chaque instant et où $\vec{R}_0$ est cette position au temps $t = 0$.

Notons en passant que tout référentiel attaché au centre d'inertie d'un système isolé constitue un référentiel d'inertie. C'est pourquoi il joue un rôle privilégié. Nous l'exploiterons dans la troisième partie sous le nom de « référentiel du centre d'inertie ». En fait, nous l'avons déjà employé implicitement. Par exemple, pour décrire le

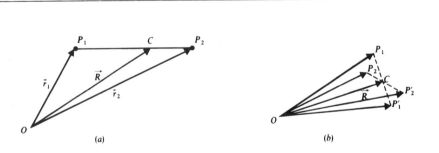

Figure VI.5.

Le point O est l'origine du référentiel par rapport auquel la position des points matériels P_i est repérée par $\vec{r}_i$. Le centre d'inertie, noté C, est repéré par $\vec{R}$. Sur la figure (a), il se trouve sur le segment joignant P_1 à P_2 avec $\overrightarrow{CP}_1 = -2\overrightarrow{CP}_2$ car on a pris $m_2 = 2m_1$. Sur la figure (b) il se trouve au centre de la sphère : on a supposé la sphère homogène pour pouvoir employer un argument de symétrie, et associer deux à deux les points matériels en nombre infini.

* C'est pourquoi on préfère employer l'expression « centre d'inertie », correcte en toutes circonstances, plutôt que l'expression « centre de masse », limitée à la mécanique classique.

mouvement d'un caillou au voisinage de la terre, nous avons négligé le mouvement de la terre vers le caillou. Nous savons que c'est légitime : $\vec{a}_T$ est ridiculement petit. L'approximation adoptée revient à faire coïncider le centre d'inertie du système caillou-terre avec le centre de la terre.

2) « THÉORÈME DU CENTRE D'INERTIE »

A présent, pour préparer le traitement des systèmes non isolés, retrouvons les résultats précédents à l'aide de la notion de force : démontrons que la somme des forces intérieures à un système isolé est nulle. Pour cela, dérivons par rapport au temps la relation (VI.32) en faisant comme si le temps était universel (approximation de la physique classique). Puisque $\vec{P}$ est constant pour un système isolé, on obtient :

$$\frac{d\vec{P}}{dt} = \vec{0} = \sum_i \frac{d\vec{p}_i}{dt} = \sum_i \vec{f}_i \qquad (VI.46)$$

où $\vec{f}_i$ est la force, dite intérieure, exercée sur le point matériel i (de quantité de mouvement $\vec{p}_i$) par l'ensemble des autres points matériels du système. On a donc le résultat escompté :

$$\vec{F}_{in} = \sum_i \vec{f}_i = \vec{0} \qquad (VI.47)$$

Ainsi, l'action des forces intérieures n'intervient pas dans le mouvement du centre d'inertie d'un système isolé (pas de forces extérieures) et ce mouvement est inertiel. Ceci ne nous apprend rien de neuf par rapport au principe d'inertie.

Considérons maintenant un système quelconque S soumis à des forces extérieures et soit $\vec{F}_i$ la somme de ces forces sur $\textcircled{i}$. En vertu de la règle de superposition des forces (qui caractérise la notion de force classique), chaque point matériel $\textcircled{i}$ du système est à présent soumis à une force résultante $\vec{\varphi}_i$, donnée par (cf. fig. VI.6) :

$$\vec{\varphi}_i = \vec{f}_i + \vec{F}_i \qquad (VI.48)$$

Figure VI.6.

Le point matériel $\textcircled{i}$ du système S, non isolé, est soumis à la force $\vec{f}_i$ due aux autres constituants de S et à la force $\vec{F}_i$ exercée par le monde extérieur, représenté par E.

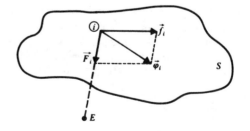

où $\vec{f}_i$ est la force intérieure exercée sur ① par l'ensemble des autres points matériels du système. On a donc :

$$\frac{d\vec{P}}{dt} = \sum_i \frac{d\vec{p}_i}{dt} = \sum_i \vec{\varphi}_i = \vec{F}_{in} + \vec{F}_{ex} \tag{VI.49}$$

où $\vec{F}_{in} = \sum_i \vec{f}_i$, et $\vec{F}_{ex} = \sum_i \vec{F}_i$.

Mais rien ne prouve a priori que la somme des forces intérieures au système, $\vec{F}_{in}$, est encore nulle quand le système n'est plus isolé. Pour le démontrer, il faut employer les règles du jeu de la mécanique classique. On applique tout d'abord la règle de superposition des forces, selon laquelle la force $\vec{f}_i$ est la somme des forces $\vec{f}_{ji}$ exercées sur ① par les autres points matériels ⑦ du système, soit :

$$\vec{f}_i = \sum_{j \neq i} \vec{f}_{ji} \tag{VI.50}$$

On utilise ensuite la règle des actions réciproques, soit :

$$\vec{f}_{ji} = -\vec{f}_{ij} \tag{VI.51}$$

où $\vec{f}_{ij}$ est la force exercée par ① sur ⑦. Dès lors, le tour est joué. On a effectivement (cf. fig. VI.7) :

$$\vec{F}_{in} = \sum_i \vec{f}_i = \sum_i \sum_{j \neq i} \vec{f}_{ji} = \vec{0} \tag{VI.52}$$

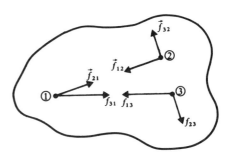

Figure VI.7.

La figure représente le cas d'un système de trois points matériels, mais cela n'enlève rien à la généralité de la méthode. On a, par exemple, $\vec{f}_1 = \vec{f}_{21} + \vec{f}_{31}$. Deux à deux, les forces intérieures $\vec{f}_{ij}$ et $\vec{f}_{ji}$ s'annulent.

On obtient donc finalement :

$$\frac{d\vec{P}}{dt} = \sum_i \vec{F}_i = \vec{F}_{ex} = M\vec{a} \tag{VI.53}$$

où M est la masse du système et où $\vec{a} = d\vec{V}/dt$ est l'accélération de son centre d'inertie.

Ainsi, le mouvement du centre d'inertie d'un système est déterminé dès que l'on connaît les forces extérieures qui s'exercent sur lui. Il est régi par la relation (VI.53) qui étend le principe fondamental de la dynamique aux systèmes. Ce résultat est connu sous le nom de « théorème » du centre d'inertie, en souvenir du temps où la mécanique était considérée comme une branche des mathématiques. Il s'énonce :

Le rythme de variation de la quantité de mouvement d'un système de points matériels est égal à la résultante des forces extérieures qui s'exercent sur ce système.

3)   INTERPRÉTATION DU RÉSULTAT

Nous avons exploité implicitement ce « théorème » tout au long de la première partie consacrée à la mécanique du point matériel. En effet, le point matériel n'est qu'un concept ; même une particule est un système, un assemblage de quarks. Sans le dire, nous avons alors remplacé la somme des forces exercées sur les éléments des systèmes considérés par une force unique appliquée à leurs centres d'inertie. La relation (VI.53) montre que c'est un procédé légitime tant qu'on ne s'intéresse qu'au mouvement du centre d'inertie : elle régit ce mouvement quel que soit celui des constituants du système ou de ses morceaux, que le système envisagé soit indéformable ou non, qu'il s'agisse d'un solide, d'un liquide ou d'un gaz.

Par exemple, lors d'une transformation au rugby ou d'un feu d'artifice, la trajectoire du centre d'inertie du ballon ou de la fusée est facile à suivre, si complexes soient les mouvements des molécules ou des morceaux de ces objets (cf. fig. VI.8). Dans le vide, ce serait une parabole, bien que le ballon tourne et vibre et que la fusée éclate : les forces intérieures ne jouent pas sur cette trajectoire et les forces extérieures se réduisent à la pesanteur. J'insiste : le « théorème du centre d'inertie » ne traite pas le

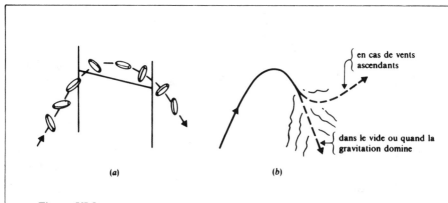

Figure VI.8.

La trajectoire du centre d'inertie du ballon (a) et de la fusée (b) est en tirets $- - -$.

mouvement des morceaux du système ; il régit uniquement celui du point matériel fictif nommé centre d'inertie.

Souvent, l'action des forces extérieures est affectée par les modifications du système en cours de trajectoire. Par exemple, si les frottements dans l'air ne sont pas négligeables, la trajectoire du centre d'inertie de la fusée ne sera pas la même selon que la mise à feu réussit ou échoue. Si la fusée n'éclate pas, les forces de frottement auront peu d'influence car elles ne font intervenir que les éléments en surface : les éléments enfouis dans le volume sont à l'abri de l'air, mais n'en subissent pas moins la gravitation. La trajectoire du centre d'inertie sera régie principalement par la force de pesanteur. Par contre, si la fusée éclate, des éléments initialement à l'intérieur se retrouveront en surface (en nombre d'autant plus grand que les morceaux sont petits). Le rapport surface sur volume étant ainsi accru, les forces de frottement pourront devenir dominantes. En particulier, sous de violents vents ascendants, la trajectoire du centre d'inertie pourra se tourner vers le ciel après la mise à feu (cf. fig. VI.8b) : l'action des forces de gravitation est la même que précédemment mais celle des forces de frottement a considérablement augmenté.

Notons enfin que, quand le mouvement du centre d'inertie d'un système est connu, celui de ses éléments reste à déterminer. Généralement, le problème est complexe, mais il existe des cas simples. Nous les traiterons par la suite en exploitant les trois lois de conservation, de l'énergie, de la quantité de mouvement et du moment cinétique, notion introduite dans le prochain chapitre.

IV Conclusions

La conservation de la quantité de mouvement, comme la conservation de l'énergie, ne s'applique qu'à des systèmes isolés. Pour des systèmes ainsi construits, elle s'avère respectée dans toutes les mécaniques et par toutes les interactions. Le principe d'invariance par translation est le credo qui encourage à étendre à l'univers entier cette loi de conservation. Bien des physiciens seraient choqués si une expérience le remettait en cause. Il est probable qu'on s'efforcerait alors de le sauvegarder en modifiant, une fois de plus, les notions d'espace et de temps (cf. Appendice) puis celle de quantité de mouvement. On ouvrirait notre univers sur un autre le perturbant ; ou bien... Mais attendons que le problème se pose avant de spéculer.

Dans le cadre des approximations de la mécanique classique la conservation de la quantité de mouvement redonne la règle des actions réciproques, connue sous le nom de « principe de l'action et la réaction ». Nous avons exploité cette règle pour démontrer le « théorème du centre d'inertie » qui régit le mouvement d'un point matériel fictif : le centre d'inertie d'un système quelconque, isolé ou non. Avec les notations de ce chapitre, ce théorème se traduit par une relation calquée sur le principe fondamental de la dynamique :

$$\boxed{\vec{F}_{ex} = \frac{\mathrm{d}\vec{P}}{\mathrm{d}t} = M\vec{a}}$$ (VI.54)

On peut établir directement cette relation en appliquant la conservation de la quantité de mouvement à un « grand système isolé » comprenant le sous-système non isolé considéré et le reste de l'univers en interaction avec lui. La relation (VI.43) fournit alors :

$$\frac{\mathrm{d}\vec{P}}{\mathrm{d}t} = -\frac{\mathrm{d}\vec{P}_{ex}}{\mathrm{d}t}$$ (VI.55)

Le théorème du centre d'inertie en découle puisque la règle des actions réciproques permet d'écrire :

$$\vec{F}_{ex} = -\frac{\mathrm{d}\vec{P}_{ex}}{\mathrm{d}t}$$ (VI.56)

Mais ce genre d'argumentation, préparant la notion d'échange, n'est accessible qu'en fin de compte.

Exercices

VI.1. *Choc frontal*

1) Que devient la relation VI.5 dans le cas d'un choc frontal ? En déduire l'énergie cinétique E_1 et l'angle de diffusion θ de la particule de masse m_1 après un tel choc, selon que $m_1 > m_2$ ou $m_1 < m_2$.

2) Une méthode permettant d'analyser la composition de surface des solides consiste à envoyer un faisceau de particules de direction et d'énergie cinétique bien déterminées sur une cible mince du solide à étudier et à mesurer, dans un détecteur de particules approprié, l'énergie cinétique des particules qui ont rebondi à $\theta \simeq 180°$ de la direction incidente après avoir subi un choc frontal avec l'un des atomes de la cible (analyse par rétrodiffusion). Lors d'une expérience effectuée avec des particules α (noyaux de $^4_2$He) de 1 MeV, on observe que les particules rétrodiffusées à 180° ont pour énergie cinétique soit 562,5 keV, soit 360 keV. Identifier les atomes de la cible ainsi mis en évidence. (S)

VI.2. *Voile solaire*

On envisage de déplacer les vaisseaux spatiaux explorant le système solaire au moyen d'une «voile solaire» solidaire du vaisseau. Celle-ci, faite de matière plastique très fine recouverte d'une pellicule d'aluminium qui réfléchit la lumière solaire, a une surface de l'ordre de 1 km². On supposera que la voile constitue un miroir parfait, c'est-à-dire que la lumière s'y réfléchit en suivant les lois de l'optique géométrique et qu'en conséquence tout photon qui arrive sous une incidence nulle repart en sens inverse (avec la même longueur d'onde). On rappelle que l'énergie et la quantité de mouvement d'un photon de longueur d'onde λ sont données par $E = hc/\lambda$ et $\vec{p} = h\vec{u}/\lambda$ où $\vec{u}$ est un vecteur unitaire dirigé dans le sens de la propagation, h est la constante de Planck et c la vitesse de la lumière. On supposera le rayonnement solaire isotrope et monochromatique, avec $\lambda = 0{,}5\ \mu m$.

1) Connaissant la luminosité L du Soleil (puissance totale rayonnée) calculer, par unité de temps, le nombre total n de photons émis par celui-ci, puis le nombre Φ de photons (flux) reçus sur la surface S de la voile située à la distance D du Soleil. On supposera que les photons solaires arrivent perpendiculairement à la surface de la voile.

2) Calculer la quantité de mouvement transférée par unité de temps à la voile en fonction de Φ et de S.

3) Estimer l'épaisseur de la voile si sa masse est de 10^3 kg. Calculer l'accélération $\vec{a}$ acquise par le vaisseau de masse totale $2 \cdot 10^3$ kg, puis évaluer sa vitesse au bout de deux mois. On prendra $L = 4 \cdot 10^{26}$ J s^{-1}, $D = 1{,}5 \cdot 10^{11}$ m (la distance Terre-Soleil) et $S = 1$ km^2. Ce calcul est-il réaliste ? (S)

VI.3. Lors de sa chute verticale au travers d'un nuage, la masse $m(t)$ d'une goutte d'eau croît, car elle absorbe le long de sa trajectoire (phénomène d'accrétion) des aggrégats moléculaires (ou gouttelettes) en suspension dans le nuage. On se propose de relier la valeur de l'accélération de la goutte, *supposée constante*, à la manière dont sa masse varie au cours de la chute.

1) Les gouttelettes sont supposées immobiles tant qu'elles n'ont pas été accrétées à la goutte, de vitesse $\vec{v}(t)$. Montrer que cette hypothèse intervient deux fois pour établir l'expression simple de l'équation du mouvement de la goutte $d(m\vec{v})/dt = m\vec{g}$. On prendra soin de définir clairement le système que l'on considère.

Quel serait le mouvement de la goutte de vitesse initiale $\vec{v}_0$ en l'absence du champ gravitationnel $\vec{g}$?

2) Montrer que, pour l'équation du mouvement donnée en 1), $\vec{g}$ étant constant, l'hypothèse d'une accélération $\vec{a}$ constante, avec une vitesse initiale nulle, implique une loi en $m(t) = A_n t^n$ pour la masse de la goutte en fonction du temps t (A_n est une constante). Quelle relation existe-t-il entre n et l'accélération a ? Donner les valeurs de a correspondant aux quatre premières valeurs entières, nulles ou positives, de n.

3) Commenter la signification physique de l'ensemble des résultats établis ci-dessus, puis de chacun des couples $(a, m(t))$ obtenus. On s'aidera pour cela de l'expression du taux d'accrétion défini par dm/dt. On s'intéressera particulièrement aux cas où celui-ci peut être récrit sous la forme soit $dm/dt \propto v$, soit $dm/dt \propto m^{2/3}$. Déterminer ensuite la valeur de n, puis celle de $\vec{a}$ correspondant à la conjonction de ces deux cas, c'est-à-dire lorsque $dm/dt \propto m^{2/3} v$, et expliciter la signification physique de cette dernière hypothèse. (S)

VI.4. Soit une particule de masse invariante m_0 («masse au repos») et d'énergie cinétique T. Notons E son énergie totale, τ_0 sa vie moyenne propre («au repos») et τ sa vie moyenne apparente dans le référentiel où sa vitesse est $\vec{v}$.

1) Montrez que l'on a : $\tau = \tau_0 (E/m_0 c^2)$.

2) Justifiez la relation : $E = T + m_0 c^2$.

3) Sachant que la particule dite «méson π» a une énergie de masse, $m_0 c^2$, de 140 MeV et une vie moyenne τ_0 de $2{,}6 \cdot 10^{-8}$ s, calculez sa vie moyenne lorsque son énergie cinétique est de 10 MeV, 100 MeV, 1 GeV, 10 GeV.

4) Quelle est sa vitesse dans chacun de ces quatre cas ?

5) Après avoir rappelé le principe de relativité, dites ce qu'il faut entendre par «effet de dilatation de la durée» et commentez cet effet dans le cadre du principe en question.

VI.5. Reprendre un des calculs cinématiques du paragraphe I de ce chapitre dans le cadre de la mécanique relativiste. (S)

VI.6. Soit E_c l'énergie cinétique d'une particule dans le référentiel où sa masse est m_0. Montrer que la cinématique classique est une bonne approximation quand on a : $E_c/m_0 c^2 \leqslant 1/10$.

VI.7. A partir de quelle énergie cinétique la cinématique d'un électron doit-elle être traitée de façon relativiste ? Quelle est alors sa vitesse ? Même question pour un proton.

VI.8. On dit qu'une particule est «ultra-relativiste» quand on peut lui appliquer, au pour cent près, la relation $E = pc$ (exacte pour le photon). A partir de quelle énergie cinétique l'électron est-il ultra-relativiste ? Même question pour le proton.

VI.9. Quand un fluide visqueux se déplace au voisinage d'une paroi fixe, ses éléments sont transportés à des vitesses d'autant plus faibles qu'ils sont proches de la paroi. Pour décrire le phénomène on décompose le fluide en couches parallèles à la paroi, comme indiqué sur la figure (a) ci-dessous. A l'échelle moléculaire on l'interprète en associant à chaque molécule du fluide, en plus de sa vitesse d'agitation thermique qui lui permet de changer de couche, une vitesse d'ensemble donnée par la vitesse $\vec{v}_i$ de la couche considérée. Nous reviendrons là-dessus dans les exercices du chapitre IX. Ici nous allons préparer le terrain en traitant la question suivante.

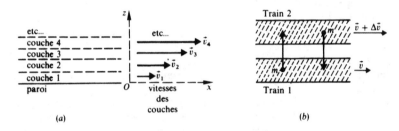

(a)   (b)

Deux trains de même masse M, simulant les couches de fluide, circulent sur des voies parallèles (cf. fig. b). L'un a une vitesse $\vec{v}$, l'autre une vitesse $\vec{v} + \Delta\vec{v}$. Leurs passagers, tous de masse $m \leqslant M$, simulant les molécules, sautent d'un train à l'autre à un rythme ν et à la célérité V_q.

1) Montrer que dans ce manège incessant les passagers tendent à égaliser la vitesse des deux trains.

2) Exprimer, en fonction des quantités définies ci-dessus, le temps nécessaire pour que la vitesse des deux trains ne diffère plus que de $9\Delta\vec{v}/10$.

3) Faites une application numérique jugée réaliste dans le cas des trains et une autre correspondant au cas des molécules d'un fluide. (S)

CHAPITRE VII

Conservation du moment cinétique

La loi de conservation du moment cinétique est moins familière que celle de l'énergie ou de la quantité de mouvement. Je commencerai donc ce chapitre par des notions qualitatives. Ensuite, j'introduirai le formalisme et sa règle du jeu : « le théorème du moment cinétique ». Puis viendront des illustrations. Enfin je schématiserai le principe du gyroscope, objet que l'on retrouve sous bien des formes un peu partout : la terre tournant sur elle-même dans le champ de gravitation solaire, un patineur dans la pesanteur, une molécule dans un champ magnétique externe...

I Approche qualitative

Lorsqu'une roue, un tourniquet, une toupie, un patineur... bien équilibrés tournent autour de leur axe de symétrie, on a l'impression qu'ils ne s'arrêteraient jamais si toutes les sources de frottement disparaissaient. On est prêt à parier, qu'outre l'énergie et la quantité de mouvement, quelque chose d'autre se conserve quand un système est isolé : le moment cinétique, quantité vectorielle notée $\vec{J}$.

Dans le cas très particulier d'un système symétrique en rotation autour de son axe de symétrie (celui des exemples ci-dessus), le moment cinétique se caractérise simplement par deux paramètres : la vitesse angulaire, $\vec{\omega}$, du système considéré et son moment d'inertie, I, par rapport à l'axe de symétrie. On a alors la relation :

$$\vec{J} = I\vec{\omega} \qquad \text{(VII.1)}$$

et, dans ce cas particulier, le moment d'inertie du système est donné par l'expression :

$$I = \sum_i m_i \delta_i^2 \qquad \text{(VII.2)}$$

où m_i est la masse du point matériel repéré à la distance δ_i de l'axe (cf. fig. VII.1) et où la somme porte sur tous les points matériels du système.

Figure VII.1.

Il n'est pas strictement nécessaire que le patineur ait la raie au milieu pour être considéré comme un objet symétrique. Son vecteur $\vec{\omega}$ est porté par l'axe de symétrie A, lorsque cet axe garde une orientation fixe.

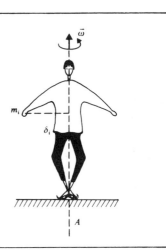

Pour des rotations pures de systèmes symétriques autour de leur axe, on s'attend intuitivement à ce que l'une des quantités conservées soit colinéaire à la vitesse angulaire : le vecteur $\vec{\omega}$ définit une orientation dans l'espace qu'il serait surprenant de voir se modifier spontanément. La vitesse joue le même rôle dans les translations libres : le vecteur $\vec{v}$ indique une direction dans l'espace qui ne change qu'en cas d'interaction.

Quant au paramètre I, c'est un coefficient d'inertie qui joue ici le rôle tenu par la masse m dans la définition classique de la quantité de mouvement, $\vec{p} = m\vec{v}$. L'expression (VII.2) montre que pour le déterminer, il faut savoir comment la masse du système est répartie autour de l'axe de rotation : la contribution au moment d'inertie d'un élément de masse donné croît comme le carré de sa distance à l'axe.

L'influence de la distribution de masse sur le moment d'inertie se voit clairement quand on regarde évoluer un patineur sur glace. S'il rapproche ses mains de l'axe de rotation, il se met à tourner sur lui-même plus vite qu'initialement. Pendant cette figure, sa masse totale ne change pas mais son moment d'inertie diminue : la contribution de ses bras décroît. L'accroissement de sa vitesse angulaire résulte alors de la conservation du moment cinétique. En effet, en négligeant l'action du milieu extérieur, on peut écrire en chaque instant $\vec{J}_i = \vec{J}_f$, et donc :

$$\vec{\omega}_f = (I_i/I_f)\vec{\omega}_i \tag{VII.3}$$

où les indices i et f se rapportent respectivement aux états initial et final.

En toute rigueur, le patineur n'est pas isolé puisqu'il est soumis à la pesanteur. Cependant, au frottement près, tout se passe comme si rien n'agissait sur lui : les actions de la pesanteur s'équilibrent dans le cas d'un système symétrique axé sur la verticale. Par exemple, les actions sur les bras droit et gauche se compensent par symétrie. Ainsi, le patineur n'a pas plus de chance de tomber d'un côté que de l'autre et son moment cinétique le stabilise.

Déstabiliser un système en rotation, et plus généralement modifier son moment cinétique en orientation ou en module, nécessite l'intervention d'une force d'autant moins intense qu'on l'applique loin du point autour duquel ce système pivote. Par exemple, il est plus facile de faire pivoter une roue tournant vite ($\vec{\omega}$ et $\vec{J}$ portés par l'axe) en s'aidant d'un large guidon plutôt qu'en prenant l'axe en main près du moyeu. Dans ce cas, il s'agit de changer l'orientation du moment cinétique porté par l'axe de la roue, mais il en est de même quand on veut modifier son module. Par exemple, les poignées de porte sont placées le plus loin possible des gonds (axe fixe de rotation de la porte) car c'est ainsi que l'on déploie la plus petite force pour faire tourner la porte, autrement dit pour lui fournir ou lui retirer du moment cinétique.

De façon générale, ce qui compte pour modifier le moment cinétique d'un système est le produit de l'intensité de la force appliquée par la distance de la droite qui la porte au point pivot ou à l'axe de rotation. Ce produit est en fait un produit vectoriel, nommé « moment d'une force ». Je vais le définir maintenant.

II   Moment cinétique par rapport à un point

Les propriétés du moment cinétique se manifestent clairement dans les rotations mais elles affectent tous les mouvements. Pour le montrer nous allons reprendre dans un cadre formel plus précis toutes les idées intuitives que je viens d'introduire. Commençons par définir le concept de moment cinétique dans le cas d'un point matériel.

1)   DÉFINITION DU MOMENT CINÉTIQUE PAR RAPPORT À UN POINT

Par définition, le moment cinétique d'un point matériel de quantité de mouvement $\vec{p}$ est donné par :

$$\boxed{\vec{j} = \overrightarrow{OM} \times \vec{p} = \vec{r} \times \vec{p}}$$ (VII.4)

où $\overrightarrow{OM} = \vec{r}$ est le vecteur position du point matériel considéré dans le référentiel centré en O. Il porte le nom de « moment cinétique par rapport à un point », ici le point O, car sa valeur dépend du point choisi pour le calculer. Néanmoins, pour abréger, j'emploierai le terme « moment cinétique » quand aucune confusion n'est possible.

Notons tout d'abord que le moment cinétique est un vecteur perpendiculaire au plan déterminé par $\vec{r}$ et $\vec{p}$, orienté dans le sens usuel d'un produit vectoriel (cf. chapitre IV), et de module :

$$\|\vec{j}\| = j = rp \sin \alpha$$ (VII.5)

où α est l'angle entre $\vec{r}$ et $\vec{p}$.

Si le mouvement du point matériel est contenu dans le plan défini par $\vec{r}$ et $\vec{p}$, il est commode d'exprimer $\vec{j}$ à l'aide des coordonnées polaires. Les expressions (II.2) et (II.13) fournissent alors :

$$\vec{j} = r\vec{u} \times m \, (\dot{r}\vec{u} + r\dot{\theta}\vec{n}) = mr^2\vec{\omega} \tag{VII.6}$$

où $\dot{\theta}\vec{u} \times \vec{n}$ a été identifié au vecteur $\vec{\omega}$ associé au point matériel considéré et où mr^2 est le moment d'inertie de ce point matériel par rapport au point O.

2)   MOMENT D'UNE FORCE PAR RAPPORT À UN POINT

Pour obtenir le rythme de variation du moment cinétique, dérivons la définition (VII.4) par rapport au temps :

$$\frac{\mathrm{d}\vec{j}}{\mathrm{d}t} = \frac{\mathrm{d}\vec{r}}{\mathrm{d}t} \times \vec{p} + \vec{r} \times \frac{\mathrm{d}\vec{p}}{\mathrm{d}t} \tag{VII.7}$$

Puisque $\vec{p}$ et $\vec{v} = \mathrm{d}\vec{r}/\mathrm{d}t$ sont des vecteurs colinéaires, le premier terme est nul. Compte tenu du principe fondamental de la dynamique, $\vec{F} = \mathrm{d}\vec{p}/\mathrm{d}t$, on obtient donc :

$$\boxed{\frac{\mathrm{d}\vec{j}}{\mathrm{d}t} = \vec{r} \times \vec{F} = \vec{\mathcal{M}}} \tag{VII.8}$$

où le produit vectoriel $\vec{r} \times \vec{F}$, noté $\vec{\mathcal{M}}$, est par définition le moment de la force $\vec{F}$ par rapport au point O. Ceci s'énonce :

Le rythme de changement de moment cinétique d'un point matériel (par rapport à un point O, fixe dans un référentiel d'inertie) est donné par le moment (par rapport au même point O) de la force qui s'exerce sur lui*.

La figure VII.2 montre que le produit vectoriel est l'être mathématique qui convient pour décrire le moment d'une force, c'est-à-dire l'opérateur qui rythme les changements de moment cinétique (de même que la force est l'opérateur qui rythme les changements de quantité de mouvement). Tout d'abord, $\vec{\mathcal{M}}$ est orthogonal au plan défini par $\overrightarrow{OM}$ et $\vec{F}$: lorsqu'on applique une force à un objet pour le mettre en mouvement autour d'un point O, son moment cinétique s'oriente perpendiculaire-

---

* Dans un référentiel non inertiel il faut tenir compte du moment des pseudoforces, ou calculer le moment cinétique à partir des formules (IV.25), soit :

$$\mathrm{d}\vec{j}/\mathrm{d}t = \mathrm{d}\vec{j'}/\mathrm{d}t + \vec{\omega} \times \vec{j'}$$

où $\vec{j}$ est l'expression du moment cinétique dans un référentiel d'inertie et où $\vec{j'}$ est son expression dans le référentiel non inertiel caractérisé par $\vec{\omega}$.

Figure VII.2.

Si $\overrightarrow{OM}$ et $\vec{F}$ sont dans le plan II, le moment de $\vec{F}$ par rapport à O est un vecteur perpendiculaire à π et de module $F\delta$.

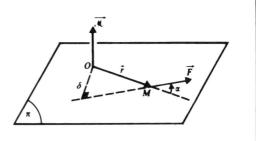

ment au plan défini par $\overrightarrow{OM}$ et $\vec{F}$ dans le sens donné précisément par le produit vectoriel $\overrightarrow{OM} \times \vec{F}$. Ensuite, le module de $\vec{\mathcal{M}}$ a pour valeur :

$$\|\vec{\mathcal{M}}\| = \mathcal{M} = rF \sin \alpha = F\,\delta \qquad \text{(VII.9)}$$

où α est l'angle entre $\overrightarrow{OM}$ et $\vec{F}$ et où δ est la distance de la droite portant $\vec{F}$ au point O. On retrouve ici la notion qualitative de « moment d'une force ».

3) CONDITIONS D'INVARIANCE : PREMIÈRE LOI DE KEPLER

Pour un point matériel isolé $(\vec{F} = 0)$, la relation (VII.8) fournit :

$$\frac{d\vec{j}}{dt} = \vec{0}; \qquad \text{d'où} \qquad \vec{j} = \overrightarrow{\text{cte}} \qquad \text{(VII.10)}$$

Autrement dit : le moment cinétique d'une particule libre est indépendant du temps; c'est une constante de mouvement. Ce résultat est évident : un point matériel isolé est caractérisé par un mouvement de translation uniforme, c'est-à-dire par une quantité de mouvement constante, $\vec{p}$, et une trajectoire rectiligne définissant une droite dont la distance au point O est fixe ($\delta = r \sin \alpha = \text{cte}$).

Le moment cinétique se conserve aussi dans un cas moins évident : lorsque le point matériel est dans un champ central dont la source est en O. Les vecteurs $\vec{r}$ et $\vec{F}$ sont alors portés par un même axe et leur produit vectoriel est donc nul. Dans ce cas, la relation (VII.8) conduit aussi au résultat (VII.10).

Ce résultat s'applique en particulier aux planètes puisque leur mouvement est régi par la force centrale de Newton. Pour en déduire immédiatement deux des trois lois de Kepler je vais négliger le mouvement du soleil, ce qui revient à supposer sa masse infinie par rapport à celles des planètes (par exemple, $M_\odot/M_T \simeq 3 \cdot 10^5$). Je négligerai aussi le mouvement de rotation sur elles-mêmes des planètes (rotation diurne dans le cas de la terre). Les corrections que j'apporterai par la suite ne remettront pas en cause les conclusions.

Tout d'abord, puisque dans son mouvement autour du soleil, S, une planète, P, a un moment cinétique constant, $\vec{j}_p$, sa trajectoire est contenue dans un plan, π : le plan

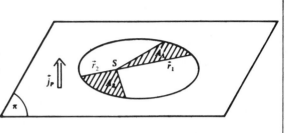

Figure VII.3.

La trajectoire d'une planète est contenue dans le plan π perpendiculaire à $\vec{j}_p$ et les aires balayées en des temps égaux sont égales.

perpendiculaire au vecteur constant $\vec{j}$ (cf. fig. VII.3). C'est la première loi de Kepler. La deuxième loi affirme que la trajectoire est une ellipse dont le soleil est un foyer. Nous y reviendrons au chapitre suivant. Je vais maintenant établir la troisième.

4)   ILLUSTRATION : TROISIÈME LOI DE KEPLER

Soit S le centre du soleil par rapport auquel on évaluera le moment cinétique de la planète, repérée par son vecteur position $\vec{r}$. L'élément d'aire, dA, balayée par $\vec{r}$ en un temps dt est donné par (cf. fig. VII.3) :

$$dA = \frac{1}{2}\, r\, (r d\theta) = \frac{1}{2}\, r^2\, \frac{d\theta}{dt}\, dt \qquad (VII.11)$$

où $d\theta$ est l'angle dont a tourné la planète pendant le temps dt.

Compte tenu de la relation (VII.6), on peut encore écrire :

$$dA = \frac{1}{2}\, r^2 \omega dt = \frac{1}{2}\, \frac{j_p}{m_p}\, dt \qquad (VII.12)$$

où m_p est la masse de la planète. Comme j_P et m_P sont des quantités indépendantes du temps, on a donc :

$$\frac{dA}{dt} = C \qquad (VII.13)$$

où C est une constante caractéristique de la planète. Ainsi, les aires balayées par le vecteur position d'une planète en des temps égaux sont égales. C'est la troisième loi de Kepler.

Par exemple, sur la figure VII.3, les aires A_1 et A_2 sont égales : la vitesse angulaire de la planète est plus faible dans le voisinage de $\vec{r}_1$ que dans celui de $\vec{r}_2$. Effectivement, la conservation de $\vec{j}_p$ se traduit par la relation :

$$r_1^2\, \vec{\omega}_1 = r_2^2\, \vec{\omega}_2 \qquad (VII.14)$$

III Théorème du moment cinétique

Nous allons nous intéresser maintenant à des systèmes isolés ou non. Je commencerai par le cas d'un système isolé comprenant deux points matériels. Ensuite j'établirai le théorème du moment cinétique dans le cadre de la mécanique classique.

1) SYSTÈME ISOLÉ DE DEUX POINTS MATÉRIELS

Considérons un système isolé du reste de l'univers, comprenant deux points matériels dont les vecteurs position, $\vec{r}_1$ et $\vec{r}_2$, et les quantités de mouvement, $\vec{p}_1$ et $\vec{p}_2$, sont repérés dans un référentiel d'inertie centré en un point O. Le moment cinétique, $\vec{J}$, de ce système, par rapport au point O, est défini par :

$$\vec{J} = \vec{j}_1 + \vec{j}_2 = \vec{r}_1 \times \vec{p}_1 + \vec{r}_2 \times \vec{p}_2 \qquad \text{(VII.15)}$$

Puisque les vecteurs $\vec{p}_i$ et $\vec{v}_i = \mathrm{d}\vec{r}_i/\mathrm{d}t$ sont colinéaires, et compte tenu du principe fondamental de la dynamique, on en déduit dans le cadre de la mécanique classique :

$$\frac{\mathrm{d}\vec{J}}{\mathrm{d}t} = \vec{r}_1 \times \vec{F}_{21} + \vec{r}_2 \times \vec{F}_{12} = \vec{M} \qquad \text{(VII.16)}$$

où $\vec{F}_{ij}$ est la force exercée par le point matériel i sur le point matériel j et où $\vec{M}$ est la somme des moments des deux forces par rapport au point O. Dans ce cadre, le « principe de l'action et la réaction » ($\vec{F}_{21} = -\vec{F}_{12}$) permet d'écrire :

$$\frac{\mathrm{d}\vec{J}}{\mathrm{d}t} = \vec{M} = (\vec{r}_2 - \vec{r}_1) \times \vec{F}_{12} = \vec{r} \times \vec{F}_{12} \qquad \text{(VII.17)}$$

où la position relative des deux points matériels, $\vec{r}$, est définie sur la figure VII.4.

A ce stade, deux méthodes sont possibles. J'exposerai celle que je préfère à la fin du paragraphe IV. Ici j'adopterai l'autre qui consiste à exploiter jusqu'au bout le principe de l'action et la réaction selon lequel les forces réciproques $\vec{F}_{21}$ et $\vec{F}_{12}$ sont

Figure VII.4.

La position relative des deux points matériels est repérée par $\vec{r} = \vec{r}_2 - \vec{r}_1$. Elle est indépendante de la position de O.

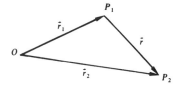

non seulement de sens opposés mais encore coaxiales et donc portées par le vecteur $\vec{r}$. La relation (VII.17) devient alors :

$$\frac{d\vec{J}}{dt} = \vec{0}; \quad \text{d'où} \quad \vec{J} = \overrightarrow{\text{cte}} \tag{VII.18}$$

Ceci s'énonce :

Le moment cinétique d'un système isolé de deux points matériels interagissant entre eux par des forces obéissant au principe de l'action et la réaction (forces coaxiales dites centrales) est indépendant du temps; c'est une constante du mouvement.

2)   SYSTÈME QUELCONQUE DE POINTS MATÉRIELS

Considérons maintenant un système S, comprenant un nombre quelconque de points matériels, en interaction avec le milieu extérieur. Son moment cinétique par rapport à un point O, fixe dans un référentiel d'inertie, est défini par :

$$\vec{J} = \sum_{i=1}^{N} \vec{j}_i = \sum_i \vec{r}_i \times \vec{p}_i \tag{VII.19}$$

On en déduit :

$$\frac{d\vec{J}}{dt} = \sum_i \vec{r}_i \times \vec{\varphi}_i = \vec{M} \tag{VII.20}$$

où $\vec{\varphi}_i$ est la force qui s'exerce sur le point matériel repéré par $\vec{r}_i$ et où $\vec{M}$ est la somme des moments de ces forces par rapport au point O.

Reprenons maintenant la méthode suivie au chapitre précédent pour établir le théorème du centre d'inertie (cf. fig. VI.6) et écrivons :

$$\vec{\varphi}_i = \vec{f}_i + \vec{F}_i \tag{VII.21}$$

où $\vec{f}_i$ est la force intérieure exercée sur ⓘ par l'ensemble des autres points matériels du système S et où $\vec{F}_i$ est la force extérieure agissant sur ⓘ. On fait apparaître ainsi le moment des forces intérieures, $\vec{M}_{in}$, et le moment des forces extérieures, $\vec{M}_{ex}$:

$$\vec{M} = \vec{M}_{in} + \vec{M}_{ex} \tag{VII.22}$$

où

$$\vec{M}_{in} = \sum_i \vec{r}_i \times \vec{f}_i; \quad \text{et} \quad \vec{M}_{ex} = \sum_i \vec{r}_i \times \vec{F}_i$$

Développant $\vec{f}_i$ grâce au principe de superposition (cf. relation VI.50) et exploitant le principe de l'action et la réaction (cf. fig. VI.7), on obtient $\vec{M}_{in} = 0$, et donc :

$$\boxed{\frac{d\vec{J}}{dt} = \vec{M}_{ex}} \tag{VII.23}$$

C'est le théorème du moment cinétique qui s'énonce :

Le rythme de variation du moment cinétique d'un système de points matériels est égal au moment des forces extérieures qui s'exercent sur ce système.

On en déduit que le moment cinétique d'un système de points matériels est une constante du mouvement quand ce système est isolé ou encore quand le moment des forces extérieures qui agissent sur lui est nul. C'est le cas dans l'exemple du patineur donné au début du chapitre. On le vérifiera aisément en prenant le point O sur l'axe de symétrie et en associant deux à deux des points matériels symétriques par rapport à cet axe.

IV Quelques remarques : du théorème à la loi

Il est souvent commode d'exprimer le moment cinétique d'un système en prenant le point O en son centre d'inertie et de faire apparaître deux contributions au moment cinétique total : l'une dite orbitale, l'autre dite intrinsèque.

1) MOMENTS CINÉTIQUES ORBITAL ET INTRINSÈQUE DES PLANÈTES

Considérons par exemple le système terre-soleil. Tout en bouclant en un an une ellipse autour du soleil, la terre tourne aussi en un jour sur elle-même, c'est-à-dire autour de son axe de symétrie, l'axe polaire. Le moment cinétique intrinsèque de la terre, noté $\vec{s}$, est tout simplement le moment cinétique associé à cette rotation diurne, soit :

$$\vec{s} = I_T \vec{\omega}_d \tag{VII.24}$$

où I_T est le moment d'inertie de la terre par rapport à l'axe polaire, et où $\vec{\omega}_d$ est la vitesse angulaire de la terre par rapport à cet axe, dans son mouvement de rotation diurne.

Par contre, le moment cinétique orbital de la terre, noté $\vec{\ell}$, caractérise sa rotation annuelle autour du centre d'inertie du système soleil-terre, pratiquement confondu avec le centre du soleil. A cette échelle, si l'on assimile la terre à un point matériel de masse M_T, il est donné par l'expression (VII.6), soit :

$$\vec{\ell} = M_T r^2 \vec{\omega}_a \tag{VII.25}$$

où r est la distance terre-soleil et où $\vec{\omega}_a$ est la vitesse angulaire de la terre par rapport au centre du soleil, dans son mouvement de rotation annuel. C'est uniquement ce moment cinétique orbital que j'ai pris en compte pour établir les lois Kepler car le moment cinétique intrinsèque des planètes joue un rôle négligeable dans ce contexte (cf. exercice VII.1).

2)   SPIN ET MOMENT CINÉTIQUE TOTAL DES PARTICULES

Tout constituant d'un système possède un moment cinétique intrinsèque nommé spin en anglais. Par exemple, les molécules qui constituent les objets qui nous environnent tournent sans cesse sur elles-mêmes à un rythme endiablé. Tout se passe comme s'il en était toujours ainsi pour des « points matériels physiques », autrement dit pour n'importe quel constituant d'un système. C'est le cas des électrons qui constituent le cortège atomique, des nucléons qui s'agitent dans les noyaux, et même des quarks assemblés dans les particules.

Ainsi, le moment cinétique total de chaque constituant d'un système est la somme de son moment cinétique intrinsèque, $\vec{s}$, et d'un moment cinétique orbital, $\vec{\ell}$, généralement calculé en prenant le point O au centre d'inertie du système. Il s'écrit :

$$\vec{j} = \vec{\ell} + \vec{s} \tag{VII.26}$$

On définit de même le moment cinétique total d'un système par :

$$\vec{J} = \sum_i \vec{j}_i = \sum_i (\vec{\ell}_i + \vec{s}_i) \tag{VII.27}$$

3)   SYSTÈMES MACROSCOPIQUES ET CHAOS MOLÉCULAIRE

Pour calculer le moment cinétique total d'un système macroscopique, comprenant un grand nombre de molécules laissées au hasard, on peut complètement négliger la contribution des spins de ces molécules. En effet, si rien n'est fait pour les aligner (par exemple dans un champ magnétique), on en dénombrera autant tournant dans un sens que dans l'autre et ceci avec des « axes » orientés de façon complètement aléatoire. L'agitation thermique est la « cause » de ce « chaos moléculaire », valable aussi bien pour la direction du mouvement des molécules que pour leur orientation. Dès lors, la somme des spins des molécules d'un tel système se réduit à zéro et le moment cinétique total du système s'obtient en traitant ses constituants comme des points matériels massifs mais sans spin. Nous avons adopté implicitement cette hypothèse depuis le début du chapitre et, sauf avis contraire, nous la garderons par la suite.

4)   UNIVERSALITÉ DE LA LOI DE CONSERVATION DE $\vec{J}$

L'une des conséquences du « théorème du moment cinétique », nous l'avons vu, est que le moment cinétique total d'un système isolé, est une quantité conservée. Pour établir ce résultat, nous avons exploité toutes les règles du jeu de la mécanique classique et en particulier la règle des actions réciproques (« principe de l'action et la réaction »). Il vaut mieux dépasser ce cadre formel car la conservation du moment cinétique total d'un système isolé est une loi fondée sur l'expérience et non sur une démonstration mathématique. Elle est respectée dans toutes les mécaniques et pour tous les systèmes isolés, quelle que soit la nature de leurs constituants : à ce jour, aucune expérience n'a remis en cause cette loi de conservation. On l'étend même à l'univers entier en invoquant le principe d'invariance par rotation que l'on tenterait de sauver s'il était contesté à l'avenir par une expérience.

5) RÈGLE CLASSIQUE DES ACTIONS RÉCIPROQUES

Partant des lois de conservation de la quantité de mouvement et du moment cinétique d'un système isolé, toutes deux universellement respectées, on peut établir la règle des actions réciproques d'un emploi limité à la mécanique classique. En effet, l'ensemble de ces deux lois conduit, dans le cadre des approximations classiques, aux relations :

$$\vec{F}_{21} = -\vec{F}_{12}; \qquad \text{et} \qquad \vec{r} \times \vec{F}_{21} = \vec{0} \qquad\qquad (VII.28)$$

La relation de droite est déduite de l'expression (VII.17) pour $\mathrm{d}\vec{J}/\mathrm{d}t = \vec{0}$. Elle indique que $\vec{F}_{21}$ et $\vec{r}$ sont deux vecteurs portés par un même axe et qu'en conséquence $\vec{F}_{21}$ est une force centrale. Ainsi, on peut énoncer la règle des actions réciproques dans sa forme finale :

Dans le cadre de la mécanique classique, les forces réciproques qui s'exercent entre deux points matériels (sans spin) sont centrales, de même intensité et de directions opposées.

Dans cet énoncé, le terme « sans spin » est entre parenthèses car je vous rappelle qu'un point matériel newtonien est par définition une entité sans spin : un concept classique que nous avons utilisé pour établir les relations (VII.28). Si j'emploie le pléonasme « point matériel sans spin », c'est pour bien insister sur le fait que la conservation du moment cinétique n'interdit pas que des particules ayant un spin exercent les unes sur les autres des forces non centrales. Bien au contraire, il existe de telles forces, par exemple entre deux nucléons.

Voilà une raison de plus pour ne pas ériger en « principe » la règle des actions réciproques : c'est une règle de la mécanique classique des points matériels newtoniens, entités qui, en vertu de la loi de conservation du moment cinétique, ne peuvent engendrer que des forces centrales réciproques, encore appelées forces newtoniennes.

V Solides indéformables à symétrie axiale

La conservation du moment cinétique s'applique à des systèmes isolés indéformables ou non. Maintenant, je vais me limiter au cas particulier des solides indéformables présentant une symétrie axiale, comme par exemple la toupie représentée sur la figure VII.5. Pour commencer je supposerai que l'axe de symétrie de cet objet est astreint à rester fixe.

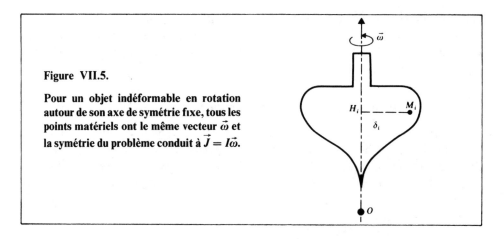

Figure VII.5.

Pour un objet indéformable en rotation autour de son axe de symétrie fixe, tous les points matériels ont le même vecteur $\vec{\omega}$ et la symétrie du problème conduit à $\vec{J} = I\vec{\omega}$.

1) MOMENT CINÉTIQUE PAR RAPPORT À UN POINT DE L'AXE DE ROTATION

Considérons donc un tel système en rotation autour de son axe fixe. Pour calculer son moment cinétique, $\vec{J}$, exploitons la symétrie du problème et prenons le point O sur cet axe. Chaque point matériel ⓘ est repéré par $\overrightarrow{OM}_i$ que l'on peut écrire :

$$\overrightarrow{OM_i} = \overrightarrow{OH_i} + \overrightarrow{H_iM_i} \tag{VII.29}$$

où H_i est la projection orthogonale de M_i sur l'axe. On a donc :

$$\vec{J} = \sum_i \overrightarrow{OH_i} \times \vec{p}_i + \sum_i \overrightarrow{H_iM_i} \times \vec{p}_i \tag{VII.30}$$

où $\vec{p}_i$ est la quantité de mouvement de ⓘ.

Pour le système considéré, deux points matériels symétriques par rapport à l'axe, ⓘ et ⓘ', sont caractérisés par :

$$\overrightarrow{OH_{i'}} = \overrightarrow{OH_i}; \quad \text{et} \quad \vec{p}_{i'} = -\vec{p}_i \tag{VII.31}$$

Dès lors, en associant deux à deux ces points matériels, on démontre que la première somme de l'expression (VII.30) est nulle, et l'on obtient :

$$\vec{J} = \sum_i \overrightarrow{H_iM_i} \times m_i\vec{v}_i = \vec{\omega} \sum_i m_i(H_iM_i)^2 \tag{VII.32}$$

où m_i est la masse de ⓘ et où l'on a fait apparaître la vitesse angulaire $\vec{\omega}$, la même ici pour tout ⓘ, reliée à la vitesse $\vec{v}_i$ par :

$$\vec{v}_i = \vec{\omega}_i \times \overrightarrow{H_iM_i} = \vec{\omega} \times \overrightarrow{H_iM_i} \tag{VII.33}$$

Ainsi le moment cinétique par rapport à un point de l'axe de symétrie d'un solide indéformable en rotation autour de cet axe est donné par :

$$\vec{J} = I\vec{\omega} \tag{VII.34}$$

où $\vec{\omega}$ est la vitesse angulaire commune à tous les points matériels de ce système, par rapport à son axe de symétrie, et où I est le moment d'inertie du système par rapport à cet axe défini par :

$$I = \sum_i m_i (H_i M_i)^2 = \sum_i m_i \delta_i^2 \qquad \text{(VII.35)}$$

On retrouve ici les résultats escomptés dans l'approche qualitative du paragraphe I de ce chapitre.

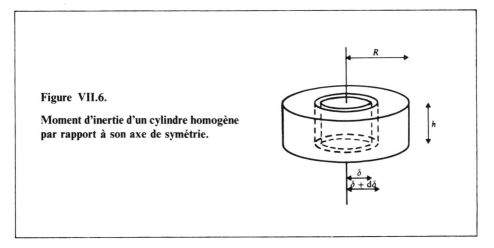

Figure VII.6.

**Moment d'inertie d'un cylindre homogène
par rapport à son axe de symétrie.**

2)   CALCUL DU MOMENT D'INERTIE PAR RAPPORT À L'AXE

Le calcul du moment d'inertie d'un système n'est simple que dans des cas particuliers. A titre d'exemple, prenons le cas d'un cylindre plein homogène (densité ρ constante dans tout le volume) de rayon R et de hauteur h (cf. fig. VII.6). Soit dm la masse contenue dans la couronne cylindrique de rayon intérieur δ et de rayon extérieur $\delta + d\delta$. Puisque tous les points matériels de même masse situés à une même distance de l'axe apportent une même contribution au moment d'inertie du cylindre, la contribution différentielle de dm est donnée par :

$$dI = \delta^2 dm = \delta^2 \rho dv \qquad \text{(VII.36)}$$

où dm est la différentielle de m et où dv est l'élément différentiel de volume associé à dm. Si dδ est la différentielle de δ, on a d$v = 2\pi\delta \cdot d\delta \cdot h$, et donc :

$$dI = 2\pi h \rho \delta^3 d\delta \qquad \text{(VII.37)}$$

Pour obtenir le moment d'inertie du cylindre plein, il ne reste plus qu'à intégrer dI dans tout le volume, c'est-à-dire pour δ variant entre O et R :

$$I = \int_0^R 2\pi h \rho \delta^3 d\delta = \left[2\pi h \rho \frac{\delta^4}{4} \right]_0^R = \frac{1}{2} M R^2 \qquad \text{(VII.38)}$$

où $M = \pi R^2 h \rho$ est la masse totale du cylindre plein.

Un calcul comparable doit être effectué dans chaque cas particulier en exploitant la symétrie du problème, quand elle existe. Un résultat très utile est celui qui concerne une sphère pleine homogène en rotation autour d'un axe passant par son centre. Si M est la masse de cette sphère de rayon R, on obtient :

$$I = \frac{2}{5} MR^2 \qquad (VII.39)$$

3) ÉNERGIE DE ROTATION ET PROBLÈME DES ROTATIONS RELATIVISTES

Lorsqu'on connaît le moment d'inertie d'un solide indéformable en rotation autour de son axe de symétrie, on peut facilement calculer son énergie cinétique de rotation, E_c, quand cet axe est fixe. En effet, puisque la vitesse angulaire de tous les points matériels du système est alors la même, on a :

$$E_c = \sum_i \frac{1}{2} m_i v_i^2 = \frac{1}{2} \omega^2 \sum_i m_i \delta_i^2 = \frac{1}{2} I\omega^2 \qquad (VII.40)$$

Notons que ce résultat ne s'applique pas en mécanique relativiste où l'énergie cinétique d'un point matériel n'est pas donnée par $mv^2/2$, mais par la relation (VI.36). De façon générale, aucune des expressions établies depuis le début du paragraphe V n'a de sens en mécanique relativiste. En effet, lorsqu'un point matériel tourne autour d'un axe à la vitesse angulaire $\vec{\omega}$ donnée, sa vitesse $\vec{v}$ est d'autant plus grande qu'il est loin de l'axe. Dans un cadre relativiste ceci se répercute sur les masses qui croissent du centre à la périphérie du système. Nous avons négligé cet aspect.

Plus fondamentalement encore, la notion même d'objet indéformable est problématique. S'il existait des objets jouissant de cette propriété « idéale », on pourrait, en les déplaçant calmement, transférer par contact des informations d'une de leur extrémité à l'autre à vitesse infinie ; ce que rejette la relativité. Je n'aborderai pas ici cette question posée à la physique des solides par la mécanique relativiste : elle est encore mal résolue. Je voulais simplement signaler au passage qu'elle complique la théorie des systèmes relativistes en rotation, comme des « trous noirs ».

VI   Illustration de la loi et du théorème

Avant de conclure, je vais maintenant illustrer une dernière fois toutes les notions introduites dans ce chapitre. Je commencerai par un système qui conserve le moment cinétique.

1)   LE MOMENT DES FORCES INTÉRIEURES N'INFLUE PAS SUR $\vec{J}$

Soit par exemple un cylindre C_1 en rotation autour de son axe de symétrie disposé à la verticale à proximité du sol terrestre (cf. fig. VII.7). Si l'on néglige les frottements, les seules forces extérieures qui agissent sur les points matériels de C_1 sont celles de pesanteur. Leur intensité ne dépend que de la masse du point matériel considéré.

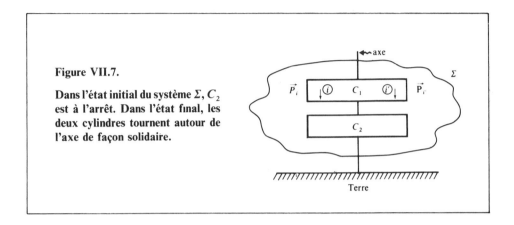

Figure VII.7.

Dans l'état initial du système Σ, C_2 est à l'arrêt. Dans l'état final, les deux cylindres tournent autour de l'axe de façon solidaire.

Pour démontrer que la somme, sur tout le cylindre, des moments de ces forces est nulle, il suffit d'associer deux à deux des points matériels ⓘ et ⓘ' symétriques par rapport à l'axe : le moment de la force de pesanteur agissant sur ⓘ, $\vec{P}_i$, compense celui de $\vec{P}_{i'}$. On en déduit, grâce au théorème du moment cinétique, que C_1, bien que non isolé, garderait son moment cinétique, $\vec{J} = I\vec{\omega}$, si l'on pouvait négliger tous les frottements*.

A présent, mettons le cylindre C_1, initialement à la vitesse angulaire $\vec{\omega}$, en contact avec un cylindre C_2, identique (même moment d'inertie I), coaxial, mais initialement à l'arrêt. Les deux cylindres vont frotter l'un sur l'autre et, après un certain temps, le système Σ constitué de l'ensemble C_1 et C_2 tournera autour de l'axe commun à la vitesse angulaire $\vec{\omega}_F$.

Si l'on néglige les frottements extérieurs à ce système, c'est-à-dire si l'on ne prend en compte que les frottements intérieurs à Σ qui s'exercent entre C_1 et C_2, alors le moment des forces extérieures à Σ (pesanteur) est nul pour la même raison (de symétrie) que dans le cas d'un seul cylindre. Or, le théorème du moment cinétique montre que le moment des forces intérieures à un système n'intervient pas dans l'évolution de son moment cinétique (cf. relation VII.23). Donc le moment cinétique de Σ est une quantité conservée quand on néglige les frottements extérieurs, et ceci quelle que soit l'intensité des frottements intérieurs.

---

* Les réactions de l'axe sur le cylindre n'interviennent pas car leur moment par rapport à cet axe est nul.

Ainsi, en négligeant uniquement les frottements extérieurs, le moment cinétique de Σ, $\vec{J} = \vec{J}_{C_1} + \vec{J}_{C_2}$, se conserve et, pour les états initial et final, on a la relation :

$$I\vec{\omega} + \vec{0} = I\vec{\omega}_F + I\vec{\omega}_F \qquad \text{(VII.41)}$$

soit :

$$\vec{\omega}_F = \vec{\omega}/2 \qquad \text{(VII.42)}$$

2)   VERTU DES LOIS DE CONSERVATION

Bien que le moment cinétique du système soit conservé tout au long de la transformation, il faut noter, par contre, que l'énergie cinétique varie. En effet, l'énergie de rotation dans l'état initial, $E_c = I\omega^2/2$, est supérieure à l'énergie de rotation dans l'état final, $E_c(F) = (2I)\,\omega_F^2/2$. Entre ces deux états, on a :

$$\Delta E_c = E_c(F) - E_c = -I\omega^2/4 = -E_c/2 \qquad \text{(VII.43)}$$

Ce résultat s'interprète dans le cadre du théorème de l'énergie cinétique (cf. relation V.67) : la variation d'énergie cinétique d'un système est égale à la somme des travaux des forces intérieures et extérieures. Ici le travail des forces extérieures est pratiquement nul si C_1 et C_2 sont très proches dans l'état initial (on rend négligeable le travail nécessaire pour amener C_1 au contact de C_2). La variation d'énergie cinétique provient donc du travail des forces intérieures : les frottements entre C_1 et C_2 qui permettent d'aboutir à un état d'équilibre du système dans lequel les deux cylindres tournent de façon solidaire.

Ainsi, sans même rien connaître de la structure moléculaire des deux cylindres, le couplage des théorèmes du moment cinétique et de l'énergie cinétique permet d'affirmer que, dans le cas présent, la moitié de l'énergie de rotation initiale a été dissipée dans l'état final en chaleur, en énergie de vibration, en photons, etc. dans des proportions qui, elles, dépendent de la structure matérielle des cylindres. On retrouve ici, à propos du moment cinétique et de l'énergie, la vertu des lois de conservation déjà signalée au chapitre précédent (cf. paragraphe I.5), à propos de la quantité de mouvement et de l'énergie.

Cette possibilité de prévoir des résultats précis, indépendamment de la structure des systèmes et de la nature de leurs constituants, est exploitée dans toutes les études de collision d'atomes, de noyaux, ou de particules, et plus généralement lorsque deux sous-systèmes sont amenés à interagir.

3)   PRÉCESSION D'UNE TOUPIE SYMÉTRIQUE

Voyons maintenant le cas d'un système dont le moment cinétique varie en orientation. Par exemple, regardons une toupie abandonnée avec son axe écarté d'un angle α par rapport à la verticale (cf. fig. VII.8). Si sa pointe reste en un point O du sol,

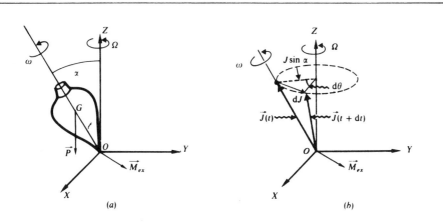

Figure VII.8.

Précession d'une toupie symétrique dans le champ de pesanteur. Le vecteur $\vec{J}$ garde un module constant, mais son orientation change car le vecteur $\mathrm{d}\vec{J}$, parallèle à $\vec{M}_{\mathrm{ex}}$, est perpendiculaire au plan tournant à la vitesse angulaire $\vec{\Omega}$ défini en chaque instant par $\overrightarrow{OG}$ et $\vec{P}$. Dans l'approximation $\vec{\Omega} \ll \vec{\omega}$, $\overrightarrow{OG}$ et $\vec{J}$ sont colinéaires.

on observe que chaque point de l'axe décrit un cercle en un temps d'autant plus bref que la vitesse angulaire $\vec{\omega}$ de la toupie est faible. Ce mouvement de l'axe s'appelle « précession de la toupie autour de la verticale ».

L'interprétation de ce phénomène repose sur le théorème du moment cinétique. Lorsqu'on néglige les pertes par frottement il s'écrit ici :

$$\frac{\mathrm{d}\vec{J}}{\mathrm{d}t} = \overrightarrow{OG} \times \vec{P} \tag{VII.44}$$

où $\vec{J}$ est le moment cinétique de la toupie par rapport au point O, supposé fixe, où G est son centre d'inertie, et où $\vec{P}$ est son poids. Pour le montrer, calculons le moment par rapport à O des forces extérieures de pesanteur qui s'exercent sur les points matériels du système, soit, en faisant apparaître G :

$$\vec{M}_{\mathrm{ex}} = \sum_i \overrightarrow{OM_i} \times \vec{F}_i = \sum_i \overrightarrow{OG} \times \vec{F}_i + \sum_i \overrightarrow{GM_i} \times \vec{F}_i \tag{VII.45}$$

où $\vec{F}_i$ est la force de pesanteur agissant sur le point matériel repéré par $\overrightarrow{OM_i}$. Mais $\vec{F}_i = m_i\vec{g}$, où $\vec{g}$ est le champ de pesanteur ; et $\sum_i \vec{F}_i = \vec{P} = M\vec{g}$, où M est la masse totale de la toupie. On a donc :

$$\vec{M}_{ex} = \overrightarrow{OG} \times \sum_i \vec{F}_i + \left(\sum_i m_i\overrightarrow{GM_i}\right) \times \vec{g} = \overrightarrow{OG} \times \vec{P} \tag{VII.46}$$

En effet, le deuxième terme du premier membre de droite est nul par définition du centre d'inertie :

$$\sum_i m_i \overrightarrow{GM}_i = M\overrightarrow{GG} = \vec{0} \tag{VII.47}$$

Ainsi on aboutit à la relation (VII.44). Elle indique que la variation élémentaire du moment cinétique, $\mathrm{d}\vec{J}$, est en chaque instant perpendiculaire au plan défini par $\overrightarrow{OG}$ et $\vec{P}$. Quand on peut négliger la contribution au moment cinétique due au mouvement de précession (cas d'une précession lente par rapport au mouvement de rotation intrinsèque de la toupie), on en déduit que le vecteur $\overrightarrow{OG}$ (aligné avec $\vec{J}$ dans cette approximation) précesse autour de la verticale passant par O. Mais cette conclusion ne devient intuitive que si l'on a déjà observé et modélisé le phénomène. La première fois qu'on le rencontre, il est bon d'aller au rythme d'une formulation mathématique. La démarche est toujours la même : on cherche à construire des produits scalaires nuls de $\mathrm{d}\vec{J}/\mathrm{d}t$ avec un autre vecteur.

4)   THÉORIE À L'APPROXIMATION $\Omega \ll \omega$

Adoptons l'approximation, citée ci-dessus, qui consiste à négliger la contribution au moment cinétique due au mouvement de précession lui-même. Elle revient ici à supposer que la vitesse angulaire de précession par rapport à la verticale, notée $\vec{\Omega}$ (cf. fig. VII.8a) est négligeable devant la vitesse angulaire de la toupie, $\vec{\omega}$, par rapport à son axe de symétrie.

Quand cette approximation est justifiée, les vecteurs $\vec{J}$ et $\overrightarrow{OG}$ peuvent être traités comme pratiquement colinéaires (cf. fig. VII.8b). Dans ce cas le produit scalaire $\vec{J} \cdot (\overrightarrow{OG} \times \vec{P})$ est nul et la relation (VII.44) fournit :

$$\vec{J} \cdot \frac{\mathrm{d}\vec{J}}{\mathrm{d}t} = \frac{1}{2}\frac{\mathrm{d}(J^2)}{\mathrm{d}t} = 0 \tag{VII.48}$$

On en conclut que J^2 est indépendant du temps et donc que le module de $\vec{J}$ est une constante. Comme $\mathrm{d}\vec{P}/\mathrm{d}t = 0$, la même démarche permet d'écrire :

$$\vec{P} \cdot \frac{\mathrm{d}\vec{J}}{\mathrm{d}t} = \frac{\mathrm{d}(\vec{P} \cdot \vec{J})}{\mathrm{d}t} = 0 \tag{VII.49}$$

On en déduit que le produit $PJ \cos \alpha$ est une constante et, puisque les modules P et J sont eux-mêmes constants, que $\cos \alpha$ et donc α sont indépendants du temps.

Ainsi le lieu décrit par un point quelconque de l'axe de la toupie est un cercle contenu dans un plan parallèle au sol et centré sur la verticale passant par O. Pour obtenir la vitesse angulaire, $\vec{\Omega}$, d'un point de l'axe par rapport au centre du cercle qu'il décrit, notons tout d'abord que l'on a :

$$\|\mathrm{d}\vec{J}\| = J \sin \alpha \, \mathrm{d}\theta = J \sin \alpha \Omega \mathrm{d}t \tag{VII.50}$$

où θ est l'angle polaire repérant ce point dans le plan qui contient ce cercle et où $\Omega = \|\vec{\Omega}\|$. Mais on a aussi :

$$\|\overrightarrow{OG} \times \vec{P}\| = \|\overrightarrow{OG}\| \, \|\vec{P}\| \sin \alpha \tag{VII.51}$$

La relation (VII.44) entraîne donc :

$$J\Omega \sin \alpha = \ell P \sin \alpha \tag{VII.52}$$

où ℓ est la distance OG. Comme $J = I\omega$, où ω est la célérité angulaire de la toupie par rapport à son axe de symétrie, on obtient finalement :

$$\Omega = \frac{\ell M g}{\omega I} \qquad\qquad\qquad\qquad (\text{VII.53})$$

On notera que la vitesse angulaire de précession, $\vec{\Omega}$, décroît lorsque ω croît et qu'elle ne dépend pas de la masse de la toupie (puisque le moment d'inertie, I, est proportionnel à M) ni de l'angle α. Par exemple, si l'on assimile la toupie à un cylindre plein axé sur une tige de masse négligeable ($I = MR^2/2$), la relation (VII.53) devient :

$$\Omega = \frac{2\,\ell g}{\omega R^2} \qquad\qquad\qquad\qquad (\text{VII.54})$$

où R est le rayon du cylindre. Pour $\ell \simeq R \simeq 0{,}1$ m, et $\nu = \omega/2\pi \simeq 50$ tours/s, on obtient comme ordre de grandeur $N = \Omega/2\pi \simeq 0{,}2$ tour/s, soit une période de précession de l'ordre de 5 s. La condition $\Omega \ll \omega$ est alors bien remplie.

Signalons pour terminer que l'on observe, dans les premiers instants qui suivent le lancement d'une toupie, des petites oscillations de l'axe dans le plan de précession. Ce mouvement, dit de nutation, est en général amorti rapidement par les frottements, laissant la place nette à la précession.

5) GYROSCOPES

La précession d'une toupie dans le champ de pesanteur, et sa stabilité verticale pour $\alpha = 0$, caractérisent l'effet gyroscopique qui donne son nom au « gyroscope », sorte de toupie que l'on peut prendre à pleine main sans l'arrêter car elle est protégée par un anneau (cf. fig. VII.9) ou insérée dans une suspension à la Cardan.

Lorsque la roue centrale est bien lancée, cet objet, pris en main, résiste à tout changement d'orientation du vecteur $\vec{\omega}$. Si vous n'avez jamais éprouvé cette sensation, procurez-vous un gyroscope dans une boutique de jouets : c'est une démonstration vivante du théorème du moment cinétique. En le déposant sur le sol, vous pourrez également le voir précesser, ou rester vertical selon les conditions initiales. Ensuite,

Figure VII.9.

La toupie centrale tourne librement autour de son axe de symétrie même lorsqu'on prend le système en main grâce à l'anneau de protection.

placez-le sur le dos de la main avec son axe horizontal et minimisez les frottements au point de contact. En tournant sur vous-même, vous observerez que l'axe du gyroscope garde son orientation initiale : comme l'aiguille d'une boussole, il indique toujours la même direction. C'est dans cette configuration qu'on l'utilise en navigation marine, aérienne, balistique intercontinentale ou interplanétaire.

Une roue de bicyclette, alourdie aux jantes et axée sur une longue tige, décuple les sensations (cf. fig. VII.10). Par exemple, quand un opérateur, initialement immobile sur une plateforme (a), se met à aligner ce « gyroscope » sur la verticale, il commence par tourner, avec la plateforme, en sens inverse de la roue (b). En effet, la composante sur l'axe Oz, $M_{z(\text{ex})}$, du moment des forces extérieures (exercées par l'opérateur sur le système gyroscope-plateforme) est nulle en chaque instant, et le théorème du moment cinétique entraîne donc :

$$\frac{\mathrm{d}J_z}{\mathrm{d}t} = M_{z(\text{ex})} = 0 \tag{VII.55}$$

où J_z est la composante du moment cinétique du système (gyroscope-plateforme) sur Oz. Ainsi, dans ce cas particulier, J_z est une constante du mouvement. Comme dans l'état initial on a $J_z = 0$, dans l'état final la composante, $j_{g,z}$, du moment cinétique du gyroscope sur l'axe Oz doit être compensée par la composante, $j_{p,z}$, du moment cinétique de la plateforme en charge, sur ce même axe, selon la relation :

$$J_z = j_{g,z} + j_{p,z} = \text{cte} = 0 \tag{VII.56}$$

On en déduit l'effet observé.

Inconsciemment, nous exploitons ce genre d'effet dans nos mouvements. Le chat est un orfèvre en la matière. Qu'il glisse d'un toit ou qu'on le jette en l'air, il retombe toujours sur ses pattes. Pour cela il exploite tout son corps qu'il contracte, fléchit et étend selon un programme très complexe d'un point de vue formel. Aucun théoricien ne pourrait le décrire exactement, même en y travaillant sa vie entière. Des modèles sans rigueur existent. Mais il n'y a qu'un chat pour s'en sortir instinctivement en un instant (31).

Figure VII.10.

L'expérience peut être effectuée en remplaçant la plateforme mobile par un siège à axe. Si la roue tourne vite, la présence d'un chirurgien pourra être utile. Pour comprendre le phénomène, il faut noter que $\overrightarrow{M}_{\text{ex}}$ est perpendiculaire au plan contenant le bras de l'opérateur et l'axe Oz. On a donc $M_{z(\text{ex})} = 0$.

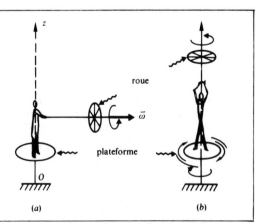

(a)   (b)

L'effet gyroscopique se manifeste un peu partout. La terre précesse dans le champ gravitationnel solaire. Les molécules, les atomes, les noyaux, les particules en font de même dans un champ magnétique externe. Des nutations durables se produisent aussi dans ce cas. Les nucléons ont parfois des mouvements semblables dans le champ fort de certains noyaux, etc... Ainsi le chat n'est pas le seul expert en gyroscopes.

VII Conclusions

Si les mouvements gyroscopiques ne sont pas faciles à décrire, pourtant leur interprétation repose sur un théorème très simple, le théorème du moment cinétique qui s'écrit, avec les notations du chapitre :

$$\frac{\mathrm{d}\vec{J}}{\mathrm{d}t} = \vec{M}_{\mathrm{ex}} \qquad\qquad (VII.57)$$

On en déduit que le moment cinétique d'un système (qu'il soit rigide ou non), se conserve quand le moment des forces extérieures qui agissent sur lui est nul. Pour qu'il en soit ainsi, il n'est pas nécessaire que ce système soit isolé. Quand il l'est, la conservation du moment cinétique est érigée en loi universelle, dans toutes les mécaniques. Sa violation remettrait en cause l'invariance des lois physiques par rotation. Ceci poserait le même genre de problème qu'une remise en cause du principe d'invariance des lois physiques par translation dans l'espace-temps.

La loi de conservation du moment cinétique s'applique à tous les mouvements. Ici, je l'ai surtout illustrée par des exemples de rotation (patineur) ou de systèmes liés (lois de Kepler). Dans la troisième partie qui s'annonce, je vais l'exploiter pour décrire des systèmes non liés et, en particulier, des collisions.

Exercices

VII.1. Une météorite de masse m a, très loin de la Terre, une vitesse $\vec{v}_0$ portée par un axe Δ situé à une distance b du centre T de la Terre. La trajectoire de cette météorite est déviée par le champ gravitationnel terrestre. Elle passe, au point H, à une distance minimale de T, notée d. On supposera que la Terre reste immobile dans un référentiel d'inertie. On veut déterminer à partir de quelle valeur de b la météorite s'écrasera sur la Terre (ou se volatilisera dans l'atmosphère terrestre).

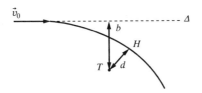

1) Citer, en justifiant la réponse, les quantités conservées.

2) Déterminer le moment cinétique de la météorite par rapport à T, puis exprimer sa norme en fonction de m, b et $v_0 = \| \vec{v_0} \|$.

3) Lorsque la météorite passe en H, sa vitesse $\vec{v_H}$ est orthogonale à $\overrightarrow{TH}$. Démontrer ce résultat utile par la suite.

4) Exprimez la norme du moment cinétique en fonction de m, d et $v_H = \| \vec{v_H} \|$.

5) En explicitant les lois de conservation citées en 1), établir l'expression de b en fonction de d et des données de l'exercice, à savoir v_0, m, G, M où G est la constante de Newton et où M est la masse de la Terre.

6) Les météorites les plus fréquemment observées ont des célérités initiales, v_0, comprises entre 10 km s^{-1} et 50 km s^{-1}. Pour $v_0 = 30$ km s^{-1}, calculer la valeur de b en dessous de laquelle la météorite rentrera en contact avec l'atmosphère. On donne $G \simeq 7 \cdot 10^{-11}$ S.I., $g \simeq 10$ m s^{-2}, $M \simeq 6 \cdot 10^{24}$ kg, $R_T \simeq 6,4 \cdot 10^6$ m (rayon de la Terre) et l'on néglige l'épaisseur de l'atmosphère.

7) Pour cette valeur de b qu'arrivera-t-il à des météorites ayant des célérités initiales v_0 inférieures ou supérieures à 30 km s^{-1} ? (S)

VII.2. *Pendule simple : effet d'une variation de longueur sur l'amplitude des oscillations*
Nous allons déterminer l'effet des variations de la longueur d'un pendule simple sur l'amplitude de ses oscillations. On tentera d'en déduire des techniques de prise d'élan dans diverses activités physiques.

1) Notons ℓ_0 la longueur du pendule et θ_0 (positif) l'écart angulaire entre celui-ci et la verticale lorsqu'on le lâche avec une vitesse nulle. Exprimer la vitesse angulaire du pendule, puis son moment cinétique par rapport à son point d'attache O, lorsqu'il passe à la verticale de celui-ci, en fonction de θ_0, ℓ_0, g et m, en supposant $\theta_0 \ll 1$ rd.

2) Quelle est la variation de ce moment cinétique si, à l'instant de son passage à la verticale, la longueur du pendule devient brusquement ℓ_1 ? Faites cette expérience en tenant en main l'autre extrémité du fil, qu'on fera coulisser en O dans un anneau ou sur une tige.

3) En déduire l'amplitude θ_1 de l'oscillation, en fonction de θ_0, ℓ_0 et ℓ_1 (ℓ_1 supposé constant après la modification de longueur). Que doit valoir ℓ_1 pour que $\theta_1 = 2\,\theta_0$?

4) Déterminer l'énergie mécanique du pendule avant et après modification de sa longueur. Calculer la différence entre ces deux valeurs en fonction de m, g, ℓ_0, θ_0 et ℓ_1/ℓ_0. Préciser et expliquer le signe de cette différence dans le cas $\ell_1 < \ell_0$. Par un développement limité au premier ordre du résultat précédent, déterminer cette différence lorsque la variation de longueur est très faible. Retrouver ce dernier résultat par un calcul différentiel sur l'énergie du pendule.

5) Si la longueur du pendule ne peut avoir que deux valeurs différentes et assez proches, pouvez-vous déduire de l'étude précédente une méthode permettant de le faire osciller avec une amplitude toujours croissante ? Quel est alors l'accroissement d'amplitude à chaque cycle ? Comment utiliser cet effet sur une balançoire ?

6) Pour faire passer la longueur du pendule de ℓ_0 à ℓ_1 ($\ell_1 < \ell_0$) lorsqu'il est vertical, on aurait pu adopter une autre méthode. Celle-ci consiste à disposer sous le point de suspension du pendule une tige horizontale, sur laquelle le fil vient buter. Comparer la valeur de θ_1 obtenue dans ce cas avec celle déterminée en 3) et commenter. (S)

VII.3. Une échelle, de longueur $\ell = 4$ m et de masse $m = 20$ kg, s'appuie en B sur un mur vertical lisse (pas de frottement) et en A sur un sol horizontal rugueux (coefficient de frottement $\mu_A = 0,4$). Le centre de masse de l'échelle est situé au tiers de sa hauteur.

1) Jusqu'à quelle inclinaison l'échelle peut-elle rester en équilibre ?

2) Jusqu'où un homme de masse $M = 70$ kg peut-il monter sur l'échelle inclinée de $\theta = 60°$ par rapport à l'horizontale ? Pour quelles valeurs de θ peut-il atteindre le haut de l'échelle ?

3) Comment le résultat de 1) est-il modifié si le contact avec le mur est également rugueux (coefficient de frottement μ_B)? (S)

VII.4. *A quelles conditions un objet bascule-t-il avant de glisser (ou l'inverse)?*
On considérera un parallélépipède homogène, de hauteur h, dont la base est un carré de côté ℓ, posé (deux de ses faces étant verticales) sur un plan incliné d'un angle α variable par rapport à l'horizontale. On désigne par μ le coefficient de frottement de l'objet sur le plan.
1) Écrire les conditions d'équilibre de l'objet sur le plan incliné (ni glissement, ni basculement).

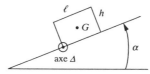

2) En déduire, en fonction de $r = \ell/h$, la valeur minimale de α pour laquelle l'objet bascule. Quelle est alors sa position? Déterminer ensuite, en fonction de μ, la valeur de α pour laquelle l'objet commence à glisser.
3) A quelle condition sur r et μ le glissement se produit-il avant le basculement? En déduire la forme qu'on doit donner à un objet pour éviter qu'il ne bascule ou au contraire pour que, malgré un angle α très faible, il puisse basculer en permanence (roulement). (S)

VII.5. Soit le dispositif schématisé sur la figure ci-dessous. Les deux ailettes rivées à l'axe de rotation, maintenu fixe et vertical, sont identiques et contenues dans le même plan vertical. Chacune d'entre elles, homogène et infiniment mince, est assimilable à un triangle rectangle de hauteur h. Sur l'axe de rotation on a fixé un cylindre de rayon r autour duquel est enroulé un fil inextensible. A l'extrémité de ce fil est attachée une masse M servant à mettre en mouvement les ailettes par l'intermédiaire d'une poulie. On veut étalonner ce dispositif à l'aide du poids $\vec{P} = M\vec{g}$, pour l'utiliser comme régulateur d'un moteur. On néglige les moments d'inertie de l'axe de rotation, du cylindre et de la poulie, ainsi que tous les frottements dissipatifs à l'exception de ceux qu'excerce l'air sur les ailettes. On note I le moment d'inertie de l'ensemble des deux ailettes par rapport à l'axe Δ, $\vec{\omega}$ leur vitesse angulaire et $\vec{\mu}$ le moment résultant par rapport à Δ des forces de frottement de l'air sur les deux ailettes.

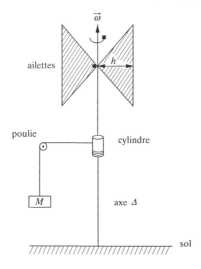

1) Exprimer $d\omega/dt$ ($\omega = \|\vec{\omega}\|$) en fonction de P, r, I et $\mu = \|\vec{\mu}\|$.

2) Si l'on pouvait négliger la résistance de l'air sur les ailettes comment varierait ω en fonction du temps, les ailettes étant initialement immobiles ?

3) En fait, comme la résistance de l'air, et donc μ, croissent en fonction de ω, les ailettes vont atteindre une vitesse angulaire limite. Pour qu'il en soit ainsi, quelle relation doit-on avoir entre μ, r et P ?

4) On veut maintenant exprimer μ en fonction de ω en supposant que la force exercée par l'air sur l'élément de surface ds, a pour intensité :

$$df = \|\vec{df}\| = C_x \rho \, ds \, v^2/2 = k \, ds \, v^2$$

où C_x est une constante, ρ la masse volumique de l'air, ds l'aire de l'élément de surface de l'ailette ayant la vitesse $\vec{v}$ et $k = C_x \rho/2$. Quelle est la dimension du coefficient C_x ?

5) Pour calculer μ, on décompose les ailettes en petits éléments assimilés à des rectangles de largeur dx repérés par leur distance x à l'axe Δ. Exprimer l'aire de ces rectangles, ds, en fonction de x et dx, puis leur célérité v en fonction de x et ω. En déduire $d\mu$ en fonction de k, ω, x et dx, où $d\mu$ est la norme du moment de la force de frottement de l'air associée à l'élément d'aire ds.

6) En déduire l'expression de μ en fonction de ω, k et h.

7) Donner alors l'expression de la célérité angulaire, ω_ℓ, en fonction de k et des paramètres du dispositif. Vérifier l'homogénéité de la formule obtenue.

8) Pour $r = 0,01$ m, $h = 0,2$ m, $k = 0,2$ S.I. quelle masse M faut-il utiliser pour que les ailettes accomplissent 10 tours par seconde quand elles ont atteint leur vitesse angulaire limite ?

9) En horlogerie on utilise ce dispositif à une échelle réduite d'un facteur 10, les ailettes tournant néanmoins à une fréquence comparable ($\simeq 10$ tours par seconde). Calculer l'intensité de la force (analogue de la tension) que pourra réguler le dispositif réduit, en supposant bien entendu que le cylindre sur lequel agit cette force est lui aussi réduit d'un facteur 10.

10) Pour trouver, à présent, comment varie ω, à partir de ω_ℓ, une fois que le poids a touché le sol, il suffit de résoudre l'équation différentielle à laquelle satisfait ω dans ce cas. Effectuer ce calcul et donner l'expression de $\omega(t)$ en fonction de I, k, h et ω_ℓ.

11) Après avoir calculé I, réexprimer le résultat précédent en fonction de ω_ℓ, k, h et m, la masse d'une ailette.

12) Si l'on suppose que (à cause des frottements solides, jusqu'ici négligés) les ailettes s'arrêtent instantanément lorsque leur fréquence n'est plus que de 0,1 tour par seconde, calculer le temps nécessaire à l'arrêt des ailettes avec les valeurs numériques données à la question 8) et en prenant $m = 0,05$ kg.

13) Même question pour le dispositif réduit d'un facteur 10.

14) Enfin, on veut calculer le temps qui s'écoule entre le démarrage des ailettes et l'obtention de ω_ℓ, à 1 % près, lorsque l'on utilise le dispositif initial et la masse déterminée à la question 8). Pour cela on vérifiera d'abord que la solution de l'équation différentielle du système peut être mise sous la forme :

$$\omega(t) = \omega_\ell \left(1 - \frac{2}{1 + \exp(2\beta\omega_\ell t)} \right) = \omega_\ell \, \text{th} \, (\beta\omega_\ell t) \quad \text{où} \quad \beta = \frac{4kh^5}{5 \, (mh^2 + Mr^2)} \text{ (S)}$$

VII.6. Montrer que le moment cinétique intrinsèque de la terre est négligeable devant son moment cinétique orbital par rapport au soleil.

VII.7. Montrer que le moment cinétique du soleil par rapport au centre de masse du système Terre-Soleil est négligeable devant le moment cinétique de la terre par rapport à ce même point.

VII.8. Si toutes les molécules qui constituent la page de ce livre tournaient dans le même sens autour d'axes perpendiculaires à cette page, que ressentiriez-vous en la tournant?

VII.9. Soit une plaque rectangulaire dont la longueur est le double de la largeur. Par rapport à quel axe contenu dans le plan de la plaque le moment d'inertie du système est-il minimum?

VII.10. Quel est l'objet à symétrie axiale, de masse donnée et fait d'un matériau donné, qui possède le plus petit moment d'inertie par rapport à son axe de symétrie?

VII.11. Dites comment fonctionne un gyrocompas de marin.

VII.12. Décrivez les techniques du saut périlleux et du saut en vrille et interprétez-le qualitativement.

VII.13. Reprendre le problème de la précession d'une toupie symétrique en vous plaçant dans le référentiel $(O'X'Y'Z')$ tournant à la vitesse angulaire $\vec{\Omega}$ autour de OZ (on prendra O' confondu avec O et $O'Z'$ confondu avec OZ; cf. fig. VII.8)

1) Calculer le moment des pseudo-forces par rapport à O.
2) En exploitant le théorème du moment cinétique, montrer que l'équation du second degré en Ω, à laquelle on parvient, n'a qu'une racine physiquement acceptable.
3) Retrouver le résultat (VII.53) pour $\Omega \ll \omega$.

VII.14. Quels sont les éléments d'un vélo qui entrent dans sa stabilité dynamique?

TROISIÈME PARTIE

Quelques techniques de la théorie

La mécanique peut devenir une «seconde nature» à force de techniques. Dans un livre, on ne peut raisonnablement introduire que des «techniques théoriques». J'ai choisi d'en présenter quelques-unes en les regroupant autour de deux thèmes généraux : les systèmes à deux corps (chapitre VIII) et le problème à N corps (chapitre IX). Les éléments de mécanique accumulés dans les deux premières parties vont donc s'articuler maintenant sur quelques synthèses.

1)   SYSTÈMES À DEUX CORPS

La méthode la plus directe pour obtenir des renseignements sur la nature des interactions fondamentales consiste à étudier les propriétés des systèmes constitués de deux éléments, dits «à deux corps». Par exemple, c'est en étudiant le système terre-lune que Newton a été mis sur la voie de la loi de gravitation qui porte son nom. De même, quand la théorie de l'interaction électromagnétique est devenue très précise, c'est vers l'atome d'hydrogène, système électron-proton, que l'on s'est tout d'abord tourné pour la mettre à l'épreuve de l'expérience. Et c'est le noyau de deutérium que l'on a choisi pour apprendre à mieux connaître l'interaction forte car il ne comporte qu'un proton et un neutron, c'est-à-dire deux nucléons.

Tous ces exemples portent sur des états liés. En fait, on obtient des renseignements encore plus fins sur les interactions fondamentales en étudiant des collisions à deux corps, c'est-à-dire les états libres d'un système constitué de deux éléments. Par exemple, bien des caractéristiques de l'interaction forte ont été précisées quand la construction d'accélérateurs de protons a permis d'effectuer des expériences de collision proton-proton et proton-neutron. Dans de telles expériences, on peut faire varier à volonté l'énergie et le moment cinétique du système. Les partenaires sont donc amenés à interagir à des vitesses et à des distances rela-

tives variables. On comprend alors qu'une analyse détaillée des résultats expérimentaux conduise vers l'expression analytique des forces mises en jeu et, en particulier, vers leur loi de variation en fonction de la distance relative des deux corps.

2)   PROBLÈME À *N* CORPS

Cela dit, nous savons (cf. chapitre I) qu'il n'est pas nécessaire d'avoir une
connaissance très précise des interactions à deux corps pour interpréter les principales propriétés d'ensemble des systèmes comprenant un grand nombre d'éléments, appelés systèmes à N corps. Le problème à 3 corps n'a déjà pas de solution
analytique générale et avec N élevé il faut recourir à des modèles pour rendre
compte aussi bien des propriétés statiques des objets considérés que de leurs changements de phase éventuels ou d'autres phénomènes collectifs comme leurs rotations et leurs vibrations.

Ces modèles font appel à des analogies et s'appuient formellement sur les
méthodes générales de résolution du problème à N corps. Bien souvent, il s'agit
d'effectuer un traitement statistique du système. Un prototype de ces méthodes est
la théorie cinétique des gaz. Au chapitre IX, j'en donnerai une version élémentaire
que j'appliquerai pour décrire la vie des étoiles. Ensuite, je préciserai la notion
d'énergie interne et je terminerai cette troisième partie en décrivant des transformations. La lecture de l'appendice B sera alors bien venue : elle permettra d'approfondir les rudiments de physique statistique fournis à propos de la théorie cinétique
des gaz.

CHAPITRE VIII

Systèmes à deux corps

La méthode générale de résolution du problème à deux corps se déroule toujours de la même façon, dans toutes les mécaniques et quelle que soit la nature de l'interaction qui couple les deux corps. Je l'exposerai dans le cadre formel de la mécanique classique. Pour l'illustrer, j'ai choisi des exemples dans divers secteurs de la physique : vibration d'une molécule diatomique, mouvement des planètes, lancement d'un satellite artificiel, états de l'atome d'hydrogène, découverte du noyau atomique... Au passage, j'aurai cité quelques notions de physique quantique de façon à indiquer les limites de la mécanique classique dans le domaine « microscopique ».

I   Généralités : le problème et sa solution

Soient donc deux corps assimilables à des points matériels de masses m_1 et m_2 repérés en P_1 et P_2 par $\vec{r}_1$ et $\vec{r}_2$ dans un référentiel centré en O (cf. fig. VIII.1). Si ces deux corps forment un système isolé, dans le cadre de la mécanique classique leurs mouvements sont régis par :

$$m_1 \frac{d^2\vec{r}_1}{dt^2} = \vec{F}_{21}(\|\vec{r}_2 - \vec{r}_1\|) = -\vec{F}(r) \qquad \text{(a)}$$

$$\text{(VIII.1)}$$

$$m_2 \frac{d^2\vec{r}_2}{dt^2} = \vec{F}_{12}(\|\vec{r}_2 - \vec{r}_1\|) = +\vec{F}(r) \qquad \text{(b)}$$

Figure VIII.1

La position relative de P_1 et P_2 est donnée par $\vec{r} = \vec{r}_2 - \vec{r}_1$. Leur distance relative est $r = \|\vec{r}\|$. Leur centre d'inertie situé en G est repéré par $\vec{R}$ dans le référentiel centré en O.

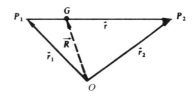

où r est la distance relative des deux points matériels et où $\vec{F}_{21}(\|\vec{r}_2 - \vec{r}_1\|)$ et $\vec{F}_{12}(\|\vec{r}_2 - \vec{r}_1\|)$ sont les forces qu'ils exercent l'un sur l'autre, reliées entre elles par la règle des actions réciproques :

$$\vec{F}_{12}(r) = -\vec{F}_{21}(r) = \vec{F}(r) \tag{VIII.2}$$

Les relations (VIII.1) forment un système de deux équations vectorielles couplées (6 équations couplées) : les solutions pour $\vec{r}_1$ et $\vec{r}_2$ dépendent l'une de l'autre par l'intermédiaire de la force de couplage $\vec{F}(\|\vec{r}_2 - \vec{r}_1\|) = \vec{F}(r)$. En d'autres termes, obtenir $\vec{r}_1$ impose de connaître $\vec{r}_2$ et inversement, de sorte que le problème à résoudre a l'apparence d'un cercle vicieux.

1)   CENTRE D'INERTIE ET PARTICULE RELATIVE

En fait il n'en est rien : on peut sortir de la boucle en étudiant séparément le mouvement du centre d'inertie des deux corps en présence et leur mouvement relatif. Nous allons voir, en effet, que l'on obtient le mouvement des deux corps couplés en combinant les mouvements de deux particules fictives entièrement découplées : le centre d'inertie du système, déjà défini au chapitre VI, et la «particule relative», expression traditionnellement employée pour qualifier la solution de l'équation qui régit le mouvement relatif des deux corps composant ce système.

Pour faire apparaître le centre d'inertie ajoutons membre à membre les deux relations (VIII.1). On obtient :

$$m_1 \frac{d^2\vec{r}_1}{dt^2} + m_2 \frac{d^2\vec{r}_2}{dt^2} = \frac{d^2}{dt^2}(m_1\vec{r}_1 + m_2\vec{r}_2) = M \frac{d^2\vec{R}}{dt^2} \tag{VIII.3}$$

où $\vec{R}$ est défini par :

$$\vec{R} = \frac{m_1\vec{r}_1 + m_2\vec{r}_2}{M}; \quad \text{avec} \quad M = m_1 + m_2 \tag{VIII.4}$$

Ceci caractérise en effet le mouvement d'une particule fictive de masse M, repérée par $\vec{R}$: le centre d'inertie du système. Puisque le système est isolé, son mouvement est inertiel, d'où l'intérêt de considérer G comme l'origine d'un référentiel commode, le référentiel du centre d'inertie (cf. paragraphe III du chapitre VI).

A présent, pour faire apparaître la distance relative, divisons (a) et (b) respectivement par m_1 et m_2 et retranchons les résultats membre à membre. On obtient :

$$\frac{d^2\vec{r}_2}{dt^2} - \frac{d^2\vec{r}_1}{dt^2} = \left(\frac{1}{m_1} + \frac{1}{m_2}\right)\vec{F}(r) \tag{VIII.5}$$

soit encore :

$$\mu \frac{d^2\vec{r}}{dt^2} = \vec{F}(r) \tag{VIII.6}$$

où $\vec{r}$ et μ sont définis par :

$$\vec{r} = \vec{r}_2 - \vec{r}_1 \qquad \text{(a)}$$
$$\mu = m_1 m_2/(m_1 + m_2) \qquad \text{(b)} \tag{VIII.7}$$

Ceci caractérise le mouvement relatif que l'on attribue, par convention de ge, à une deuxième particule fictive, appelée «particule relative», de masse μ, une «masse réduite», dont la variable de position est la position relative des deux points matériels, indépendante du référentiel choisi, comme toute variable relative en cinématique classique. Ce mouvement contient toute l'information physique puisqu'il est régi par la force $\vec{F}(r)$ du problème initial.

2) EXPRESSION GÉNÉRALE DES SOLUTIONS

Ainsi, en adoptant comme variables $\vec{R}$ et $\vec{r}$, au lieu de $\vec{r}_1$ et $\vec{r}_2$, on aboutit à deux équations découplées dont la résolution ne pose aucun problème de principe. La solution de l'équation (VIII.3) s'écrit :

$$\vec{R}(t) = \vec{V}t + \vec{R}_0 \tag{VIII.8}$$

où $\vec{V}$ est la vitesse de translation du centre d'inertie et où $\vec{R}_0$ est sa position initiale. L'équation (VIII.6) traduit le principe fondamental de la dynamique, appliqué à la particule relative. Ses solutions dépendent de la nature de la force de couplage, $\vec{F}(r)$, et des conditions initiales. Elles fournissent l'expression de la position relative $\vec{r}$, en fonction du temps.

Connaissant $\vec{R}$ et $\vec{r}$, on remonte ensuite à $\vec{r}_1$ et $\vec{r}_2$ en inversant les équations (VIII.4) et (VIII.7), soit :

$$\boxed{\begin{aligned} \vec{r}_1 &= \vec{R} - (m_2/M)\vec{r} \qquad \text{(a)} \\ \vec{r}_2 &= \vec{R} + (m_1/M)\vec{r} \qquad \text{(b)} \end{aligned}} \tag{VIII.9}$$

Comme toute l'information physique est contenue dans l'expression de $\vec{r}$, on peut se contenter d'analyser les résultats dans le référentiel du centre d'inertie. Dans ce référentiel, lié à G, on a $\vec{R} = \vec{0}$ et les trajectoires des points matériels sont données par :

$$\overrightarrow{GP_1} = \vec{r}_1' = -(m_2/M)\vec{r} \qquad \text{(a)}$$
$$\overrightarrow{GP_2} = \vec{r}_2' = +(m_1/M)\vec{r} \qquad \text{(b)} \tag{VIII.10}$$

Elles sont homothétiques l'une de l'autre, dans le rapport $-m_1/m_2$, et se déduisent directement de l'expression de la distance relative, $\vec{r}$, obtenue en résolvant l'équation

(VIII.6). L'étude du mouvement de la particule relative, c'est-à-dire du mouvement relatif est donc la clé du problème à deux corps.

3)   INTERPRÉTATION PHYSIQUE

Certains, habitués à des systèmes dont l'un des éléments a une masse «infinie», ne voient pas immédiatement la nécessité de la méthode que je viens de décrire. Effectivement, si le système considéré est composé de la Terre et d'un caillou en chute libre, il est légitime de négliger le mouvement imprimé à la Terre par la force gravitationnelle que le caillou exerce sur elle : la masse de la Terre est infinie à l'échelle de celle du caillou et dans ces conditions l'accélération que lui communique celui-ci est imperceptible, c'est-à-dire parfaitement négligeable. Tout se passe comme si le mouvement du caillou, sous l'attraction terrestre (la pesanteur) était le seul à prendre en compte et la méthode générale exposée ci-dessus justifie cette approximation : on peut légitimement assimiler le centre d'inertie du système Terre-caillou à la Terre et la particule relative au caillou. En particulier, pour $m_1 \equiv M_T \gg m_2 \equiv m_c$, la masse du centre d'inertie du système est pratiquement égale à celle de la Terre et sa masse réduite à celle du caillou. Bien entendu si l'observateur ne se trouve pas au centre d'inertie (assimilé ici à la Terre), pour décrire le mouvement du caillou qu'il observe il faudra combiner le mouvement de ce centre d'inertie, par rapport à lui, avec celui de la particule relative (assimilée ici au caillou) par rapport au centre d'inertie.

Pour montrer que ces approximations ne sont justifiées que dans le cas extrême d'un système composé de deux corps de masses très différentes, considérons maintenant l'autre cas extrême d'un système comprenant deux particules de masses égales. Dans ce cas les deux particules, si on les abandonne sans vitesse initiale, vont l'une vers l'autre sous l'action de leur attraction gravitationnelle mutuelle. Par symétrie, on conçoit qu'elles aient des accélérations et donc ici des vitesses de même module mais de sens opposés et qu'ainsi elles se rencontreront à «mi-chemin», c'est-à-dire à l'endroit où se trouve leur centre d'inertie, immobile dans l'exemple choisi. Comme leur vitesse relative, $\vec{v} = \vec{v}_2 - \vec{v}_1$, est le double de $\vec{v}_2$ (car ici $\vec{v}_1 = -\vec{v}_2$) tout se passe comme si la particule relative, concept associé au mouvement relatif, avait une inertie moitié de celle qui est commune aux deux particules du système. En d'autres termes, on conçoit que la particule fictive, dite relative, ait une masse d'inertie moitié de celle de l'une des deux particules réelles composant le système. De fait la masse réduite du système a pour valeur $m/2$, cas particulier de l'expression $\mu = m_1 m_2/(m_1 + m_2)$ pour $m_1 = m_2 = m$.

Là encore, si l'observateur dans son laboratoire ne se trouve pas au centre d'inertie du système, pour décrire le mouvement des deux corps qu'il observe il faudra combiner le mouvement de ce centre d'inertie par rapport au laboratoire avec celui de la particule par rapport au centre d'inertie, ceci selon les expressions générales (VIII.9) avec $m_2/M = m_1/M = 1/2$.

4)   ILLUSTRATION : VIBRATION SELON UN AXE

A titre de première illustration, considérons un ressort de constante de raideur k aux deux extrémités duquel sont attachées des masses m_1 et m_2. Pour simplifier, assimilons cet objet à un système isolé de deux points matériels. Son mouvement peut être étudié pour lui-même ou pour simuler, par exemple, les vibrations d'une molécule diatomique, selon le modèle décrit au chapitre I (cf. fig. I.3).

Pour des vibrations sur un axe, Gx, l'équation (VIII.6) s'écrit :

$$\mu \frac{d^2(x - x_0)}{dt^2} = - k(x - x_0) \tag{VIII.11}$$

où $(x - x_0)$ est l'élongation du ressort, repérée par rapport à sa longueur à l'équilibre, x_0. Les solutions de cette équation différentielle sont de la forme :

$$(x - x_0) = A \cos (\omega t + \varphi) \tag{VIII.12}$$

où $\omega = \sqrt{k/\mu}$ et où A et φ sont des constantes qui dépendent des conditions initiales. On en déduit le mouvement des deux points matériels (les centres des deux atomes dans le cas d'une molécule diatomique).

Dans le référentiel du centre d'inertie, les relations (VIII.10) fournissent en effet :

$$\begin{aligned}
GP_1 &= - (m_2/M) A \cos (\omega t + \varphi) \\
GP_2 &= + (m_1/M) A \cos (\omega t + \varphi)
\end{aligned} \tag{VIII.13}$$

et les solutions finales sont obtenues en exploitant les expressions (VIII.8) et (VIII.9). Par exemple, si l'axe Ox coïncide avec l'axe Gx, on a :

$$\begin{aligned}
x_1 &= Vt + x_0 - (m_2/M) A \cos (\omega t + \varphi) \\
x_2 &= Vt + x_0 + (m_1/M) A \cos (\omega t + \varphi)
\end{aligned} \tag{VIII.14}$$

où V est la vitesse du centre d'inertie et où x_0 est sa position sur l'axe au temps $t = 0$.

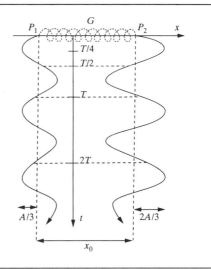

Figure VIII.2.

Par rapport à G, les points matériels oscillent autour de leur position d'équilibre avec des amplitudes dans le rapport $- m_1/m_2$.
Sur l'échelle des temps, T représente la période des vibrations, soit :

$$T = 2\pi/\omega = 2\pi \sqrt{\frac{\mu}{k}}.$$

La figure VIII.2 donne la configuration des deux points matériels en fonction du temps, dans le référentiel du centre d'inertie. Le tracé est effectué en prenant $m_1 = 2m_2$ et $\varphi = -\pi/2$. Les amplitudes associées aux deux points matériels sont alors dans le rapport -2. Par contre, si l'une des extrémités est attachée à un mur fixe (m_1 infini par rapport à m_2 ; soit $m_1/M = 1$ et $m_2/M = 0$), on a $V = 0$ et les expressions (VIII.14) fournissent $x_1 = x_0$ et $x_2 = x_0 + A \cos(\omega t + \varphi)$. On retrouve alors les résultats du chapitre III : le mur immobile coïncide avec le centre d'inertie et la masse m_2 oscille avec les caractéristiques de la particule relative à laquelle elle s'identifie.

II   Méthode générale

Il est souvent plus commode de résoudre le problème à deux corps en exploitant directement les lois de conservation. Dans cette approche la première chose à faire est de séparer les constantes du mouvement du centre d'inertie et de la particule relative, quantités qui se conservent isolément puisque ces deux particules fictives sont sans interaction.

1)   LES CONSTANTES DU MOUVEMENT

Pour cela, commençons par exprimer les vitesses $\vec{v}_1$ et $\vec{v}_2$ des points matériels de masses m_1 et m_2 en fonction des vitesses $\vec{V}$ et $\vec{v}$, respectivement du centre d'inertie et de la particule relative. Dérivant par rapport au temps la relation (VIII.9), on obtient :

$$\boxed{\begin{aligned} \vec{v}_1 &= \vec{V} - (m_2/M)\vec{v} \quad &\text{(a)} \\ \vec{v}_2 &= \vec{V} + (m_1/M)\vec{v} \quad &\text{(b)} \end{aligned}} \qquad \text{(VIII.15)}$$

On en déduit tout d'abord que la quantité de mouvement totale du système, $\vec{p}_1 + \vec{p}_2$, est égale à celle du centre d'inertie, $\vec{P}$. On a en effet :

$$\vec{p}_1 + \vec{p}_2 = m_1\vec{v}_1 + m_2\vec{v}_2 = M\vec{V} = \vec{P} \qquad \text{(VIII.16)}$$

Ceci, qui ne nous apprend rien de neuf, permet de redéfinir le référentiel du centre d'inertie comme le référentiel particulier dans lequel les quantités de mouvement des deux points matériels, $\vec{p'}_1$ et $\vec{p'}_2$, sont opposées, soit :

$$\vec{p'}_1 + \vec{p'}_2 = \vec{P'} = 0 \qquad \text{(VIII.17)}$$

Considérons maintenant l'énergie totale du système. Son expression générale est :

$$E = \frac{1}{2} m_1 v_1^2 + \frac{1}{2} m_2 v_2^2 + E_p(r) \qquad \text{(VIII.18)}$$

où $E_p(r)$ est l'énergie potentielle du système lorsque les deux points matériels sont à une distance relative r. En explicitant $\vec{v}_1$ et $\vec{v}_2$ selon les relations (VIII.15), on peut encore écrire :

$$E = E_R + E_r \tag{VIII.19}$$

où E_R est l'énergie cinétique du centre d'inertie et où E_r est l'énergie totale de la particule relative, définies par :

$$E_R = \frac{1}{2} MV^2 \qquad \text{(a)}$$

$$E_r = \frac{1}{2} \mu v^2 + E_p(r) \qquad \text{(b)} \tag{VIII.20}$$

On fait ainsi apparaître deux constantes du mouvement, l'une associée au centre d'inertie et l'autre à la particule relative.

On procède de même pour le moment cinétique total du système. S'il s'agit de deux points matériels (sans spin), on a :

$$\vec{j}_1 + \vec{j}_2 = \vec{\ell}_1 + \vec{\ell}_2 = \vec{r}_1 \times \vec{p}_1 + \vec{r}_2 \times \vec{p}_2$$

Mais compte tenu des relations (VIII.9) et (VIII.15), cette expression peut être mise sous la forme :

$$\vec{\ell}_1 + \vec{\ell}_2 = \vec{L} + \vec{\ell} \tag{VIII.21}$$

où $\vec{L}$ et $\vec{\ell}$ sont les moments cinétiques du centre d'inertie et de la particule relative, soit :

$$\vec{L} = \vec{R} \times \vec{P} = \vec{R} \times M\vec{V} \qquad \text{(a)}$$

$$\vec{\ell} = \vec{r} \times \vec{p} = \vec{r} \times \mu\vec{v} \qquad \text{(b)} \tag{VIII.22}$$

Les constantes du mouvement du centre d'inertie, $\vec{P}$, E_R et $\vec{L}$ sont nulles dans le référentiel lié à ce point. L'essentiel du problème à deux corps consiste donc à traiter les constantes du mouvement de la particule relative, E_r et $\vec{\ell}$, qui contiennent toute l'information physique. Obtenant ainsi les propriétés du mouvement relatif, il ne reste plus ensuite qu'à exploiter les formules de transformation des quantités physiques associées au passage d'un référentiel à l'autre et réciproquement : le référentiel centré en O, dit référentiel du laboratoire, et le référentiel du centre d'inertie.

2)   TRANSFORMATION DES ÉNERGIES : ÉNERGIE « CENTRE DE MASSE »

On notera une fois de plus que quand la masse m_1 est « infinie » par rapport à m_2, on peut confondre la particule de masse m_2 avec la particule relative et celle de masse m_1 avec le centre d'inertie. Ceci revient à négliger le mouvement de m_1 dans le référentiel du centre d'inertie, souvent appelé par tradition « référentiel du centre de masse », ou encore à confondre ce référentiel avec celui du laboratoire où l'on effectue les mesures. Nous avons implicitement adopté cette approximation dans les deux premières parties, par exemple pour décrire le mouvement des planètes : compte tenu de sa masse imposante par rapport à celle d'une planète, le Soleil y était considéré comme fixe.

Lorsque cette approximation n'est pas justifiée, ce qui survient dans la majorité des cas, il importe de savoir comment se transforment les quantités physiques, telles les énergies, les positions (distances et angles), les vitesses..., lorsque l'on passe d'un référentiel à l'autre. Pour ne pas compliquer inutilement les choses, limitons nous ici aux formules de transformation des énergies et établissons-les dans le cas, fréquemment rencontré par la suite, d'une collision entre deux corps dont l'un est initialement immobile dans le référentiel du laboratoire. Plus précisément, soit m_1 la masse du corps qui, venant de l'infini, se dirige, avec la vitesse $\vec{v}_1$ dans le laboratoire, vers le corps de masse m_2 initialement immobile.

Lorsque les deux corps sont à une distance infinie l'un de l'autre et donc sans interaction, l'énergie du système est totalement sous forme cinétique. Dans le référentiel du laboratoire elle est alors donnée par :

$$E = \frac{1}{2} m_1 v_1^2 + 0 = \frac{1}{2} m_1 v_1^2$$

En revanche, dans le référentiel du centre de masse l'énergie du système, dite «énergie centre de masse» et souvent notée E_{CM}, s'identifie à l'énergie de la particule relative, soit, pour une distance relative infinie ($E_p = 0$) :

$$E_{CM} \equiv E_r = \frac{1}{2} \mu v^2 = \frac{1}{2} \mu v_1^2$$

où $\vec{v}$, la vitesse relative, est ici égale à $\vec{v}_1$ puisque le corps de masse m_2 est immobile lorsque celui de masse m_1 est à l'infini. On en déduit la relation cherchée :

$$\boxed{E_{CM} \equiv E_r = \frac{\mu}{m_1} E} \qquad (\text{VIII.23})$$

Comme attendu, remarquons que l'on a $E_{CM} \simeq E$ pour $m_2 \gg m_1$: les deux référentiels sont alors confondus. Dans tous les autres cas E_{CM} est inférieur à E jusqu'à prendre la valeur $E/2$ pour $m_1 = m_2$. La différence, qui correspond à l'énergie E_R du centre d'inertie, s'écrit en effet :

$$E - E_r = \mathrm{E}_R = \frac{1}{2} MV^2 = \frac{1}{2} M \left(\frac{m_1\vec{v}_1 + \vec{0}}{M} \right) = \frac{m_1}{M} E = \frac{\mu}{m_2} E$$

Pour illustrer ces relations, considérons le cas de deux véhicules identiques de masse m qui entrent en collision, l'un étant à l'arrêt, l'autre à la vitesse $\vec{v}$. L'énergie de ce système dans le laboratoire est donnée par $mv^2/2$. Dans le référentiel du centre de masse, situé à mi distance des deux véhicules (puisqu'ils ont la même masse) tout se passe comme s'ils roulaient l'un vers l'autre, l'un à la vitesse $\vec{v}/2$, l'autre à $-\vec{v}/2$. Les dégats seront bien entendu les mêmes selon les deux points de vue puisque toute l'information physique est continue dans le mouvement relatif, le même en l'occurence : une collision entre deux véhicules identiques, l'un à l'arrêt, l'autre roulant à 100 km/h donne le même résultat qu'une collision entre ces véhicules roulant l'un vers l'autre à 50 km/h, c'est-à-dire à la même vitesse relative. Pourtant l'énergie du système dans ce dernier cas est deux fois plus faible que dans le premier puisqu'elle est donnée par $mv^2/8 + mv^2/8 = mv^2/4$. En d'autres termes, dans l'exemple choisi, l'énergie du système dans le référentiel du centre de masse est la moitié de celle qu'il a dans le laboratoire : l'autre moitié est emportée, à pure perte pour la dynamique, sous forme cinétique dans le mouvement de translation uniforme du centre d'inertie (phénomène aisément observable dans le cas d'un choc mou : cf. exercice VIII.5).

Cet exemple doit nous servir de mise en garde : puisque la dynamique des phénomènes est totalement contenue dans le mouvement relatif, ce sont les quantités définies dans le référentiel du centre de masse, comme $E_{CM} \equiv E_r$, qu'il nous faudra utiliser dans nos calculs théoriques, le passage du référentiel du laboratoire à celui du centre de masse (ou inversement) se faisant par l'intermédiaire d'un ensemble de formules de transformations cinématiques telle la relation (VIII.23) qui caractérise la transformation des énergies, ou encore les relations (VIII.9) et (VIII.15) qui correspondent aux transformations des vecteurs position et des vitesses respectivement.

3) TRAITEMENT DE LA PARTICULE RELATIVE : MOUVEMENT RELATIF

Intéressons-nous donc principalement au mouvement de la particule relative qui décrit le mouvement relatif des deux points matériels. Il est régi par les équations :

$$\left. \begin{aligned} \vec{\ell} &= \vec{r} \times \mu\vec{v} = \vec{\ell}_0 \qquad &\text{(a)} \\ E_r &= \frac{1}{2}\mu v^2 + E_p(r) = E_0 \qquad &\text{(b)} \end{aligned} \right\} \qquad \text{(VIII.24)}$$

où E_0 et $\vec{\ell}_0$ sont des constantes fixées par les conditions initiales du système.

Puisque le mouvement d'une particule dans un champ central est contenu dans un plan, utilisons les coordonnées polaires et en particulier l'expression (II.13), soit :

$$\vec{v} = \vec{v}_{/\!/} + \vec{v}_\perp = \dot{r}\vec{u} + r\dot{\theta}\vec{n} \qquad \text{(VIII.25)}$$

où $\vec{v}_{/\!/} = \dot{r}\vec{u}$ est la composante de la vitesse relative portée par la direction parallèle au rayon vecteur, $\vec{r}$, et où $\vec{v}_\perp = r\dot{\theta}\vec{n}$ est la composante portée par la direction perpendiculaire. La relation (VIII.24a) s'écrit alors :

$$\vec{\ell} = \vec{r} \times \mu(\vec{v}_{/\!/} + \vec{v}_\perp) = \mu r^2 \dot{\theta}\vec{u} \times \vec{n} = \vec{\ell}_0 \qquad \text{(VIII.26)}$$

On en déduit :

$$\boxed{\dot{\theta} = \frac{d\theta}{dt} = \frac{\ell_0}{\mu r^2}} \qquad \text{(VIII.27)}$$

où ℓ_0 est la valeur algébrique de $\vec{\ell}_0$. L'intégration de cette équation fournit l'angle polaire en fonction du temps :

$$\theta(t) = \theta_0 + \int_{t_0}^{t} \frac{\ell_0}{\mu r^2(t)}\, dt = \theta_0 + \frac{\ell_0}{\mu} \int_{t_0}^{t} \frac{dt}{r^2(t)} \tag{VIII.28}$$

où θ_0 est l'angle polaire à l'instant initial t_0. Pour obtenir l'expression finale de $\theta(t)$ il faut donc connaître la fonction $r(t)$ qui intervient dans l'intégrale. A cette fin, on exploite l'autre constante du mouvement, E_r.

En effet, la relation (VIII.24b) peut être écrite :

$$E_r = \frac{1}{2}\,\mu(v_{/\!/}^2 + v_\perp^2) + E_p(r) = \frac{1}{2}\,\mu(\dot{r}^2 + r^2\dot{\theta}^2) + E_p(r) = E_0$$

soit encore, compte tenu de l'expression (VIII.27) :

$$E_r = \frac{1}{2}\,\mu\dot{r}^2 + \frac{\ell_0^2}{2\mu r^2} + E_p(r) = E_0 \tag{VIII.29}$$

On en déduit :

$$\boxed{\dot{r} = \frac{dr}{dt} = \pm \sqrt{\frac{2}{\mu}\left(E_0 - E_p(r) - \frac{\ell_0^2}{2\mu r^2}\right)}} \tag{VIII.30}$$

équation différentielle où, grâce à la conservation du moment cinétique, $\theta(t)$ ne figure plus et dont l'intégration fournit donc directement $r(t)$ quand on connaît la forme analytique de la fonction énergie potentielle (par exemple, $E_p(r) = -Gm_1 m_2/r$ dans le cas de la gravitation) et les conditions initiales E_0 et r_0.

Bien que le mouvement relatif puisse être entièrement décrit par $r(t)$ et $\theta(t)$, il est parfois plus commode d'éliminer le temps et d'exprimer r en fonction de θ. Combinant les relations (VIII.27) et (VIII.30), on aboutit à :

$$\frac{dr}{d\theta} = \frac{dr}{dt}\frac{dt}{d\theta} = \pm \frac{\mu r^2}{\ell_0} \sqrt{\frac{2}{\mu}\left(E_0 - E_p(r) - \frac{\ell_0^2}{2\mu r^2}\right)} \tag{VIII.31}$$

L'intégration de cette équation différentielle permet d'obtenir la fonction $r(\theta)$ dont les caractéristiques dépendent de $E_p(r)$ et des conditions initiales, E_0, ℓ_0, r_0 et θ_0 (cf. expression VIII.24).

4)   ILLUSTRATION : DEUX CORPS EN INTERACTION GRAVITATIONNELLE

Souvent, on doit recourir à un ou plusieurs changements de variable. Par exemple, dans le cas de la gravitation, l'intégration devient simple quand on recherche $r(\theta)$ sous la forme :

$$r(\theta) = \frac{1}{u(\theta)}\,; \qquad \text{d'où} \qquad \mathrm{d}r = -\frac{\mathrm{d}u}{u^2} = -r^2\mathrm{d}u \tag{VIII.32}$$

Cette inversion unitaire transforme en effet l'équation (VIII.31) en :

$$\frac{\mathrm{d}u}{\mathrm{d}\theta} = \pm \sqrt{\frac{2\mu E_0}{\ell_0^2} + \frac{\mu^2 G^2 m_1^2 m_2^2}{\ell_0^4} - \left(u - \frac{\mu G m_1 m_2}{\ell_0^2}\right)^2}$$

soit encore :

$$\frac{\mathrm{d}x}{\sqrt{1-x^2}} = \pm\,\mathrm{d}\theta\,; \qquad \text{avec} \qquad x = \frac{u - \mu G m_1 m_2/\ell_0^2}{\sqrt{2\mu E_0/\ell_0^2 + \mu^2 G^2 m_1^2 m_2^2/\ell_0^4}}$$

On en déduit la relation :

$$\text{Arc sin } x = \pm\,\theta + c \tag{VIII.33}$$

où le signe à retenir et la constante c sont fixés par les conditions initiales. Les exemples représentés sur la figure VIII.3 correspondent tous au signe – avec $c = \pi/2$ puisque l'on a choisi pour le tracé de faire coïncider l'axe polaire avec l'axe de symétrie des coniques. La solution pour x s'écrit alors :

$$x = \cos\theta \tag{VIII.34}$$

ce qui correspond finalement à :

$$r(\theta) = \frac{p}{1 + \mathrm{e}\cos\theta} \tag{VIII.35}$$

où l'on a posé :

$$p = \ell_0^2/\mu G m_1 m_2 \qquad\qquad\qquad \text{(a)}$$
$$\mathrm{e} = \sqrt{1 + 2E_0\ell_0^2/\mu G^2 m_1^2 m_2^2} \qquad \text{(b)} \tag{VIII.36}$$

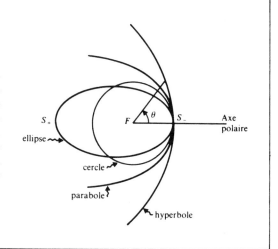

Figure VIII.3

La solution physiquement acceptable pour $r(\theta)$ prend la forme (VII.35) quand l'axe polaire coïncide avec l'axe de symétrie de la conique. Dans le cas de l'ellipse, il s'agit de l'axe de symétrie passant par F, et θ est repéré à partir du sommet le plus proche de F (noté S).

Nous avons vérifié, dans l'exercice II.8, que l'expression (VIII.35) est l'équation polaire d'une conique caractérisée par ce que l'on nomme son paramètre p et son excentricité e, à savoir :

- un cercle pour $\qquad$ e = 0
- une ellipse pour $\qquad$ e < 1 $\qquad\qquad$ (VIII.37)
- une parabole pour $\qquad$ e = 1
- une hyperbole pour $\qquad$ e > 1

Au paragraphe suivant nous interpréterons ce résultat mais pour l'instant menons jusqu'à son terme la méthode générale de résolution du problème à deux corps : à titre d'illustration supplémentaire, traçons les trajectoires des deux points matériels de masses m_1 et m_2. Pour cela il n'y a plus qu'à exploiter les relations (VIII.9), ou encore les relations (VIII.10) si l'on choisit de décrire les phénomènes dans le référentiel du centre de masse. Dans ce référentiel, comme nous l'avons vu à propos des oscillations d'un ressort (cf. paragraphe I.4), les trajectoires des deux points matériels sont homothétiques l'une de l'autre et déduites de la solution $\vec{r}$ de l'équation régissant le mouvement relatif. La figure VIII.4 présente le cas d'une « étoile double », système lié de deux étoiles de masses voisines, comme Sirius et son compagnon. Les deux ellipses ont alors des dimensions comparables. Il n'en est pas ainsi quand les deux masses sont très différentes. Par exemple, pour le système Terre-Soleil, l'ellipse décrite par le soleil autour du centre d'inertie est très petite par rapport à celle que décrit la terre ($M_T/M_\odot \simeq 3 \cdot 10^{-6}$).

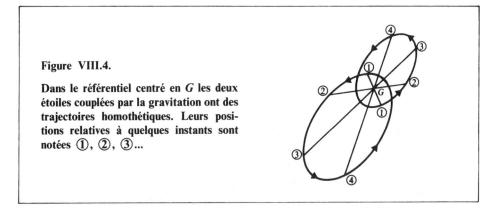

Figure VIII.4.

Dans le référentiel centré en G les deux étoiles couplées par la gravitation ont des trajectoires homothétiques. Leurs positions relatives à quelques instants sont notées ①, ②, ③...

Enfin, notons que la méthode décrite ci-dessus ne s'applique en toute rigueur qu'à des systèmes isolés de deux points matériels. Quand il n'en est pas ainsi, on peut néanmoins l'utiliser dans certains cas pour obtenir une première approximation de la solution. Il faut pour cela que l'on puisse tenir pour correctives les forces qui s'exercent entre le système à deux corps considéré et les autres corps constituant le « monde extérieur ». Par exemple, en considérant le système Terre-Soleil comme un système isolé, la trajectoire que l'on obtient pour la terre n'est qu'une solution d'approche. Il y a lieu d'effectuer ensuite des corrections successives, dues aux influences de la lune, des autres planètes du système solaire, éventuellement des autres étoiles, etc. En fin de compte on aura calculé ainsi, par approximations successives, la solution d'un problème à N corps : la trajectoire de la terre soumise à l'influence dominante du soleil mais aussi à celles, plus ou moins fortes, des innombrables autres objets constituant l'univers.

III Interprétation des résultats

Revenons maintenant aux solutions du problème à deux corps. Pour les interpréter, nous allons nous inspirer des schémas introduits au chapitre V (cf. fig. V.4).

1) ÉNERGIE CINÉTIQUE RADIALE ET ÉNERGIE POTENTIELLE EFFECTIVE

Dans ce but, récrivons la relation (VIII.29) sous la forme

$$\frac{1}{2}\,\mu\dot{r}^2 + E_{\ell_0}(r) = E_0 \qquad\qquad\qquad (VIII.38)$$

où la fonction $E_{\ell_0}(r)$ est définie par :

$$\boxed{E_{\ell_0}(r) = E_p(r) + \frac{\ell_0^2}{2\mu r^2}} \qquad\qquad\qquad (VIII.39)$$

L'expression $\mu\dot{r}^2/2$ représente l'énergie cinétique radiale, c'est-à-dire l'énergie cinétique associée à la vitesse radiale $\dot{r}\vec{u}$, composante de la vitesse qui donne le rythme auquel évolue la distance relative (cf. figure II.5). Quand elle s'annule la relation (VIII.38) devient l'équation :

$$E_{\ell_0}(r) = E_0 \qquad\qquad\qquad (VIII.40)$$

équation dont les racines fournissent les limites radiales du mouvement relatif puisque quand $\dot{r} = 0$, r est extremum.

Le terme $\ell_0^2/2\mu r^2$, le reste de l'énergie cinétique, porte le nom de « barrière centrifuge » car l'opposé de son gradient, $(\ell_0^2/\mu r^3)\vec{u}$, est équivalent à une pseudo force centrifuge, $\mu\omega^2 r\vec{u}$ avec $\ell_0 = \mu r^2\omega = I\omega$. On peut donc l'assimiler à une « pseudo énergie potentielle » associée à cette pseudo force répulsive, d'où l'expression « énergie potentielle effective » traditionnellement employée pour qualifier la fonction $E_{\ell_0}(r)$, somme de l'énergie potentielle du système et de sa barrière centrifuge.

Pour interpréter plus clairement cette fonction, notons que la barrière centrifuge représente en fait l'énergie cinétique orthoradiale, c'est-à-dire l'énergie cinétique associée à la vitesse orthoradiale $r\dot{\theta}\vec{n}$, composante de la vitesse qui fournit le rythme auquel évolue l'orientation du vecteur position relative $\vec{r}$ (cf. figure II.5). En d'autres termes, la barrière centrifuge représente l'énergie de rotation d'une particule relative dans l'état ℓ_0 de moment cinétique ($\mu r^2 \dot\theta^2/2 = I\omega^2/2 = \ell_0^2/2\mu r^2$) : effectivement l'axe joignant les deux corps en interaction, autrement dit le référentiel lié à la particule relative (référentiel du centre de masse), tourne à la vitesse angulaire $\dot\theta = \omega = \ell_0/I = \ell_0/\mu r^2$. Cette énergie de rotation porte ainsi encore mieux le nom de barrière centrifuge : nécessairement prélevée sur l'énergie totale de la particule relative (énergie centre de masse), elle empêche les deux corps en présence de s'approcher aussi près qu'il leur serait possible si, toutes choses égales par ailleurs, le référentiel du centre de masse ne tournait pas ($\dot\theta = 0$), autrement dit si la particule relative était dans l'état de moment cinétique $\ell_0 = 0$.

Ceci explique pourquoi l'équation (VIII.40) qui fixe les limites du mouvement relatif s'écrit $E_0 - \ell_0^2/2\mu r^2 = E_p(r)$, soit $E_0 = E_{\ell_0}(r)$, et non pas $E_0 = E_p(r)$, comme au chapitre V où nous n'avons traité que des cas particuliers de mouvements sur un axe fixe. Plus généralement on remarquera que l'énergie cinétique qui intervient effectivement dans le mouvement radial (l'énergie cinétique radiale) est donnée non pas par $E_0 - E_p(r)$, comme ce serait le cas si le mouvement était sur un axe fixe, mais par $(E_0 - \ell_0^2/2\mu r^2) - E_p(r)$ soit $E_0 - E_{\ell_0}$. L'expression « énergie potentielle effective » qui qualifie $E_{\ell_0}(r)$ trouve là sa véritable origine. Notons enfin que cette fonction est entièrement déterminée quand l'énergie potentielle et les conditions initiales du système sont connues : ℓ_0 est alors fixé et la barrière centrifuge ne dépend plus que de r.

2)   EXEMPLE : DEUX CORPS EN INTERACTION GRAVITATIONNELLE

La figure VIII.5 donne l'allure de $E_{\ell_0}(r)$ dans le cas particulier d'un système de deux corps en interaction gravitationnelle. Aux grandes distances, c'est le terme $E_p(r) = -Gm_1m_2/r$ qui domine car il décroît comme r^{-1} quand r tend vers l'infini alors que la barrière centrifuge décroît comme r^{-2}. Par contre, cette barrière l'emporte aux courtes distances.

Entre ces deux comportements limites, l'énergie potentielle effective présente un minimum pour une distance r_m obtenue en écrivant :

$$\left(\frac{dE_{\ell_0}(r)}{dr}\right)_{r=r_m} = 0 \qquad\qquad\qquad\text{(VIII.41)}$$

Ici on a :

$$E_{\ell_0}(r) = -\frac{Gm_1m_2}{r} + \frac{\ell_0^2}{2\mu r^2} \qquad\qquad\text{(VIII.42)}$$

et la condition (VIII.41) fournit :

$$r_m = \frac{\ell_0^2}{\mu Gm_1m_2} \qquad\qquad\qquad\text{(VIII.43)}$$

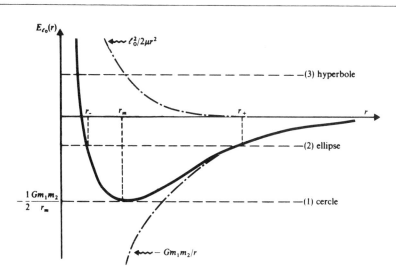

Figure VIII.5.

Allure de l'énergie potentielle effective de gravitation. Dans ce cas particulier, r_m s'identifie à p, le paramètre de la conique. Les limites du mouvement sont fixées par les intersections de la droite $E = E_0$ avec la courbe associée à l'énergie potentielle effectivè.

On en déduit :

$$E_{\ell_0}(r_m) = -\frac{1}{2}\frac{Gm_1m_2}{r_m} \tag{VIII.44}$$

soit encore :

$$E_{\ell_0}(r_m) = -\frac{1}{2}\frac{\mu(Gm_1m_2)^2}{\ell_0^2} \tag{VIII.45}$$

Ainsi, r_m s'identifie au paramètre de la conique, p, défini par l'expression (VIII.36a) et $|E_{\ell_0}(r_m)|$ à l'énergie de liaison du système dans le cas d'une trajectoire circulaire de rayon r_m (cf. relation V.49). La figure VIII.5 donne l'interprétation graphique de ces quantités.

Sur cette figure apparaissent également les limites du mouvement radial, r_- et r_+, lorsque la trajectoire est une ellipse. Pour les obtenir, on introduit l'expression (VIII.42) dans l'équation (VIII.40). On aboutit ainsi à une équation du second degré dont les racines sont :

$$r_\pm = -\frac{Gm_1m_2}{2E_0} \pm \sqrt{\left(\frac{Gm_1m_2}{2E_0}\right)^2 + \frac{\ell_0^2}{2\mu E_0}} \tag{VIII.46}$$

que l'on peut encore écrire :

$$r_\pm = -\frac{Gm_1m_2}{2E_0}\,(1 \pm e) = -\frac{Gm_1m_2}{2E_0}\left(1 \pm \sqrt{1 - \frac{E_0}{E_{\ell_0}(r_m)}}\right) \tag{VIII.47}$$

où e est l'excentricité de la conique, définie par l'expression (VIII.36b), équivalente à $\sqrt{1 - E_0/E_{\ell_0}(r_m)}$.

Pour $r > r_+$ ou $r < r_-$, l'énergie cinétique radiale est négative, ce qui est interdit. En d'autres termes, le mouvement radial est astreint à se dérouler entre les limites r_- et r_+. Cependant, il y a lieu d'étudier la nature des solutions selon les valeurs de E_0 et ℓ_0.

3)   MÉTHODE GRAPHIQUE : CAS DE L'INTERACTION GRAVITATIONNELLE

On peut raisonner directement sur l'expression analytique (VIII.46), mais une autre méthode, employée quand $E_p(r)$ n'est pas une fonction simple, consiste à résoudre graphiquement l'équation (VIII.40) en déterminant les intersections de la droite $E = E_0$ avec la courbe associée à $E_{\ell_0}(r)$. Fixons pour l'instant ℓ_0 et faisons évoluer E_0.

a) $E_0 < E_{\ell_0}(r_m)$: pas de solution physique

Il n'existe aucune intersection tant que l'énergie E_0 reste inférieure au minimum de l'énergie potentielle effective : le problème envisagé n'a pas de solution physiquement acceptable dans ce cas puisque l'énergie cinétique radiale est alors négative pour tout r. Effectivement, aucune des deux racines r_+ et r_- n'est réelle si l'on a :

$$\left(\frac{Gm_1m_2}{2E_0}\right)^2 + \frac{\ell_0^2}{2\mu E_0} \equiv \left(\frac{Gm_1m_2}{2E_0}\right)^2\left(1 - \frac{E_0}{E_{\ell_0}(r_m)}\right) < 0$$

Or c'est le cas ici puisque, pour E_0 et $E_{\ell_0}(r_m)$ négatifs, $E_0 < E_{\ell_0}(r_m)$ équivaut à $E_0/E_{\ell_0}(r_m) > 1$.

b) $E_0 = E_{\ell_0}(r_m)$: trajectoire circulaire

La première solution physique survient quand la droite $E = E_0$ (notée (1) sur la figure VIII.5) est tangente au minimum de la courbe associée à $E_{\ell_0}(r)$. La distance relative est alors fixée à la valeur $r = r_m$. La trajectoire est donc un cercle de rayon r_m. Ceci se traduit par une racine double dans l'expression (VIII.47). On a alors $r_+ = r_- = r_m$ et r_m est donné par la formule (VIII.43) ou, ce qui est équivalent, par la formule (VIII.47) avec e = 0 et $E_0 < 0$.

c) $E_{\ell_0}(r_m) < E_0 < 0$: trajectoire elliptique

Tant que l'énergie E_0 reste définie négative, le système est dans un état lié : la distance relative des deux points matériels ne peut pas dépasser dans ce cas une valeur maximale. Cette valeur, donnée par r_+, correspond à l'une des intersections de la droite $E = E_0$ (notée (2) sur la figure VIII.5) avec $E_{\ell_0}(r)$. L'autre intersection fournit la valeur de r_-, la distance relative minimale. La trajectoire est alors une ellipse et r_+ et r_- sont les distances relatives associées à ses sommets notés respectivement S_+ et S_- sur la figure VIII.3. Le nom d'excentricité attribué à e prend ici toute sa signification (cf. expression VIII.47).

d) $E_0 = 0$: trajectoire parabolique

Le premier état non lié du système de deux corps en interaction gravitationnelle apparaît pour $E_0 = 0$: la droite $E = E_0 = 0$ ne présente qu'une intersection avec $E_{\ell_0}(r)$; la deuxième est virtuellement à l'infini. La trajectoire est une parabole car on a alors e = 1. L'expression (VIII.47) confirme que l'une des racines, r_+, est infinie pour $E_0 = 0$. L'autre, r_-, est de la forme 0/0 et doit donc être calculée en prenant la limite, pour E_0 tendant vers zéro, de l'expression donnant r_-. Après développement limité de e selon les puissances de E_0 (cf. relation VIII.47), on obtient :

$$r_- = -\frac{Gm_1m_2}{2E_0}\left(-\frac{\ell_0^2 E_0}{\mu G^2 m_1^2 m_1^2}\right) = \frac{\ell_0^2}{2\mu Gm_1m_2} = \frac{r_m}{2} \qquad (VIII.48)$$

e) $E_0 > 0$: trajectoire hyperbolique

La trajectoire associée aux états libres, définis ici par $E_0 > 0$, est une hyperbole (e > 1). L'intersection de $E_{\ell_0}(r)$ avec la droite notée (3) sur la figure VIII.5 correspond à la racine r_- fournie par l'expression (VIII.47). La racine r_+ est non physique. En effet r, le module de $\vec{r}$, est une quantité définie positive. Or la valeur de r_+ est négative pour $E_0 > 0$. Il faut donc la rejeter.

4)   LANCEMENT D'UN SATELLITE

A présent, nous allons faire évoluer simultanément E_0 et $\vec{\ell}_0$. Nous raisonnerons sur l'exemple suivant : quelle est la trajectoire d'un satellite mis sur orbite en un point P donné (caractérisé par sa distance r_0 par rapport au centre de la Terre T) avec une énergie E_0 et un moment cinétique $\vec{\ell}_0$ que l'on peut adapter selon la finalité de l'opération ? Pour ne pas compliquer inutilement les choses, nous supposerons que la vitesse initiale du satellite, $\vec{v}_0$, est perpendiculaire au rayon vecteur initial $\vec{r}_0$ (cf. fig. VIII.6). Dans ce cas, on a $(\mu\dot{r}^2/2)_{t=0} = 0$, et les conditions initiales s'écrivent :

$$E_0 = E_{\ell_0}(r_0) \qquad (a)$$
$$\ell_0 = \mu r_0 v_0 \qquad (b) \qquad\qquad (VIII.49)$$

La relation (VIII.43) indique que la trajectoire est un cercle de rayon r_0 quand on ajuste le module du moment cinétique relatif, ℓ_0, à la valeur ℓ_c donnée par :

$$\ell_0 = \ell_c \equiv \sqrt{\mu GmM_T r_0} \qquad (VIII.50)$$

où m est la masse du satellite et M_T celle de la terre. Cette condition d'adaptation du moment cinétique est équivalente à la relation (IV.15), à savoir :

$$v_0 = v_c \equiv \sqrt{\frac{GmM_T}{\mu r_0}} \simeq \sqrt{\frac{GM_T}{r_0}} \qquad \text{(VIII.51)}$$

où l'on a pris $\mu \simeq m$, puisque pour un satellite artificiel on a $m \ll M_T$.

Nous avons vu que la trajectoire est une parabole quand $E_0 = 0$. On a alors :

$$E_0 = -\frac{GmM_T}{\mu r_0} + \frac{\ell_0^2}{2r_0^2} = 0 \qquad \text{(VIII.52)}$$

Le moment cinétique nécessaire pour obtenir cette trajectoire particulière a donc pour module :

$$\ell_0 = \ell_p = \sqrt{2\mu GmM_T r_0} = \sqrt{2}\,\ell_c \qquad \text{(VIII.53)}$$

Cette condition équivaut à :

$$v_0 = v_p = \sqrt{2}\,v_c \qquad \text{(VIII.54)}$$

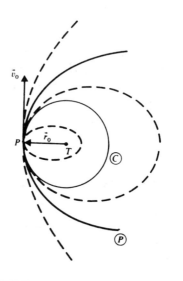

Figure VIII.6.

Lorsque v_0 augmente la trajectoire du satellite lancé à partir de P est d'abord une ellipse intérieure au cercle $\widehat{c}$, obtenu pour $v_0 = v_c$, puis une ellipse extérieure. Elle devient une parabole $\widehat{P}$ pour $v_0 = v_c\sqrt{2}$ après quoi, c'est une hyperbole.

La figure VIII.6 schématise les trajectoires obtenues selon les valeurs de v_0. Leurs caractéristiques sont interprétées en fonction de ℓ_0 sur la figure VIII.7. Ce type de figure est également très commode pour décrire les opérations à effectuer en cas de changement de trajectoire ou d'orbite. Plus généralement, on s'en inspire en physique atomique, moléculaire, nucléaire... pour obtenir, à travers les propriétés des systèmes considérés, des renseignements sur les interactions à deux corps mises en jeu (cf. problème à la fin du chapitre). Dans ces domaines de recherche, la méthode graphique doit être adaptée à la mécanique quantique, en particulier à la quantification du moment cinétique définie ci-après.

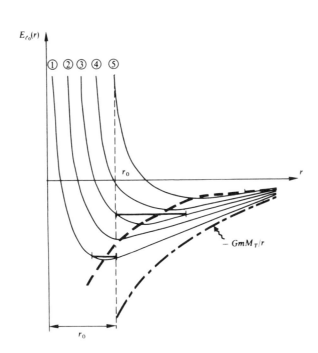

Figure VIII.7.

Les cinq énergies potentielles effectives tracées correspondent à des valeurs différentes de ℓ_0. La courbe en tirets joignant les minima équivaut à $E_p(r)/2$ (cf. relation VIII.44). La droite verticale représente la distance fixe, r_0, à partir de laquelle s'effectue le lancement. La trajectoire circulaire correspond à la courbe ② dont le minimum est en r_0 avec $\ell_0 = \ell_c$. La trajectoire parabolique est associée à la courbe ④ caractérisée par $E_{p_0}(r) = 0$ et $\ell_p = \sqrt{2}\,\ell_c$. Pour $\ell_0 < \ell_c$, la courbe ① montre que l'on a une ellipse intérieure au cercle, caractérisée par $r_+ = r_0$. Pour $\ell_c < \ell_0 < \ell_p$, la courbe ③ fournit une ellipse extérieure au cercle avec $r_- = r_0$. Pour $\ell_0 > \ell_p$ la trajectoire est une hyperbole comme l'indique la courbe ⑤.

IV   Quantification du moment cinétique : modèle de Bohr

Depuis le début de ce chapitre nous avons vu que la conservation du moment cinétique joue un rôle essentiel dans la résolution du problème à deux corps. Comme on rencontre fréquemment ce problème dans le domaine microscopique, il importe de savoir ce qu'on entend par «quantification du moment cinétique», ne serait-ce que voir les limites de la mécanique classique lorsqu'on accède à «l'infiniment petit». Pour cela je me contenterai de rappeler les bases du modèle de Bohr de l'atome d'hydrogène.

Resituons tout d'abord les faits à interpréter. En 1885, un instituteur suisse passionné par les nombres, Balmer, propose une formule magique permettant de retrouver les longueurs d'onde des raies de la lumière visible émise par des atomes d'hydrogène préalablement excités. En termes de fréquences elle s'écrit :

$$v_n = B \left(\frac{1}{4} - \frac{1}{n^2} \right); \quad \text{avec} \quad n > 2 \tag{VIII.55}$$

où n est un entier et où B est une constante de l'ordre de $3,3 \cdot 10^{15}$Hz. Puis le développement des techniques d'observation dans l'ultraviolet (Lyman; 1906) et dans l'infrarouge (Paschen; 1908) conduit à découvrir d'autres séries de raies. La formule de Balmer apparaît alors comme un cas particulier, pour $n_0 = 2$, d'une relation plus générale :

$$v_{n_0,n} = B \left(\frac{1}{n_0^2} - \frac{1}{n^2} \right); \quad \text{avec} \quad n > n_0 \tag{VIII.56}$$

La série de Lyman correspond en effet à $n_0 = 1$, celle de Balmer à $n_0 = 2$, et celle de Paschen à $n_0 = 3$.

1)   LES HYPOTHÈSES DE BOHR

Peu de temps après, à la suite des expériences de Geiger et Marsden (1909), Rutherford imagine un « modèle planétaire » de l'atome. Dans ce modèle, l'atome d'hydrogène est un système à deux corps où l'électron joue le rôle d'une planète unique circulant autour d'un soleil : le proton, noyau de l'hydrogène. Bohr adopte cette image pour interpréter les spectres atomiques décrits par l'expression (VIII.56). Cependant, pour les besoins de la cause, il doit ajouter les hypothèses « surréalistes » suivantes :

a) tout se passe comme si les seules trajectoires circulaires permises étaient celles pour lesquelles le moment cinétique orbital est un multiple entier de la constante $\hbar$, soit :

$$\ell_n = n\hbar; \text{ avec } \hbar = h/2\pi = 1,054 \cdot 10^{-34}\text{J} \cdot \text{s} \tag{VIII.57}$$

où h est la constante de Planck.

b) tout se passe comme si l'électron accéléré par le proton ne pouvait pas rayonner de façon continue mais devait attendre de passer d'une orbite permise à une autre pour émettre brutalement un rayonnement sous la forme d'un photon d'énergie :

$$E_{n_0,n} = hv_{n_0,n} \tag{VIII.58}$$

Pour montrer que ces hypothèses conduisent aux résultats escomptés, il faut noter au préalable que les énergies potentielles gravitationnelle et électrostatique ont la même forme analytique en r^{-1}. Toutes les conclusions tirées pour la gravitation peuvent donc être transposées ici en remplaçant Gm_1m_2 par ke^2. En particulier, l'énergie mécanique d'un atome d'hydrogène, caractérisé par une orbite circulaire de moment cinétique ℓ_n, s'obtient en transposant l'expression (VIII.45), soit :

$$E_{\ell_n} = -\frac{1}{2}\frac{\mu(ke^2)^2}{\ell_n^2} = -\frac{1}{2}\frac{\mu(ke^2)^2}{n^2\,\hbar^2} \tag{VIII.59}$$

où μ est la masse réduite du système électron-proton, pratiquement égale à la masse de l'électron ($m_e/m_p \simeq 1/2000$). La valeur absolue de cette quantité, $|E_{\ell_n}|$, fournit l'énergie de liaison de l'atome d'hydrogène pour chaque valeur de n.

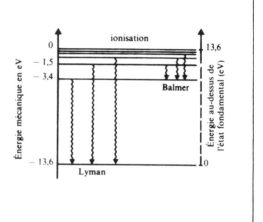

Figure VIII.8.

Schéma des états de l'atome d'hydrogène et interprétation des séries de Balmer et de Lyman. Attention : l'état fondamental de l'atome d'hydrogène n'est pas un état de référence physiquement acceptable car il n'est pas universel. Il ne peut servir qu'à comptabiliser les énergies d'excitation de cet atome particulier. Pour comparer deux atomes entre eux il faut repasser par l'état de référence des énergies mécaniques qui, lui, est universel (cf. chapitre V; paragraphe V).

La figure VIII.8 donne le schéma des états d'énergie possibles selon l'hypothèse a. Elle schématise également, à titre d'exemple, l'interprétation des séries de Balmer et de Lyman selon l'hypothèse b : dans le modèle de Bohr, un atome d'hydrogène dans un état excité d'énergie E_{ℓ_n} émet un photon lorsque l'électron passe de l'orbite initiale, caractérisée par ℓ_n, à une orbite plus basse, caractérisée par ℓ_{n_0}. Ce photon emporte l'énergie $E_{n_0,n} = E_{\ell_n} - E_{\ell_{n_0}}$, et le rayonnement associé a donc pour fréquence :

$$\nu_{n_0,n} = \frac{E_{n_0,n}}{h} = \frac{\mu k^2 e^4}{4\pi\hbar^3}\left(\frac{1}{n_0^2} - \frac{1}{n^2}\right) \tag{VIII.60}$$

La formule (VIII.56) est ainsi interprétée, y compris la valeur numérique* de la constante B.

---

* Les calculs numériques de physique quantique sont facilités quand on utilise deux constantes très commodes. L'une est la constante dite « de structure fine » : $\alpha = ke^2/\hbar c = 1/137$ (il s'agit d'un nombre sans

2)   VERS LA MÉCANIQUE QUANTIQUE

Par la suite, Sommerfeld devait préciser la notion de nombre quantique en examinant le cas des orbites elliptiques. Puis vint la « mécanique ondulatoire » (de Broglie; 1923) qui permit de reformuler le modèle de Bohr dans un premier cadre théorique jugé déjà moins irrationnel. Selon cette théorie, les aspects ondulatoire et corpusculaire d'une particule sont complémentaires, comme l'indique en particulier la relation de Broglie :

$$\boxed{\lambda = h/p} \tag{VIII.61}$$

où p est la quantité de mouvement du corpuscule et où λ est la longueur d'onde de l'onde qui lui est associée.

Les états d'énergie permis de l'atome d'hydrogène apparaissent alors comme ceux pour lesquels l'onde associée à l'électron est une onde stationnaire. Naïvement, ceci revient à imposer au périmètre des orbites circulaires permises d'être un multiple entier de cette longueur d'onde, soit :

$$2\pi r_n = n\lambda \tag{VIII.62}$$

On en déduit en effet :

$$\ell_n \equiv r_n p = \frac{n\lambda}{2\pi}\, p = \frac{n\lambda h}{2\pi\lambda} = nh \tag{VIII.63}$$

On retrouve donc la relation (VIII.57), c'est-à-dire l'hypothèse a du modèle de Bohr.

Quant à l'hypothèse b, c'est deux ans plus tard (Heisenberg; 1925) qu'elle fut transcrite dans un formalisme plus général et plus satisfaisant* : la mécanique quantique, théorie dont les bases n'ont pas encore été réfutées par un seul fait expérimental. Les recherches pour « rationaliser » le modèle de Bohr aboutissaient enfin. Ainsi, comme le dit P. Feyerabend (32) : « *il n'y a pas d'idée, si ancienne et absurde soit-elle, qui ne puisse faire progresser notre connaissance* ». En effet, la mécanique quantique est considérée comme un progrès par rapport à la mécanique

---

dimension). L'autre est la relation : $\hbar c/197$ MeV $= 1\ F = 10^{-15}$ m. Par exemple, on a $B \simeq cR$ où c est la vitesse de la lumière et où R est la constante de Rydberg :

$$R = \frac{m_e k^2 e^4}{4\pi c h^3} = \frac{m_e c^2}{4\pi \hbar c}\, \alpha^2 = \frac{m_e c^2 \alpha^2}{4\pi \cdot 197\ (\hbar c/197)} = \frac{0{,}511\ (1/137)^2}{4\pi \cdot 197 \cdot 10^{-15}} = 1{,}1 \cdot 10^7 \mathrm{m}^{-1}$$

On obtient donc :

$$B \simeq cR = 3 \cdot 10^8 \cdot 1{,}1 \cdot 10^7 = 3{,}3 \cdot 10^{15}\ \mathrm{s}^{-1} = 3{,}3 \cdot 10^{15}\ \mathrm{Hz}$$

* Attention : l'hypothèse b ne dit pas que seules les raies discrètes s'interprètent en termes de photons. A tout rayonnement électromagnétique sont associés des photons. En particulier le spectre continu des rayons X, créés par ralentissement d'électrons dans la matière, est obtenu en détectant les photons associés à ce rayonnement.

newtonienne depuis qu'elle a permis de traduire en un ensemble cohérent de postulats et de symboles (mathématiques) les hypothèses « absurdes » que Bohr greffa sur des idées « anciennes » : celles que Rutherford transposa de la théorie newtonienne de la gravitation pour construire, par analogie, un nouveau modèle atomique inspiré par la découverte du noyau. Je vais insister maintenant sur cette découverte, ce qui nous permettra d'approfondir le problème à deux corps.

V   Découverte du noyau atomique : collisions

L'exposé de la découverte du noyau atomique constitue en effet une illustration typique de la méthode de résolution du problème à deux corps dans le cas d'un état libre. En l'occurence, il va s'agir d'interpréter une collision entre une particule alpha (noyau $^4_2$He) et un noyau quelconque. Je décrirai tout d'abord la démarche expérimentale.

1)   DISPOSITIF ET CONDITIONS EXPÉRIMENTALES

Les expériences de Geiger et Marsden sont le prototype de celles que l'on effectue couramment aujourd'hui pour obtenir des renseignements sur la structure des molécules, des atomes, des noyaux, des particules... Elles consistent à diriger les particules d'un faisceau sur une cible et à détecter, à tous les angles, celles qui ont subi une collision avec un élément de la cible. On obtient ainsi une sorte de « radioscopie » des constituants de cette cible : la distribution angulaire des particules diffusées. Comme il s'agit d'une méthode générale* je vais prendre tout mon temps pour la détailler sur un exemple particulier.

La figure VIII.9 schématise le dispositif qui permit de mettre en évidence la présence du noyau au centre de l'atome. A l'époque, on utilisait comme projectile des particules alpha issues de sources radioactives et l'on détectait les particules diffusées par les noyaux contenus dans la cible à l'aide d'un écran de sulfure de zinc (ZnS), substance qui scintille au point d'impact et permet donc un dénombrement à l'œil des événements observés dans chaque secteur angulaire. Depuis lors, les performances du dispositif ont été considérablement accrues grâce aux accélérateurs de particules (qui délivrent des faisceaux beaucoup plus intenses et d'énergie plus élevée), aux lentilles magnétiques (qui focalisent ces faisceaux sur la cible), aux détecteurs à impulsion électronique (qui peuvent compter les événements à un rythme dépassant les cent mille coups par seconde) et aux ordinateurs (qui pilotent et classent le tout sur des bandes ou des disques).

---

* Elle dépasse le cadre de la physique. Par exemple les biologistes l'utilisent pour obtenir des renseignements sur les macromolécules. De même, on l'exploite en métallurgie pour sonder les matériaux et contrôler leur pureté... etc.

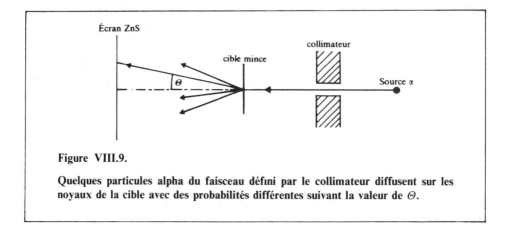

Figure VIII.9.

Quelques particules alpha du faisceau défini par le collimateur diffusent sur les noyaux de la cible avec des probabilités différentes suivant la valeur de Θ.

L'épaisseur de la cible doit être suffisamment faible pour que l'on puisse négliger le ralentissement des particules alpha par les électrons atomiques : le faisceau incident doit rester monocinétique, ou presque, en traversant la cible, faute de quoi la distribution angulaire ne serait pas typique d'une énergie donnée. Comme le ralentissement s'effectue principalement par ionisation, la perte d'énergie est de l'ordre de l'électron-volt par atome traversé. Ainsi, par exemple, un alpha de 5 MeV laissera moins du centième de son énergie dans une cible de quelques microns.

Lorsque le ralentissement est négligeable, la cible remplit automatiquement une autre condition nécessaire à la bonne marche de l'analyse théorique, à savoir : la cible doit être assez mince pour que les distributions angulaires observées puissent être interprétées en supposant que chaque particule alpha diffusée n'a interagi qu'une seule fois avec un seul noyau d'un atome de la cible. Dans la pratique, c'est toujours le cas : la plupart des particules du faisceau incident traversent la cible « en ligne droite », quelques unes sont diffusées par les noyaux, et la probabilité de colllisions multiples est totalement négligeable. En effet, je rappelle que, pour une particule α, « toucher » le noyau d'un atome équivaut à découvrir un petit pois caché dans la tour Eiffel.

2)   DISTANCE D'APPROCHE ET DISTANCE MINIMALE D'APPROCHE

Après ces considérations expérimentales, abordons la théorie. A l'époque des expériences de Geiger et Marsden, on se représentait l'atome, selon le modèle de J. J. Thomson, comme une « petite boule électrique homogène ». Rutherford allait réfuter ce modèle. Pour lui, les distributions angulaires des particules alpha détectées sur l'écran ne pouvaient s'interpréter qu'en postulant l'existence d'un noyau minuscule à l'échelle atomique.

Pour présenter l'analyse de Rutherford, nous adopterons son modèle de l'atome et nous supposerons que la présence des électrons du cortège n'affecte pas de façon décelable la trajectoire des particules alpha, beaucoup plus massives ($m_\alpha/m_e \simeq 8\,000$).

Ainsi, nous imputerons la déviation de ces particules uniquement au noyau central de charge $Z\,|e|$.

Tant que la particule alpha ne vient pas frôler le noyau, elle ne ressent que l'interaction coulombienne car l'interaction forte est de courte portée (cf. chapitre I). Les caractéristiques de la diffusion peuvent alors être calculées en transposant les résultats établis pour l'interaction gravitationnelle. Par rapport au cas de l'atome d'hydrogène, la principale différence est qu'il s'agit maintenant d'une force répulsive dérivant donc d'une énergie potentielle définie positive. En effet, pour deux charges de même signe, $z\,|e|$ et $Z\,|e|$, on a* :

$$E_p(r) = +\frac{kzZ\,e^2}{r} \quad (\text{avec } z = 2 \text{ pour } {}^4_2\text{He}) \tag{VIII.64}$$

Un système alpha-noyau régi par cette interaction répulsive ne possède aucun état lié et les seules trajectoires à envisager sont des hyperboles. L'expression (VIII.46) le confirme. Lorsqu'on y remplace Gm_1m_2 par $-kzZ\,e^2$, on n'obtient qu'une seule racine physiquement acceptable, notée a_{ℓ_0} par la suite :

$$a_{\ell_0} = \frac{kzZ\,e^2}{2E_0} + \sqrt{\left(\frac{kzZ\,e^2}{2E_0}\right)^2 + \frac{\ell_0^2}{2\mu E_0}} \tag{VIII.65}$$

Cette racine fournit la distance à laquelle la particule alpha passe au plus près du noyau lorsque l'état initial du système est caractérisé par E_0 et ℓ_0 (cf. fig. VIII.10) avec $z = 2$.

Pour E_0 fixé, cette distance est minimale quand $\ell_0 = 0$. On a alors :

$$a_0 = \frac{kzZ\,e^2}{E_0} \tag{VIII.66}$$

Cette valeur particulière, appelée distance minimale d'approche, correspond au cas d'une « collision frontale », c'est-à-dire d'une collision pour laquelle la trajectoire est portée par la droite passant par le centre du noyau. Effectivement, on a alors $\vec{\ell}_0 = \vec{r}_0 \times \vec{p}_0 = 0$, et le résultat s'interprète aisément en exploitant la conservation de l'énergie : lorsque la particule alpha est initialement à l'infini, l'énergie E_0 du système est totalement sous forme cinétique et lorsqu'elle s'arrête dans le champ coulombien du noyau à la distance a_0 (avant de revenir sur ses pas) toute l'énergie est sous forme potentielle. On a donc la relation $E_0 = kzZ\,e^2/a_0$, d'où l'expression (VIII.66).

Avant d'entrer dans les détails de l'analyse, vérifions que les premières expériences de Geiger et Marsden, effectuées en envoyant des alphas de 5 MeV sur une cible d'or ($Z = 79$), pouvaient effectivement trancher entre le modèle de Thomson et celui de Rutherford. Pour cela, il suffit de montrer que la distance minimale d'approche, même dans ces conditions, est très inférieure aux dimensions atomiques

---

* Pour traiter le cas des particules α, il suffira de prendre $z = 2$ dans les expressions générales établies par la suite. En effet cette particule, noyau ${}^4_2\text{He}$, a pour charge $2\,|e|$.

($\simeq 10^{-10}$m). C'est le cas. En effet, avec les constantes introduites dans la note au bas de la page 216, la relation (VIII.66) fournit* pour $z = 2$:

$$a_0 = 2Z \frac{ke^2}{\hbar c} \frac{\hbar c}{197} \frac{197}{E_0} = 2 \cdot 79 \frac{1}{137} 10^{-15} \frac{197}{5} \simeq 4,5 \cdot 10^{-14} \text{m}$$

Dans un deuxième cycle d'expérience, il fut possible de « toucher » le noyau en utilisant des alphas d'énergie plus élevée et des cibles d'élément de numéros atomiques plus faibles. Puis, après une première génération d'accélérateurs électrostatiques, vinrent les cyclotrons (Lawrence; 1932) qui permirent d'étudier les forces nucléaires d'un peu plus près.

3) ANGLE DE DIFFUSION ET PARAMÈTRE D'IMPACT

Dans ce genre d'expériences, on accède indirectement à la distance relative des partenaires par l'intermédiaire de la mesure de l'angle de diffusion du projectile. Pour le montrer, j'introduirai tout d'abord deux notions couplées : le paramètre d'impact et l'angle de diffusion (cf. fig. VIII.10).

Par définition, le paramètre d'impact, noté b, est la distance entre l'axe que suit la particule incidente, tant qu'elle n'est pas encore défléchie par le noyau, et la parallèle à cet axe passant par le centre du noyau qui va la défléchir ensuite. Quant à l'angle de diffusion, noté Θ, il est défini par rapport à la direction de la particule incidente. Il repère la direction de l'axe que suit la particule diffusée lorsqu'elle est sortie du domaine d'interaction : c'est l'angle entre les deux asymptotes de l'hyperbole.

Pour tout processus de collision, qu'il soit de nature coulombienne ou non, il existe des relations entre b, Θ et a_{ℓ_0}. Dans le cas particulier de la diffusion coulombienne, régie par une force en r^{-2}, ces relations s'écrivent :

---

* Comme la masse M d'un noyau d'or ($A = 197$) est beaucoup plus élevée que celle, m, d'une particule alpha ($A = 4$), la masse réduite du système, μ, est pratiquement égale à m. En première approximation, on peut donc confondre l'énergie dans le référentiel du centre de masse, E_0, avec l'énergie cinétique initiale de la particule alpha dans le référentiel du laboratoire, soit ici 5 MeV. Ceci revient à négliger l'énergie de recul du noyau d'or, ou encore à confondre les deux référentiels. Lorsque cette approximation n'est pas légitime (cas des noyaux légers) nous avons vu qu'il faut utiliser la relation (VIII.23), soit :

$$E_0 = (\mu/m)T \tag{VIII.67}$$

où T est l'énergie cinétique initiale de la particule alpha.

On montrera, à titre d'exercice, que l'angle de diffusion dans le référentiel Θ_L, est relié à l'angle de diffusion dans le référentiel du centre de masse, Θ_{CM} par :

$$tg\Theta_L = \frac{\sin \Theta_{CM}}{(m/M) + \cos \Theta_{CM}} \tag{VIII.68}$$

Pour $m \ll M$, on trouve, là encore, que les deux référentiels peuvent être confondus puisque l'on a tg $\Theta_L \simeq$ tg Θ_{CM}, et donc $\Theta_L \simeq \Theta_{CM}$. En revanche, dans l'autre cas extrême $m_1 = m_2 = m$, on obtient $\Theta_L = \Theta_{CM}/2$.

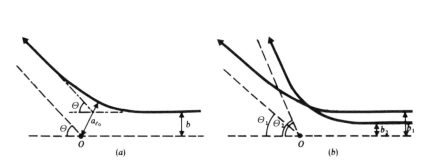

Figure VIII.10.

Schémas définissant le paramètre d'impact, b, et l'angle de diffusion Θ. Le noyau cible est centré en O et le projectile suit la trajectoire dans le sens des flèches. Pour des diffusions effectuées à une énergie donnée, la distance d'approche, a_{ℓ_0}, ne dépend que de b (fig. a). Plus b est faible, plus a_{ℓ_0} l'est aussi mais plus Θ est grand. Les particules détectées aux petits angles sont donc celles qui sont passées loin du noyau, et celles que l'on observe aux grands angles se sont approchées très près du noyau (fig. b).

$$\text{tg}\,\frac{\Theta}{2} = \frac{a_0}{2b} = \frac{kzZe^2}{2E_0 b} \qquad (a)$$

$$a_{\ell_0} = \frac{a_0}{2} + \sqrt{\left(\frac{a_0}{2}\right)^2 + b^2} \qquad (b)$$

(VIII.69)

où a_0 est la distance minimale d'approche. Nous établirons la première relation au paragraphe suivant. La seconde est tout simplement l'expression (VIII.65) récrite à l'aide de la définition (VIII.66) et en explicitant ℓ_0 en fonction de b, soit :

$$\ell_0 = b\mu v_0 = b\sqrt{2\mu E_0}$$

où v_0 est le module de la vitesse relative initiale.

Ainsi, pour une cible et une énergie données (Z et E_0 fixés), plus le paramètre d'impact est petit, plus l'angle de diffusion coulombienne est grand (cf. relation VIII.69a). Ceci s'interprète aisément : plus la particule α passe près du noyau, plus la répulsion coulombienne qu'elle subit est intense et donc plus elle est défléchie. L'angle maximum $\Theta = \pi$ est obtenu pour $b = 0$. C'est un résultat déjà interprété : lors d'une collision coulombienne frontale ($b = 0$ correspond à $\ell_0 = 0$), la particule α revient sur ses pas après avoir atteint la distance minimale d'approche a_0. Notons encore que pour b fixé, l'angle de diffusion est d'autant plus grand que le numéro atomique du noyau, z, est élevé ou que l'énergie E_0 de la particule incidente est faible.

Bien entendu il n'est pas possible de voir à l'œil nu, ni même avec un microscope ultra puissant, à quelle distance d'un noyau passe une particule incidente. Il n'est pas possible non plus de prévoir le paramètre d'impact de telle ou telle particule du faisceau incident. A priori toutes les valeurs de b sont possibles. Il faut donc mesurer avec un détecteur le nombre de particules diffusées à l'angle Θ pour obtenir la probabilité de diffusion à cet angle, et la valeur de Θ que définit le détecteur fournit a postériori b et a_{ℓ_0}, grâce aux relations (VIII.69).

4) DESCRIPTION D'UNE TRAJECTOIRE COULOMBIENNE

Pour obtenir la relation (VIII.69a) une méthode simple consiste à exploiter conjointement le principe fondamental de la dynamique et la conservation du moment cinétique. Le principe fondamental appliqué à la force coulombienne permet d'écrire :

$$\mu \frac{dv_y}{dt} = \frac{kzZe^2}{r^2} \cos\left(\theta - \frac{\pi}{2}\right) = \frac{kzZe^2}{r^2} \sin\theta$$

où θ est l'angle polaire repérant la direction de la distance relative $\vec{r}$, (cf. fig. VIII.11), et où v_y est la composante de la vitesse relative selon l'axe oy, perpendiculaire à la direction incidente et passant par le centre du noyau. Quant à la conservation du moment cinétique, elle s'écrit :

$$\mu r^2 \left| \frac{d\theta}{dt} \right| = \ell_0 = \mu v_0 b$$

où ℓ_0 est la valeur du moment cinétique initial, conservée par la suite.

On peut éliminer la variable r en couplant ces deux relations. On obtient l'équation différentielle de la variable θ, soit :

$$dv_y = - \frac{kzZe^2}{\mu v_0 b} \sin\theta \, d\theta$$

où le signe moins vient du fait que v_y augmente quand θ diminue. Pour intégrer cette équation différentielle notons que l'on a dans l'état initial $\theta = \pi$ et $v_y = 0$, alors que, dans l'état final, on a $\theta = \Theta$ et $v_y = v_0 \sin\Theta$, où Θ est l'angle de diffusion et où la célérité finale a la même valeur, v_0, que la célérité initiale, puisqu'en fin de compte toute l'énergie se retrouve sous forme cinétique (collision élastique). L'intégration qui fournira Θ s'écrit donc :

$$\int_0^{v_0 \sin\Theta} dv_y = - \frac{kzZe^2}{\mu v_0 b} \int_\pi^\Theta \sin\theta \, d\theta$$

soit encore :

$$v_0 \sin\Theta = \frac{kzZe^2}{\mu v_0 b} (\cos\Theta + 1)$$

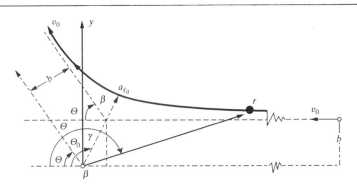

Figure VIII.11.

Tous les paramètres définis dans le texte sont représentés sur cette figure donnant l'allure d'une trajectoire quelconque. La célérité initiale, v_0, est celle que possède la particule alpha (confondue avec la particule relative) à la sortie de l'accélérateur (ou de la source radioactive), c'est-à-dire lorsqu'elle est à une distance infinie de la cible (et donc du noyau sur lequel elle diffusera).

On en déduit la relation cherchée :

$$\frac{\sin \Theta}{\cos \Theta + 1} = \text{tg} \, \frac{\Theta}{2} = \frac{kzZe^2}{2E_0 b}$$

où $E_0 = \mu v_0^2/2$ est l'énergie de la particule relative (énergie centre de masse) qui, dans l'état initial et l'état final, s'identifie à son énergie cinétique.

On peut également obtenir cette relation à partir de l'équation (VIII.35), récrite sous une forme mieux adaptée à la description des processus de collision. La seule modification consiste à repérer les angles polaires non plus par rapport à l'axe de symétrie joignant le foyer de l'hyperbole à son sommet (cf. fig. VIII.3), mais par rapport à une direction fixe, clairement définie lors d'une expérience de collision : celle du faisceau incident. C'est cette prescription qui est adoptée sur la figure VIII.11.

Après avoir remplacé Gm_1m_2 par $-kzZe^2$, l'équation (VIII.35) prend alors la forme :

$$r(\theta) = \frac{b^2}{\beta + \gamma \cos (\theta - \theta_{\ell_0})} \tag{VIII.70}$$

avec les notations suivantes :

$$
\begin{aligned}
b &= \sqrt{\ell_0^2/2\mu E_0} = \ell_0/\mu v_0 & \text{(a)} \\
\beta &= a_0/2 = kzZe^2/2E_0 & \text{(b)} \\
\gamma &= \sqrt{\beta^2 + b^2} = a_{\ell_0} - \beta & \text{(c)} \\
\cos \theta_{\ell_0} &= \beta/\gamma & \text{(d)}
\end{aligned}
\tag{VIII.71}
$$

Tous ces paramètres sont représentés sur la figure VIII.11.

L'angle θ_{ℓ_0} repère la direction du rayon vecteur lorsque la particule passe à la distance d'approche a_{ℓ_0}. On a en effet :

$$r(\theta_{\ell_0}) = \frac{b^2}{\beta + \gamma} = \frac{(a_{\ell_0} + \beta)^2 - \beta^2}{\beta + (a_{\ell_0} + \beta)} = a_{\ell_0} \tag{VIII.72}$$

Cet angle définit le changement de repère effectué pour transformer l'équation (VIII.35) en l'équation (VIII.70) : dans le nouveau repère la direction de l'une des asymptotes de l'hyperbole est confondue avec celle du faisceau incident, fixée à $\theta = 0$. Il en est ainsi puisque pour $\theta = 0$, la particule est à l'infini :

$$r(0) = \frac{b^2}{\beta + \gamma \cos(-\theta_{\ell_0})} = \frac{b^2}{\beta - \beta} = \infty \tag{VIII.73}$$

L'autre asymptote, repérée à l'angle $\theta = 2\theta_0 - \pi$, fournit la direction dans laquelle la particule a été diffusée.

Dès lors, pour obtenir la relation (VIII.69a), il suffit de remarquer que l'angle de diffusion Θ est relié à l'angle polaire θ_{ℓ_0} par :

$$2\theta_{\ell_0} = \pi + \Theta \tag{VIII.74}$$

En effet on en déduit que l'expression (VIII.71d) est équivalente à :

$$\sin \frac{\Theta}{2} = \cos \theta_{\ell_0} = \frac{\beta}{\gamma} \tag{VIII.75}$$

soit encore :

$$tg \frac{\Theta}{2} = \frac{\beta}{\sqrt{\gamma^2 - \beta^2}} = \frac{\beta}{b} = \frac{a_0}{2b} \tag{VIII.76}$$

5)   PROBABILITÉ DE DÉTECTION D'UNE PARTICULE DIFFUSÉE À L'ANGLE Θ

A présent, il ne nous reste plus qu'à établir l'expression théorique des distributions angulaires attendues dans le modèle de Rutherford, afin de la comparer ensuite aux distributions angulaires observées. Autrement dit, en vue d'une confrontation ultérieure à l'expérience, calculons la probabilité pour qu'une particule alpha atteigne un détecteur de surface ΔS repéré à la distance R et à un angle Θ variable, après avoir subi une diffusion coulombienne sur un noyau de charge $Z|e|$.

Exploitons d'abord la symétrie cylindrique du problème, explicité sur la figure VIII.12. Toute particule incidente passant à l'intérieur de la couronne circulaire c, de rayons extrêmes b et $b + db$, sera diffusée par le noyau central à un angle compris entre Θ et $\Theta + d\Theta$. On ne pourra la détecter à la distance R du noyau cible qu'en un point situé quelque part à l'intérieur de la couronne sphérique notée s. La probabilité de retrouver cette particule à l'entrée d'un détecteur découpant une surface ΔS dans cette couronne sphérique est donnée par :

$$P(\Theta) = \mathcal{N} \, 2\pi b \, |db| \frac{\Delta S}{2\pi R^2 \sin \Theta \, |d\Theta|} \tag{VIII.77}$$

où $\mathcal{N}$ est le nombre de noyaux cibles par unité de surface et où $2\pi b \, |db|$ et $2\pi(R \sin \Theta)(R \, |d\Theta|)$ sont les aires respectives de c et de s. En effet, $\mathcal{N} \, 2\pi b \, |db|$ est la probabilité pour qu'une particule parvienne dans s après avoir diffusé dans une cible contenant $\mathcal{N}$ centres diffuseurs par unité de surface; et le rapport $\Delta S / 2\pi R^2 \sin\Theta\, |d\Theta|$ donne la probabilité pour que cette particule atteigne le détecteur de surface ΔS au lieu d'arriver n'importe où dans la couronne sphérique s de surface $2\pi R^2 \sin\Theta\, |d\Theta|$.

L'axe passant par la cible, le long duquel progressent les particules du faisceau incident, et l'axe passant par le détecteur, sur lequel finissent par progresser les particules diffuses à l'angle Θ, définissent un plan noté π sur la figure VIII.12. D'ordinaire ce plan est choisi parallèle au sol de façon à faciliter le déplacement du détecteur (sur un cercle de rayon R contenu dans π) vers les divers angles Θ où sont effectuées successivement les mesures qui permettent d'aboutir au tracé de la distribution angulaire, c'est-à-dire au graphe de $P(\Theta)$.

Pour calculer $P(\Theta)$, tel qu'attendu théoriquement dans le cas particulier de la diffusion coulombienne à l'approximation dite de charge ponctuelle (c'est-à-dire ici en faisant comme si toute la charge du noyau était placée en son centre*), il suffit d'exploiter la relation (VIII.69a), caractéristique de ce cas particulier. Elle fournit successivement :

$$b = \frac{a_0}{2}\cotg\frac{\Theta}{2} \qquad\text{(a)}$$

$$|db| = \frac{a_0}{4}\sin^{-2}\frac{\Theta}{2}\,|d\Theta| \qquad\text{(b)} \tag{VIII.78}$$

Comme $\sin\Theta = 2\sin(\Theta/2)\cos(\Theta/2)$, on obtient finalement :

$$P(\Theta) = \frac{\mathcal{N}\,\Delta S}{R^2}\frac{a_0^2}{16\sin^4(\Theta/2)} = \frac{\mathcal{N}\,\Delta S}{R^2}\frac{k^2 z^2 Z^2 e^4}{16 E_0^2 \sin^4(\Theta/2)} \tag{VIII.79}$$

résultat que je commenterai par la suite.

6)   SECTION EFFICACE DIFFÉRENTIELLE DE DIFFUSION ÉLASTIQUE

Concrètement, pour mesurer $P(\Theta)$, on dispose à une distance fixe de la cible (cercle de rayon R dans π; cf. figure VIII.12) et à un angle Θ variable, un détecteur présentant aux particules diffusées une surface ΔS infinitésimale à l'échelle de R^2. Quand on en a les moyens, pour gagner du temps et de la précision, on préfère disposer une batterie de détecteurs indépendants, chacun à un angle Θ différent, de façon à obtenir en une seule mesure toute la distribution angulaire. Si l'on note N le nombre d'atomes par unité de volume de la cible, e son épaisseur, et I l'intensité du faisceau incident (nombre de particules incidentes par unité de temps), le nombre

---

* Ceci revient à n'envisager que les diffusions lors desquelles la particule α ne pénètre pas dans le noyau. En effet le champ crée par une distribution de charge en un point qui lui est extérieur se calcule en faisant comme si toute la charge était concentrée en un point : le centre de cette distribution de charge (cf. paragraphe V du chapitre III).

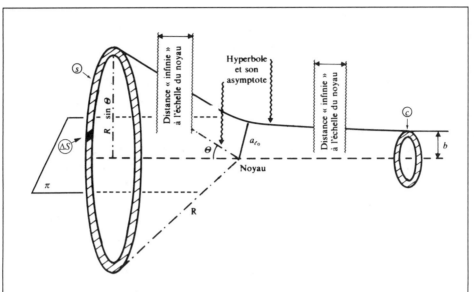

Figure VIII.12

Toute particule passant à l'intérieur de la couronne circulaire c, située loin du noyau diffuseur (là où son champ d'interaction est nul), se trouvera finalement diffusée dans la couronne sphérique s, située à la distance R de la cible, distance elle aussi infinie à l'échelle du noyau. Le détecteur dans le plan π découpe la surface ΔS noircie sur la figure. Pour obtenir la distribution angulaire on le déplace sur un cercle de rayon R contenu dans π.

par unité de temps, Δn, de particules théoriquement attendues dans un détecteur est fourni par la relation :

$$\Delta n = IP(\Theta) \tag{VIII.80}$$

soit encore, compte tenu de l'expression (VIII.77) :

$$\Delta n = I\mathcal{N} \frac{\Delta S}{R^2} \frac{b}{\sin \Theta} \left| \frac{db}{d\Theta} \right| = IN e \frac{\Delta S}{R^2} \frac{b}{\sin \Theta} \left| \frac{db}{d\Theta} \right| \tag{VIII.81}$$

En fait, pour isoler les divers paramètres de la mesure, il est préférable de récrire cette relation sous la forme commentée ci-dessous :

$$\Delta n = \mathcal{N} \dot{I} \Delta \Omega \sigma(\Theta) \tag{VIII.82}$$

La cible est caractérisée par $\mathcal{N} = Ne$, le nombre d'atomes par unité de surface qu'elle contient : toutes choses égales par ailleurs, plus la cible est épaisse, plus $\mathcal{N}$ est grand et plus on détectera de particules diffusées. Le faisceau, focalisé sur la cible, est caractérisé par I : plus le nombre de particules incidentes par unité de temps est élevé, plus le détecteur comptera vite. Le détecteur est caractérisé par ce que l'on appelle son « angle solide », $\Delta \Omega = \Delta S / R^2$: un détecteur de surface ΔS donnée reçoit par unité de temps un nombre de particules diffusées qui décroît comme le carré de sa distance à la cible, toutes choses égales par ailleurs. Ainsi, les trois quantités $\mathcal{N}$, I et $\Delta\Omega$ sont d'ordre instrumental. C'est donc uniquement $\sigma(\Theta)$, appelé section efficace différentielle de diffusion, qui caractérise le processus étudié. Pour une collision à symétrie cylindrique, sa définition formelle découle de la possibilité de factoriser la probabilité $P(\Theta)$ sous la forme du produit $\mathcal{N}\,\Delta\Omega\,\sigma(\Theta)$, soit :

$$\sigma(\Theta) = \frac{b}{\sin\Theta}\left|\frac{db}{d\Theta}\right| \qquad\qquad \text{(VIII.83)}$$

Par exemple, dans le cas particulier des expériences de Geiger et Marsden, on a (cf. expression VIII.79 avec $z = 2$) :

$$\sigma_{Ru}(\Theta) = \left(\frac{kZe^2}{2E_0}\right)^2 \frac{1}{\sin^4(\Theta/2)} \qquad\qquad \text{(VIII.84)}$$

C'est ce que l'on appelle la « formule de Rutherford », d'où l'indice Ru, formule donnant la section efficace différentielle de diffusion coulombienne d'une particule alpha d'énergie E_0 par un noyau de numéro atomique Z, sous condition que la particule α ne pénètre pas dans ce noyau. Avant de confronter cette formule à l'expérience, définissons les unités d'angle solide et de section efficace de façon à approfondir ces notions (on se reportera également aux exercices VIII.3 à VIII.6).

7) UNITÉS D'ANGLE SOLIDE ET DE SECTION EFFICACE

Un angle solide est une quantité sans dimension qu'il est convenu d'exprimer en steradian, unité notée *sr*. Par exemple, l'angle solide Ω associé à un détecteur sphérique entourant complètement une source centrale est de 4π. En effet, on a alors $\Omega = S/R^2 = 4\pi R^2/R^2 = 4\pi$: l'angle solide associée à un tel détecteur ne dépend pas de son rayon car toutes les particules émises par la source sont finalement collectées. Il en est encore ainsi même quand la source n'est pas centrale, pourvu qu'elle soit à l'intérieur de la sphère détectrice.

Pour une source émettant de façon isotrope, la proportion de particules collectées par un détecteur leur présentant une surface ΔS à la distance R est proportionnelle à ΔS et varie comme $1/R^2$; d'où l'intérêt physique de la notion géométrique d'angle solide, proportion de 4π steradians donnée par $\Delta\Omega = \Delta S/R^2$. Par exemple, l'angle solide associé à la couronne sphérique s vue de la cible (cf. fig. VIII.12) est donné par :

$$d\Omega_s = \frac{(2\pi R \sin\Theta)\,(R\,|d\Theta|)}{R^2} = 2\pi \sin\Theta\,|d\Theta| \qquad\qquad \text{(VIII.85)}$$

Remarquons maintenant que $\sigma(\Theta)$, homogène à une surface, peut être exprimé sous la forme :

$$\sigma(\Theta) = \frac{d\sigma}{d\Omega} \qquad\qquad \text{(VIII.86)}$$

où $d\sigma$ est l'élément d'aire (situé à l'infini, hors du champ d'interaction du noyau cible) dans lequel le passage d'une particule incidente (progressant vers ce noyau cible) se traduira en fin de compte (lorsque la particule diffusée se trouvera à l'infini) par une diffusion dans l'élément d'angle solide $d\Omega = dS/R^2$. Les sections efficaces différentielles seront donc exprimées en unité de surface par steradian.

Quand on a mesuré la distribution angulaire des particules diffusées à tous les angles, on peut obtenir ce que l'on appelle la section efficace totale de diffusion, notée σ, en intégrant $\sigma(\Theta)$ dans les 4π steradians qui entourent la cible. La définition théorique de σ est donc :

$$\sigma = \int \sigma(\Theta)\, d\Omega = \iint \left(\frac{d\sigma}{d\Omega}\right) d\Omega \qquad (\text{VIII.87})$$

soit, pour une collision à symétrie cylindrique :

$$\sigma = \int_0^{b_{\text{Max}}} 2\pi b\, |db| = \pi b_{\text{Max}}^2 \qquad (\text{VIII.88})$$

où b_{Max} est le paramètre d'impact au delà duquel la particule incidente passera hors du champ d'interaction du noyau cible. Par exemple, pour une interaction de contact (effective quand une particule incidente ponctuelle touche le noyau cible et nulle autrement) σ représente l'aire du noyau de rayon R, soit πR^2, appelée section efficace géométrique du noyau. Dans le cas de la diffusion coulombienne, la portée de l'interaction (en r^{-1}) est théoriquement infinie mais en fait, à cause de l'effet d'écran des électrons, elle n'excède pas le rayon atomique.

La physique nucléaire est caractérisée par des dimensions de l'ordre de quelques fermis ($1\ \text{F} = 10^{-15}$ m). De ce fait, l'unité commode de section efficace totale est le barn, noté b, défini par :

$$1\ \text{barn} = 10^{-28}\ \text{m}^2 = 10^{-24}\ \text{cm}^2 \qquad (\text{VIII.88})$$

De même, les sections efficaces différentielles sont exprimées en barn par steradian ou en ses sous multiples, mb/sr, $\mu b/sr$ et même pb/sr.

8)   VÉRIFICATION DU MODÈLE DE RUTHERFORD

A présent, nous pouvons enfin confronter le modèle de Rutherford à l'expérience. La figure VIII.13 donne, non pas le résultat historique de Geiger et Marsden, mais celui d'une expérience effectuée avec des alphas de 22 MeV. Les particules diffusées par une cible de plomb ($^{208}_{82}\text{Pb}$) ont été dénombrées par un ensemble de petits détecteurs à impulsion placés à divers angles.

Pour faciliter la comparaison de la théorie à l'expérience, on a tracé, pour chaque valeur de Θ, le rapport de la section efficace différentielle expérimentale à la valeur théorique, attendue dans le cas d'une diffusion coulombienne régie par la formule de Rutherford. On accède à ce rapport par la relation :

$$\frac{(d\sigma/d\Omega)_{\text{exp}}}{(d\sigma/d\Omega)_{\text{Ru}}} = \frac{(\Delta n)_{\text{exp}}}{(\Delta n)_{\text{Ru}}} \qquad (\text{VIII.89})$$

où $(\Delta n)_{\text{exp}}$ et $(\Delta n)_{\text{Ru}}$ sont les nombres de particules diffusées par unité de temps fournis respectivement par l'expérience et par la formule de Rutherford.

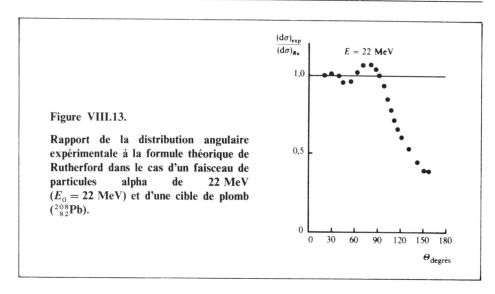

Figure VIII.13.

Rapport de la distribution angulaire expérimentale à la formule théorique de Rutherford dans le cas d'un faisceau de particules alpha de 22 MeV ($E_0 = 22$ MeV) et d'une cible de plomb ($^{208}_{82}$Pb).

Quand le rapport ainsi calculé est égal à 1, l'approximation de charge ponctuelle est en accord avec l'expérience. A quelques fluctuations près, sur lesquelles nous reviendrons à la fin du chapitre, c'est le cas pour les angles de diffusion inférieurs à l'angle dit d'effleurement, noté Θ_e, voisin ici de 90°. Cet angle est un paramètre clé de l'interprétation des résultats. Il correspond au paramètre d'impact d'effleurement, b_e, pour lequel la particule alpha vient tout juste effleurer le noyau et ressentir, à sa surface, son interaction forte (cf. fig. VIII.14).

Pour $b > b_e$, l'alpha ne subit que l'interaction coulombienne : sa trajectoire est une hyperbole et les angles de diffusion associés à ces valeurs du paramètre d'impact sont inférieurs à Θ_e (cf. relation VIII.69a). L'accord avec la formule de Rutherford, observé dans le domaine angulaire défini par $\Theta < \Theta_e$, permet donc de rejeter le modèle de J. J. Thomson (qui aurait conduit à une tout autre distribution angulaire).

La chute des sections efficaces différentielles expérimentales pour $\Theta \geqslant \Theta_e$ confirme la validité du modèle de Rutherford et manifeste l'existence de l'interaction forte : pour $b \leqslant b_e$ la particule alpha a une grande probabilité de finir sa course piégée dans le noyau (par le jeu de l'interaction forte, violemment attractive à cette énergie). C'est autant de probabilité de perdue pour la diffusion, d'où la chute observée.

Un ordre de grandeur des dimensions nucléaires peut être obtenu en calculant la distance a_{ℓ_e} qui sépare les centres des noyaux cible et $^4_2$He lorsqu'ils s'effleurent. Pour cela, récrivons l'expression (VIII.69b) en exploitant la relation (VIII.78a). On obtient :

$$a_{\ell_e} = \frac{a_0}{2} + \sqrt{\left(\frac{a_0}{2}\right)^2 + b_e^2} = \frac{a_0}{2}\left(1 + \frac{1}{\sin(\Theta_e/2)}\right) \tag{VIII.90}$$

Par exemple, dans le cas traité sur la figure VIII.13, on a $a_0 \simeq 10$ F $\simeq 10^{-14}$ m et $\Theta_e \simeq \pi/2$. On en déduit $a_{\ell_e} \simeq 12$ F $\simeq 1,2 \cdot 10^{-4}$ Å. Ainsi, le noyau est minuscule à l'échelle atomique et le modèle de Rutherford s'avère bien construit.

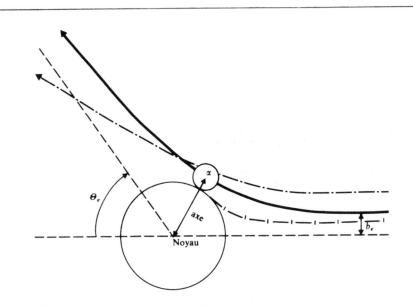

Figure VIII.14.

Schéma définissant les paramètres de la trajectoire d'effleurement (——). Pour $b > b_e$ les trajectoires sont de nature coulombienne ($- \cdot - \cdot$). Pour $b < b_e$, les trajectoires seront affectées par l'interaction forte ($-|-|$). Le schéma est tracé en assimilant le noyau et la particule α à des sphères homogènes qui n'interagissent par interaction forte que lorsqu'elles entrent en contact.

9)   LA NOTION DE RAYON NUCLÉAIRE

La mesure de la distance d'effleurement, a_{ℓ_e}, par la méthode décrite ci-dessus, fournit la somme des rayons du noyau cible et de la particule alpha quand on adopte les hypothèses simplificatrices suivantes : les noyaux sont des sphères homogènes et l'interaction forte a une portée négligeable par rapport aux rayons mesurés (interaction de contact). Dans le cadre de ces approximations, on peut obtenir une loi de variation du rayon nucléaire en fonction du nombre

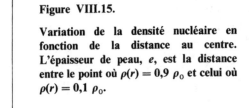

Figure VIII.15.

Variation de la densité nucléaire en fonction de la distance au centre. L'épaisseur de peau, e, est la distance entre le point où $\rho(r) = 0,9 \ \rho_0$ et celui où $\rho(r) = 0,1 \ \rho_0$.

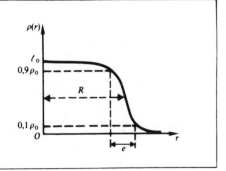

de masse A en effectuant des expériences de diffusion sur divers noyaux cibles $^A_Z X$ et en retranchant le rayon du noyau $^4_2 He$ des valeurs $a_{\ell_e}(X)$ mesurées.

Pour contrôler les hypothèses simplificatrices et obtenir des informations complémentaires, des expériences de diffusion ont aussi été effectuées avec d'autres projectiles, comme les électrons, qui ne subissent pas l'interaction forte, ou les neutrons, qui ne ressentent pas la force de Coulomb. L'analyse théorique de l'ensemble des résultats montre que le noyau n'est pas une sphère homogène : sa densité, d'abord constante sur les premiers fermis, finit par décroître lentement au voisinage de la surface, comme indiqué sur la figure VIII.15.

Si l'on définit le rayon nucléaire comme la distance à laquelle la densité a la moitié de sa valeur centrale, ρ_0, sa variation en fonction du nombre de nucléons, A, est assez bien représentée par la loi :

$$R = r_0 A^{1/3}; \quad \text{avec} \quad r_0 \simeq 1,3 \text{ F} \tag{VIII.91}$$

Quant à « l'épaisseur de peau » e, définie sur la figure VIII.15, c'est pratiquement une constante de l'ordre de 2 F. On vérifiera que la valeur $a_{\ell_e} \simeq 12$ F, obtenue dans le cas de la diffusion des noyaux $^4_2 He$ sur une cible de plomb, est reproduite par cette description.

Notons néanmoins que la loi (VIII.91) n'est qu'approximative. En effet, si certains noyaux, comme $^{208}_{82} Pb$, sont sphériques, d'autres sont légèrement ellipsoïdaux et d'autres encore en forme de poire... La loi citée ne donne qu'un rayon moyen. De plus, le paramètre r_0 varie légèrement suivant que l'on utilise pour le mesurer des alphas, des électrons, des neutrons... Ceci ne doit pas surprendre : par exemple avec des électrons on mesure la distribution de charge des noyaux, portée par les protons, alors qu'avec des neutrons, on obtient la distribution de matière nucléaire, neutrons et protons. C'est plutôt la presque égalité des rayons de charge et de matière des noyaux qui est originale : il n'en est pas du tout ainsi pour les atomes ou les molécules. Ceci montre que dans les noyaux, les constituants, neutrons et protons, sont répartis et se mélangent de façon homogène alors que dans les atomes, les électrons, négatifs et légers, occupent tout le volume pendant que le noyau, positif et lourd, se tient tranquille dans son petit domaine.

10) LES DEUX ASPECTS D'UNE PARTICULE QUANTIQUE

Jusqu'ici, je n'ai pas fait appel à la règle quantique selon laquelle il faut associer à chaque particule une onde de probabilité de présence dont la longueur d'onde est fournie par la relation de de Broglie, $\lambda = h/p$, déjà rappelée à propos de l'atome d'hydrogène (cf. relation VIII.61). Cet aspect ondulatoire des phénomènes quantiques conduit à décrire la collision d'une particule avec un noyau comme une diffraction de l'onde incidente (associée aux particules du faisceau) par l'objet microscopique que constitue le noyau ou plus exactement par le champ qu'il engendre. A chaque particule diffusée par un noyau cible, on associe de même une onde diffractée dont le module carré de l'amplitude fournit la probabilité de présence de cette particule en chaque point de l'espace.

La figure VIII.16 montre que cette analogie est fondée dans le cas de la diffusion d'un faisceau de neutrons de 14,5 MeV sur des cibles de plomb et d'étain. Les sections efficaces différentielles observées (directement reliées aux probabilités de présence des particules diffusées aux angles Θ) présentent des maxima et des minima dont l'espacement angulaire est d'autant plus grand que le rayon du noyau considéré est petit, avec un maximum principal pour $\Theta_0 = 0$, un premier minimum pour $\Theta_1 \simeq \lambda/2R$, et des maxima secondaires beaucoup moins intenses que le premier et de plus en plus faibles : ce sont des caractéristiques typiques de la diffraction.

Sans entrer dans l'analyse théorique de ces figures de diffraction des ondes de neutron par le noyau cible, je rappelle que le phénomène analogue en optique n'est pas observable à l'œil quand la longueur d'onde de la lumière utilisée est très faible par rapport au rayon de l'objet étudié ($\lambda/R \ll 1$). On est alors dans les conditions dites de l'optique géométrique où la notion de

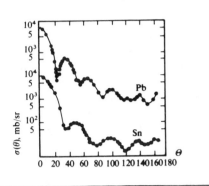

Figure VIII.16.

Distributions angulaires des neutrons de 14,5 MeV diffusés par des noyaux de plomb (Pb) et d'étain (Sn). L'analogie avec le phénomène de diffraction de la lumière est frappante.

rayon lumineux a un sens : pour $\lambda/R \ll 1$, la diffraction de l'onde associée aux photons n'est pas visible à l'œil nu car toute l'intensité de la lumière diffractée sur les bords de l'objet se retrouve pratiquement à l'angle $\Theta_0 = 0$ (propagation en ligne droite) ou plus exactement dans un domaine angulaire de l'ordre de $\Theta_1 \simeq \lambda/2R$, d'autant plus réduit que λ est faible par rapport à R.

Les approximations de l'optique géométrique ne s'appliquent pas dans le cas étudié sur la figure VIII.16 puisque la longueur d'onde associée à un neutron de 14,5 MeV est de l'ordre du rayon des noyaux étudiés ou plus exactement, ce qui revient au même ici, de l'ordre de la portée du champ d'interaction qu'exerce le noyau sur le neutron (ici, le champ d'interaction forte car le neutron est insensible au champ coulombien). On a en effet :

$$\lambda = \frac{h}{p} = \frac{h}{\sqrt{2\mu E_0}} = 2\pi \cdot \frac{\hbar c}{197} \cdot \frac{197}{2\mu c^2 E_0} \simeq 7,5 \text{ F} \qquad (VIII.92)$$

avec $E_0 = 14,5$ MeV et $\mu c^2 \simeq m_n c^2 \simeq 940$ MeV. C'est pourquoi l'aspect ondulatoire des neutrons se manifeste dans cette expérience par une figure de diffraction (dite de Fraunhofer), observable grâce à des détecteurs appropriés.

L'interprétation quantique de la figure VIII.13 est plus complexe, bien que la longueur d'onde associée à une particule alpha de 22 MeV soit d'un même ordre de grandeur ($\lambda \simeq 3$ F avec $m_\alpha \simeq 4m_n$). Nous allons la schématiser en exploitant successivement l'aspect corpusculaire de l'alpha dans le champ coulombien et son aspect ondulatoire quand le champ d'interaction forte commence à dominer.

Tant que la particule alpha n'est pas à proximité d'un noyau $^{208}_{82}$Pb, elle ne subit que l'interaction coulombienne, de portée « infinie » et variant lentement à l'échelle de λ. On peut donc lui attribuer une trajectoire, ici une hyperbole, et la traiter comme une particule classique (en termes d'analogie avec l'optique géométrique, le champ coulombien joue le rôle d'une lentille divergente et la particule alpha celui d'un rayon lumineux). C'est pourquoi la formule de Rutherford établie dans le cadre de la mécanique classique, est applicable aux angles inférieurs à Θ_e où elle est en accord avec l'expérience : l'aspect corpusculaire de la particule alpha est alors suffisant.

Lorsque cette particule commence à subir l'interaction forte du noyau $^{208}_{82}$Pb, il faut la traiter sous l'aspect ondulatoire car sa longueur d'onde associée est de l'ordre du rayon nucléaire, portée de l'interaction qui domine pour des distances inférieures à a_{ℓ_e}. En effet, à l'entrée du champ nucléaire, on a $\lambda = h/\sqrt{2\mu E_c}$, où $E_c = E_0 - E_p$ est l'énergie cinétique de la particule alpha en ce point et où E_p est son énergie potentielle coulombienne, soit pour $a_{\ell_e} \simeq 12$ F et $Z = 82$:

$$E_p = \frac{k2Ze^2}{a_{\ell_e}} = \frac{2Z}{a_{\ell_e}} \cdot \frac{ke^2}{\hbar c} \cdot \frac{\hbar c}{197} \cdot 197 \simeq 20 \text{ MeV}$$

d'où les valeurs $E_c \simeq 2$ MeV pour $E_0 = 22$ MeV et $\lambda \simeq 10$ F pour $\mu \simeq m_\alpha$. C'est pourquoi, tant que la particule alpha n'a pas une probabilité élevée d'être absorbée par le noyau, on observe, grâce au détecteur d'alphas, des oscillations diffractives (dites de Fresnel) aux angles voisins de Θ_e.

VI Conclusion

Dans ce chapitre, nous avons appliqué la méthode générale de résolution du problème à deux corps à quelques cas particuliers. Qu'il s'agisse d'états liés ou d'états libres, la démarche est toujours la même. On commence par exploiter la conservation de la quantité de mouvement pour séparer les variables du centre d'inertie et de la particule relative. Ensuite, en se plaçant dans le référentiel du centre d'inertie, on étudie le mouvement relatif des deux corps régis par l'interaction envisagée. Les conservations de l'énergie et du moment cinétique sont les bases de cette étude. Les solutions obtenues sont enfin exprimées dans le référentiel du laboratoire grâce à des formules générales de cinématique traitant uniquement la question du changement de référentiel.

Parfois, les solutions du problème à deux corps ne sont que des solutions approchées d'un problème plus complexe, modélisé dans un premier temps en négligeant l'influence d'agents extérieurs ou encore en assimilant un système complexe à un corps unique. Ces solutions approchées servent alors de base pour entreprendre une étude plus précise. Mais il existe des cas où cette façon de contourner le problème à N corps est inexploitable. Il faut alors se tourner vers des méthodes statistiques. C'est ce que nous allons illustrer dans le chapitre suivant.

Exercices

VIII.1. *A bord d'un laboratoire spatial*

Un laboratoire spatial de masse $M = 100$ tonnes a été installé par morceaux à une altitude de 600 km où il décrit une orbite circulaire de rayon R par rapport au centre C de la Terre (de masse $M_T \simeq 6 \cdot 10^{24}$ kg).

A – Caractéristiques cinématiques du laboratoire

1) Calculer la masse réduite du système constitué de la Terre et du laboratoire spatial et dire pourquoi le mouvement de la particule relative peut être identifié au mouvement du laboratoire spatial dans le référentiel CM du centre de masse.

2) Montrer que la célérité du laboratoire spatial dans CM est constante et que son accélération est dirigée vers C. Exprimer ces deux quantités en fonction de G, M_T et R, la distance du laboratoire à C.

3) Calculer numériquement cette célérité connaissant l'intensité g du champ de pesanteur au niveau de la Terre.

4) Chiffrer en heures la période de révolution du laboratoire.

5) Établir l'expression de l'énergie qu'il faudrait lui fournir pour le libérer de l'attraction terrestre puis l'estimer et la comparer à l'énergie nécessaire pour l'élever de 10 mètres à partir du sol.

B – Largage de satellites

L'une des missions confiées aux cosmonautes est de mettre sur orbite divers satellites, de masse $m = 50$ kg, largués soit à partir du «haut» du laboratoire, situé à une distance $L = 7$ m au-dessus de son centre, soit à partir du «bas», situé à 7 m au-dessous de ce centre. Pour que ces satellites décrivent eux aussi des orbites circulaires orientées dans le sens de celle du laboratoire, il faut leur communiquer, par rapport au laboratoire spatial, des vitesses que l'on notera respectivement $\Delta\vec{v}_H$ et $\Delta\vec{v}_B$.

6) Expliciter $\Delta\vec{v}_H$ et $\Delta\vec{v}_B$, en norme, direction, et sens, grâce au calcul différentiel, après avoir démontré la relation : $dv/v = -dR/2R$.

7) Si deux stallites sont largués simultanément de façon à tourner tous les deux dans le sens du laboratoire, l'un à partir du haut du laboratoire et l'autre à partir du bas, au bout de combien de temps seront-ils de nouveau en coïncidence, c'est-à-dire à l'aplomb l'un de l'autre ? Pour effectuer ce calcul on utilisera exclusivement, après l'avoir établie, la relation différentielle entre dT/T et dR/R où T est la période de révolution du laboratoire spatial.

C – Lancement des sondes

Une autre mission des cosmonautes est de lancer des sondes spatiales, de masse $m = 10$ kg, dans diverses directions repérées par l'angle θ_F représenté sur la figure ci-après. Ces sondes sont lancées avec des vitesses orientées selon la tangente à la trajectoire du laboratoire spatial et dans le sens de sa progression. On notera v_s leur célérité dans CM, assimilé à un référentiel d'inertie lié au centre de la Terre, au moment du lancement. Nous nous intéresserons uniquement au cas des trajectoires hyperboliques et nous allons établir la relation qui existe alors entre θ_F et v_s.

8) Montrer que pour une trajectoire hyperbolique on doit avoir $v_s > v\sqrt{2}$ où v est la célérité du laboratoire spatial calculée en A 2).

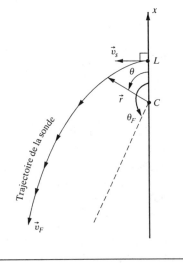

C représente le centre de la Terre, L la position du laboratoire au moment du lancement de la sonde. La droite en tirets est la parallèle en C à l'asymptote de la trajectoire hyperbolique de la sonde.

L'angle θ repère la direction du vecteur $\vec{r}$ de la sonde par rapport à l'axe Cx passant par L. On a donc $\theta = 0$ au moment du lancement, lorsque la célérité de la sonde est v_s, et $\theta = \theta_F$ quand la sonde se trouve à l'infini avec la célérité v_F.

9) Montrer ensuite que l'on a la relation : $dv_x/dt = - GM_T \cos \theta/r^2$ où v_x est la projection de la vitesse de la sonde sur l'axe Cx.

10) Justifier la relation suivante : $r^2 \, d\theta/dt = v_s R$.

11) En déduire alors : $dv_x = - GM_T \cos \theta \, d\theta/v_s R$.

12) Après avoir exprimé les conditions initiales et finales pour v_x et θ, intégrer la relation ci-dessus, puis, après avoir explicité v_F en fonction de v_s et R, montrer que le résultat final peut être mis sous la forme :

$$\mathrm{tg}\ \theta_F = - \frac{v_s}{v} \sqrt{\left(\frac{v_s}{v}\right)^2 - 2}$$

13) Commenter ce résultat en envisageant quelques valeurs particulières du rapport v_s/v, puis calculer v_s pour $\theta_F = 3\pi/4$ et en déduire la célérité de la sonde par rapport au laboratoire spatial au moment du lancement.

14) Chiffrer alors l'énergie de recul du laboratoire, c'est-à-dire l'énergie cinétique qu'il acquiert lors du lancement de la sonde, dans le référentiel du centre d'inertie du système laboratoire spatial-sonde. Décrire les effets de ce lancement sur la trajectoire du laboratoire si celui-ci n'est pas équipé de dispositifs anti-recul et, en particulier, de moteurs à réaction.

D – Une utilisation des moteurs à réaction

Lors de tels lancements une légère erreur de manœuvre entraîne la mise en rotation sur lui-même du laboratoire spatial, au rythme d'environ un tour par minute (autour d'un axe passant par son centre). Pour les calculs qui suivent, on supposera que le laboratoire a toujours une masse d'environ 100 tonnes et on l'assimilera à une sphère creuse de 7 m de rayon.

15) Estimer l'épaisseur de sa coque après lui avoir attribué une masse volumique jugée réaliste.

16) Établir l'expression du moment d'inertie du laboratoire par rapport à un axe passant par son centre.

17) En déduire la valeur de son moment cinétique intrinsèque.

18) Comment faudrait-il orienter l'échappement des moteurs à réaction pour stopper cette rotation gênante ? Après avoir donné à la vitesse d'échappement des gaz une valeur jugée raisonnable, estimer la quantité de gaz nécessaire pour effectuer l'opération. (S)

VIII.2. *Explosion d'une supernova dans un système binaire*

L'explosion d'une supernova laisse deux témoins de son existence : une nébulosité qui subit une expansion au cours du temps et une étoile à neutrons (étoile très condensée, ayant un rayon de l'ordre d'une dizaine de kilomètres pour des masses volumiques de l'ordre de 10^{17} à 10^{18} kg m^{-3}). La nébuleuse du Crabe est ainsi née de l'explosion d'une supernova observée en Chine en 1054.

Nous nous proposons d'étudier l'évolution d'un système (binaire) composé de deux étoiles : une supernova et son compagnon. Nous nous plaçons dans un référentiel où le centre de masse O du système binaire est immobile. Les trajectoires de chacune des deux étoiles sont initialement circulaires dans ce référentiel. Soit m_1, $\vec{r}_1$, $\vec{v}_1$, $\vec{p}_1$, m_2, $\vec{r}_2$, $\vec{v}_2$, $\vec{p}_2$, les masses, vecteurs position, vitesse et quantité de mouvement des deux étoiles immédiatement avant l'explosion. Les célérités des particules éjectées lors de l'explosion de la supernova sont de l'ordre de quelques dizaines de milliers de kilomètres par seconde, alors que les célérités des étoiles sur leur orbite sont de l'ordre de quelques centaines de kilomètres par seconde. Nous admettrons que la perte de masse de l'étoile qui explose est instantanée et isotrope. Ainsi, les vitesses des deux étoiles avant et après l'explosion de la supernova ne changent pas. Nous supposerons enfin que le compagnon n'est pas affecté par l'explosion : sa masse et sa vitesse immédiatement avant et après l'explosion sont identiques. Ainsi la vitesse relative des deux compagnons est égale immédiatement avant et après l'explosion.

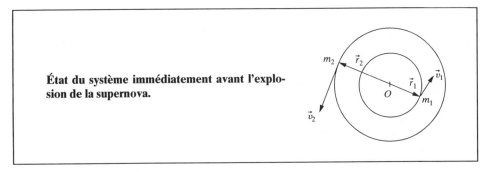

État du système immédiatement avant l'explosion de la supernova.

A – Caractéristiques du système avant l'explosion

1) Exprimer, dans le référentiel lié au centre de masse O, les positions $\vec{r}_1$ et $\vec{r}_2$ en fonction de la position relative $\vec{r}$, de m_1, m_2 et μ, où μ est la masse réduite avant l'explosion. Exprimer de même les vitesses $\vec{v}_1$ et $\vec{v}_2$ en fonction de la vitesse relative $\vec{v}$ et de m_1, m_2 et μ. Calculer l'énergie E_0 du système initial en fonction de G, la constante de gravitation universelle, des masses des deux étoiles et du rayon a_0 de la trajectoire de la particule relative. Exprimer ce rayon en fonction de la masse totale $M = m_1 + m_2$, de la vitesse relative v et de G. En déduire le moment cinétique total ℓ_0 du système.

B – Aspects énergétiques

La masse de la supernova avant l'explosion étant m_1, elle devient, après celle-ci, $m_1' = qm_1$ où $0 < q < 1$.

1) On considère maintenant le nouveau système composé de l'étoile à neutrons de masse m_1', reste de la supernova, et du compagnon, inchangé après l'explosion. Soit O' la position du centre de masse de ce système (O reste toujours immobile puisque l'on a supposé que la perte de masse de la supernova était isotrope). Soit $M' = qm_1 + m_2$ la masse totale du système (après l'explosion) et μ' sa masse réduite. On pose $\vec{R} = \overrightarrow{OO'}$.

2) Exprimer $\vec{R}$ en fonction de qm_1, m_2, $\vec{r}_1$ et $\vec{r}_2$. Montrer que le mouvement de O' est uniforme et déterminer sa vitesse $\vec{v}_0$ en fonction de μ, q, M' et de la vitesse relative $\vec{v}$. Calculer l'énergie associée au mouvement de O' après l'explosion.

3) Calculer l'énergie E associée au mouvement relatif, immédiatement après l'explosion, en fonction de μ', M', G, v et a_0 et vérifier qu'elle peut se mettre sous la forme :

$$E = -q \, \frac{M - 2M'}{M'} \, E_0$$

4) Montrer que l'énergie totale E_t du système dans l'état final est supérieure à l'énergie initiale E_0 calculée en A 1). Pourquoi en est-il ainsi ?

5) Les deux étoiles peuvent former un système lié ou non-lié. En raisonnant sur l'énergie E, calculée en 3), montrer que :

a) le système final est nécessairement lié si c'est l'étoile dont la masse est la plus faible qui a explosé,

b) dans le cas où c'est l'étoile la plus massive qui explose, le système reste lié si la perte de masse est plus faible que la masse totale du système final,

c) on obtient la même condition sur les masses en exprimant que la célérité relative avant l'explosion est inférieure à la vitesse de libération après l'explosion.

C – Caractéristiques des trajectoires après l'explosion

On se place dans la situation où le système final reste lié. La trajectoire de la particule relative est alors une ellipse.

6) Calculer le moment cinétique $\vec{L}$, du centre d'inertie O' par rapport à O en l'exprimant en fonction de μ, q, M' et du moment cinétique relatif du système avant l'explosion $\vec{\ell}$.

7) Vérifier que le moment cinétique $\vec{\ell}'$, par rapport à O', après l'explosion, s'exprime par la relation : $\vec{\ell}' = \vec{\ell} - \vec{L}$, $\vec{\ell}$ étant le moment cinétique du système par rapport à O après l'explosion.
En exprimant $\vec{\ell}$ en fonction de $\vec{\ell}_0$ et des masses, montrer que : $\vec{\ell}' = q(M/M')\vec{\ell}_0$.

8) Établir ensuite l'expression de l'énergie potentielle effective du système, $E_{eff}(r)$, en fonction de r, G, μ', M' et $\ell = \|\vec{\ell}'\|$.

9) A partir de cette expression établir les limites du mouvement radial en fonction de l'énergie E du mouvement relatif et de G, μ', M' et ℓ'. En déduire le demi-grand axe, a, et l'excentricité, e, de l'ellipse, différence des distances au foyer (r_+, r_-) divisée par le grand axe. Vérifier que l'on trouve bien $E = -qGm_1m_2/2a$.

10) Montrer que, a_0 étant le rayon de la trajectoire du mouvement relatif avant l'explosion, le demi grand axe, a, de l'ellipse finale est donné par la relation :

$$\frac{a}{a_0} = -\frac{M'}{M - 2M'}$$

11) En utilisant les relations définissant E (question 3) et ℓ' (question 8)), vérifier que l'excentricité est donnée par $e = M/M' - 1$. En déduire la relation $a_0 = a(1 - e)$.

12) En se servant de la troisième loi de Kepler, montrer que la période T, du mouvement après l'explosion est liée à la période T_0, du mouvement initial par la relation :

$$T = \frac{T_0}{1 - e} \sqrt{\frac{1 + e}{1 - e}}$$

13) Le système final PSR 1913 + 16 contient un pulsar (étoile à neutrons). L'excentricité est $e = 0,617$, la période $T = 27907$ s, les masses égales $qm_1 = m_2 = 1,41\ M_\odot$, où $M_\odot = 2 \cdot 10^{30}$ kg est la masse du Soleil, et le demi grand axe de l'orbite du pulsar est $a_1 = 9,76 \cdot 10^8$ m $= 1,4R_\odot$ où $R_\odot = 7 \cdot 10^8$ m est le rayon du Soleil. Calculer les caractéristiques du système binaire initial, c'est-à-dire m_1, T_0, a_0 ainsi que la célérité initiale. En déduire la célérité du centre de masse après l'explosion. (S)

VIII.3. On appelle section efficace géométrique d'un noyau l'expression πR^2 où R est le rayon de ce noyau.
1) Calculer la section efficace géométrique du plomb.
2) En admettant que la section efficace d'interaction des neutrons de quelques centaines de MeV avec les noyaux de plomb soit de l'ordre de la section efficace géométrique, estimer l'épaisseur maximale à donner à la cible de plomb pour qu'on puisse la considérer comme mince. On donnera le résultat en g/cm².
3) Sachant que la masse volumique du plomb est de 11,3 g/cm³, combien de rangées atomiques cette épaisseur contient-elle?
4) Dans les mêmes hypothèses, quelle épaisseur faudrait-il donner à un écran de plomb pour qu'il atténue d'un facteur 100 un faisceau de neutrons de quelques centaines de MeV?

VIII.4. On envoie sur une «sphère dure» (parfaitement «réfléchissante» : collisions purement élastiques) de rayon R un faisceau parallèle de petites billes «dures», ponctuelles à l'échelle de R. Comme indiqué sur la figure ci-dessous, on notera θ l'angle de diffusion de ces billes par la sphère.

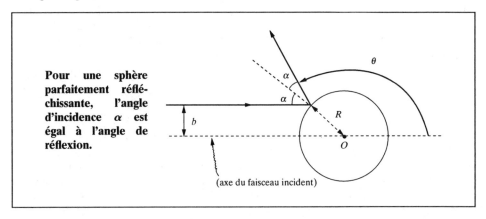

Pour une sphère parfaitement réfléchissante, l'angle d'incidence α est égal à l'angle de réflexion.

(axe du faisceau incident)

1) Montrer que le paramètre d'impact b de la collision est relié à θ par : $b = R\cos(\theta/2)$.

2) En déduire que la section efficace différentielle de telles collisions est isotrope, c'est-à-dire indépendante de θ, et a pour valeur $R^2/4$.

3) Calculer alors la section efficace totale associée à ce processus élastique et interpréter le résultat.

VII.5. *Collisions et rotations : réactions de fusion*

L'analyse des collisions entre deux particules, deux noyaux, deux atomes, deux molécules... apporte des renseignements très précis sur la nature des interactions qui régissent ces systèmes à «deux» corps. Lorsqu'on aborde des expériences de ce type il est bon d'éveiller son imagination en observant ce qui se passe à «deux dimensions», lors d'un choc entre deux pièces de monnaie glissant sur un parquet bien lisse, ou mieux, entre deux palets se mouvant sur une table à coussin d'air (pour que l'analogie escomptée ne soit pas contaminée par des artéfacts liés aux forces de frottement extérieures au système). En fait nous n'expliciterons ici qu'une partie de l'analogie : celle qui peut guider l'interprétation d'un phénomène de fusion nucléaire aboutissant à la formation d'un noyau dans un état de moment cinétique élevé. C'est en effet ce thème que nous aborderons dès la deuxième partie.

A – Modèle mécanique préliminaire

Soient donc deux palets cylindriques P_1 et P_2 de masses et de rayons respectifs m_1, m_2, et R_1, R_2, capables de se mouvoir sans frottement sur une table horizontale à coussin d'air et n'interagissant que par chocs de contact. Initialement P_2 est immobile et P_1 se déplace (en translation) à la vitesse $\vec{v}_1$. On notera b le paramètre d'impact d'une éventuelle collision, c'est-à-dire la distance entre les deux droites parallèles à la direction définie par $\vec{v}_1$ et passant l'une par le centre de P_1 et l'autre par le centre de P_2. Enfin on nommera G le centre de masse du système constitué de P_1 et P_2.

1) Dites pourquoi on peut supposer ici que la vitesse $\vec{V}$ de G, par rapport au référentiel d'inertie lié à la table (référentiel du laboratoire), restera constante quoiqu'il arrive à P_1 et P_2, même s'ils subissent une collision très inélastique. En déduire l'expression de $\vec{V}$ en fonction de m_1, m_2 et $\vec{v}_1$.

2) Donnez l'argument qui vous permet d'affirmer que dans un référentiel dont G est l'origine (référentiel du centre de masse), P_1 et P_2 s'en vont dans des directions opposées après

une collision, que celle-ci soit élastique ou non. Dites pourquoi les vitesses (de translation) de P_1 et P_2 dans ce référentiel sont nulles après un choc mou (collage instantané de P_1 et P_2, phénomène que l'on peut aisément observer en ceinturant les deux palets de bandes Velcro complémentaires encore appelées «scratch» ou ruban adhésif).

3) Montrez que le moment cinétique du système par rapport à G (moment cinétique dans le référentiel du centre de masse, encore appelé moment cinétique relatif du système) a pour norme $L = \mu b v_1$ où μ est la masse réduite du système. Précisez ce qui vous permet d'affirmer que cette valeur restera constante quoi qu'il arrive au système par la suite, même dans le cas d'une collision très inélastique.

4) Conclure brièvement cette première partie en montrant que, quand les palets restent rigidement collés après un choc mou, leur mouvement, dans le référentiel lié à la table à coussin d'air (référentiel du laboratoire), est la combinaison d'une translation caractérisée par la vitesse $\vec{V}$, définie à la question 1, et d'une rotation autour de G caractérisée par une vitesse angulaire de norme $\omega = \mu b v_1 / I$, où I est le moment d'inertie du système collé par rapport à un axe passant par G (on ne cherchera pas à expliciter I).

B – Modèle schématique des réactions de fusion

Nous allons nous laisser guider par ce modèle mécanique pour interpréter des réactions nucléaires dites de fusion, réactions que l'on peut observer en envoyant un faisceau de noyaux N_1, issus d'un accélérateur avec une énergie cinétique E_L dans le référentiel du laboratoire, sur des noyaux N_2 contenus dans une cible mince immobile dans ce référentiel. Plus précisément, on appelle réaction de fusion nucléaire le processus par lequel un noyau N_1 et un noyau N_2, de numéros atomiques et de nombres de masse respectifs Z_1, Z_2 et A_1, A_2, entrent en «contact», se «collent» et aboutissent à la formation d'un noyau unique de numéro atomique $Z = Z_1 + Z_2$ et de nombre de masse $A = A_1 + A_2$. Dans le modèle le plus simple que nous adopterons ici, on assimile les noyaux à des sphères homogènes de rayons $R = r_0 A^{1/3}$, avec $r_0 = 1,3$ fm $= 1,3 \cdot 10^{-15}$ m, et on simule l'interaction forte par une interaction attractive de contact, de sorte qu'une fusion ne pourra avoir lieu que si les trajectoires de N_1 et N_2, dans le champ coulombien qu'ils engendrent, leur permettent d'atteindre une distance d'approche a_L valant au plus la quantité d définie par : $\boxed{d = R_1 + R_2}$. Il faut en effet noter dès maintenant qu'une des différences essentielles entre ce modèle de fusion et le modèle préliminaire tient au fait que les palets étaient électriquement neutres alors que les noyaux sont chargés : avant de ressentir une interaction forte attractive ils subissent une interaction coulombienne répulsive.

5) En adoptant pour la masse d'un noyau de nombre de masse A, l'approximation $M = A m_N$ où m_N est la masse d'un nucléon, avec $m_N c^2 = 940$ MeV $\sim 10^3$ MeV, précisez en fonction de A_1 jusqu'à quelle énergie cinétique on pourra considérer les noyaux incidents comme non relativistes. On supposera qu'il en est ainsi par la suite.

6) Selon l'énergie E_L dont on dispose dans le laboratoire, exprimez l'énergie cinétique du centre de masse dans le référentiel du laboratoire et l'énergie totale, notée E par la suite, du système dans le référentiel du centre de masse. On notera M_1 et M_2 les masses de N_1 et N_2 et μ la masse réduite du système.

7) Montrez que le moment cinétique du système est perpendiculaire à un plan (dit plan de réaction), défini par l'axe du faisceau incident et celui qui joint les centres de N_1 et N_2.

8) Prouvez, en justifiant toutes les étapes de votre démarche, que pour qu'une collision entre N_1 et N_2 aboutisse à une fusion, il faut que le moment cinétique du système dans le référentiel du centre de masse (moment cinétique relatif) soit inférieur à une valeur L_M donnée par :

$$L_M = d \sqrt{2\mu (E - U)}$$

où U, appelé barrière coulombienne du système, est donné par : $\boxed{U = k Z_1 Z_2 e^2 / d}$ où e est la charge élémentaire et où $k = 1/4\pi\varepsilon_0$ est la constante de Coulomb. Pour illustrer ce résultat, schématisez dans le référentiel du centre de masse les trajectoires de N_1 et N_2 associées à la valeur L_M, trajectoires dites d'effleurement.

9) En déduire que la section efficace totale de fusion est donnée dans ce modèle schématique par :

$$\sigma_F = \pi d^2 \left(1 - \frac{U}{E} \right)$$

Précisez sur un graphique les caractéristiques de la droite associée au tracé de σ_F en fonction non pas de E mais de $1/E$.

C – Confrontation du modèle avec l'expérience

Pour savoir si, malgré son caractère très schématique, ce modèle est déjà assez proche de l'expérience, nous allons comparer l'expression de σ_F établie ci-dessus avec les résultats obtenus en envoyant un faisceau de noyaux d'argon ($A_1 = 40$, $Z_1 = 18$) d'énergie variable sur une cible de noyaux d'étain ($A_2 = 118$, $Z_2 = 50$). La figure ci-après consigne ces résultats expérimentaux. On notera qu'au lieu de la droite attendue on observe deux courbes raccordées. L'une, notée 1, caractérise le comportement de σ_F aux énergies les plus élevées. L'autre, la droite notée 2, donne σ_F aux énergies les plus basses, avec raccordement pour E voisin de 140 MeV ($1/E$ voisin de $0,7\ 10^{-2}$ MeV^{-1}). Nous allons voir que la droite 2 est en accord avec le modèle schématique alors que la courbe 1 manifeste un mécanisme de «collage» moins performant.

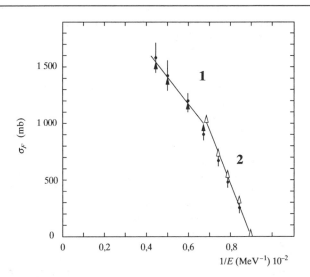

Section efficace totale de fusion du système $^{40}_{18}$Ar + $^{118}_{50}$Sn en fonction de $1/E$ où E est l'énergie dans le référentiel du centre de masse. On notera que σ_F est donné en millibarn (1 mb = 10^{-27} cm^2 = 10^{-31} m^2) et que les valeurs de $1/E$ sont exprimées en 10^{-2} MeV^{-1}. Par exemple le raccordement des courbes 1 et 2 se situe aux environs de 0,007 MeV^{-1} ($0,7\ 10^{-2}$ MeV^{-1}) et apparaît donc en abscisse aux environs de 0,7 (cf. W. Nörenberg et H. A. Weidenmüller : Introduction to the Theory of Heavy-Ion Collisions).

10) A l'aide de la figure ci-dessus, montrez que les valeurs $d = 11,6$ fm et $U = 112$ MeV rendent le modèle schématique conforme à l'expérience dans la zone d'énergie couverte par la droite 2.

11) Estimez la valeur du paramètre r_0 qui intervient dans la définition de d, encadrée dans le texte, pour $d = 11,6$ fm. Sachant que les noyaux ne sont pas exactement des sphères homogènes, dites pourquoi ce résultat vous semble raisonnable. Pour cette valeur de d, estimez ensuite celle attendue pour U, compte tenu de sa définition encadrée dans le texte (on rappelle que $k e^2/hc = 1/137$ et $hc/200$ MeV $= 1$ fm). Dites alors si les valeurs de d et U tirées de l'expérience vous paraissent assez compatibles entre elles pour justifier le modèle schématique.

12) Quelles causes mécaniques invoqueriez-vous pour rendre compte du changement de comportement traduit par la courbe 1, caractéristique des collisions aux énergies et moments cinétiques élevés ?

D – Les noyaux à haut spin

Actuellement les réactions de fusion sont exploitées dans les laboratoires de physique nucléaire pour étudier le comportement des noyaux lorsqu'on les porte dans des états de rotation rapide, encore appelés états de « haut spin », c'est-à-dire de moment cinétique élevé. Nous allons voir qu'il en est bien ainsi au terme d'une réaction de fusion.

13) Donnez tous les arguments qui vous permettent d'affirmer que quand le système aura finalement pris la forme d'un noyau composé sphérique de masse M et de rayon R, sa vitesse angulaire maximale aura pour norme $\omega_M = L_M/I$ où $I = 2MR^2/5$ est le moment d'inertie de ce noyau par rapport à un axe dont on prouvera qu'il passe par son centre et qu'il est perpendiculaire à un plan à préciser. Dites sans calcul si ω_M est supérieur ou inférieur à la vitesse angulaire du même système au moment du « collage » de N_1 et N_2 avec $L = L_M$.

14) En adoptant la valeur de U donnée dans la partie III, et avec $r_0 = 1,3$ fm, estimez ω_M dans le cas d'une fusion ${}^{40}_{18}\text{Ar} + {}^{118}_{50}\text{Sn} \rightarrow {}^{158}_{68}\text{Er}$ induite à une énergie $E = 140$ MeV. Pour la masse d'un noyau de nombre de masse A, on se contentera de l'approximation $M = Am_N$ où m_N est la masse d'un nucléon, avec $m_N c^2 = 940$ MeV $\sim 10^3$ MeV. En déduire le nombre de tours sur lui-même que fait en une seconde le noyau d'erbium ainsi formé.

15) Jusqu'ici nous avons traité les noyaux comme des objets classiques. L'une des modifications qu'apporte un traitement quantique consiste à imposer au moment cinétique la « règle de Bohr », $L = n\hbar$ où n est un entier. Estimez n dans le cas défini à la question précédente. Faites tous les commentaires que vous jugerez utiles à propos des valeurs obtenues pour ω_M et n.

VIII.6. *Diffusion coulombienne d'ions lourds*

Pour étudier la diffusion coulombienne des noyaux on envoie un faisceau d'ions accélérés 1 sur une cible mince constituée d'atomes 2. Tant que les noyaux des atomes 1 et 2 sont à des distances relatives supérieures à la somme des rayons de leurs cortèges atomiques, ils n'interagissent pratiquement pas car les électrons font écran aux forces coulombiennes qu'ils exerceraient l'un sur l'autre s'ils étaient nus. En revanche, pour des distances relatives plus faibles les deux noyaux en s'approchant l'un de l'autre ressentent tout d'abord une répulsion coulombienne mutuelle, de moins en moins écrantée, puis, lorsque leurs surfaces se trouvent à environ un Fermi (10^{-15} m) l'une de l'autre, les forces nucléaires entrent en jeu. Pour fixer les idées nous nous intéresserons à la diffusion élastique du système ${}^{16}_{8}\text{O} + {}^{64}_{28}\text{Ni}$ à 60 MeV dans le référentiel L du laboratoire, c'est-à-dire aux collisions élastiques observées en envoyant sur une cible composée de ${}^{64}\text{Ni}$ des ions ${}^{16}\text{O}$ ayant une énergie cinétique $E = 60$ MeV à la sortie de l'accélérateur.

1) Quelle est l'énergie $\overline{E}$ de ce système dans le référentiel CM du centre de masse ? De façon générale, par la suite, toutes les quantités dans CM seront affectées d'une barre supérieure.

2) Vérifier que cette énergie est largement suffisante pour que les noyaux ^{16}O et ^{64}Ni subissent des diffusions coulombiennes, sachant que le rayon d'écran de ce système est $d \simeq 0{,}15$ Å, distance en dessous de laquelle les électrons n'écrantent plus la répulsion coulombienne. Cette énergie permet-elle à ces noyaux d'entrer en interaction forte ?

3) Calculez le paramètre d'impact b associé à une diffusion coulombienne d'angle $\bar{\theta} = 1°$ dans le référentiel CM. Pour cela, on utilisera la relation spécifique de la diffusion coulombienne tg $(\bar{\theta}/2) = a_0/2b$ où a_0 est la distance minimale d'approche coulombienne. Comparer le résultat au rayon d'écran du système et en déduire que l'emploi de la formule précédente est a posteriori justifié.

4) En déduire la probabilité pour que le système subisse une diffusion d'angle $\bar{\theta}$ supérieure à 1° en traversant une cible d'épaisseur e contenant N atomes par unité de volume.

5) Calculer la probabilité pour qu'un ion ^{16}O subisse dans la cible de nickel deux diffusions successives d'angle $\bar{\theta}$ supérieures à 1°. En déduire l'épaisseur maximale à donner à la cible pour que l'on puisse négliger les diffusions multiples, sauf pour $0 < \bar{\theta} < 1°$.

6) Estimer la barrière coulombienne $V(R)$ du système, c'est-à-dire la valeur du potentiel coulombien lorsque les deux noyaux, ^{16}O et ^{64}Ni, sont à une distance R égale à la somme de leurs rayons.

7) Calculer alors l'angle $\bar{\theta}$ à partir duquel la diffusion cesse d'être purement coulombienne pour devenir dominée par les forces nucléaires. On rappelle que la distance d'approche correspondant à une diffusion coulombienne à l'angle $\bar{\theta}$ est donnée par $a = a_0(1 + 1/\sin(\bar{\theta}/2))/2$.

8) Calculer l'angle de déviation θ dans L en utilisant la relation tg $\theta = \sin\bar{\theta}/(m_1/m_2 + \cos\bar{\theta})$. Retrouver cette expression à l'aide d'une figure où seront représentées $\vec{v}'_1, \vec{v}_{CM}, \vec{v}'_1, \bar{\theta}$ et θ, et en montrant a) qu'avant le choc $\vec{v}_2 = -\vec{v}_{CM}$, b) que tout choc binaire élastique laisse inchangée l'énergie cinétique de *chacune* des deux particules dans le référentiel CM.

9) Tracer qualitativement l'allure attendue pour le rapport $\bar{\sigma}_{ex}(\bar{\theta})/\bar{\sigma}_{Ru}(\bar{\theta})$ en fonction de $\bar{\theta}$, où $\bar{\sigma}_{ex}$ et $\bar{\sigma}_{Ru}$ sont les sections efficaces différentielles expérimentale et purement coulombienne (dite de Rutherford : $\bar{\sigma}_{Ru}(\bar{\theta}) = (a_0/4)^2 \sin^{-4}(\bar{\theta}/2)$). Commenter le tracé en indiquant les renseignements que l'on peut attendre de ce genre d'étude.

10) Quelle devrait être la valeur de $\bar{\sigma}_{ex}(\bar{\theta})$ pour $\bar{\theta} = 60°$?

11) En déduire l'ordre de grandeur du nombre d'ions ^{16}O observés par seconde dans un détecteur leur présentant une surface de 1 cm^2, placé à 30 cm de la cible et centré à l'angle θ correspondant à $\bar{\theta} = 60°$, quand l'expérience est effectuée avec une cible de nickel ayant l'épaisseur déterminée à la question A 5) et un faisceau d'oxygène ayant une intensité de 10 nanoampères pour des atomes une seule fois ionisés. (S)

CHAPITRE IX

Notions sur le problème à N corps

La simplicité du problème à deux corps tient à la possibilité de découpler, par un changement de variables, les deux équations qui le caractérisent. Dans le référentiel du centre d'inertie, il ne reste alors à résoudre qu'un problème à un corps fictif (la particule relative) régi par l'interaction à deux corps.

Les choses se gâtent lorsqu'un troisième corps entre en jeu : il n'existe pas de méthode générale de résolution du problème à trois corps. Comme on ne peut découpler, par changement de variables, les trois équations qui caractérisent un système comprenant trois éléments, la recherche des solutions s'appuie sur des méthodes d'approximation. D'ordinaire, on commence cette recherche en adoptant la règle de superposition des forces : on se contente de décrire les interactions à trois corps comme la somme des interactions à deux corps, déduites de l'étude du problème à deux corps. Ensuite, si besoin est, on corrige ces premières approximations en se laissant guider par les faits observés au cours d'expériences.

Pour les systèmes ne comprenant que quelques constituants, on procède de cette façon semi-empirique, trop complexe et trop peu générale pour être abordée ici. Par contre, pour traiter les systèmes ayant un nombre élevé d'éléments, N, on peut recourir à des méthodes générales qui reposent sur des notions statistiques et des arguments de symétrie. Dans ce chapitre, je vais schématiser les plus simples d'entre elles.

Je commencerai par un exemple élémentaire de traitement statistique : l'interprétation à l'échelle moléculaire, de l'équation d'état des gaz parfaits. Ceci nous permettra de mieux comprendre ensuite un « théorème général » de mécanique non encore abordé jusqu'ici : le théorème du viriel. Ses applications sont nombreuses. Elles nous inciteront à revenir sur la notion d'énergie interne et l'évolution des systèmes. Enfin je citerai brièvement la méthode dite du champ moyen, typique du problème à N corps.

I   Un système idéal : le gaz parfait

Le plus simple des modèles que l'on puisse concevoir pour interpréter de façon statistique les propriétés des systèmes est le modèle des gaz parfaits. Il consiste à assimiler les molécules d'un gaz à des boules de billard minuscules ne subissant que des collisions élastiques de contact. L'équation d'état qui caractérise ce système idéal est probablement connue du lecteur. Je la rappellerai tout d'abord, de façon à préciser d'une part la notion d'état d'équilibre macroscopique, et d'autre part les conditions idéales dans lesquelles l'approximation des gaz parfaits est justifiée.

1) ÉQUATION D'ÉTAT DES GAZ PARFAITS

On dit qu'un système a atteint un état d'équilibre macroscopique quand toutes les quantités physiques qui lui sont attachées n'évoluent plus au cours du temps, à l'échelle des observations macroscopiques. Par exemple, une certaine quantité de gaz, v mole(s), enfermée dans un récipient de volume V, est dans un état d'équilibre macroscopique quand sa pression*, P, et sa température, T, sont homogènes dans toute l'enceinte et n'évoluent plus au cours du temps, à l'échelle des mesures macroscopiques. Les quantités attachées au système, comme v, V, P, T, etc. sont alors indépendantes du temps et reliées entre elles par une équation appelée « équation d'état du système ».

En particulier, l'équation d'état d'un gaz parfait s'écrit :

$$\boxed{PV = vRT}$$ (IX.1)

où R est la constante dite des gaz parfaits,

$$R = 8{,}314 \text{ Joules/°K}$$ (IX.2)

Cette relation n'a de chances d'être applicable à un gaz réel que dans la mesure où celui-ci est bel et bien un gaz, c'est-à-dire assez loin des conditions de liquéfaction. En effet, contrairement à ce qu'elle indique, on ne peut réduire à zéro le volume d'un gaz en le comprimant indéfiniment, à température constante, ou en faisant tendre vers zéro sa température, à pression constante Chaque molécule occupe un volume de l'ordre de 10^{-30} m³ et le volume minimal d'un gaz, appelé covolume, est celui dans lequel toutes les molécules sont «entassées quantiquement» les unes contre les autres. On le notera b par la suite.

2) CONDITIONS IDÉALES

Pour tenir compte du covolume, b, récrivons la relation (IX.1) sous la forme :

$$P(V - b) = vRT$$ (IX.3)

Cette correction n'est pas suffisante car il faut encore estimer l'effet de l'interaction des

---

* Dans le système international, l'unité de pression est le Pascal, définie comme la pression associée à une force de 1 Newton exercée sur une surface de 1 m² (1 N/m²). La pression atmosphérique normale (760 mm de mercure) correspond à 101 325 Pascal ($\simeq 10^5$ P).

molécules entre elles. Comme, en moyenne, il s'agit d'interactions attractives, cet effet se traduit, pour un gaz réel, par une pression légèrement inférieure à celle attendue dans le modèle du gaz parfait. On transformera donc la formule (IX.3) en :

$$P = \frac{RT}{V - b} - \pi \tag{IX.4}$$

où π est un terme décrivant l'effet d'interaction.

Ce terme est proportionnel à la probabilité de collision des molécules entre elles et donc à n^2, le carré du nombre de molécules par unité de volume. Si l'on suppose cette probabilité indépendante de l'énergie des molécules, et donc de la température (cf. relation I.15), on écrira $\pi = a/V^2$ où a est une constante pour un gaz donné. On obtiendra donc finalement :

$$\left(P + \frac{a}{V^2}\right)(V - b) = vRT \tag{IX.5}$$

C'est la formule dite de Van der Waals qui constitue une version approchée de l'équation d'état d'un gaz réel.

Cette formule redonne l'équation d'état des gaz parfaits ($PV = vRT$) quand le gaz réel considéré est très dilué dans le récipient ($b \ll V$) et quand on peut négliger la correction due aux interactions des molécules entre elles ($a \ll PV^2$). Nous supposerons donc que les deux conditions idéales, $a = 0$ (pas d'interaction) et $b = 0$ (molécules ponctuelles), caractérisent les systèmes modèles que sont les gaz parfaits. Tout gaz réel possède un domaine de variation des paramètres P, V et T où son comportement est assez bien reproduit par la relation (IX.1), c'est-à-dire par l'approximation des gaz parfaits. Les gaz rares sont les meilleurs exemples.

II Éléments de théorie cinétique des gaz

Abordons sur ces bases l'interprétation microscopique de l'équation d'état des gaz parfaits. Procédons par touches successives.

1) CHOCS MOUS SUR UNE PAROI

Considérons une molécule de masse m allant droit vers une paroi à la vitesse $\vec{v}$ dans le référentiel où cette paroi, de masse infinie à l'échelle de m, est immobile (cf. fig. IX.1). Si cette molécule se colle à la paroi qu'elle rencontre, elle lui communique toute sa quantité de mouvement, $m\vec{v}$. Supposons que pendant l'intervalle de temps Δt, α molécules semblables d'un faisceau homogène viennent se coller de cette façon. Alors la paroi encaissera au total une quantité de mouvement $\Delta\vec{p} = \alpha m\vec{v}$.

Conformément au principe fondamental de la dynamique, on doit associer à

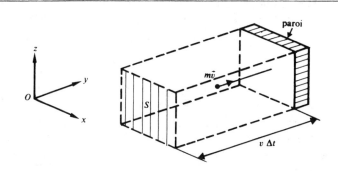

Figure IX.1.

Toutes les molécules contenues dans le volume $Sv\Delta t$ auront frappé la paroi au bout de l'intervalle de temps Δt, si elles ont toutes la même quantité de mouvement $m\vec{v}$.

cette variation $\Delta\vec{p}$ une force constante d'intensité $F = \Delta p/\Delta t = \alpha mv/\Delta t$. On en déduit que la pression exercée par ce faisceau sur la paroi de surface S est donnée par :

$$P = \frac{F}{S} = \frac{\alpha mv}{S\Delta t} \qquad (IX.6)$$

Pour calculer α, remarquons que toutes les molécules contenues dans le volume de base S et de longueur $L = v\Delta t$ viendront heurter la paroi durant l'intervalle Δt. Notant n le nombre de molécules par unité de volume, on obtient :

$$\alpha = nSv\Delta t \qquad (IX.7)$$

et l'expression (IX.6) devient :

$$P = nmv^2 \qquad (IX.8)$$

Elle fournit la pression exercée par des molécules sur une paroi normale au faisceau, dans le cas particulier de chocs mous.

2) CHOCS ÉLASTIQUES SUR LES PAROIS D'UN RÉCIPIENT HERMÉTIQUE

Laissons-nous guider par cette expression pour calculer la pression d'un gaz parfait, enfermé dans un récipient, en fonction de l'énergie cinétique moyenne des molécules qui le constituent (cf. relation I.14).

Notons tout d'abord que les molécules d'un gaz ne restent pas adsorbées indéfiniment sur les parois qu'elles heurtent : lorsque le système est à l'équilibre, autant de molécules quittent chaque paroi qu'il n'en arrive. On peut simuler cet état d'équilibre en supposant que les molécules rebondissent élastiquement sur la paroi. Pour des vitesses initiales normales à la paroi, les vitesses finales sont opposées dans le cas d'un choc élastique sur une paroi de masse infinie : chaque molécule arrive avec une quantité de mouvement $\vec{p}_i = m\vec{v}$ et repart avec $\vec{p}_f = -m\vec{v}$. Elle cède donc à la paroi la quantité de mouvement $\Delta\vec{p} = \vec{p}_i - \vec{p}_f = 2\,m\vec{v}$ (cf. relation VI.11; avec $i = 0$).

S'il s'agissait d'un faisceau envoyé sur une paroi, on aboutirait ainsi à une pression double de celle obtenue pour des chocs mous. Cependant, pour un gaz enfermé dans un récipient, on obtient encore l'expression (IX.8) car α s'écrit alors $nSv\Delta t/2$. En effet, dans ce cas, parmi les $nSv\Delta t$ molécules contenues dans le volume $Sv\Delta t$, la moitié vient heurter la paroi, pendant que l'autre s'en éloigne avec la vitesse $-\vec{v}$.

3) CHAOS MOLÉCULAIRE : ÉNERGIE CINÉTIQUE MOYENNE

Ainsi la seule modification à apporter à l'expression $P = nmv^2$ provient du fait que dans un gaz à l'équilibre les molécules ont des vitesses équitablement réparties dans toutes les directions et non pas alignées suivant la normale à la paroi. De plus, leurs célérités ne sont pas toutes égales mais distribuées autour d'une certaine valeur moyenne.

Une mole de gaz contient $6{,}02 \cdot 10^{23}$ molécules en agitation incessante, se transmettant les unes aux autres de l'énergie par l'intermédiaire de leurs collisions multiples. Dans le cas d'un gaz parfait, ces transferts d'énergie se font sous forme cinétique car on suppose alors que les collisions des molécules sont exclusivement élastiques. Toute molécule qui, à un instant donné, possèderait une énergie cinétique très supérieure à la moyenne, ne tarderait pas, après quelques collisions élastiques successives, à répartir sur les autres son excès, regagnant ainsi le gros de la troupe qui erre au hasard.

Dans le contexte de ce chaos moléculaire, on peut caractériser un gaz en équilibre macroscopique par l'énergie cinétique moyenne de ses molécules :

$$\langle E_c \rangle = (1/N) \sum_{i=1}^{N} E_{ci} \qquad (IX.9)$$

où $E_{ci} = 1/2\,m_i v_i^2$ est l'énergie cinétique de la molécule étiquetée par l'indice i, et où N est le nombre total de molécules contenues dans le récipient. Pour un gaz composé d'un seul type de molécules de masse m, on peut écrire :

$$\langle E_c \rangle = 1/2\,m \langle v^2 \rangle = 1/2\,mv_q^2 \qquad (IX.10)$$

où v_q, appelé vitesse quadratique moyenne, est défini par :

$$v_q = \sqrt{\langle v^2 \rangle} = \sqrt{\left(\sum_{i=1}^{N} v_i^2\right)/N} \qquad (IX.11)$$

4)   INTERPRÉTATION STATISTIQUE DE LA PRESSION

C'est sur ces modestes bases statistiques* que nous allons exprimer la pression d'un gaz en fonction de l'énergie cinétique moyenne de ses constituants. Pour cela, notons que les molécules qui frappent la surface S pendant le temps Δt sont en nombre égal à la moitié de celles contenues dans le cylindre oblique de base S et de génératrice $\vec{v}$. Ce cylindre a pour volume $Sv_\perp \Delta t$, où $v_\perp$ est la composante de $\vec{v}$ selon la normale à la paroi. On a donc $\alpha = nSv_\perp \Delta t/2$. Mais chaque molécule transfère à la paroi la quantité de mouvement $2mv_\perp$. Dès lors, en effectuant la moyenne sur toutes les valeurs de $\vec{v}$, on obtient à la place de l'expression (IX.8) :

$$P = nm \langle v_\perp^2 \rangle \tag{IX.12}$$

où $\langle v_\perp^2 \rangle$ est la valeur moyenne du carré de la composante des vitesses selon la normale à la paroi.

Remarquons enfin que si v_x, v_y et v_z sont les composantes de $\vec{v}$ sur trois axes orthogonaux, les valeurs moyennes de v_x^2, v_y^2 et v_z^2 sont égales par raison de symétrie : les vitesses des molécules sont orientées de façon homogène dans toutes les directions. On a donc la relation :

$$\langle v^2 \rangle = \langle v_x^2 \rangle + \langle v_y^2 \rangle + \langle v_z^2 \rangle = 3 \langle v_x^2 \rangle = 3 \langle v_y^2 \rangle = 3 \langle v_z^2 \rangle \tag{IX.13}$$

Prenant, par exemple, l'axe oy selon la normale à la paroi ($\langle v_\perp^2 \rangle = \langle v_y^2 \rangle$) l'expression (IX.12) peut alors être récrite sous la forme :

$$P = \frac{1}{3} nm \langle v^2 \rangle = \frac{1}{3} nmv_q^2 \tag{IX.14}$$

soit encore finalement :

$$\boxed{P = \frac{2}{3} n \langle E_c \rangle} \tag{IX.15}$$

où $\langle E_c \rangle$ est l'énergie cinétique moyenne des molécules du gaz. Ainsi, la pression exercée par un gaz parfait en équilibre macroscopique est proportionnelle au nombre de molécules par unité de volume qui le caractérise et à l'énergie cinétique moyenne de ces molécules.

5)   INTERPRÉTATION MÉCANISTE DE LA TEMPÉRATURE

Puisque l'on a $n = N/V$, où N est le nombre total de molécules contenues dans le volume V, l'expression (IX.15) conduit à la relation :

$$PV = \frac{2}{3} N <E_c> = \frac{2}{3} v \mathcal{N} <E_c> \tag{IX.16}$$

---

* L'appendice B que l'on abordera ensuite permettra de les approfondir.

où v est le nombre de mole(s) de gaz et où $\mathcal{N} = 6{,}02 \cdot 10^{23}$ est le nombre d'Avogadro. L'identification de cette relation à l'équation d'état des gaz parfaits, $PV = vRT$, permet d'écrire :

$$<E_c> = \frac{3}{2} \frac{R}{\mathcal{N}} T = \frac{3}{2} kT \qquad \text{(IX.17)}$$

où $k = R/\mathcal{N} = 1{,}38 \cdot 10^{-23}$ Joule/°K est la constante fondamentale dite de Boltzmann, déjà introduite au chapitre I. Cette dernière relation fournit une interprétation mécaniste, par un chemin statistique, de la température : la température absolue d'un gaz parfait en équilibre macroscopique est une mesure macroscopique de l'énergie cinétique moyenne de ses constituants microscopiques.

Pour un gaz parfait, dont les molécules sont supposées ponctuelles, la relation (IX.17) est sans ambiguïté : $<E_c>$ est nécessairement une énergie cinétique de translation. Pour un gaz réel, dont les molécules polyatomiques peuvent subir des rotations et des vibrations, cette relation reste applicable pourvu que l'on ne prenne en compte dans $<E_c>$ que l'énergie cinétique de translation, car les énergies cinétiques de rotation et de vibration n'entrent pas dans le calcul de la pression.

Terminons ce paragraphe en fixant quelques ordres de grandeur typiques de l'agitation thermique. Par exemple, on vérifiera que la vitesse quadratique moyenne des molécules d'hydrogène ($m_{H_2} \simeq 3{,}4 \cdot 10^{-27}$ kg) à 0 °C ($T = 273{,}15$ °K) est de l'ordre de 1,8 km/s. On en déduira qu'aux conditions normales de température et de pression, ces molécules subissent environ 10^5 collisions sur un trajet de un centimètre, ce qui correspond à un rythme d'à peu près $5 \cdot 10^9$ collisions à la seconde.

III   Théorème du viriel

Nous allons maintenant approfondir la relation (IX.16) en la retrouvant par une méthode plus générale. En fait, il s'agit d'un prétexte pour introduire un dernier théorème général de la mécanique : le théorème dit du viriel. Il s'applique à n'importe quel système de particules à l'équilibre. Je l'établirai ici dans le cadre de la mécanique classique.

1)   DÉFINITION DU VIRIEL

Il est bien rare que les notions engendrées par produit vectoriel ou produit scalaire de deux grandeurs vectorielles n'aient pas d'intérêt en physique. Les exemples du moment cinétique et du travail sont bien connus. Le cas du viriel est moins familier. Pour un point matériel, cette notion est définie par :

$$\mathcal{V} = \vec{F} \cdot \vec{r} \qquad \text{(IX.18)}$$

où $\vec{r}$ est le vecteur position du point matériel considéré et où $\vec{F}$ est la force qui lui est appliquée.

Pour un système comprenant N points matériels, on définit de même le viriel total par .

$$\mathcal{V} = \sum_{i=1}^{N} \vec{\varphi}_i \cdot \vec{r}_i \tag{IX.19}$$

où $\vec{r}_i$ est le vecteur position du point matériel noté $\textcircled{i}$ et où $\vec{\varphi}_i$ est la somme des forces tant intérieures et qu'extérieures qui agissent sur lui. Pour des forces classiques, obéissant à la règle de superposition, on peut écrire (cf. fig. VI.6 et VI.7) :

$$\vec{\varphi}_i = \vec{F}_i + \sum_{j \neq i} \vec{f}_{ji} \tag{IX.20}$$

où $\vec{F}_i$ est la force extérieure appliquée sur $\textcircled{i}$ et où $\vec{f}_{ji}$ est la force intérieure qu'exerce le point matériel $\textcircled{j}$ sur $\textcircled{i}$. Exploitant la règle des actions réciproques, $\vec{f}_{ij} = -\vec{f}_{ji}$, et adoptant la notation $\vec{r}_{ji} = \vec{r}_i - \vec{r}_j$, l'expression (IX.19) devient alors :

$$\mathcal{V} = \sum_i \vec{F}_i \cdot \vec{r}_i + \sum_i \sum_{j < i} \vec{f}_{ji} \cdot \vec{r}_{ji} \tag{IX.21}$$

où la prescription $j < i$ est introduite dans la somme double pour éviter de compter deux fois la contribution de chaque paire formée des points matériels $\textcircled{i}$ et $\textcircled{j}$. Le premier terme est appelé viriel extérieur du système et le second, comptabilisant les contributions de toutes les paires, est son viriel intérieur.

2)   ÉNONCÉ DU THÉORÈME

Définir formellement une nouvelle notion n'a d'intérêt que si l'on parvient à la relier à d'autres notions, reconnues fécondes, en exploitant les principes de base de la physique. Ici le théorème du viriel est la relation souhaitée, puisqu'il articule le viriel avec l'énergie cinétique. Pour l'établir, commençons par exploiter le principe fondamental de la dynamique, $\vec{\varphi}_i = m_i \mathrm{d}^2\vec{r}_i/\mathrm{d}t^2$, et l'identité :

$$\frac{\mathrm{d}^2 r_i^2}{\mathrm{d}t^2} = 2\vec{r}_i \cdot \frac{\mathrm{d}^2\vec{r}_i}{\mathrm{d}t^2} + 2\left(\frac{\mathrm{d}\vec{r}_i}{\mathrm{d}t}\right)^2 \tag{IX.22}$$

Multipliant cette identité par m_i et sommant sur i, on en déduit la relation :

$$\frac{\mathrm{d}^2}{\mathrm{d}t^2}\left(\sum_i m_i r_i^2\right) = 2\left(\sum_i \vec{\varphi}_i \cdot \vec{r}_i + \sum_i m_i v_i^2\right) \tag{IX.23}$$

où $\vec{v}_i = \mathrm{d}\vec{r}_i/\mathrm{d}t$ est la vitesse du point matériel de masse m_i.

Cette relation s'applique dans n'importe quel référentiel, mais il est judicieux de se placer dans celui qui est attaché au centre d'inertie du système considéré, référentiel dans lequel ce point matériel fictif de masse $M = \sum_i m_i$ est au repos. On se débarrasse ainsi du mouvement d'ensemble du système (celui de son centre d'inertie) qui n'a pas d'intérêt ici, et se résout sans difficulté quand on connaît les forces extérieures (cf. chapitre VI).

Adoptons ce référentiel et limitons-nous à présent au cas particulier des systèmes ayant atteint un état d'équilibre macroscopique. Par définition de l'état d'équilibre, un système ainsi défini se caractérise par des qualités macroscopiques indépendantes du temps. Or la somme de n'importe quelle quantité microscopique, sur tous les constituants du système, est une quantité macroscopique. Par exemple, $\sum_i m_i r_i^2$ est une quantité macroscopique. En conséquence, pour un système à l'équilibre macroscopique, sa dérivée par rapport au temps est nulle quand on prend l'origine des vecteurs position $\vec{r}_i$ au centre d'inertie du système considéré*. La relation (IX.23) devient alors :

$$\sum_i m_i v_i^2 + \sum_i \vec{\varphi}_i \cdot \vec{r}_i = 0 \qquad \text{(IX.24)}$$

soit encore :

$$\boxed{E_c = N <E_c> = -\left(\sum_i \vec{\varphi}_i \cdot \vec{r}_i\right)/2} \qquad \text{(IX.25)}$$

où $E_c = \sum_i m_i v_i^2/2$ est l'énergie cinétique associée à l'ensemble des points matériels du système, appelée énergie cinétique interne, et où $<E_c>$ est l'énergie cinétique moyenne de ces points matériels, selon la définition (IX.9).

Ce résultat constitue le théorème du viriel qui s'énonce :

L'énergie cinétique interne d'un système de points matériels à l'équilibre macroscopique est égale à l'opposé de la moitié de son viriel total, lorsque toutes les quantités microscopiques sont exprimées dans le référentiel attaché au centre d'inertie de ce système.

3)   PREMIÈRE APPLICATION : ÉQUATION D'ÉTAT D'UN GAZ

Comme première application du théorème du viriel, nous allons établir l'équation d'état d'un gaz. Nous traiterons ce système de molécules dans le cadre de la mécanique classique et supposerons donc (ce qui convient quand les molécules ne subissent que des forces centrales) que le viriel total peut être décomposé sous la forme (IX.21). Dans cette expression, les forces intérieures $\vec{f}_{ji}$ simulent l'interaction des molécules entre elles et les seules forces extérieures $\vec{F}_i$ sont celles qu'exercent les parois du récipient qui emprisonne les molécules (les parois sont extérieures au système puisqu'elles ne font pas partie du gaz).

* J'insiste sur la nécessité de choisir ce référentiel dans l'exercice IX.1.

Nous supposerons de plus que le récipient est une sphère creuse, de rayon R (son centre coïncide avec le centre d'inertie du gaz qui est à l'équilibre macroscopique). Ceci, qui ne change rien au résultat final, facilite le calcul du viriel extérieur. On l'obtient en effectuant la somme des viriels $\vec{F}_i \cdot \vec{r}_i$ sur tous les points de la paroi sphérique caractérisés par $\|\vec{r}_i\| = R$. Compte tenu de la symétrie du problème, l'élément de viriel extérieur associé à un élément de paroi de surface dS est donné par :

$$\mathrm{d}\mathcal{V}_{\mathrm{ex}} = - PR\mathrm{d}S \qquad\qquad\qquad (\mathrm{IX}.26)$$

où P est la pression du gaz. En effet, $P\mathrm{d}S$ est l'intensité de la force extérieure qu'exerce l'élément de paroi sur les molécules qui interagissent avec lui. Quant au signe $-$, il vient du fait que cette force, normale à la paroi, est dirigée vers le centre de la sphère, c'est-à-dire dans une direction opposée à celle du vecteur position associé, de module R. Intégrant sur toute la paroi de surface $4\pi R^2$, on obtient finalement :

$$\mathcal{V}_{\mathrm{ex}} = - P4\pi R^3 = - 3PV \qquad\qquad\qquad (\mathrm{IX}.27)$$

où $V = 4\pi R^3/3$ est le volume du récipient.

Quant au viriel intérieur, $\mathcal{V}_{\mathrm{in}} = \sum_i \sum_{j<i} \vec{f}_{ji} \cdot \vec{r}_{ij}$, il est nul pour un gaz parfait puisque, par hypothèse, ses molécules n'interagissent pas entre elles $(\vec{f}_{ji} = 0)$. Ainsi, dans le cas de ce système modèle, le théorème du viriel s'écrit :

$$E_c = N <E_c> = - \frac{1}{2} \mathcal{V}_{\mathrm{ex}} = \frac{3}{2} PV \qquad\qquad\qquad (\mathrm{IX}.28)$$

On en déduit l'équation d'état des gaz parfaits en exploitant la relation (IX.20) qui définit la température :

$$PV = \frac{2}{3} N <E_c> = NkT = \nu RT \qquad\qquad\qquad (\mathrm{IX}.29)$$

Pour un gaz réel, on aboutit de même à l'équation suivante :

$$PV = \nu RT + \frac{1}{3} \sum_i \sum_{j<i} \vec{f}_{ji} \cdot \vec{r}_{ji} \qquad\qquad\qquad (\mathrm{IX}.30)$$

où le calcul du viriel intérieur permet de retrouver la formule dite de Van der Waals et même de l'améliorer. Je ne l'effectuerai pas ici car les forces intermoléculaires, $\vec{f}_{ji}$, ont une forme analytique très compliquée. Pour donner la démarche à suivre, je vais traiter à la place un calcul semblable à propos de ce qui se passe à l'intérieur d'une étoile. Là, les forces qui interviennent sont faciles à manipuler puisqu'il s'agit des forces de gravitation.

IV   La vie d'une étoile : viriel et énergie interne

Avant de se lancer dans des estimations, voici une sorte de scénario de l'évolution d'une étoile standard, de sa naissance jusqu'à sa mort. Il pourra guider l'imagination.

1)   LE SCÉNARIO

Selon le modèle le plus couramment admis, une étoile se forme autour d'un « germe » initial lorsqu'une certaine masse de gaz interstellaire (essentiellement de l'hydrogène) parvient à se condenser sous l'action des attractions gravitationnelles mutuelles des « atomes » qui la constituent. Au fur et à mesure que les atomes du gaz initial se rapprochent les uns des autres, l'énergie potentielle interne du système diminue et l'énergie cinétique de ses constituants augmente. Ceci se traduit par une élévation de température de l'étoile en formation et déjà par du rayonnement. Lorsque ce système est suffisamment contracté, son énergie cinétique interne est suffisante pour libérer les électrons de leurs couches atomiques et permettre ensuite aux protons d'effectuer des réactions nucléaires. Ces réactions conduisent en quelques étapes à la production de noyaux d'hélium $^4_2$He, avec une grande libération d'énergie. La température du système s'élève encore puis sa contraction s'arrête : l'étoile naissante se met à rayonner de plus belle, essentiellement des photons et des neutrinos, évacuant ainsi l'énergie libérée par la « combustion » lente des protons.

C'est ce qui est arrivé à notre soleil il y a environ $5 \cdot 10^9$ ans. Compte tenu de ses caractéristiques, on prévoit qu'il continuera à briller en « brûlant » ses protons pendant encore environ $5 \cdot 10^9$ ans. A cette date, il sera constitué principalement d'hélium, « cendres » de la combustion des protons. Sa température, si élevée soit-elle, sera néanmoins trop faible pour que les noyaux $^4_2$He puissent subir des réactions nucléaires entre eux : leur répulsion coulombienne est quatre fois plus intense que celle des protons. Le soleil se contractera donc de nouveau jusqu'à ce que sa température soit suffisante pour que les réactions entre les noyaux $^4_2$He s'amorcent. Ceci se manifestera par un « flash » dit de l'hélium, au terme duquel le soleil sera devenu ce que l'on appelle une géante rouge. De nouvelles contractions pourront avoir lieu ensuite, conduisant à la combustion nucléaire du carbone, « cendre » de la combustion de l'hélium puis des noyaux d'oxygène... jusqu'à ce que l'on aboutisse à une naine blanche, étoile morte ayant pratiquement la même masse que notre soleil actuel mais un rayon beaucoup plus faible, de l'ordre de celui de la terre.

Pour les étoiles ayant des masses supérieures à quelques masses solaires, l'histoire se termine d'une autre façon. Après quelques contractions qui leur permettent de s'enrichir en éléments lourds, essentiellement du fer, elles subissent une dernière explosion dite en supernova. Ensuite, les moins massives d'entre elles finissent leur vie sous forme d'étoiles à neutrons, étoiles mortes de quelques kilomètres de rayon, assimilées à des pulsars. Quant aux plus massives, il semble que rien ne puisse les empêcher de s'effondrer jusqu'à devenir un hypothétique trou noir.

2) ÉNERGIE POTENTIELLE INTERNE D'UNE ÉTOILE

Ainsi, pas besoin des parois d'une enceinte pour contenir les gaz de protons et d'électrons que sont en fait les étoiles : l'attraction gravitationnelle de leurs constituants suffit. Elle les conduit même à s'effondrer sous « leur propre poids ». Mais dans quelles conditions la chose est-elle possible? De combien d'énergie dispose l'étoile naissante? Pour répondre à ces deux questions il faut s'en remettre à la conservation de l'énergie et au théorème du viriel. Avant de les exploiter conjointement, il est bon de se familiariser avec l'expression de l'énergie potentielle interne stockée dans une étoile. A la fin du chapitre V (cf. expression V.69), je n'avais fait que la citer sous la forme :

$$E_p = \sum_i \sum_{j<i} - \frac{Gm_i m_j}{r_{ij}} \qquad (IX.31)$$

où m_i et m_j sont les masses des deux constituants distants de r_{ij} et où la prescription $j < i$ évite de comptabiliser deux fois l'énergie potentielle associée à chaque paire.

De quoi s'agit-il en fait? Au signe près, c'est le travail que le système doit fournir pour rassembler dans une sphère de rayon R ses constituants initialement dilués sous forme de gaz interstellaire. Si le calcul de ce travail n'est pas difficile, c'est parce que les forces gravitationnelles sont conservatives : le composant de masse m_i peut suivre n'importe quel chemin, le travail est le même pour l'amener à l'intérieur de son étoile; d'où l'expression (IX.31). Pour une étoile sphérique homogène, on peut donc traiter le problème comme indiqué sur la figure IX.2 : des couches à symétrie sphérique viennent s'entasser une à une autour du centre de l'étoile jusqu'à ce que le rayon R soit atteint.

Quand la sphère n'en est encore qu'au rayon r, la masse emprisonnée s'écrit :

$$M(r) = \frac{4}{3} \pi r^3 \rho = \frac{M}{R^3} r^3 \qquad (IX.32)$$

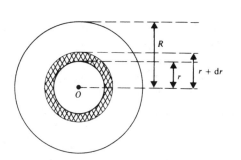

Figure IX.2.

A la couche sphérique de rayon *r* et d'épaisseur d*r*, on associe l'élément différentiel d'énergie potentielle interne :

$dE_p = - GMdM/r.$

où ρ est la densité du milieu et où $M = 4\pi R^3 \rho/3$ est la masse qu'aura l'étoile en fin de compte. La couche suivante, d'épaisseur dr, apporte comme contribution à l'énergie potentielle interne :

$$dE_p = -G\,\frac{M(r)dM(r)}{r} = -\frac{3GM^2}{R^6}\,r^4 dr \qquad (\text{IX.33})$$

où $dM(r) = 3Mr^2 dr/R^3$ est la masse contenue dans cette couche venue de l'infini jusqu'à la distance r. En effet, pour la gravitation (cf. paragraphe V du chapitre III) tout se passe comme si la masse $M(r)$ était au centre de la sphère, alors que la masse $dM(r)$ termine son voyage à la distance r de ce centre.

Pour obtenir l'énergie potentielle interne d'une étoile sphérique homogène de rayon R, il suffit maintenant d'intégrer dE_p pour r variant de zéro à R, soit :

$$E_p = -\frac{3GM^2}{R^6} \int_0^R r^4 dr = -\frac{3}{5}\frac{GM^2}{R} \qquad (\text{IX.34})$$

Par exemple, pour le soleil ($M_\odot \simeq 2 \cdot 10^{30}$ kg; $R_\odot \simeq 7 \cdot 10^8$ m), on obtient $E_p \simeq -2 \cdot 10^{41}$ J.

3) ÉNERGIE INTERNE D'UNE ÉTOILE EN MÉCANIQUE CLASSIQUE

Tout cela nous éclaire sur le mécanisme à la base de la compression du gaz interstellaire, et sur ses performances, mais il n'est pas dit qu'il puisse fonctionner. Pour le savoir, il faut s'assurer que, dans son principe, il ne contredit ni la conservation de l'énergie, ni le théorème du viriel. Sur ces bases, calculons tout d'abord l'énergie totale emmagasinée en fin de cycle.

Supposons que l'action des forces extérieures* au système reste négligeable tout au long de sa compression. Alors, son viriel extérieur est nul et en fin de cycle, à l'équilibre, le théorème du viriel s'écrit :

$$E_c = -1/2 \sum_i \sum_{j<i} \left(-G\,\frac{m_j m_i}{r_{ji}^2}\,\frac{\vec{r}_{ji}}{r_{ji}} \right) \cdot \vec{r}_{ji} \qquad (\text{IX.35})$$

où E_c est l'énergie cinétique interne, répartie sur les éléments du système, et où le terme entre parenthèses est la force gravitationnelle qui s'exerce entre deux d'entre eux. On en déduit :

$$E_c = -1/2 \sum_i \sum_{j<i} -G\,\frac{m_j m_i}{r_{ji}} = -1/2\,E_p \qquad (\text{IX.36})$$

où E_p est l'énergie potentielle interne.

---

* Dans une galaxie, il y a toujours du champ gravitationnel qui traîne, mais tenir compte de champs extérieurs compliquerait inutilement les choses sans changer les conclusions sur le fonctionnement du « compresseur gravitationnel ».

Compte tenu de cette relation, on peut exprimer l'énergie interne de l'étoile (l'énergie totale stockée en fin de cycle) en fonction, soit de E_c, soit de E_p :

$$E_{\text{Int}} = E_c + E_p = - E_c = 1/2 \, E_p \tag{IX.37}$$

Il est normal que cette énergie soit négative puisqu'une étoile est un système dans un état lié : il faudrait lui fournir de l'énergie pour disperser tous ses constituants à l'infini. Le cas particulier $E_{\text{Int}} = 0$ n'est obtenu que pour $E_c = E_p = 0$. Il correspond à un système qui n'est pas encore contracté : dans l'état initial, lorsque le gaz interstellaire est encore détendu et froid, son énergie interne est pratiquement nulle, avec $E_c \simeq E_p \simeq 0$. Voyons maintenant comment sortir de cet état sans remettre en cause la conservation de l'énergie.

4)   TRANSFORMATION DE L'ÉNERGIE INTERNE EN RAYONNEMENTS

Le système peut rester très longtemps sous forme de gaz interstellaire. Il devrait même en rester là s'il n'existait aucun processus capable de transformer progressivement son énergie interne en d'autres formes d'énergie, comme par exemple l'énergie emportée par des rayonnements dans le reste de l'univers.

En effet, pour devenir une étoile, comme le soleil, le système doit êtré en mesure de diminuer son énergie interne depuis la valeur initiale $E_{\text{Int}} (I) \simeq 0$ jusqu'à la valeur finale $E_{\text{Int}} (F) = E_p/2$, soit, pour une étoile traitée comme une sphère homogène :

$$E_{\text{Int}} (F) = \frac{E_p}{2} \Rightarrow - \frac{3}{10} \, G \, \frac{M^2}{R} \tag{IX.38}$$

En raison de la conservation de l'énergie, il lui faut donc expédier vers le monde extérieur une quantité d'énergie donnée par :

$$E_{\text{Int}} (I) - E_{\text{Int}} (F) = \frac{3}{10} \, G \, \frac{M^2}{R} \tag{IX.39}$$

Voilà une illustration de plus des vertus des lois de conservation et des théorèmes généraux : sans rien connaître sur la nature des processus responsables de cette émission d'énergie vers l'extérieur, on peut prédire le montant global du transfert en couplant le théorème du viriel à la conservation de l'énergie. Ici, il a la même valeur que l'énergie cinétique interne atteinte en fin de compression, ou encore que l'opposé de la moitié de l'énergie potentielle interne.

Lors de la première contraction, celle qui aboutit à la naissance de l'étoile proprement dite, ce sont principalement des processus électromagnétiques qui entrent en jeu. Ils conduisent tout d'abord à l'émission de grandes ondes par le système entier, puis de photons par ses constituants de plus en plus agités, comme l'indique la relation (IX.37) que l'on peut encore écrire :

$$\langle E_c \rangle = \frac{3}{2} \, kT = - \frac{E_p}{2N} = \frac{3}{10} \, G \, \frac{M^2}{Nr} \tag{IX.40}$$

où r est le rayon atteint à un instant donné, où N est le nombre de constituants du système et où $\langle E_c \rangle = E_c/N$ est leur énergie cinétique moyenne.

La contraction s'arrête lorsque l'énergie cinétique moyenne (la température) a suffisamment cru pour que les réactions nucléaires entre les protons débutent. Le système reste alors pendant un certain temps (environ 10^{10} ans pour le soleil) dans un état d'équilibre, ou plus exactement de « quasi-équilibre » car il émet en fait des photons et des neutrinos, mais à un rythme énergétique très faible par rapport aux ressources dont dispose l'étoile (d'où les 10^{10} ans mis par le soleil pour brûler ses protons). Ceci dure tant que la chaleur dégagée par la combustion lente des protons permet de résister à la compression gravitationnelle.

La même séquence recommence avec des photons plus énergiques lors de la seconde contraction au terme de laquelle l'étoile devient une géante rouge. Ceci se renouvelle encore plusieurs fois jusqu'à ce que l'on aboutisse par exemple à une naine blanche. A ce stade, plus aucune contraction n'aura lieu : le système sera devenu incompressible pour des raisons dans lesquelles je n'entrerai pas ici car elles sont liées à un principe de mécanique quantique (le principe de Pauli) qui sort du cadre de cet exposé.

Je n'aborderai pas non plus la question controversée des trous noirs, si ce n'est pour signaler que leurs propriétés doivent être calculées dans le cadre de la mécanique relativiste, et plus précisément dans celui de la relativité générale. Il s'agit en effet de systèmes qui, après l'explosion en supernova, ont encore une masse si élevée que tous leurs constituants deviennent très vite relativistes, comme le suggère la relation (IX.40). On peut montrer qu'alors les effets quantiques (du principe de Pauli) ne suffisent plus à rendre l'étoile incompressible, d'où l'effondrement escompté.

Le cas des étoiles à neutrons est intermédiaire entre celui des naines blanches et celui des trous noirs : compte tenu de leurs masses, l'énergie cinétique moyenne de leurs constituants est suffisante pour que les électrons soient relativistes mais insuffisante pour que les nucléons et les noyaux, beaucoup plus massifs, le soient aussi. C'est pourquoi ces systèmes ne deviennent pratiquement incompressibles que lorsqu'ils sont composés de matière nucléaire compacte, d'où leurs rayons beaucoup plus faibles que ceux des naines blanches.

5)   ÉQUATION D'ÉTAT D'UNE ÉTOILE

Ainsi, les étoiles sont des gaz d'électrons et de nucléons qui s'autocompriment par le jeu des interactions gravitationnelles de leurs constituants, tout en perdant, au profit du monde extérieur, une partie de leur énergie interne. Ici, nous n'avons établi leur équation d'état que dans le cas particulier d'une étoile naissante, sphérique et homogène, et en supposant que ses constituants pouvaient être traités aux approximations de la mécanique classique : c'est la relation (IX.40). Puisque $V = 4\pi R^3/3$, on peut encore l'écrire :

$$NkT = \frac{1}{5} G \frac{M^2}{R} = \frac{1}{5} \left(\frac{4\pi}{3} \right)^{1/3} GM^2 \, V^{-1/3} \qquad \text{(IX.41)}$$

où T est la température de l'étoile et où V est son volume. Cette équation d'état n'est qu'approximative et elle doit être abandonnée quand les effets quantiques et/ou relativistes deviennent importants, comme, par exemple, pour les naines blanches, les étoiles à neutrons et les trous noirs.

Si j'ai décrit quelques étoiles, ce n'est pas uniquement parce qu'elles font rêver. C'est aussi, plus prosaïquement, parce que leur viriel intérieur, d'origine gravitationnelle, se calcule sans difficulté. Pour les systèmes régis par d'autres forces, on pourra suivre la même démarche : estimer l'énergie interne du système en couplant le théorème du viriel à la conservation de l'énergie et en déduire son équation d'état. Les étoiles nous ont donc fourni un modèle.

V   Énergie interne

En élaborant ce modèle, la notion d'énergie interne est venue tout naturellement. Comme il s'agit d'une notion de base, nous allons la reprendre maintenant dans un contexte général.

1)   RELATION DITE DU VIRIEL

Le calcul de cette énergie est particulièrement simple quand les constituants du système que l'on considère interagissent par l'intermédiaire de forces centrales, $\vec{f}_{ji}\,(r_{ji})$, dérivant d'une énergie potentielle de la forme :

$$E_{ji} = Cr_{ji}^{\alpha} \tag{IX.42}$$

où C et α sont des constantes, les mêmes pour tous les constituants. On a alors :

$$\vec{f}_{ji} = -\frac{\mathrm{d}E_{ji}}{\mathrm{d}r_{ji}}\left(\frac{\vec{r}_{ji}}{r_{ji}}\right) = -\alpha Cr_{ji}^{\alpha-1}\left(\frac{\vec{r}_{ji}}{r_{ji}}\right) = -\alpha\,\frac{E_{ji}}{r_{ji}}\left(\frac{\vec{r}_{ji}}{r_{ji}}\right) \tag{IX.43}$$

où $(\vec{r}_{ji}/r_{ji})$ est le vecteur unité porté par $\vec{r}_{ji}$. Le viriel intérieur du système s'écrit donc :

$$\mathcal{V}_{\text{in}} = \sum_i \sum_{j<i} \vec{f}_{ji} \cdot \vec{r}_{ji} = -\alpha \sum_i \sum_{j<i} E_{ji} = -\alpha E_p \tag{IX.44}$$

et le théorème du viriel fournit la relation :

$$\boxed{E_c = 1/2\,\alpha E_p - 1/2\,\mathcal{V}_{\text{ex}}} \tag{IX.45}$$

où $\mathcal{V}_{\text{ex}}$ est le viriel extérieur. On en déduit que, quand le système considéré est à l'équilibre, son énergie interne, $E_{\text{Int}} = E_c + E_p$, peut s'exprimer, au choix, des deux façons suivantes :

$$E_{\text{Int}} = \frac{\alpha+2}{2}\,E_p - \frac{\mathcal{V}_{\text{ex}}}{2} \qquad \text{(a)}$$

$$\tag{IX.46}$$

$$E_{\text{Int}} = \frac{\alpha+2}{\alpha}\,E_c + \frac{\mathcal{V}_{\text{ex}}}{\alpha} \qquad \text{(b)}$$

Le cas des étoiles correspondant à $\alpha = -1$, avec $\mathcal{V}_{ex} = 0$, et effectivement, les relations générales (IX.45) et (IX.46) redonnent alors les résultats particuliers (IX.36) et (IX.37). Puisque E_c est une quantité définie positive, on notera (cf. relation IX.46b) que les forces en $1/r^2$ ($\alpha = -1$) sont précisément les seules forces de type (IX.43), avec α entier, qui soient capables d'engendrer un état lié ($E_{Int} < 0$) à partir d'un système à l'abri des forces extérieures ($\mathcal{V}_{ex} = 0$).

2) DISCUSSION DE LA RELATION

Il ne faudrait surtout pas en conclure que les systèmes qui nous environnent (comme cette feuille de papier, une goutte d'eau par exemple en apesanteur dans une capsule spatiale, etc.) sont dans des états liés régis par les forces gravitationnelles ni même par celles de Coulomb : leur cohésion est assurée par des forces qui ne sont pas de type (IX.43) et, en conséquence, les relations (IX.46) ne s'appliquent pas à ces systèmes. L'expression des forces intermoléculaires qui lient entre elles les molécules d'une goutte d'eau comporte de nombreux termes dont certains, au reste, ne sont pas centraux. Celles qui donnent une permanence aux feuilles de papier, et plus généralement aux matériaux, découlent de mécanismes d'échange ou de mise en commun d'électrons par les ions du système.

Quelle que soit la nature des forces qui s'exercent entre les atomes, les molécules, les électrons et les ions, et si compliquées soient leurs expressions, on peut néanmoins calculer l'énergie interne des systèmes qu'elles régissent à l'aide de la méthode du viriel ou de toute autre méthode faisant appel ou non à des techniques d'approximation. Le résultat final, donnant E_{Int} en fonction des paramètres du problème, permet de prédire les conditions dans lesquelles le système considéré pourra être trouvé dans un état lié ($E_{Int} < 0$) ou, au contraire, avoir ses constituants, ou au moins une partie d'entre eux, dans un état libre ($E_{Int} > 0$).

Un cas typique de systèmes dont les constituants se maintiennent à l'état libre, est celui des gaz ordinaires : leurs molécules ne restent dans un volume donné que sous la contrainte de forces extérieures, celles qu'exercent les parois d'un récipient. Quand on calcule l'énergie interne d'un tel gaz, on trouve qu'elle est effectivement positive. Dans le modèle des gaz parfaits, ce résultat s'obtient sans le moindre calcul. Par exemple l'énergie interne d'un gaz parfait monoatomique se réduit à l'énergie cinétique de translation de ses constituants (quantité définie positive) puisque ceux-ci sont supposés ne pas interagir entre eux ($E_p = 0$), soit :

$$E_{Int} = E_c = N\langle E_c \rangle = \frac{3}{2} NkT > 0 \qquad (IX.47)$$

Les mêmes remarques s'appliquent aux systèmes de dimensions microscopiques, atomes, noyaux, et même particules, à l'intérieur desquels les constituants, électrons et noyaux, nucléons et quarks éventuels, s'agitent sous l'effet de leurs interactions. Le calcul de l'énergie interne de ces systèmes est en général difficile car l'expression des interactions qui s'exercent entre leurs constituants comporte, elle aussi, de nombreux termes dont certains sont encore mal connus. Parfois même, il n'est pas possible de l'effectuer pour la simple raison que l'on n'imagine pas encore la nature des interactions qui agissent à l'intérieur du système, ni le cadre théorique dans lequel il faudrait se placer. C'est le cas pour les particules fondamentales, comme le neutron, le proton, etc. que l'on cherche actuellement à interpréter en termes de systèmes de quarks.

3)   MASSE ET ÉNERGIE DE LIAISON

Mais il n'est pas nécessaire d'entreprendre ces calculs théoriques pour estimer les ressources énergétiques internes d'un système : il suffit de connaître sa masse, M, et celle de ses constituants. En effet en vertu de la relation d'Einstein (introduite au chapitre V; cf. relation V.70), on peut obtenir l'énergie interne de n'importe quel système en effectuant la soustraction suivante :

$$E_{\text{Int}} = Mc^2 - \sum_{i=1}^{N} m_{oi}\, c^2 \tag{IX.48}$$

où m_{oi} est la masse « au repos » du constituant repéré par l'indice i. Le premier terme de cette expression, Mc^2, représente l'énergie totale du système considéré, le second est celle de l'ensemble de ses constituants au repos, et leur différence correspond donc, au signe près, à l'énergie qu'il faudrait dépenser pour amener tous les constituants à l'infini et au repos. La relation (IX.48) est donc parfaitement adaptée à la définition de l'énergie interne. C'est même sa définition la plus générale.

On notera qu'un système dans un état lié a une masse inférieure à la somme des masses de ses constituants puisqu'un état lié est caractérisé par une énergie interne négative. Comme dans le cas des systèmes à deux corps, la valeur absolue de l'énergie interne est encore appelée « l'énergie de liaison du système », notée E_L, soit :

$$E_L = |E_{\text{Int}}| \tag{IX.49}$$

Cette quantité positive représente l'énergie qu'il faudrait fournir au système pour disperser ses constituants à l'infini les uns des autres. Par exemple, un noyau atomique a une masse inférieure à la somme des masses au repos de ses nucléons; la masse d'un atome est inférieure à la somme des masses de son noyau et de ses électrons; celle d'une étoile est inférieure à la somme des masses qui la composent, etc. Tous ces systèmes ont une énergie interne négative : ils sont liés.

Le rapport E_L/Mc^2 est de l'ordre du pourcent pour les noyaux. En effet, leur énergie de liaison par nucléon, E_L/A, est voisine de 8 MeV quel que soit le nombre de masse A, soit :

$$\frac{E_L}{M_N c^2} \simeq \frac{E_L}{A m_n c^2} \simeq \frac{E_L/A}{m_n c^2} \simeq \frac{8}{940} \simeq 10^{-2} \tag{IX.50}$$

où $m_n c^2 \simeq 940$ MeV est l'énergie de masse d'un nucléon. Ce rapport est beaucoup plus faible pour les objets qui nous environnent et même pour les étoiles, à l'exception des étoiles mortes. Par exemple, si l'on assimile le soleil naissant à une sphère homogène ayant la même masse et le même rayon qu'actuellement ($M_\odot \simeq 2 \cdot 10^{30}$ kg; $R_\odot \simeq 7 \cdot 10^8$ m), on obtient :

$$\frac{E_L}{M_\odot c^2} \simeq \frac{3GM_\odot^2/10R_\odot}{M_\odot c^2} \simeq \frac{3GM_\odot}{10R_\odot c^2} \simeq 10^{-6} \tag{IX.51}$$

Quand nous avons estimé l'énergie interne d'une étoile, peut-être avez-vous cru que j'avais négligé la contribution des énergies internes des éléments qui la composent, comme celles des noyaux d'hélium constitués de quatre nucléons, celles des électrons et des protons, composés de quarks... Il n'en est rien : toutes ces énergies internes sont automatiquement prises en compte quand on adopte pour les masses m_i des noyaux, des électrons, des protons... leurs valeurs expérimentales et non pas la somme des masses de leurs constituants. La même remarque s'applique à tous les systèmes. Par exemple, l'énergie de liaison du noyau est automatiquement prise en compte dans le calcul de l'énergie de liaison d'un atome quand on utilise pour l'effectuer la masse expérimentale du noyau considéré et non pas la somme des masses de ses nucléons.

VI Évolution des systèmes à N corps

C'est encore la vie des étoiles qui va nous inspirer quelques dernières considérations sur l'évolution des systèmes à *N* corps.

1) SYSTÈMES ABANDONNÉS DANS LE VIDE : TRANSITIONS SPONTANÉES

Si l'on voulait résumer cette vie de façon anthropomorphique, on pourrait dire qu'elle consiste en une sorte d'obsession à rendre minimale l'énergie interne de l'étoile, ou, ce qui revient au même, à rendre maximale son énergie de liaison. En effet, l'étoile se contracte tant qu'elle peut diminuer son énergie interne en émettant des rayonnements dans le reste de l'univers. Par exemple, lors de la première contraction qui aboutit à la naissance d'une étoile, nous avons vu que la perte d'énergie interne du système vaudrait $3\,GM^2/10R$ (cf. relation IX.39) s'il s'agissait d'une étoile sphérique homogène de rayon R.

Rappelons que dans cette évolution, le système ne subit l'influence d'aucune force extérieure : l'étoile se contracte spontanément par le jeu des forces gravitationnelles qu'exercent les uns sur les autres ses propres constituants. Nous avons assimilé le reste de l'univers à un «vide initial» qui se peuple progressivement du rayonnement que l'étoile lui transfère.

Tout système abandonné dans le «vide» subit plus ou moins vite ce genre d'évolution vers un minimum d'énergie interne. On dit qu'il subit une transformation spontanée ou encore une transition spontanée. Nous avons déjà rencontré d'autres exemples, comme celui de l'atome d'hydrogène : quand il se désexcite spontanément en émettant un photon dans le «vide», son énergie de liaison augmente, autrement dit son énergie interne diminue. Les noyaux suivent aussi cette évolution lors d'une émission γ; et il en est de même dans leurs transitions α et β, ainsi que pour la fission spontanée, à ceci près que les particules ou les fragments émis ne sont plus alors des photons.

Par exemple, dans une transition α le noyau émetteur $_Z^A$X a une énergie interne supérieure à la somme des énergies internes du noyau final $_{Z-2}^{A-4}$Y et de la particule α puisque l'ion Y^{--} et le noyau $_2^4$He emportent le complément sous forme d'énergie cinétique (quantité définie positive). Plus précisément, la conservation de l'énergie totale permet d'écrire :

$$M_X c^2 = M_Y c^2 + m_\alpha c^2 + E_c \tag{IX.52}$$

où E_c est l'énergie cinétique emportée par les deux morceaux et où M_X, M_Y et m_α sont les masses respectives de l'atome X, de l'ion Y^{--} et du noyau $^4_2$He. Compte tenu des relations (IX.48) et (IX.49), on a donc, en négligeant l'énergie de liaison des deux électrons de l'ion Y^{--} :

$$E^X_{Int} - (E^Y_{Int} + E^\alpha_{Int}) = - E^X_L + (E^Y_L + E^\alpha_L) = E_c > 0 \tag{IX.53}$$

où E^X_{Int}, E^Y_{Int} et E^α_{Int} sont les énergies internes des noyaux X, Y et $^4_2$He et où les E_L sont les énergies de liaison correspondantes.

2)   SYSTÈMES EXOÉNERGÉTIQUES CONFINÉS : COMBUSTION AMORCÉE

Si l'on pouvait maintenir dans une enceinte parfaitement adiabatique* une source radioactive composée initialement d'atomes ^A_ZX, on obtiendrait, lorsque tous les noyaux auraient subi leur désintégration α, un mélange d'électrons et de noyaux $^{A-4}_{Z-2}$Y et $^4_2$He à ultra haute température. En effet, puisque l'énergie cinétique E_c libérée dans une transition α est de l'ordre de quelques MeV, ce mélange se trouverait en fin de compte à une température de quelques 10^{10} °K (1 eV correspond à 12 000 °K). Aucune enceinte n'y résisterait. Néanmoins, rien n'empêche de récupérer l'énergie produite au fur et à mesure des désintégrations et c'est effectivement ce que l'on fait pour les piles longue durée de certains simulateurs cardiaques équipés de sources radioactives.

D'autres processus nucléaires sont encore plus exoénergétiques : la fission des noyaux lourds est mise en œuvre dans les centrales (cf. chapitre VI) et les bombes *A* ; et la fusion des noyaux légers employée pour les bombes *H*, est à l'origine de l'énorme puissance émise par le soleil sous forme lumineuse ($\simeq 4 \cdot 10^{23}$ kW). Dans le soleil, la principale chaîne de réactions de fusion nucléaire aboutissant à la formation de l'hélium, à partir des protons, libère une quinzaine de MeV pour deux protons « brûlés ». Elle s'écrit :

$$
\begin{aligned}
p \quad + p \quad &\longrightarrow \quad ^2_1H \quad + e^+ + \nu \\
^2_1H \quad + p \quad &\longrightarrow \quad ^3_2He + \gamma \\
^3_2He + {}^3_2He &\longrightarrow \quad ^4_2He + p \quad + p
\end{aligned}
\tag{IX.54}
$$

La dernière réaction est celle qui dégage le plus d'énergie cinétique car l'énergie de liaison du noyau $^4_2$He ($\simeq 28$ MeV) est très supérieure à la somme des énergies de liaison des deux noyaux $^3_2$He ($\simeq 7$ MeV par noyau $^3_2$He).

La chaîne (IX.54), dite *p-p I*, débute quand, à force de contraction, le gaz interstellaire a atteint une température suffisante pour que deux protons puissent vaincre leur répulsion coulombienne au point de fusionner selon la première réaction de la chaîne. Cette réaction a une très petite section efficace car il s'agit d'un processus d'interaction faible à basse énergie. Les protons doivent donc tenter leur chance un très grand nombre de fois avant de l'induire, et c'est pourquoi le soleil brûle lentement.

La combustion du pétrole ou du charbon est beaucoup moins énergétique, mais elle repose sur la même règle du jeu. Par exemple, lorsqu'un atome de carbone et un atome d'oxygène mettent en commun leurs électrons en devenant une molécule CO, on récupère, sous forme de chaleur, environ un électronvolt qui provient du fait que l'énergie de liaison** de la molécule CO est supérieure de cette quantité à la somme des énergies de liaison des

---

* Je rappelle que « adiabatique » veut dire « ne permettant aucun échange de chaleur avec l'extérieur ». Pensez à une bouteille thermos idéale.

** Attention, la plupart des chimistes n'adoptent pas la convention des physiciens en ce qui concerne l'énergie de liaison. Ils l'identifient à l'énergie interne et non pas à sa valeur absolue. L'énergie de liaison d'un système est alors, pour le chimiste, une quantité définie négative. Ceci ne change rien à la physico-chimie du problème.

atomes C et O. En d'autres termes, quand dans une flamme deux atomes C et O ont assez d'énergie cinétique pour s'approcher très près, le système évolue vers la liaison chimique CO, en libérant de l'énergie, car l'énergie interne de la molécule CO est inférieure à la somme des énergies internes des atomes C et O.

3) SYSTÈMES SOUS CONTRAINTES : TRANSFORMATIONS « ARTIFICIELLES »

Ainsi, nous sommes passés progressivement de systèmes qui subissent des transformations spontanées à des systèmes qui évoluent eux aussi vers des états d'énergie interne minimale dès que l'on a amorcé une réaction en chaîne entre leurs éléments confinés dans un volume donné. Mais l'homme ne se contente pas d'assister impuissant à des évolutions spontanées, ni même d'en exploiter certaines à son profit. Comme tout régulateur efficace, il peut intervenir sur les systèmes qui l'environnent pour augmenter, stabiliser ou diminuer à volonté leurs contenus énergétiques, par exemple en faisant travailler des forces ou en canalisant de la chaleur. Dans cet art, son imagination est limitée par la conservation de l'énergie depuis les travaux du médecin Mayer (1814-1878) et de Joule (1818-1889) qui, les premiers, apprirent à reconnaître en la chaleur une forme d'énergie et formulèrent «le premier principe de la thermodynamique» (27).

Quand on admet la conservation de l'énergie, ce principe est en fait la tautologie suivante :

$$\Delta E_{\text{Int}} = W + Q \tag{IX.55}$$

où W et Q sont respectivement le travail et la chaleur échangés par le système considéré avec le monde extérieur, et où ΔE_{Int} est sa variation d'énergie interne. On comptabilisera en positif le travail et la chaleur reçus par le système et en négatif le travail et la chaleur qu'il a fournis. La relation (IX.55) s'énonce alors :

La variation d'énergie interne d'un système est égale à la somme algébrique du travail et de la chaleur qu'il a échangés avec le monde extérieur.

A titre d'illustration, voyons dans quelle mesure la température d'un gaz a tendance à augmenter quand on le comprime et à diminuer quand on le détend. A cette fin, considérons un gaz enfermé dans une enceinte à piston. Pour le comprimer, il faut lui fournir du travail en faisant agir une force extérieure, comme, par exemple, celle qu'un bras humain est capable d'exercer en appuyant sur le piston ; soit $W > 0$ ce travail*. Si l'enceinte est adiabatique, c'est-à-dire si elle interdit tout échange de chaleur avec l'extérieur, on aura $Q = 0$. Dans ce cas particulier, la relation (IX.55) fournit :

$$\Delta E_{\text{Int}} = E_{\text{Int}}(F) - E_{\text{Int}}(I) = W > 0 \tag{IX.57}$$

où $E_{\text{Int}}(I)$ et $E_{\text{Int}}(F)$ sont les énergies initiale et finale du gaz. Ainsi, l'énergie interne d'un gaz croît de la quantité W pendant une compression adiabatique.

Supposons maintenant que le gaz considéré soit assimilable à un gaz monoatomique parfait. Alors, compte tenu de l'expression (IX.47), on peut conclure que la température

---

* Par exemple, si la force extérieure F_{ex} est constante sur tout le déplacement du piston de section S, on écrira :

$$W = F_{\text{ex}}\text{d} = P_{\text{ex}}Sd = P_{\text{ex}}(V_I - V_F) \tag{IX.56}$$

où $P_{\text{ex}} = F_{\text{ex}}/S$ est la pression associée à F_{ex} et où $Sd = V_I - V_F$ est le volume balayé lors de la compression qui fait passer le volume du gaz de V_I à V_F.

finale du gaz, T_F, est plus élevée que sa température initiale, T_I, selon la relation :

$$E_{\text{Int}} = \frac{3}{2} Nk(T_F - T_I) = W > 0 \qquad\qquad\qquad (IX.58)$$

On monterait de même que la température de ce gaz diminue lors d'une détente adiabatique car on a alors $Q = 0$ et $W < 0$: pour se détendre, le gaz doit travailler contre la pression extérieure.

4)   TRANSFERTS DE CHALEUR

On peut aussi faire varier l'énergie interne d'un système en lui communiquant de la chaleur ($Q > 0$), ou en l'amenant à en céder au monde extérieur ($Q < 0$). Par exemple, quand on introduit une brique chaude dans une enceinte où se trouve un gaz froid, de la chaleur migre de la brique vers le gaz tant que les températures des deux systèmes, le gaz et la brique, ne sont pas égales. Si l'enceinte est supposée adiabatique et indéformable, et si l'on néglige la petite contraction de la brique (qui se refroidit), lorsque la température d'équilibre sera atteinte, l'énergie interne du «système gaz» aura crû d'une quantité donnée par $Q > 0$, correspondant à la chaleur que lui aura cédé le «système brique» (constituant à lui seul le monde extérieur au gaz).

Avant le milieu du dix-neuvième siècle, la chaleur était considérée comme un fluide, le calorique, régi par ses propres lois et en particulier des lois concernant sa migration. Depuis que la chaleur a été identifiée à de l'énergie, on interprète cette migration en termes de transferts de quantité de mouvement et d'énergie. Le mécanisme le plus simple repose sur les propriétés des rayonnements électromagnétiques : un photon émis par une source peut transporter très loin de la quantité de mouvement et de l'énergie, jusqu'à ce qu'il soit absorbé par un système récepteur. Le soleil nous chauffe de cette façon.

D'autres mécanismes, dits de conduction et de convection, exploitent l'agitation thermique et les courants de matière. L'agitation thermique joue un rôle essentiel dans la conduction : dès que l'on met en contact deux systèmes, l'un chaud et l'autre froid, les molécules, les ions et les électrons de leur interface s'entrechoquent; les éléments les plus agités, principalement les électrons libres dans le cas de bons conducteurs, cèdent de la quantité de mouvement et de l'énergie cinétique aux plus calmes. De proche en proche, les collisions multiples diffusent dans tout le volume la perturbation initiale, jusqu'à ce que l'ensemble des constituants des deux systèmes soit dans le même état d'agitation thermique. L'équilibre des températures est alors atteint et la migration s'arrête. Souvent les courants de convection accélèrent la diffusion de la chaleur en transportant directement de la matière des points chauds aux endroits froids.

Même si chaleur et température sont souvent en relation, il ne faut pas confondre ces deux notions. Il arrive fréquemment que l'on transfère de la chaleur à un système sans que sa température varie. Par exemple, pour faire fondre de la glace, il faut lui fournir environ 80 calories par gramme (soit à peu près $3,35 \cdot 10^5$ Joules par kilo) et pourtant la température du système reste constante, à 0 °C, tout au long de la fusion. La chaleur ne sert alors qu'à augmenter l'énergie potentielle interne du système : les molécules H_2O sont plus liées entre elles dans l'état solide que dans l'état liquide. L'apport de chaleur est plus élevé pour vaporiser de l'eau à 100 °C (environ 500 calories par gramme) : l'énergie potentielle interne du système est considérablement augmentée quand les molécules H_2O sont parvenues à se disperser complètement dans l'espace.

Ainsi, les transferts de chaleur ne font varier que l'énergie potentielle interne des systèmes à N corps durant leurs changements de phase. Par contre, ils ne peuvent modifier que l'énergie cinétique interne des systèmes modèles que sont les gaz parfaits puisque ceux-ci sont définis par $E_p = 0$; d'où leur action directe sur la température dans ce cas. Cependant, en général, les transferts de chaleur agissent conjointement sur les deux formes d'énergie interne : pour $Q > 0$ ils contribuent à augmenter globalement l'énergie interne et pour $Q < 0$ ils la diminuent.

5) TRANSFORMATIONS IRRÉVERSIBLES

Revenons maintenant pour la dernière fois sur l'évolution d'une étoile afin de la réinterpréter selon les termes du premier principe de la thermodynamique. Pour cela, souvenons-nous que ses contractions sont imprimées par des forces qui lui sont intérieures : les forces gravitationnelles qu'exercent les uns sur les autres ses propres constituants. En d'autres termes, convainquons-nous une dernière fois qu'aucune force extérieure n'agit sur le « système étoile » durant ses contractions. On dit qu'il s'agit d'un système « mécaniquement isolé », ce qui se traduit par $W = 0$ dans la relation (IX.55).

Par contre, une étoile n'est pas un système « thermiquement isolé » : elle évacue de la chaleur vers le monde extérieur, sous forme de rayonnements ; sa surface n'est pas adiabatique. Son énergie interne diminue donc d'une quantité égale à la chaleur Q ainsi cédée au reste de l'univers, selon la relation (IX.55) qui s'écrit ici :

$$\Delta E_{\text{Int}} = E_{\text{Int}}(F) - E_{\text{Int}}(I) = Q < 0 \qquad (\text{IX.59})$$

Par exemple, à la fin de la première contraction d'une étoile sphérique, Q est donné par l'expression (IX.38).

De façon générale, lorsqu'un système subit une transformation spontanée, il émet vers le monde extérieur de la chaleur et/ou de la matière. Pour les étoiles, on peut dire aussi bien qu'elles émettent de la chaleur que de la matière quand on accepte de considérer les photons qui constituent le rayonnement comme des particules de matière, même si leur masse est probablement nulle. Après tout, ce qui est émis, quel que soit son nom, est de l'énergie transportée par de la quantité de mouvement.

Dans le cas des transitions α ou de la fission, les noyaux émettent conjointement de la matière (les noyaux $_2^4$He ou des fragments plus lourds) et de la chaleur en puissance, transportée sous forme d'énergie cinétique. Par exemple, on récupère beaucoup de chaleur dans un réacteur nucléaire parce que les deux fragments de fission d'un noyau d'uranium ont une grande énergie cinétique au moment de leur séparation (environ 200 MeV à eux deux), énergie cinétique qu'ils diffusent ensuite dans tout le volume du cœur, au fil de leurs collisions multiples avec les éléments qui y sont confinés.

Dans l'exemple de la brique chaude introduite dans une enceinte où se trouve un gaz froid, le « système brique » cède de la chaleur au « système gaz » en exploitant tout ce qu'il peut : par rayonnement, car les molécules d'une brique chaude émettent dans l'infrarouge et même dans le visible ; par conduction, grâce aux chocs de ses éléments en surface avec ceux du gaz ; par convection, puisqu'un gaz chauffé est le siège de courants ascendants... Dans cette « transformation spontanée », la brique perd de son énergie interne au profit du gaz, mais uniquement jusqu'à ce que l'équilibre des températures soit atteint : elle possède alors la plus basse énergie interne que son environnement lui permette « d'espérer », car la migration de chaleur s'arrête quand les deux systèmes en contact sont à la même température.

Pour décrire un dernier exemple, considérons un récipient adiabatique et indéformable séparé en deux compartiments de même volume par une cloison étanche munie d'une vanne (cf. fig. IX.3). Dans l'état initial, la vanne est fermée ; un gaz comprenant N molécules est à la pression P_I et à la température T_I dans le compartiment noté ① et l'on a fait le vide dans le compartiment noté ②.

On ouvre alors la vanne. Après un certain temps, le gaz atteint un nouvel état d'équilibre dans lequel il occupe de façon homogène les deux compartiments : s'il s'agit d'un gaz monoatomique parfait, sa pression finale est donnée par $P_F = P_I/2$ et sa température finale est $T_F = T_I$. En effet, le gaz n'a échangé avec le monde extérieur ni chaleur (enceinte adiaba-

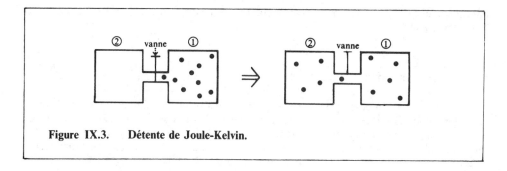

Figure IX.3.   Détente de Joule-Kelvin.

tique), ni travail (enceinte indéformable) et l'ouverture de la vanne ne fait qu'enlever la contrainte initiale. La relation (IX.55) s'écrit alors :

$$\Delta E_{\text{In}} = 0 \qquad\qquad\qquad (IX.60)$$

et pour un gaz parfait monoatomique, l'expression (IX.47) fournit donc $T_F = T_I$, dont on déduit, grâce à l'équation (IX.1), $P_F = P_I/2$, puisque le volume occupé par le gaz a doublé.

Maintenant, au lieu de considérer les N molécules du gaz comme un seul système isolé, appelons système ① les molécules contenues dans le compartiment ① et système ② celles qui sont contenues dans le compartiment ②. La détente du gaz initialement confiné dans le compartiment ① peut être alors comparée à une émission de molécules (par le système ①) qui devient spontanée quand on ouvre la vanne pour établir la communication avec le système ②, initialement « le vide ». Dans cette « transformation spontanée », le système ① perd la moitié de son énergie interne au profit du système ②, et rien de plus car le courant de molécules cesse d'exister quand les deux systèmes en communication sont à la même température et à la même pression. Dans ce nouvel état d'équilibre, chaque système comporte en moyenne le même nombre de molécules, soit $N/2$.

Ainsi, dans ce paragraphe, nous sommes passés progressivement de systèmes qui subissent de véritables transformations ou transitions spontanées à des systèmes qui évoluent eux aussi vers des états d'énergie interne minimale mais seulement jusqu'à ce que l'équilibre des températures et des pressions soit atteint et à condition que l'on change les contraintes imposées dans l'état initial, qu'il s'agisse de sortir d'un four une brique chaude pour la mettre en contact avec un gaz froid, ou encore d'ouvrir une vanne pour faire communiquer deux compartiments d'une enceinte initialement peuplée de façon inhomogène. Ces dernières transformations, que j'ai qualifiées de « spontanées » (entre guillemets pour insister sur l'influence du milieu extérieur) et les véritables transformations spontanées qui se déroulent « dans le vide », constituent chacune à leur façon ce que l'on appelle des transformations irréversibles. Nous allons terminer ce chapitre par quelques commentaires à leur sujet.

6)   IRRÉVERSIBILITÉ : VERS LE SECOND PRINCIPE DE LA THERMODYNAMIQUE

Notons tout d'abord que dans les exemples de la brique chaude qui se refroidit et du gaz qui se détend, les systèmes considérés pourraient perdre encore plus d'énergie interne sans violer pour autant la conservation de l'énergie. Ce n'est donc pas le premier principe de la thermodynamique qui impose l'arrêt de l'évolution au moment où l'équilibre des températures et des pressions est atteint. Dès lors, il faut introduire un autre principe. Vous le connaissez déjà probablement sous le nom de second principe de la thermodynamique (cf. Cours de chimie en parallèle).

C'est implicitement la violation du second principe de la thermodynamique qui nous fait rire de la plupart des phénomènes observés lorsqu'on projette un film en commençant par sa fin (comme si l'on remontait le cours du temps), comme par exemple l'inverse de la «transformation spontanée» qui consiste à casser un œuf en le laissant tomber sur le sol. Nous trouverions tout aussi invraisemblable le phénomène inverse de la détente d'un gaz : la reconcentration, comme par miracle, de toutes ses molécules dans le compartiment ① où elles étaient avant que l'on ouvre la vanne.

Pourtant toutes les situations observées sur un film projeté «en remontant le sens du temps» respectent le premier principe de la thermodynamique. Ce qui nous fait juger miraculeuses certaines d'entre elles, c'est leur caractère inhabituel, leur extrême improbabilité. Par exemple, il est absolument improbable que, par une suite de collisions aléatoires, les $N/2$ molécules qui se trouvent dans le compartiment ② à la fin de la détente du gaz parviennent à se reconcentrer dans le compartiment ① avec les $N/2$ autres molécules. Déjà, pour un totale de 10 molécules à répartir à pile ou face entre les deux compartiments égaux, la probabilité de les loger toutes dans le compartiment ① n'est que de 1/1024 ($= 1/2^{10}$) alors que la probabilité d'en avoir 5 dans chaque compartiment s'approche déjà de 1, à savoir 252/1024 ($= C_5^{10}/2^{10} = 10!/5!5!2^{10}$).

Pour la même raison, le second principe de la thermodynamique interdit qu'un système initialement constitué d'un gaz et d'une brique tièdes évolue spontanément vers un état final dans lequel la brique serait chaude et le gaz froid : il est absolument improbable d'aboutir à une reconcentration des diverses formes d'énergie d'agitation des molécules de la brique par une suite de collisions aléatoires, d'émissions et d'absorptions de photons incontrôlées, etc. De même encore, il est exclu que l'univers se purge spontanément de certains de ses photons ou de ses particules α en les reconcentrant sur une étoile particulière, prête à les accueillir, ou sur un ensemble d'ions $_{Z-2}^{A-4}Y^{--}$ ayant juste la bonne distribution de vitesses pour que chacun d'entre eux, après avoir absorbé un noyau $_2^4$He, soit retrouvé au repos dans une source faite des atomes $_Z^A$X.

Tout ceci nous fait comprendre le sens du mot «irréversible», employé pour qualifier l'ensemble des transformations qui se déroulent spontanément dans l'univers depuis le big-bang, et même peut-être avant si nous vivons dans un univers pulsant régi par des lois immuables : «on ne se baigne jamais deux fois dans le même fleuve» disait déjà Héraclite. Pendant longtemps, on a préféré la version de Léo Ferré : «avec le temps, va, tout fout le camp». On laissait entendre que l'irréversibilité des «phénomènes naturels» avait pour corollaire une évolution spontanée de «notre marâtre Nature» vers un désordre de plus en plus général. Pour convaincre, on affirmait qu'il y a, à l'évidence, plus de désordre quand les molécules d'un gaz sont réparties de façon homogène dans tout le volume d'une enceinte que quand elles sont sagement rangées dans un petit compartiment bien propre. Mais alors, comment interpréter en termes de désordre le phénomène de concentration spontanée du gaz interstellaire dans un petit domaine appelé étoile? Une réponse consistait à dire que dans l'état final les constituants de l'étoile sont plus agités, donc plus brouillons, que dans l'état initial et, qui plus est, entre ces deux états le système a émis de la chaleur dans tout l'univers, sous forme de rayonnement. Or la chaleur n'est-elle pas le paroxysme du désordre, de l'agitation frénétique? Plus grave encore, ce n'est qu'une forme «dégradée» de l'énergie, par opposition au travail. On le répétait depuis la fin du dix-neuvième siècle en invoquant un des premiers énoncés du second principe de la thermodynamique selon lequel il n'est pas possible d'obtenir du travail à partir d'une seule source d'énergie : autrement dit, la chaleur étalée ne sait rien faire de ses dix doigts.

Ce discours anthropomorphique, bien adapté à l'époque de l'essor du travail à la chaîne, devait semer la confusion, ces derniers temps, dans l'esprit des biologistes habitués à voir jaillir spontanément d'un «désordre» initial, des petites bêtes industrieuses et organisées, comme les cellules*. Depuis lors, l'étude physico-chimique des transformations irréversibles génératrices «d'ordre local» est devenu un sujet à la mode. Ses chantres en font même le symbole d'une «nouvelle alliance» (33) de l'homme avec la nature. Il est vrai que nous sommes entrés dans une époque où ce n'est plus seulement un petit nombre qui ne voit rien de dégradant à se chauffer au coin du feu, pour mieux rêver; ou au soleil, pour remettre le monde en question; ou encore... en récupérant les eaux de refroidissement d'une centrale, pour effectuer des économies d'énergie.

VII La notion de champ moyen

Après avoir tant insisté, dans le contexte de l'énergétique, sur quelques caractéristiques globales des systèmes à *N* corps, comme leur énergie interne, leur énergie de liaison et leur évolution régie en partie par l'optimisation de ces quantités, je vais me limiter à une esquisse d'un autre des objectifs prioritaires du problème à *N* corps cité dans l'introduction : décrire non plus les propriétés d'ensemble d'un système mais le mouvement des éléments qui le composent.

Par exemple prédire la trajectoire de la terre dans l'univers n'est pas exactement le problème à deux corps traité au chapitre VIII, même si le soleil joue encore (et pour longtemps!) un rôle qu'on peut tenir pour dominant : indépendamment du mouvement du soleil dans notre voie lactée et de cette galaxie dans l'univers, il y a lieu d'effectuer des corrections successives dues aux influences de la lune, des autres planètes du système solaire, des autres étoiles de la voie lactée... Il s'agit bel et bien d'un problème à *N* corps, comme c'est aussi le cas lorsqu'on cherche à décrire la trajectoire d'un électron libre dans un solide, ou d'un électron lié au cœur d'un atome ou encore le mouvement d'un nucléon au sein d'un noyau.

Si chacun de ces problèmes relève de méthodes d'approximation particulières, il en est une qui revêt un caractère relativement général lorsqu'on ne cherche pas la trajectoire d'un composant particulier mais celle d'un composant type, c'est-à-dire d'un élément présent en grand nombre dans le système considéré (par exemple un électron dans un solide ou dans un atome, ou encore un nucléon dans un noyau) pour lequel il n'est pas nécessaire de prédire autre chose que le mouvement moyen typique. Cette méthode assez générale porte le nom de «théorie du champ moyen». Elle consiste à remplacer les interactions à deux corps que subit l'élément type, lors de sa progression dans le système, par leur moyenne dans le domaine où a lieu son mouvement. Par exemple, le «champ moyen» ressenti par un neutron dans un noyau comportant *A* nucléons est donné par la somme pondérée des interactions à deux corps (neutron-nucléon) que subit ce neutron type avec

---

* Ce n'est pas tant aux biologistes qu'il faut reprocher cette confusion, mais aux physiciens qui leur ont laissé croire que la croissance de l'entropie de l'univers était synonyme d'évolution vers le désordre, alors qu'elle reflète surtout la tautologie suivante : les transformations spontanées sont celles qui s'effectuent vers les états les plus probables.

les $A - 1$ autres nucléons dans le volume du noyau considéré. De même le « champ moyen » atomique est donné par la somme, pondérée dans le volume atomique, des interactions à deux corps (électron-noyau et électron-électron) que subit un électron avec le noyau de l'atome et ses $Z - 1$ autres électrons. Dans ce dernier cas l'essentiel du champ moyen est donné par le champ attractif qu'exerce le noyau sur l'électron type mais il faut lui adjoindre une contribution répulsive due aux interactions que font subir $Z - 1$ électrons du cortège à celui que l'on a singularisé par la pensée. Le champ moyen nucléaire est plus démocratique : il n'y a que des nucléons pour l'engendrer.

Bien qu'on ne connaisse pas encore parfaitement toutes les caractéristiques de l'interaction à deux corps nucléon-nucléon, la figure IX.4 donne l'allure du potentiel moyen nucléaire dont dérive le champ du même nom. Pour l'obtenir on s'est laissé guider par ce que l'on savait depuis longtemps des propriétés d'ensemble des noyaux, telles leur densité et leur énergie de liaison. En particulier, on notera que cette allure suit fidèlement celle de la densité nucléaire (cf. fig. VIII.15). Ceci s'interprète en invoquant la courte portée des forces nucléaires et leur saturation : plus la matière nucléaire est dense plus le potentiel qu'elle crée est intense.

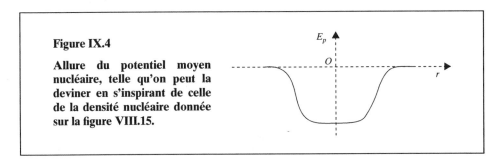

Figure IX.4

Allure du potentiel moyen nucléaire, telle qu'on peut la deviner en s'inspirant de celle de la densité nucléaire donnée sur la figure VIII.15.

Cet exemple illustre l'intérêt de la méthode : partant d'un problème à A corps, on se ramène à un problème à deux corps, à savoir le neutron type considéré et la collectivité des $A - 1$ autres nucléons avec laquelle il interagit par l'intermédiaire du potentiel moyen que cette collectivité engendre. Bien entendu, les solutions qu'on obtient ainsi ne sont qu'une première approximation mais on peut ensuite les raffiner en traitant comme des « perturbations » ce que la moyenne a « lissé » des effets fins des interactions entre les nucléons pris deux à deux. On comprend ainsi ce que cette méthode a de séduisant : dans son principe on peut tenter de l'appliquer à n'importe quel système, comme les atomes et les solides qui lui ont valu ses premiers succès.

VIII Conclusion

Dans ce chapitre nous n'avons répondu qu'à une faible partie des questions soulevées au paragraphe III du chapitre I à propos du problème à N corps. Il suffira de le relire pour s'en convaincre. Nous nous serons néanmoins familiarisés, ici et dans l'appendice B, avec des notions d'origine statistique, essentielles pour résoudre ce problème commun à toutes les disciplines. Tout d'abord, la notion de température qu'on associe au repérage macroscopique de l'énergie cinétique moyenne des constituants microscopique d'un système. Ensuite, la notion de chaleur qui représente la quantité macroscopique d'énergie échangée entre deux systèmes par l'intermédiaire de processus créés dans le mouvement désordonné de leurs molécules. Enfin, la notion d'entropie, développée par ailleurs en thermochimie, que je n'ai abordée ici, sans la nommer, que pour commenter l'interprétation probabiliste et mécaniste des transformations irréversibles subies par les systèmes dans leur évolution. Au passage on aura découvert l'intérêt du théorème du viriel, lorsqu'il s'agit de prédire les propriétés d'ensemble de ces systèmes à l'équilibre, et entrevu celui de la notion de champ moyen, quand on ne cherche que les grandes lignes du mouvement des éléments qui les composent.

Exercices

IX.1. Considérons la quantité macroscopique $\sum_i m_i r_i^2$ où $\vec{r}_i$ est exprimé dans le référentiel R liée au centre d'inertie du système considéré. Soit un autre référentiel R', au repos par rapport à R, tel que l'on ait $\vec{r}' = \vec{r} + \vec{a}$ où $\vec{a}$ est un vecteur constant.

1) Calculer $d^2\left(\sum_i m_i r_i'^2\right)\Big/ dt^2$ en fonction de $\vec{a}$ et des quantités définies dans R.

2) Que peut-on en conclure quant au théorème du viriel.

IX.2 Si l'on suppose que la masse et le rayon du soleil n'ont pas changé depuis sa naissance, quelle devrait être sa température moyenne à la fin de sa première contraction.

IX.3. Le soleil fait un tour sur lui-même en environ 25 jours.

1) Calculez son énergie cinétique de rotation sur lui-même et comparez-la aux autres formes d'énergie dont dispose le soleil.

2) En supposant que le soleil, dans son stade de naine blanche, ait un rayon voisin de celui de la terre et une masse comparable à sa masse actuelle, calculer la période de rotation sur lui-même qu'aura alors le soleil.

IX.4. L'énergie potentielle de deux atomes d'argon est donnée par l'expression (V.57). Avec les mêmes notations, approchons-la par l'expression :

$$E_p(r) = -E_p(r_e)\left(\frac{r_e}{r}\right)^\alpha$$

où α est une constante.

1) Montrer que pour α très grand on simule ainsi une interaction de contact entre deux boules impénétrables de rayon r_e.
2) En déduire que les relations (IX.46) permettent de rendre compte des propriétés des gaz parfaits.

IX.5. Quelle relation existe-t-il entre l'énergie cinétique interne et l'énergie potentielle interne d'un système dont les éléments interagissent entre eux comme des oscillateurs harmoniques identiques ?

IX.6. Quand le soleil aura transformé tous ses protons en noyaux $^4_2$He, combien d'énergie aura-t-il produit, sachant que la chaîne des réactions de fusion qui transforme quatre protons en $^4_2$He libère environ 27 MeV ? On négligera les autres chaînes.

IX.7. On appelle transformation quasi statique (notée TQS), une transformation menée suffisamment lentement pour qu'on puisse considérer que le système passe par une suite d'états d'équilibre, atteints en chaque instant. Autrement dit, dans une TQS on suppose que les quantités macroscopiques sont homogènes dans tout le volume occupé par le système et définies en chaque instant. Par exemple, lors d'une TQS d'un gaz parfait on pourra appliquer en chaque instant l'équation d'état $PV = vRT$.
1) Montrer que pour une TQS d'un gaz parfait monoatomique, on peut écrire :

$$PdV + VdP = \frac{2}{3}\,dE_{\text{int}}$$

où E_{int} est l'énergie interne du système.
2) Si l'on effectue une compression du gaz dans un récipient adiabatique, dites pourquoi on aura, par ailleurs : $dE_{\text{int}} = -PdV$
3) En déduire que quand on comprime de façon adiabatique un gaz parfait monoatomique, en s'y prenant de façon quasi-statique, alors, dans ce cas particulier, on a la relation : $PV^{5/3} = $ cte
4) Montrer que dans ce cas on peut aussi écrire : $TV^{2/3} = $ cte
5) En déduire que lors d'un TQS adiabatique, la température d'un gaz parfait monoatomique augmente s'il s'agit d'une compression, et diminue s'il s'agit d'une détente.
6) Montrer que si l'on effectue de façon brutale une compression adiabatique d'un gaz parfait monoatomique, la température finale du système sera plus élevée que si l'on était passé de façon quasi-statique des mêmes conditions initiales au même volume final et à la même pression finale. Conclusions.

IX.8. *A propos des étoiles*

Dans ce problème nous allons approfondir quelques aspects de la vie d'une étoile en nous appuyant sur le scénario donné page 269.

A. Énergie évacuée pendant la période de formation

Pour commencer estimons l'énergie évacuée par une étoile en formation.
1) Calculer l'énergie potentielle gravitationnelle, E_p, emmagasinée dans une étoile supposée homogène et sphérique, en fonction de sa masse M, de son rayon R et de la constante de la gravitation G.
2) Montrer, grâce au théorème du viriel, que la somme des énergies cinétiques de ses constituants est donnée par : $E_c = -E_p/2$. En déduire l'expression de l'énergie interne totale de l'étoile en fonction de M, R et G.
3) Estimer l'énergie dissipée par la masse M de gaz pendant la période qui s'étend de l'ins-

tant initial où elle était encore non condensée à l'instant final où elle se trouve confinée dans la sphère de rayon R. Où est passée cette énergie ? Conclusions.

4) Le rassemblement spontané des atomes d'hydrogène, initialement « désordonnés », dans un petit volume final, ne semble-t-il pas en contradiction avec le second principe de la thermodynamique ? Discuter.

B. Forme d'équilibre d'une étoile

En fait les étoiles tournent généralement sur elles-mêmes, ce qui les conduit à avoir une forme d'équilibre légèrement non sphérique. Par exemple le soleil a une période de rotation intrinsèque qui vaut environ 25 jours à l'équateur et 34 jours aux pôles. Cette variation, due à la fluidité du soleil, complique les calculs concernant sa forme d'équilibre et il en est de même pour toutes les étoiles en   activité. Aussi raisonnerons-nous sur une planète, comme la terre, que l'on peut assimiler en première approximation à un solide ayant la forme d'un ellipsoïde légèrement aplati, dont les points de la génératrice peuvent être mis, en coordonnées polaires, sous la forme :

$$r(\theta) = R_0[1 - \alpha(3\cos^2\theta - 1)]$$

où R_0 est le rayon de la sphère de même volume, et où α est un paramètre qui mesure la déformation par rapport à cette sphère. En supposant que la terre ainsi décrite est homogène, on peut démontrer (mais nous l'admettrons ici) que son énergie potentielle interne et son moment d'inertie par rapport à l'axe polaire sont donnés par :

$$E_p(\alpha) = -\frac{3}{5}\frac{GM^2}{R_0}\left(1 - \frac{4}{5}\alpha^2\right) \quad \text{et} \quad I(\alpha) = \frac{2}{5}MR_0^2(1 + 2\alpha)$$

5) Exprimer l'énergie mécanique totale de la terre en fonction de son paramètre α et de son moment cinétique $\vec{J}$ par rapport à son axe de rotation.

6) Calculer la valeur de α correspondant à la forme d'équilibre de la terre (supposée isolée).

7) En déduire la différence ΔR entre les rayons de la terre à l'équateur et aux pôles.

8) Comparer ce résultat à la valeur observée, $\Delta R \simeq 21,5$ km, et citer les faits susceptibles d'améliorer l'accord avec le modèle.

C. Ressources énergétiques d'une étoile

Montrons maintenant qu'une étoile, une fois formée, tire l'essentiel de son énergie des réactions de fusion thermonucléaire. Pour cela nous nous référerons au cas du soleil (de masse $M_\odot \simeq 2 \cdot 10^{30}$ kg et de rayon $R_\odot \simeq 7 \cdot 10^8$ m) dont la puissance rayonnée est $P_\odot \simeq 4 \cdot 10^{26}$ W, pratiquement constante depuis qu'on l'observe.

9) Si l'énergie rayonnée par le soleil provenait encore actuellement de sa contraction gravitationnelle, quelle aurait dû être la variation de son rayon durant le dernier siècle ? En déduire qu'il a d'autres ressources énergétiques.

10) Estimer la température du soleil et comparer son énergie d'agitation thermique à la barrière coulombienne qui existe entre deux protons. En déduire que pour interpréter les réactions de fusion des protons dans le soleil, il faut invoquer un effet quantique qu'on se contentera de citer.

11) Parmi ces réactions, la plus importante s'écrit :

$$p + p \rightarrow d + e^+ + v$$

où d est un noyau de deutérium (^2_1H) et où e^+ et v sont respectivement le positron (antiparticule de l'électron dont il a la masse $m_e \simeq 0,511$ MeV/c^2) et le neutrino, de masse nulle. Sachant que l'énergie de liaison du deutérium est d'environ 2,2 MeV et que les masses du proton et du neutron sont respectivement $m_p \simeq 938,28$ MeV/c^2 et $m_n \simeq 939,57$ MeV/c^2, calculer l'énergie que pourrait fournir le soleil en fusionnant tous ses protons. Conclusions. (S)

IX.9. *Encore un transport passif : viscosité*

Soit un long tube dans lequel s'écoule un gaz de façon suffisamment lente pour éviter toute turbulence (mouvement dit laminaire). Comme c'est le cas pour le courant d'une rivière, maximum au centre et pratiquement nul le long des berges, ce gaz a une vitesse nulle au niveau des parois du tube et une vitesse maximale au centre. Autrement dit, il existe dans ce gaz un gradient de vitesse, dv_x/dz, comme indiqué sur la figure ci-dessous. Sur cette figure apparaît aussi une plaque de surface S, entraînée par les frottements du gaz à son contact, mais sur laquelle on exerce une force F_x de façon à lui garder une vitesse constante.

En s'inspirant de l'exercice VI.9, on comprendra aisément que, dans ces conditions, les molécules dont la vitesse d'entraînement varie selon leur cote z, procèdent à un transfert de quantité de mouvement aligné, en valeur moyenne, sur l'axe Ox, noté Δp_x pour un intervalle de temps Δt. Plus précisément, la loi qui caractérise ce phénomène de transport de quantité de mouvement s'écrit :

$$\frac{1}{S}\frac{dp_x}{dt} = -\eta\frac{dv_x}{dz}$$

où η porte le nom de coefficient de viscosité.

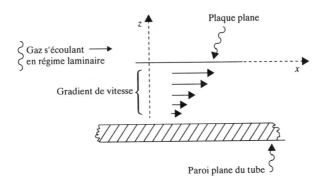

1) Après avoir noté l'analogie de cette loi avec celles de Fick et de Fourier, montrez, en transposant les arguments développés à leur propos dans l'appendice B, que l'on peut écrire :

$$\Delta P_x = \frac{1}{6}\, mns\bar{v}\,\Delta t\,[v_x(z-\lambda) - v_x(z+\lambda)]$$

où n est le nombre de molécules du gaz par unité de volume et où $\bar{v}$ est leur vitesse moyenne d'agitation thermique et m leur masse.

2) En déduire que l'on a :

$$\eta = \frac{1}{3}\, mn\bar{v}\lambda = \frac{m\bar{v}}{3\sqrt{2}\,\sigma}$$

où σ est la section efficace de collision des molécules du gaz. Commentez ce résultat en indiquant la variation de η avec la température et la pression du gaz.

3) Comparez l'expression de η à celles de D et K et trouvez toutes les relations possibles entre ces trois coefficients, par exemple $\rho D = \eta$, où $\rho = mn$ est la densité du gaz.

IX.10. Dans les phénomènes de diffusion, régis par la première loi de Fick, il est intéressant de se poser la question suivante : comment évolue la concentration des molécules témoins au cours du temps ? Si $n(x, t)$ est la fonction qui la définit au point x et au temps t, montrez, en exploitant la conservation du nombre de molécules contenues dans l'enceinte, que la réponse, dite seconde loi de Fick, est la suivante :

$$\frac{\partial n(x,\, t)}{\partial t} = D\, \frac{\partial^2 n(x,\, t)}{\partial x^2}$$

La solution de cette équation différentielle, dite aux dérivées partielles, peut être mise sous la forme :

$$n(x,\, t) = \frac{a}{\sqrt{2\pi}\,\sigma(t)}\, \exp\left(-\frac{x^2}{2\sigma^2(t)}\right) \quad \text{avec} \quad \sigma^2(t) = 2Dt + b$$

où a et b sont des constantes. Vérifiez par substitution que cette solution est correcte et interprétez-la en termes de marche au hasard.

IX.11. Lors de leur sédimentation sous pesanteur dans un fluide, les macromolécules subissent une force de friction, dite de Stokes, donnée par $-6\pi r\eta\,\vec{v}$, où r est leur rayon, $\vec{v}$ leur vitesse et η la viscosité du fluide. Après avoir calculé la vitesse limite de ces macromolécules, montrez que leur coefficient de diffusion est donné par $D = kT/6\pi r\eta$.

IX.12. Sachant qu'au niveau du sol l'air comporte environ quatre fois plus d'azote que d'oxygène, calculez à l'aide de la loi de Boltzmann comment évolue ce rapport de concentration en fonction de l'altitude z, pour $z = 2$ km, 4 km, 20 km, 40 km. Comment ceci affecte-t-il la vie courante ?

IX.13. À partir de la loi de Boltzmann et de vos connaissances sur l'énergie potentielle d'interaction des molécules, interprétez qualitativement le phénomène d'évaporation.

Appendices

Lorsqu'apparut la relativité restreinte (1905) bien des penseurs d'alors consi-déraient que remettre en cause la notion de temps absolu était chose « impossible ». Aujourd'hui on considère comme un acquis les bases de cette théorie, confirmée par l'expérience, et les présenter au début du premier cycle permet de situer les limites de la mécanique classique tout en insistant sur la notion de référentiel et sur la distinction entre théorie et formalisme. L'exemple de la relativité est, en effet, particulièrement explicite sur ce point : sa théorie – c'est-à-dire l'idée selon laquelle la nature est indifférente à nos choix subjectifs de référentiels – a été sauvegardée depuis quatre siècles en abandonnant plusieurs fois ce qu'on croyait être sa bonne formulation mathématique. C'est dans cet esprit que l'appendice A est traité comme un chapitre à part entière. Sa place naturelle se trouve entre les chapitres III et IV, comme charnière de la critique des principes newtoniens et de la descrip-tion des changements de référentiels.

L'appendice B, centré sur les phénomènes de transport et la loi de Boltz-mann, est traité lui aussi comme un chapitre standard, ce qui devient possible lors-qu'on s'impose de ne pas trop entrer dans les techniques formelles qui collent d'or-dinaire au sujet. Il est alors le bienvenu à la fin du chapitre IX où il permet d'approfondir les rudiments de physique statistique fournis à propos de la théorie cinétique des gaz. Enfin l'appendice C regroupe trois sujets d'examens, typiques d'objectifs que l'on atteint qu'en fin d'année. Avant de tenter de les résoudre en temps limité (quatre heures), il est conseillé de s'entraîner à l'aide des problèmes comparables qui se trouvent avant dans ce livre.

Transformation de Lorentz et principe de relativité

Grisés par les succès de la mécanique classique, les physiciens du dix-neuvième siècle, à quelques rares exceptions près, ne s'interrogeaient plus sur les bases de cette science qu'ils jugeaient achevée. De leur côté, depuis la révolution française, les philosophes se passionnaient surtout pour l'histoire. En ce qui concerne l'espace et le temps de la physique, ils avaient dû somnoler en lisant les idées de Kant, pour qui ces deux notions étaient à prendre comme des « a priori de la raison ».

On enseignait donc le point de vue de Newton (cf. page 27) comme s'il s'agissait d'une vérité intouchable. Plus exactement, dans un souci d'efficacité, on n'en parlait plus de façon critique. Les « enfants du siècle » étaient si bien conditionnés que les idées de Poincaré et d'Einstein ne pouvaient leur paraître qu'irrecevables ou pour le moins paradoxales et fantaisistes.

De nos jours, tout le monde a entendu parler d'Einstein, sinon de la relativité, et sa célèbre formule $E = mc^2$ est exploitée dans quelques spots publicitaires et dans des romans populaires. Les élèves des lycées ont appris à la manipuler, sous la forme $E = m_0 \gamma c^2$, dans le cadre d'une version empiriste de la relativité. La cinématique relativiste n'a plus de secret pour eux, tout au moins au niveau de l'algèbre. Nous n'aurons pas à établir ici les relations qui la caractérisent*. Quand, au fil des chapitres, je les rappelle, sous la forme employée dans l'enseignement secondaire, c'est principalement pour indiquer les limites de validité des expressions classiques les plus courantes (cf. page 170).

Par contre, nous allons approfondir la notion d'espace-temps. Pour cela j'ai tenu à critiquer, dès la première partie du livre, les notions newtoniennes d'espace et de temps (cf. chapitre II) et la version classique du principe de relativité à laquelle elles

---

* Les formules de la cinématique relativiste sont exploitées principalement dans le cadre de l'enseignement de la maîtrise. Les établir ne fait pas partie du programme de la première année de DEUG. Le lecteur qui désirerait s'initier dès maintenant à cette question pourra le faire sans difficulté en se reportant aux ouvrages d'introduction cités à la référence (34).

conduisent (cf. chapitre IV). Dans cet appendice, je poursuis dans cette voie. Je le commencerai par des remarques historiques. Ensuite je présenterai quelques aspects marquants de la théorie d'Einstein tout en explicitant les formules de la transformation de Lorentz. Enfin, pour justifier ces formules, je les établirai en suivant pas à pas les hypothèses sur lesquelles elles se fondent. Je reviendrai alors de façon critique sur les résultats établis au paragraphe II.

I   Vers la théorie de la relativité restreinte

Historiquement, la théorie de la relativité est liée à l'étude des phénomènes électromagnétiques que Maxwell avait synthétisés en un système de quatre équations couplées dont il n'est pas utile de connaître l'existence pour comprendre la suite, si ce n'est pour resituer le problème dans le bouillonnement des idées.

1)   L'ÉNIGME DES ÉQUATIONS DE MAXWELL

Ce système avait le mauvais goût de ne pas être invariant sous la transformation de Galilée (définie au paragraphe I du chapitre IV). On le suspecta donc d'être incorrect. Pourtant, toutes les tentatives effectuées pour plier les équations de Maxwell à la transformation de Galilée s'avérèrent sans succès : les effets prévus en leur ajoutant des termes *ad hoc* n'étaient pas au rendez-vous de l'expérience.

Puisqu'on ne voulait pas remettre en cause la transformation de Galilée, censée traduire le principe de relativité, on s'apprêtait à rejeter ce principe hors du domaine de l'électromagnétisme. On pensait même avoir de bonnes raisons pour singulariser ce domaine. En effet, depuis les travaux de Maxwell, on s'interrogeait sur un milieu hypothétique, « l'éther » que l'on croyait indispensable pour assurer la propagation des ondes électromagnétiques. Alors, pourquoi n'aurait-il pas existé, pour ces phénomènes, un référentiel particulier : celui par rapport auquel l'éther serait immobile ? Dans cette hypothèse, tout autre référentiel doit être considéré comme en mouvement absolu par rapport à l'éther lié à son référentiel absolu. On s'imaginait donc que ces référentiels, comme la terre, étaient sensibles à des « vents d'éther » et qu'en conséquence tous les problèmes rencontrés devaient tenir à l'existence de ces vents.

Pour confirmer cette théorie, Michelson et Morley, en 1880, tentèrent de mettre en évidence le vent d'éther au voisinage du sol. Dans leur célèbre expérience, ils utilisaient la terre comme référentiel en mouvement autour du soleil et comparaient la vitesse de la lumière dans le sens du trajet de la terre et dans le sens perpendiculaire. Le résultat était surprenant : le mouvement de la terre n'avait aucun effet sur la vitesse relative de la lumière. Pour s'assurer qu'il ne s'agissait pas d'un accident, ils recommencèrent les mesures à diverses époques de l'année, c'est-à-dire en s'arrangeant pour que le mouvement de la terre soit orienté de différentes façons par rapport aux étoiles fixes. Le résultat restait toujours le même*.

Tout se passait donc comme si la terre était immobile dans l'éther. La surprise passée, on imagina de nouvelles hypothèses *ad hoc*. La plus simple consistait à se représenter l'éther comme un milieu très visqueux, une sorte de gélatine, que la terre devait entraîner dans son voisinage; d'où l'apparence d'immobilité de la terre par rapport à l'éther. Cette fois, c'était un peu dur à croire et ça n'arrangeait ni les équations de Maxwell ni le principe de relativité.

2) POINT DE VUE DE LORENTZ

Des modèles plus sophistiqués alimentaient bon nombre de conversations dans les laboratoires. Lorentz fit faire un pas décisif : il remarqua que les équations de Maxwell sont invariantes sous une transformation que Poincaré nomma « la transformation de Lorentz ». Dans le cas défini sur la figure A.1, elle se caractérise par les formules suivantes :

$$x' = x \qquad \text{(a)}$$

$$y' = \frac{y - vt}{\sqrt{1 - v^2/c^2}} \qquad \text{(b)}$$

$$z' = z \qquad \text{(c)} \qquad\qquad \text{(A.1)}$$

$$t' = \frac{t - vy/c^2}{\sqrt{1 - v^2/c^2}} \qquad \text{(d)}$$

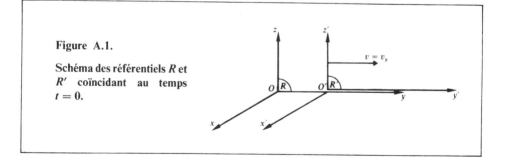

Figure A.1.

Schéma des référentiels R et R' coïncidant au temps $t = 0$.

* Cette expérience est analysée dans les références (34). En fait, elle n'est pas cruciale car on peut en rendre compte aussi bien en adoptant le point de vue de Lorentz que celui de Poincaré et d'Einstein (cf. plus loin). Je ne m'y attarderai donc pas, d'autant qu'elle devient une tautologie quand on cherche à l'effectuer avec des moyens modernes. En effet, seul un esprit rétrograde, effrayé par la technologie actuelle, refuserait aujourd'hui d'employer un radar, ou, mieux encore, un laser pour régler des distances avec la plus grande précision, comme il le faut pour fixer la longueur des bras de l'appareil de Michelson. Mais en procédant ainsi, on enverrait à l'échec assuré cette expérience historique (cf. chapitre 2 de la référence 24).

Pour Lorentz, ceci n'était qu'une bizarrerie de plus de l'interaction électromagnétique. Il utilisa donc ses formules pour construire une théorie de la matière suivant laquelle les solides devaient subir une contraction de longueur selon l'axe de leur mouvement. Par exemple, dans le cas d'un mouvement selon l'axe Oy, sa théorie interprétait les relations (A.1) en attribuant à un mètre étalon en mouvement à la vitesse $v = v_y$ (cf. fig. A.1), une longueur L reliée à sa longueur au repos, L_0, par :

$$L = L_0 \sqrt{1 - v^2/c^2} \tag{A.2}$$

Son modèle est le suivant : les atomes, petites boules régies par l'interaction électromagnétique, doivent probablement s'aplatir, se tasser, selon l'axe de leur mouvement. Si leur facteur de contraction dans cette direction est précisément $\sqrt{1 - v^2/c^2}$, les solides (et donc les mètres-étalons faits d'atomes jointifs) subiront, eux aussi, une contraction de longueur en proportion.

Pour montrer que son hypothèse pouvait rendre compte des relations (A.1), Lorentz fit remarquer qu'un observateur dans le référentiel R' dit qu'un point se trouve à y' mètres de O' quand il a mis bout à bout y' mètres-étalons entre O' et le point considéré. Mais si l'on admet la relation (A.2), un observateur dans le référentiel R dira qu'avec son propre mètre-étalon, la distance entre O' et ce point n'aurait été que de y' fois $\sqrt{1 - v^2/c^2}$ mètres; soit $y' \sqrt{1 - v^2/c^2}$ mètres du référentiel R. Dès lors, si O' est à la distance vt de O, il en conclura que, pour lui, le point considéré se trouve à une distance de O donnée par :

$$y = y' \sqrt{1 - v^2/c^2} + vt \tag{A.3}$$

d'où la relation (A.1b).

Ainsi, le modèle de Lorentz avait une certaine cohérence. Son idée d'atomes tassés par le mouvement pouvait sembler réaliste car elle permettait de rendre compte de tous les résultats expérimentaux de l'époque, et en particulier de l'échec des tentatives effectuées pour mettre en évidence le mouvement de la terre par rapport à l'éther. Son seul défaut était de singulariser l'interaction électromagnétique en faisant de la « contraction de longueur » une hypothèse *ad hoc* (35).

3)   POINT DE VUE DE POINCARÉ

Poincaré suggéra d'interpréter autrement les choses (36). Pour lui, le point important révélé par l'invariance des équations de Maxwell sous la transformation de Lorentz est que les lois de l'interaction électromagnétique sont les mêmes dans deux référentiels R et R' (en translation uniforme et de vitesse relative v) lorsqu'on remplace x, y, z et t, définis dans R, par x', y', z' et t', définis dans R' et respectant les relations (A.1). En d'autres termes, dans le cas de l'interaction électromagnétique, la transformation de Lorentz joue le rôle de la transformation de Galilée : elle constitue une formalisation du principe de relativité dans ce cas particulier (cf. paragraphe I du chapitre IV).

Dès lors ajouta Poincaré, pourquoi ne pas chercher à étendre à toutes les lois physiques l'invariance sous la transformation de Lorentz, en considérant la transformation de Galilée comme une approximation justifiée uniquement dans le cas d'objets se déplaçant à des vitesses très inférieures à celle des ondes électromagnétiques? Pour lui (qui se méfiait des hypothèses *ad hoc*), si cette théorie aboutissait, elle serait bien préférable au modèle de Lorentz. En effet, on pourrait alors interpréter, sans hypothèse miraculeuse et sans modèle providentiel, l'échec des tentatives effectuées pour mesurer la vitesse absolue de la terre par rapport à un milieu hypothétique supposé immobile : le principe de relativité en rendrait compte puisqu'une de ses conséquences est l'impossibilité de déterminer des vitesses absolues.

Poincaré était conscient que sa proposition n'aboutirait que si l'on acceptait de remettre en cause quelques notions newtoniennes, et en particulier celles sur lesquelles il avait exercé son esprit critique depuis longtemps : la notion de temps (11) et la notion de masse (15). Il était donc tout près du but.

4) LES BASES DE LA THÉORIE D'EINSTEIN

En effet, Einstein reprit la suggestion de Poincaré concernant le principe de relativité et ceci l'amena à critiquer les notions newtoniennes de temps et de masse. Le postulat de base de sa théorie consiste précisément à étendre à toutes les lois physiques (et en particulier aux équations de Maxwell), le principe de relativité adopté depuis l'époque de Galilée : les lois de la physique sont les mêmes dans tous les référentiels galiléens.

Ce principe est illustré au paragraphe I du chapitre IV que je conseille de relire. Dans cet appendice, j'insisterai uniquement sur ce qui fit problème quand Einstein l'étendit aux lois électromagnétiques : le caractère incorrect des formules de la transformation de Galilée. Depuis le fameux article de 1905 (37), on s'est habitué à remplacer ces formules par celles de la transformation de Lorentz dont elles ne sont qu'une approximation pour $v \ll c$.

Ce remplacement fit problème car il remet en cause la physique newtonienne. Tout d'abord, il en découle que la notion de simultanéité de deux événements n'est pas absolue et qu'en conséquence, la notion de durée ne l'est pas non plus : toutes deux dépendent du référentiel d'observation. Nous allons nous en convaincre au cours du prochain paragraphe. Ensuite, il faut modifier la dynamique newtonienne pour l'adapter à la transformation de Lorentz. Einstein montra que pour cela, il suffit de remplacer la masse newtonienne par l'expression :

$$m(v) \equiv m = \frac{m_0}{\sqrt{1 - v^2/c^2}} \tag{A.4}$$

où m_0 est la masse de l'objet considéré dans un référentiel où il est au repos et où m est sa masse dans un référentiel ayant la vitesse v par rapport au précédent. Cette modification de la notion de masse le conduisit vers sa célèbre formule $E = mc^2$.

Pour fonder sa théorie, Einstein formula un second postulat sur lequel nous reviendrons de façon critique à la fin de l'appendice. Il porte sur la vitesse de la lumière et s'énonce : la vitesse de la lumière dans le vide est la même dans tous les référentiels galiléens. L'échec de l'expérience de Michelson-Morley devient alors une tautologie, mais j'ai déjà signalé qu'on ne peut pas la considérer comme un argument décisif en faveur de la relativité : la théorie de Lorentz en rendait compte également.

Aux yeux de Poincaré, ce second postulat devait ressembler à une hypothèse *ad hoc* comparable à celle de Lorentz sur la « contraction de longueur ». C'est peut-être ce qui le bloqua sur la voie de la relativité. Pourtant, quand on adopte la transformation de Lorentz pour formuler le principe de relativité on obtient comme conséquence que la constante c est une vitesse limite. Je vais le montrer une première fois en commençant le paragraphe suivant consacré à quelques éléments de la théorie d'Einstein, connue sous le nom de «relativité restreinte» (pour la démarquer de la relativité générale schématisée au paragraphe V du chapitre IV).

II   Phénomènes typiques de la relativité restreinte

Plus précisément, je vais décrire dans ce paragraphe des phénomènes jugés jadis paradoxaux mais que les formules de Lorentz interprètent dans le cadre d'une théorie actuellement bien acceptée. Nous adopterons d'entrée de jeu ces formules et quand elles nous seront devenues familières je les établirais, au paragraphe III, en insistant sur les hypothèses de base de la relativité restreinte. Abordons ce programme par le problème de la vitesse de la lumière : la question de la constante c.

1)   LA CONSTANTE C COMME VITESSE LIMITE

Considérons un objet qui se déplace à vitesse constante dans le sens Oy du référentiel R représenté sur la figure A.1. Sa position sur cet axe est donnée par :

$$y = ut \tag{A.5}$$

où u est sa vitesse dans R.

Pour exprimer sa vitesse u' dans R' en fonction de u et de v, introduisons (A.5) dans les relations (A.1). On obtient :

$$u' = \frac{y'}{t'} = \frac{ut - vt}{t - vut/c^2} = \frac{u - v}{1 - vu/c^2} \tag{A.6}$$

L'expression de u en fonction de u' et de v s'en déduit en remplaçant u par u' et v par $-v$: si la vitesse de R' par rapport à R est v, celle de R par rapport à R' est $-v$. On peut aussi l'établir directement à partir de la transformation de Lorentz inverse, obtenue en inversant les relations (A.1), soit :

$$y = \frac{y' + vt'}{\sqrt{1 - v^2/c^2}} \quad \text{(a)}$$

$$t = \frac{t' + vy'/c^2}{\sqrt{1 - v^2/c^2}} \quad \text{(b)}$$

(A.7)

En effet, puisque dans R' on a $y' = u't'$, on en déduit :

$$u = \frac{y}{t} = \frac{u't' + vt'}{t' + vu't'/c^2} = \frac{u' + v}{1 + vu'/c^2} \tag{A.8}$$

Les relations (A.6) et (A.8) traduisent la loi relativiste de composition des vitesses pour un mouvement selon l'axe de v. Elles redonnent la loi classique, $u = u' + v$, pour $vu'/c^2 \ll 1$, mais elles s'en écartent de plus en plus au fur et à mesure que les vitesses considérées s'approchent de celle de la lumière. Par exemple, pour $u' = v = c/2$, la loi (A.8) fournit $u = 4c/5$ au lieu de c (38).

Dans le cas particulier où l'objet en mouvement dans R' est la lumière elle-même, soit $u' = c$, la relation (A.8) entraîne :

$$u = \frac{c + v}{1 + vc/c^2} = \frac{c + v}{c + v}\, c = c \tag{A.9}$$

Ainsi, quelle que soit la vitesse relative des référentiels R et R', deux observateurs liés à ces référentiels attribueront à la lumière la même vitesse c, invariant qui s'avère une vitesse limite. Dans ce contexte (quand on adopte la transformation de Lorentz pour formuler le principe de relativité), on peut dire que le second postulat d'Einstein apparaît comme une conséquence du premier.

A ce jour, toutes les expériences sont en accord avec les expressions établies dans ce paragraphe. La loi classique de composition des vitesses n'est donc qu'une approximation pour des vitesses très inférieures à la constante c. En fait, on aurait pu le savoir bien avant l'article d'Einstein de 1905, grâce aux travaux de Fizeau (39). En particulier, les résultats de son expérience de 1850, concernant la mesure de la vitesse de la lumière dans un fluide en mouvement, ne peuvent s'interpréter qu'en adoptant la relation (A.8).

2)   LA SIMULTANÉE N'EST PAS ABSOLUE

Considérons maintenant deux événements qui se produisent en deux points différents de l'espace, repérés dans le référentiel R' par x'_1, y'_1, z'_1 et x'_2, y'_2, z'_2. Supposons que ces deux événements soient observés au même instant, $t'_1 = t'_2$, dans R'. On dit qu'ils sont simultanés pour un observateur lié à R'.

En mécanique classique, on admet que ces deux événements sont simultanés dans tous les référentiels et qu'on a donc dans R $\Delta t \equiv t_2 - t_1 = 0$ si l'on a dans R' $\Delta t' \equiv t'_2 - t'_1 = 0$. La transformation de Galilée respecte cette hypothèse mais la transformation de Lorentz la rejette. En effet, la relation (A.7.b) fournit :

$$\Delta t = \frac{\Delta t' + v\,\Delta y'/c^2}{\sqrt{1 - v^2/c^2}} \tag{A.10}$$

soit, pour $\Delta t' \equiv t'_2 - t'_1 = 0$:

$$\Delta t \equiv t_2 - t_1 = \frac{v(y'_2 - y'_1)/c^2}{\sqrt{1 - v^2/c^2}} \tag{A.11}$$

Ainsi, en adoptant la transformation de Lorentz pour formaliser le principe de relativité, il faut rejeter à la fois la loi classique de composition des vitesses et le caractère absolu de la notion de simultanéité : deux événements jugés simultanés dans R' ne le sont pas dans R, sauf dans le cas particulier où ils ont lieu en un même point de l'espace ($y'_2 = y'_1$)

La loi relativiste de composition des vitesses et le caractère relatif de la notion de simultanéité sont indissociables. Une façon simple de le vérifier consiste à envisager un cas limite obéissant à la relation (A.9) : des événements déclenchés par des ondes électromagnétiques, par exemple des signaux lumineux, qui ont la particularité de se propager à la vitesse limite c quel que soit l'état de mouvement de la source, du récepteur et du référentiel d'observation. L'exemple favori d'Einstein est le suivant.

Soit un wagon (référentiel R') se déplaçant à la vitesse v par rapport au quai (référentiel R) et soient deux observateurs, O' et O, liés à ces deux référentiels. Supposons l'observateur O', situé exactement au milieu du wagon. S'il allume une lampe en ce point, la lumière arrivera au même instant sur les parois de tête et de queue du wagon puisque la vitesse de la lumière, identifiée à la constante c de la transformation de Lorentz, est la même dans tous les référentiels galiléens et dans toutes les directions (cf. relation A.9 et second postulat d'Einstein). L'observateur O' dira donc que les deux événements constitués par l'arrivée de la lumière sur la paroi avant et la paroi arrière sont simultanés ($t'_2 = t'_1$ avec $y'_2 \neq y'_1$).

L'observateur O, lié au quai, décrira autrement le phénomène. Pour lui, l'arrivée de la lumière sur la paroi de queue précédera l'arrivée de la lumière sur la paroi de tête. En effet, la vitesse de la lumière est la même dans les deux référentiels R et R'. En conséquence, dans R, la paroi arrière du wagon, qui va à la rencontre de la lumière, sera éclairée un peu plus tôt que la paroi avant qui la fuit. Ainsi, les deux événements simultanés pour O', dans R', ne le sont pas pour O, dans R.

Si la mécanique newtonienne était correcte, la loi classique de composition des vitesses conduirait à attribuer à la lumière dans R une vitesse différente suivant qu'elle se propage dans le sens du wagon (soit, $c + v$), ou dans le sens opposé (soit, $c - v$). On retomberait alors sur le point de vue de Newton selon lequel les événements décrits ci-dessus sont simultanés aussi bien dans R que dans R'. Nous allons voir maintenant que c'est le point de vue d'Einstein qui est en accord avec l'expérience. Plus précisément nous allons vérifier que l'expérience est en accord avec la relativité de la notion de durée, corollaire de la relativité de la notion de simultanéité.

3)   RELATIVITÉ DE LA NOTION DE DURÉE

Notons tout d'abord que pour $\Delta y' \equiv y'_2 - y'_1 = 0$, la relation (A.10) devient :

$$\Delta t \equiv t_2 - t_1 = \frac{\Delta t'}{\sqrt{1 - v^2/c^2}} \equiv \frac{t'_2 - t'_1}{\sqrt{1 - v^2/c^2}} \tag{A.12}$$

Ainsi, deux événements qui surviennent au même point du référentiel R' ($y'_2 = y'_1$), et qui y sont séparés par l'intervalle de temps $\Delta t'$, apparaissent séparés par un intervalle de temps plus long, Δt, dans tout autre référentiel R en mouvement relatif par rapport à R'. En d'autres termes, la durée d'un phénomène engendré en un point donné d'un référentiel par un objet qui se trouve immobile dans ce référentiel est la plus brève dans ce référentiel particulier où sont liés aussi bien l'observateur que l'objet.

On pourrait croire que cette conclusion est contraire au principe de relativité, selon lequel il n'est pas possible de trouver une expérience qui permette de singulariser l'un des deux référentiels, R et R', en translation uniforme par rapport à l'autre. Il n'en est rien : la relation (A.12) ne singularise pas le référentiel R' car la conclusion à laquelle elle conduit est également obtenue quand on raisonne à partir du référentiel R. En effet, pour $\Delta y \equiv y_2 - y_1 = 0$, la relation (A.1d) entraîne

$$\Delta t' \equiv t'_2 - t'_1 = \frac{\Delta t}{\sqrt{1 - v^2/c^2}} \equiv \frac{t_2 - t_1}{\sqrt{1 - v^2/c^2}} \tag{A.13}$$

On est donc conduit à la même conclusion que précédemment : deux événements qui surviennent au même point du référentiel R ($y_2 = y_1$), et qui y sont séparés par l'intervalle de temps Δt, apparaissent séparés par un intervalle de temps plus long, $\Delta t'$, dans tout autre référentiel R' en mouvement relatif par rapport à R. Ainsi, c'est toujours dans le référentiel où l'objet étudié est au repos que les phénomènes qui le caractérisent ont la durée la plus courte.

Par exemple, si l'on installe dans le référentiel R' un dispositif susceptible d'allumer un phare et de l'éteindre après une minute, ce phare paraîtra allumé pendant deux minutes à un observateur lié au référentiel R, si la vitesse relative, v, de R' par rapport à R est telle que l'on ait $\sqrt{1 - v^2/c^2} = 0{,}5$ (cf. relation A.12). Mais si l'on installe dans R ce même phare et son dispositif, il restera allumé une minute pour un observateur lié à R et deux minutes pour un observateur dans R' (cf. relation A.13).

Il n'est donc pas possible de distinguer deux référentiels en translation uniforme en y effectuant des mesures de durée de phénomènes préparés de façon identique dans ces deux référentiels. Le principe de relativité exigeait cette conclusion. Pendant longtemps, on a cru que seule la transformation de Galilée était capable de la formaliser. La transformation de Lorentz y parvient également tout en rejetant la notion de durée absolue. Parmi les expériences qui ont permis de trancher en faveur de cette dernière, les plus simples sont celles qui consistent à mesurer la durée de vie des particules. Avant de citer leurs résultats, définissons la notion de durée de vie.

4)   DURÉE DE VIE DES PARTICULES OU VIE MOYENNE

Comme les noyaux radioactifs, la plupart des particules fondamentales se désintègrent en suivant une loi exponentielle de la forme :

$$N(t) = N_0 e^{-\lambda t} \tag{A.14}$$

où $N(t)$ est le nombre de particules présentes au temps t, où N_0 est le nombre de particules présentes au temps $t = 0$ et où λ est une constante. Cette constante, appelée constante de désintégration ou encore probabilité de désintégration, est reliée à la période, T, des particules considérées par :

$$\lambda = (\mathrm{Log}\ 2)/T = 0{,}693/T \tag{A.15}$$

La période T est donc, par définition, l'intervalle de temps au bout duquel le nombre de particules a décru d'un facteur 2. En effet, selon cette définition, on a :

$$\frac{N(t + T)}{N(t)} = \frac{N_0\ e^{-\lambda(t + T)}}{N_0\ e^{-\lambda t}} = e^{-\lambda T} \equiv \frac{1}{2} \tag{A.16}$$

d'où la relation (A.15).

Les périodes des particules s'échelonnent entre pratiquement l'infini, c'est le cas du proton, et environ 10^{-24} s, c'est le cas de son premier état excité, noté Δ (1236). Entre ces deux extrêmes, on rencontre de nombreuses familles de particules dont celle des mésons. Par exemple, le méson K^+ a une période de $0{,}86 \cdot 10^{-8}$ seconde. Il se désintègre en deux autres mésons, les mésons π^+ et π^0, selon le mode :

$$K^+ \to \pi^+ + \pi^0 \tag{A.17}$$

Ainsi, quand on a réussi à produire 1 000 mésons K^+ au temps $t = 0$, il n'en reste plus que 500 au bout de $0{,}86 \cdot 10^{-8}$ s; 250 au bout de $1{,}72 \cdot 10^{-8}$ s,... etc...; et pratiquement plus un seul après 10^{-7} s.

La loi (A.14) est de nature statistique. Interprétée en termes probabilistes, elle signifie que la probabilité d'existence au temps t, $P(t)$, de chaque particule produite au temps $t = 0$ (soit $P(0) = P_0 = 1$) est donnée par :

$$P(t) = P_0 e^{-\lambda t} = e^{-\lambda t} \equiv e^{-t/\tau}; \quad \text{avec} \quad \tau \equiv 1/\lambda \tag{A.18}$$

où τ est ce que l'on appelle la « durée de vie » de la particule considérée. Cette quantité, encore appelée « vie moyenne », représente l'intervalle de temps qui sépare, en moyenne, la naissance d'une particule (produite par la désintégration d'une autre ou encore lors d'une collision de deux particules) de sa mort par désintégration. En effet, on a ;

$$\langle t \rangle \equiv \frac{\displaystyle\int_0^\infty t P(t)\ \mathrm{d}t}{\displaystyle\int_0^\infty P(t)\ \mathrm{d}t} = \tau \tag{A.19}$$

On notera la relation :

$$\tau = 1/\lambda = T/0{,}693 \tag{A.20}$$

Par exemple, le méson K^+ est caractérisé par sa durée de vie $\tau = 1{,}237 \cdot 10^{-8}$ s.

En fait, la valeur donnée ci-dessus correspond à la durée de vie du méson K^+ dans les référentiels où cette particule est étudiée au repos. De façon générale, on convient de donner la valeur des vies moyennes des particules dans les référentiels qui leur sont attachés. D'ordinaire, on note cette valeur τ_0 et, pour éviter toute ambiguïté, il arrive qu'on l'appelle « durée de vie au repos » ou « vie moyenne au repos ».

5) EFFET DIT DE « DILATATION DE LA DURÉE »

Cette précaution est importante : dans les expériences de mesure de durée de vie des particules, il est indispensable de connaître leur état de mouvement par rapport au référentiel d'observation. En effet, dans les référentiels où la particule n'est pas immobile, l'intervalle de temps, τ, qui sépare l'instant de sa naissance de celui de sa mort apparaîtra plus long que τ_0, selon les relations (A.12) et (A.13), soit

$$\tau = \frac{\tau_0}{\sqrt{1 - v^2/c^2}} \tag{A.21}$$

où v est la vitesse de la particule étudiée dans le référentiel considéré.

Par exemple, considérons un référentiel lié à un laboratoire dans lequel on produit des mésons K^+ en envoyant des protons accélérés sur une cible au repos. Supposons que les mésons K^+ qui sortent de la cible dans une direction donnée aient tous la même vitesse v par rapport au référentiel du laboratoire. Alors, si v est tel que l'on ait $\sqrt{1 - v^2/c^2} = 0{,}1$ les mésons K^+ se comporteront comme s'ils avaient une vie moyenne $\tau = 10\,\tau_0 = 1{,}237 \cdot 10^{-7}$ s.

On peut le vérifier aisément en disposant, le long de la trajectoire des mésons K^+, des détecteurs permettant de les dénombrer au fur et à mesure qu'ils progressent en ligne droite avec la vitesse v, comme indiqué sur la figure A.2 (ou encore en

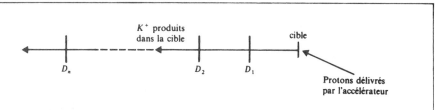

Figure A.2.

Les K^+ produits dans la cible, avec la vitesse v, traversent les détecteurs D_1, D_2, ... D_n, espacés sur leur trajet, qui servent à les dénombrer au fil de leur progression et donc au fil du temps.

dénombrant les mésons π^+ et π^0 qui signent la mort d'un méson K^+). Chiffrons l'effet attendu pour $\sqrt{1 - v^2/c^2} = 0,1$, c'est-à-dire pour $v = 0,995\ c \simeq c$, en supposant que l'on a produit dans la cible, à l'instant $t = 0$, 1 000 mésons K^+ partant dans la direction des détecteurs avec la vitesse $v \simeq c$.

Dans le référentiel du laboratoire, pendant un intervalle de temps $\Delta t = 0,693\ \tau \simeq 0,86 \cdot 10^{-7}$ s, les K^+ parcourent un trajet rectiligne de longueur $\Delta \ell = v\Delta t \simeq c\Delta t \simeq 26$ m. Un détecteur placé à cette distance de la cible de production, dénombrera donc environ 500 mésons K^+. Si la durée de vie des K^+ dans le laboratoire était la même que leur durée de vie au repos, τ_0, comme l'exigerait la transformation de Galilée, alors ce détecteur n'en dénombrerait pratiquement aucun : aux fluctuations statistiques près, tous se seraient désintégrés en $\pi^+ + \pi^0$ avant de l'atteindre. C'est dans un détecteur disposé à 2,6 m de la cible qu'on en dénombrerait 500.

L'expérience tranche en faveur des résultats attendus en exploitant la transformation de Lorentz, c'est-à-dire en faveur de la relativité de la notion de durée. L'effet décrit ci-dessus illustre ce que l'on appelle « la dilatation de la durée » ou encore « la dilatation du temps ». On l'exploite couramment dans les laboratoires de physique des hautes énergies pour amener des particules, ayant des durées de vie au repos très brèves (mais des vitesses proches de c) loin de la cible de production, là où l'on veut étudier leurs caractéristiques à l'aide d'un ensemble de détecteurs et d'instruments appropriés.

6) EFFET DIT DE « CONTRACTION DE LA LONGUEUR »

La dilatation de la durée d'un phénomène, telle qu'on l'observe dans n'importe quel référentiel en translation uniforme par rapport au référentiel où ce phénomène se déroule au repos, est un effet de parallaxe cinématique spécifique de la relativité restreinte. Pour les intervalles d'espace, son analogue est l'effet de parallaxe dit de « contraction de la longueur ».

Pour comprendre cet effet, notons tout d'abord qu'on n'a pas besoin de définir le temps pour mesurer la longueur d'un objet rigide dans un référentiel où cet objet est au repos. Si on le désire, on peut prendre alors « tout son temps » pour reporter autant de fois qu'il le faut son mètre étalon entre les deux extrémités de l'objet considéré. On mesure ainsi l'intervalle d'espace qui sépare deux points fixes du référentiel, idéalement rigide, à savoir les deux points qui coïncident « éternellement » avec les deux extrémités de l'objet immobile dans ce référentiel. Pour énoncer le résultat de cette mesure, il n'est donc pas nécessaire de préciser les deux instants auxquels on a repéré l'une des extrémités de l'objet et l'autre, éventuellement beaucoup plus tard ou n'importe quand.

Il n'en est plus ainsi quand l'objet est en mouvement dans le référentiel. Dans ce cas, il est nécessaire de préciser les deux instants où ont été repérées dans le référentiel les deux extrémités de l'objet considéré, puisqu'il s'y déplace sans cesse à la vitesse v. En d'autres termes, notons maintenant que l'intervalle d'espace entre les deux points du référentiel coïncidant avec les deux extrémités d'un objet qui s'y déplace, est arbitraire tant qu'on ne précise pas l'intervalle de temps qui sépare les deux instants du repérage de ces extrémités. Par contre, si l'on connaît cet intervalle de temps et la vitesse v, on pourra remonter sans difficulté de l'intervalle d'espace repéré à l'intervalle d'espace attendu dans le cas d'un repérage simultané des deux extrémités de l'objet considéré. C'est cet « intervalle d'espace simultané » qui définit la longueur de l'objet en mouvement dans le référentiel d'observation choisi.

Dans ce contexte, considérons un objet au repos dans le référentiel R' représenté sur la figure A.1. Soit $\Delta y'$ l'intervalle d'espace qui sépare ses deux extrémités repérées sur l'axe $O'y'$, c'est-à-dire sa longueur L_0 selon cet axe. Pour obtenir sa longueur L selon l'axe Oy du référentiel R, exploitons la relation (A.1b). On en déduit :

$$\Delta y' = \frac{\Delta y - v\Delta t}{\sqrt{1 - v^2/c^2}} \tag{A.22}$$

Comme la longueur L cherchée correspond à Δy pour $\Delta t = 0$, on obtient :

$$L = \Delta y = \Delta y' \sqrt{1 - v^2/c^2} = L_0 \sqrt{1 - v^2/c^2} \tag{A.23}$$

Ainsi, quand on adopte la transformation de Lorentz pour formuler le principe de relativité, on aboutit à la conclusion suivante : la longueur d'un objet définie dans un référentiel où cet objet est en mouvement est plus courte que sa longueur dans un référentiel où il est au repos. Cet effet n'a lieu que selon l'axe du mouvement puisque les relations (A.1a) et (A.1c) fournissent par contre :

$$\Delta x = \Delta x' \text{ et } \Delta z = \Delta z' \tag{A.24}$$

Pour montrer qu'il s'agit d'un effet de parallaxe, fixons dans le référentiel R l'objet considéré de longueur au repos L_0. On a alors $\Delta y = L_0$ et maintenant, c'est à un observateur situé dans R' que cet objet apparaîtra plus court. En effet, la relation (A.7a) fournit :

$$\Delta y = \frac{\Delta y' + v\Delta t'}{\sqrt{1 - v^2/c^2}} \tag{A.25}$$

Or, la longueur L définie dans R' correspond à $\Delta y'$ pour $\Delta t' = 0$. On obtient donc à présent :

$$L = \Delta y' = \Delta y \sqrt{1 - v^2/c^2} = L_0 \sqrt{1 - v^2/c^2} \tag{A.26}$$

Ainsi, les résultats (A.23) et (A.26) sont identiques. Le principe de relativité exigeait qu'il en soit ainsi : il n'est pas possible de distinguer deux référentiels en translation uniforme en y effectuant des mesures de longueur.

On associe parfois aux formules (A.23) et (A.26) le nom de « contraction de Lorentz » car la théorie de Lorentz conduisait au même résultat (cf. formule A.2). Ceci ne doit pas prêter à équivoque. Pour Lorentz, il s'agissait d'une contraction physique des objets en mouvement, contraction régie par les propriétés escomptées de l'interaction électromagnétique. Par contre, dans le cadre de la relativité restreinte, la contraction de longueur n'est spécifique d'aucune interaction : il s'agit d'un effet de parallaxe cinématique lié au fait que le principe de relativité doit être formulé non pas avec la transformation de Galilée, mais en adoptant la transformation de Lorentz.

III   Hypothèses de la relativité restreinte

Il existe bien d'autres aspects marquants de la relativité restreinte, mais ceux que je viens de décrire sont bien suffisants pour aborder enfin la théorie. Jusqu'ici, nous avons accepté les formules de la transformation de Lorentz et appris à les manipuler. Nous allons maintenant les relier à un cadre théorique jugé raisonnable aujourd'hui. Pour cela, je vais les établir en insistant sur les hypothèses qu'il faudrait remettre en cause si un jour le besoin s'en faisait sentir (40).

1)   LES BASES THÉORIQUES

Partons du principe de relativité, admis et sauvegardé depuis l'époque de Galilée (cf. paragraphe I du chapitre IV) : tous les référentiels galiléens sont équivalents pour énoncer les lois physiques; ou encore : les lois qui régissent l'évolution des systèmes physiques, et en particulier leurs changements d'état de mouvement, sont les mêmes dans tous les référentiels en translation uniforme les uns par rapport aux autres.

Dans ces énoncés, le mot « référentiel » est à prendre dans son sens usuel, commenté au début du chapitre II : un objet matériel à partir duquel on obtient une représentation dans l'espace et le temps d'un phénomène physique, c'est-à-dire d'un enchaînement d'événements. Nous adopterons ici le point de vue de Leibnitz selon lequel l'espace et le temps ne sont que « l'ordre de relation des choses entre elles ». Par exemple, l'espace sera considéré comme un cadre formel des relations spatiales des objets matériels : une notion abstraite à partir de mesures de longueur dans un référentiel. Nous traiterons de même le temps, notion abstraite construite à partir de mesures de durées dans un référentiel.

La principale modification théorique apportée par Einstein à la physique newtonienne fut de coupler l'espace et le temps. Dans ce cadre, chaque événement est repéré par quatre coordonnées, trois d'espace et une de temps, liées entre elles par les formules de la transformation de Lorentz. Passons en revue les hypothèses qui y conduisent.

2)   HOMOGÉNÉITÉ DE L'ESPACE-TEMPS

Commençons par adopter l'hypothèse d'un espace et d'un temps homogènes en tout point et en tout instant. Nous en déduirons que les formules de transformation des coordonnées d'espace-temps d'un même événement, observé dans deux référentiels distincts, doivent être linéaires, c'est-à-dire de la forme :

$$x' = a_1 x + b_1 y + c_1 z + d_1 t$$
$$y' = a_2 x + b_2 y + c_2 z + d_2 t$$

(A.27)

$$z' = a_3 x + b_3 y + c_3 z + d_3 t$$
$$t' = a_4 x + b_4 y + c_4 z + d_4 t$$

(A.27)

où x, y, z, t, sont les coordonnées de l'événement dans le référentiel R, où x', y', z' et t' sont les coordonnées du même événement dans le référentiel R', et où les coefficients a_i, b_i, c_i, d_i sont indépendants des coordonnées mais fonctions des paramètres physiques susceptibles d'intervenir dans la transformation et en particulier de la vitesse relative des deux référentiels R et R'.

En effet, si les dérivées de x', y', z' et t' par rapport à x, y, z ou t, (respectivement : les coefficients a_i, b_i, c_i et d_i) étaient fonctions de x, y, z ou t alors les quantités $(x'_2 - x'_1)$, $(y'_2 - y'_1)$, $(z'_2 - z'_1)$, $(t'_2 - t'_1)$ qui permettent d'exprimer les intervalles d'espace et de temps séparant les événements 1 et 2 dans R', dépendraient non seulement des quantités correspondantes dans R mais encore des coordonnées de chaque événement. Ceci contredirait l'hypothèse d'un espace-temps homogène : pour décrire une succession d'événements, on ne retiendra que les intervalles d'espace et de temps qui les séparent car garder la trace des lieux et des instants des événements n'aurait d'intérêt que si l'on suspectait certains domaines de l'espace et du temps de jouer des rôles privilégiés et donc l'espace-temps d'être inhomogène.

Pour deux référentiels galiléens, le seul paramètre susceptible d'intervenir dans les formules (A.27) est leur vitesse relative. En effet dans un espace-temps homogène, on ne voit pas de quels autres paramètres pourraient être fonctions les coefficients a_i, b_i, c_i et d_i, si ce n'est éventuellement des « vitesses absolues » des référentiels R et R' par rapport à un référentiel privilégié, baptisé absolu. Mais le principe de relativité impose de rejeter cette éventualité : la notion de vitesse absolue est arbitraire et elle ne doit donc pas apparaître dans les formules de transformation cherchées.

3)   ISOTROPIE DE L'ESPACE

Pour ne pas compliquer inutilement les choses, choisissons les référentiels R et R' comme indiqué sur la figure A.1, avec leurs origines O et O' coïncidant au temps $t = 0$ et la vitesse relative de R' par rapport à R dirigée selon oy, soit $v_y = v$. Dans ce cas, si l'on ajoute maintenant l'hypothèse d'un espace isotrope, la transformation linéaire (A.27) peut être mise sous la forme :

$$x' = \lambda(v)x \qquad \text{(a)}$$
$$y' = \gamma(v)\,(y - vt) \qquad \text{(b)}$$
$$z' = \lambda(v)z \qquad \text{(c)}$$
$$t' = \mu(v)t + v(v)y \qquad \text{(d)}$$

(A.28)

où $\lambda(v)$, $\gamma(v)$, $\mu(v)$ et $\nu(v)$ sont les seuls coefficients intervenant ici, tous fonctions uniquement de v pour les raisons indiquées précédemment.

En effet, si l'espace est isotrope et si la seule direction matériellement privilégiée est celle de l'axe oy, les expressions de y' et t' ne doivent dépendre ni de x, ni de z. Pour la même raison, x' ne doit pas dépendre de z et z' de x, et les coefficients $\lambda(v)$ doivent être identiques pour x' et z'. De plus, y et t n'apparaissent pas dans les expressions de x' et z' puisque l'axe oy' (défini par $x' = z' = 0$) coïncide avec l'axe oy à tout instant. Il ne pourrait pas en être ainsi, pour tout t, si x' et z' dépendaient de y et de t.

Quant à la forme (A.28b) adoptée pour récrire $y' = b_2 y + d_2 t$ (cf. relation A.27), elle découle de la définition d'un mouvement de translation uniforme. On l'obtient en considérant l'origine O' de R', définie par $y' = 0$ et donc $y/t = -d_2/b_2$. Comme le mouvement de tous les points de R', et donc de O', est supposé être une translation uniforme de vitesse v par rapport à R, on doit avoir $y/t = v$. On en déduit la relation :

$$\frac{y}{t} = v = -\frac{d_2}{b_2} \tag{A.29}$$

d'où l'expression (A.28b) quand on pose $b_2 \equiv \gamma(v)$, avec en conséquence $d_2 = -v\gamma(v)$.

4) SYMÉTRIE DE L'ESPACE

L'hypothèse d'isotropie de l'espace conduit également à admettre sa symétrie : les formules de transformation ne doivent pas être affectées lorsqu'on change conjointement la direction de l'axe des y et celle du mouvement relatif de R' par rapport à R. En d'autres termes, on peut écrire :

$$
\begin{array}{ll}
x' = \lambda(-v)\, x & \text{(a)} \\
-y' = \gamma(-v)\,(-y + vt) & \text{(b)} \\
z' = \lambda(-v)\, z & \text{(c)} \\
t' = \mu(-v)\, t - \nu\,(-v)\, y & \text{(d)}
\end{array}
\tag{A.30}
$$

La comparaison des expressions (A.28) et (A.30) fournit alors les relations :

$$
\begin{array}{ll}
\lambda(-v) = \lambda(v) & \text{(a)} \\
\gamma(-v) = \gamma(v) & \text{(b)} \\
\mu(-v) = \mu(v) & \text{(c)} \\
\nu(-v) = -\nu(v) & \text{(d)}
\end{array}
\tag{A.31}
$$

Pour faciliter la suite de l'exposé, il est commode de factoriser $\nu(v)$ de la façon suivante :

$$\nu(v) \equiv -\frac{v}{\eta(v)}\,\mu(v); \quad \text{avec} \quad \eta(-v) = \eta(v) \tag{A.32}$$

Cette identité définit la fonction paire $\eta(v)$ et permet de récrire les expressions (A.28) sous la forme :

$$x' = \lambda(v)\, x \qquad \text{(a)}$$
$$y' = \gamma(v)\, (y - vt) \qquad \text{(b)}$$
$$z' = \lambda(v)\, z \qquad \text{(c)} \qquad\qquad \text{(A.33)}$$
$$t' = \mu(v) \left(t - \frac{v}{\eta(v)}\, y \right) \qquad \text{(d)}$$

Ainsi écrites les formules de transformation cherchées ne font intervenir que des fonctions paires de v : λ, γ, μ et η.

5) TRANSFORMATION INVERSE

A présent, concentrons-nous sur les contraintes apportées par le principe de relativité. Tout d'abord, notons que ce principe impose d'avoir les mêmes formules pour la transformation T de R vers R' et pour la transformation T^{-1} de R' vers R. Compte tenu de l'inversion du sens de v, la transformation T^{-1} s'écrit donc :

$$x = \lambda(-v)\, x' \qquad \text{(a)}$$
$$y = \gamma(-v)\, (y' + vt') \qquad \text{(b)}$$
$$z = \lambda(-v)\, z' \qquad \text{(c)} \qquad\qquad \text{(A.34)}$$
$$t = \mu(-v) \left(t' + \frac{v}{\eta(-v)}\, y' \right) \qquad \text{(d)}$$

Le produit des transformations T et T^{-1} est la transformation identité. Combinant les expressions (A.33) et (A.34) et exploitant les relations (A.31) et (A.32), on obtient :

$$x = \lambda^2 x \qquad \text{(a)}$$
$$y = \left(\gamma^2 - \frac{\mu\gamma}{\eta}\, v^2 \right) y - (\gamma^2 - \mu\gamma)\, vt \qquad \text{(b)}$$
$$z = \lambda^2 z \qquad \text{(c)} \qquad\qquad \text{(A.35)}$$
$$t = \left(\mu^2 - \frac{\mu\gamma}{\eta}\, v^2 \right) t - (\mu^2 - \mu\gamma)\, \frac{v}{\eta}\, y \qquad \text{(d)}$$

Les solutions physiquement acceptables pour λ, γ et μ sont donc :

$$\lambda(v) = 1; \qquad \gamma(v) = \mu(v) = \frac{1}{\sqrt{1 - v^2/\eta(v)}} \qquad\qquad \text{(A.36)}$$

où la fonction $\eta(v)$ reste à déterminer. A ce stade, les expressions (A.33) deviennent :

$$x' = x \qquad \text{(a)}$$
$$y' = \frac{y - vt}{\sqrt{1 - v^2/\eta(v)}} \qquad \text{(b)}$$
$$z' = z \qquad \text{(c)} \qquad\qquad \text{(A.37)}$$
$$t' = \frac{t - vy/\eta(v)}{\sqrt{1 - v^2/\eta(v)}} \qquad \text{(d)}$$

6) PRODUIT DE TRANSFORMATIONS

Pour déterminer $\eta(v)$, considérons la transformation T_1 de R vers R', suivie de la transformation T_2 de R' vers R''. Comme les formules (A.37) sont universelles, en les combinant successivement, de R vers R' puis de R' vers R'', on obtient finalement pour les seules coordonnées affectées par ce produit de transformations :

$$y'' = \frac{y - v_1 t - v_2[t - v_1 y/\eta(v_1)]}{\sqrt{1 - v_1^2/\eta(v_1)}\,\sqrt{1 - v_2^2/\eta(v_2)}} \qquad \text{(a)}$$

$$t'' = \frac{t - v_1 y/\eta(v_1) - v_2(y - v_1 t)/\eta(v_2)}{\sqrt{1 - v_1^2/\eta(v_1)}\,\sqrt{1 - v_2^2/\eta(v_2)}} \qquad \text{(b)}$$

(A.38)

où v_1 est la vitesse de R' par rapport à R et où v_2 est celle de R'' par rapport à R'.

Mais le produit $T_2 T_1$ est équivalent à une transformation unique de R vers R'', caractérisée par :

$$y'' = \frac{y - vt}{\sqrt{1 - v^2/\eta(v)}} \qquad \text{(a)}$$

$$t'' = \frac{t - vy/\eta(v)}{\sqrt{1 - v^2/\eta(v)}} \qquad \text{(b)}$$

(A.39)

où v est la vitesse de R'' par rapport à R. On remarque que le coefficient de y dans la relation (A.39a) est identique au coefficient de t dans la relation (A.39b). En conséquence, les formules (A.38) et (A.39) ne fourniront le même résultat final, conformément au principe de relativité, que si le coefficient de y dans l'expression (A.38a) est le même que celui de t dans l'expression (A.38b). L'identification fournit la contrainte suivante :

$$1 + \frac{v_1 v_2}{\eta(v_1)} = 1 + \frac{v_2 v_1}{\eta(v_2)} \tag{A.40}$$

L'égalité requise ne peut être satisfaite que si l'on a :

$$\eta(v_1) = \eta(v_2) = \text{cte} \tag{A.41}$$

Autrement dit, la fonction $\eta(v)$ est indépendante de v : c'est une constante*.

7) DÉTERMINATION DE LA CONSTANTE η

Ainsi, les transformations que nous venons d'étudier forment un groupe caractérisé par la constante η, dite « constante de structure de l'espace-temps ». A ce

---

* On peut aussi procéder par identification directe de (A.38) et (A.39). On obtient alors simultanément la contrainte (A.40) et la loi de composition des vitesses qui s'écrit ici : $v = (v_1 + v_2)/(1 + v_1 v_2/\eta)$.

jour, aucune approche théorique n'a pu en prédire la valeur. Beaucoup pensent même que seule l'expérience peut la déterminer. Implicitement, Newton l'avait prise infinie. En effet, pour $\eta = \infty$, les relations (A.37) s'identifient aux formules de la transformation de Galilée :

$$x' = x; \quad y' = y - vt; \quad z' = z; \quad t' = t \tag{A.42}$$

Ce choix n'était pas le bon.

On notera que la constante η à la dimension du carré d'une vitesse notée c, soit * :

$$\eta = c^2 \tag{A.43}$$

Les relations (A.37) s'assimilent alors aux relations (A.1) où c joue le rôle d'une vitesse limite. Dans son second postulat, Einstein l'identifia à la vitesse de la lumière dans le vide. Cependant, ce second postulat n'est pas nécessaire. La théorie de la relativité n'en a pas besoin. En particulier, nous venons d'établir les formules de la transformation de Lorentz sans l'utiliser. La nature particulière de l'interaction électromagnétique n'a jamais été invoquée : ces formules s'appliquent à tous les phénomènes actuellement connus, à toutes les interactions. Du point de vue théorique, la constante c doit donc être considérée comme la racine carrée de la constante η de structure de l'espace-temps.

Aujourd'hui, on admet que les particules dites de masse nulle, comme le photon et le neutrino, se propagent avec une vitesse limite assimilée à la constante c. Comme la lumière est transportée par des photons, sa vitesse dans le vide fournit alors la valeur de c. Les expériences actuelles sont compatibles avec cela. S'il s'avérait un jour que le photon n'a pas une masse strictement nulle, il faudrait revoir la question **. La théorie de la relativité pourrait rester comme elle est, mais il faudrait reprendre le problème de c.

Enfin, on peut se demander à quels paramètres physiques est liée la valeur de η et donc celle de c. Est-ce à la quantité d'énergie contenue dans notre univers, via le principe de Mach ou la relativité générale? Le fait que l'univers soit ouvert ou fermé intervient-il dans ce problème? Et la constante c a-t-elle gardé la même valeur depuis le big-bang? Si elle ne varie pas au cours des millénaires, ce qui semble le cas, que peut-on en conclure sur notre univers?...

---

* Certains relient à la causalité le fait que η soit défini positif (cf. référence 40b). D'autres ne sont pas satisfaits par cet argument (cf. référence 40a). Je n'introduirai pas ici le principe de causalité, souvent traité comme un dogme ou une tautologie. C'est un autre volume qu'il faudrait écrire pour le présenter de façon critique.

** Les expériences les plus récentes fixent la borne supérieure de la « masse au repos du photon » à $4 \cdot 10^{-51}$ kg, soit 10^{-20} fois la masse au repos de l'électron (41). Pour l'instant, tout pousse à croire que cette masse est strictement nulle.

IV   Conclusions

La théorie de la relativité n'est donc pas liée à la propagation de la lumière ou d'une quelconque information. Elle repose sur le principe de relativité, admis depuis l'époque de Galilée, et sur des hypothèses concernant l'espace-temps, jugées pour l'instant raisonnables. L'étude des phénomènes électromagnétiques n'a joué qu'un rôle historique. Elle a fait prendre conscience que la constante η de l'espace-temps n'est pas infinie, contrairement à ce qu'on supposait implicitement avant.

Les formules de la transformation de Lorentz en découlent. On y retrouve que les intervalles de temps (Δt) et d'espace ($\Delta r = \sqrt{(\Delta x)^2 + (\Delta y)^2 + (\Delta z)^2}$) qui séparent deux événements ne sont pas des invariants découplés, contrairement à ce qu'on admettait implicitement en écrivant les formules de la transformation de Galilée. L'invariant relativiste est l'intervalle d'espace-temps, noté ΔS, défini par :

$$\Delta S = \sqrt{(\Delta r)^2 - c^2(\Delta t)^2} \tag{A.44}$$

Les relations (A.1) fournissent en effet :

$$\Delta S' = \Delta S \tag{A.45}$$

avec $\Delta t' \neq \Delta t$ et $\Delta r' \neq \Delta r$.

Lorentz, Poincaré, Einstein et bien d'autres sont nés à la bonne époque pour promouvoir cette théorie : on travaillait depuis longtemps, et dans bien des laboratoires, sur les phénomènes électromagnétiques. Galilée, Leibnitz, Newton et tant d'autres ont vécu une même aventure à l'époque de la chute des corps et des trajectoires des planètes. Mais les grands enfants aiment les contes de fées : il leur faut des génies solitaires et sans âge. Depuis Adam et Ève les pommes mûres de l'Eden tombent tantôt sur Blanche Neige et tantôt sur Newton.

Phénomènes de transport

Sous le titre «phénomènes de transport» on regroupe des manifestations aussi différentes que la diffusion, la viscosité, la conduction thermique ou électrique... associées respectivement au déplacement désordonné de particules, à leurs échanges de quantité de mouvement, à leurs transferts d'énergie cinétique, ou à la migration, dirigée par un champ, des charges qu'elles sont susceptibles de porter. Nous les survolerons ici d'un point de vue statistique, donnant ainsi matière à approfondir les notions de ce type introduites au chapitre IX à propos de la théorie cinétique des gaz. Commençons précisément par un retour sur la notion de vitesse quadratique moyenne et quelques généralités qui l'accompagnent.

I   Généralités

Lorsque nous avons rencontré pour la première fois la notion de vitesse quadratique moyenne, nous ne nous sommes pas préoccupés de la distribution de probabilité des vitesses qui lui correspond, selon la nature du gaz considéré et sa température.

1)   DISTRIBUTION DE MAXWELL

La figure B.1 comble cette lacune. Sa partie (a) donne la densité de probabilité, $\rho(v_x)$, associée à la composante v_x de la vitesse $\vec{v}$ des molécules d'un gaz, ici l'argon, encore appelée distribution de vitesse v_x. En termes clairs, $\rho(v_x)\,dv_x$ est la probabilité pour qu'une molécule ait sa composante v_x comprise entre v_x et $v_x + dv_x$. Sa distribution est répertoriée sous le nom de «gaussienne», soit :

$$\rho(v_x) = \sqrt{\frac{m}{2\pi kT}} \exp\left(-\frac{mv_x^2}{2kT}\right) \tag{B.1}$$

où la constante $\sqrt{m/2\pi kT}$, dite de normalisation, est obtenue en écrivant

$\int_{-\infty}^{+\infty} \rho(v_x)\, dv_x = 1$, c'est-à-dire en imposant à la molécule d'avoir une vitesse v_x néces-

sairement comprise entre $-\infty$ et $+\infty$. Appliquant ce résultat aux trois composantes indépendantes de la vitesse, on en déduit que la probabilité pour que celle-ci soit comprise entre $\vec{v}$ et $\vec{v} + d\vec{v}$ est donnée par :

$$\rho(\vec{v})\, d\vec{v} = \rho(v_x)\, \rho(v_y)\, \rho(v_z)\, dv_x\, dv_y\, dv_z$$
$$= (m/2\pi kT)^{3/2} \exp(-mv^2/2kT)\, dv_x\, dv_y\, dv_z$$

Enfin, sans référence à l'orientation du vecteur vitesse dans l'espace, la probabilité pour que son module soit compris entre v et $v + dv$ s'écrit :

$$f(v)\, dv = \rho(v)\, 4\pi v^2\, dv = 4\pi \left(\frac{m}{2\pi kT}\right)^{3/2} v^2 \exp\left(-\frac{mv^2}{2kT}\right) dv \tag{B.2}$$

où $4\pi v^2\, dv$ est, dans «l'espace des vitesses», le volume élémentaire compris entre la sphère de rayon v et celle de rayon $v + dv$. La fonction $f(v)$ porte le nom de «distribution de Maxwell». Elle représente la densité de probabilité associée à la norme de la vitesse des molécules d'un gaz à la température T. La figure B.1 (b) en donne le tracé dans le cas de l'argon, pour trois températures distinctes.

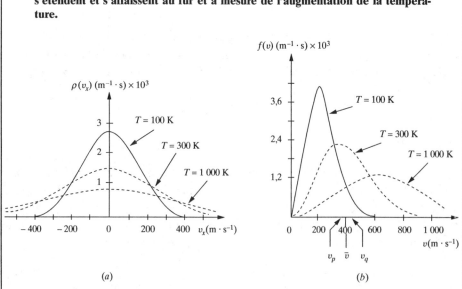

Figure B.1

Allures à différentes températures des distributions de Gauss et de Maxwell associées respectivement à la vitesse des molécules (a) et à son module (b). Le tracé correspond au cas particulier de l'argon. On notera que ces distributions s'étendent et s'affaissent au fur et à mesure de l'augmentation de la température.

On notera que les distributions données sur la figure B.1 s'élargissent avec la température. Compte tenu du chapitre IX, ceci était attendu : plus la température croît plus l'agitation thermique et donc la vitesse quadratique moyenne augmentent. L'affaissement constaté des maxima de densité de probabilité est lié à cet élargissement : les aires comprises entre chacune des trois courbes et l'axe doivent être les mêmes, égales à l'unité par normalisation.

La distribution de Maxwell conduit à définir trois quantités : la célérité la plus probable, usuellement appelée vitesse probable, obtenue en dérivant $f(v)$, soit $v_p = \sqrt{2kT/m}$; la célérité moyenne, improprement appelée vitesse moyenne, résultat de l'intégrale de $vf(v)\,dv$, soit $\overline{v} = \sqrt{8kT/\pi m}$; la vitesse quadratique moyenne, donnée par la racine carrée de l'intégrale de $v^2 f(v)\,dv$, soit $v_q = \sqrt{3kT/m}$. Dans le cas de l'argon à la température normale (300°K) on obtient respectivement : $v_p \simeq 350$ m · s⁻¹; $\overline{v} \simeq 400$ m · s⁻¹ et $v_q \simeq 430$ m . s⁻¹. Il s'agit donc de trois valeurs assez proches que l'on pourra confondre lorsqu'on ne cherchera que des estimations.

2)   LIBRE PARCOURS MOYEN

Le libre parcours moyen, noté λ, est une autre notion fort utile pour la suite. Il représente la distance que parcourt en moyenne une molécule entre deux collisions avec ses semblables, constituants du gaz considéré. On définit de même l'intervalle de temps moyen entre deux collisions, τ, de sorte que l'on a la relation :

$$\lambda = \overline{v}\tau \tag{B.3}$$

où $\overline{v}$ est la vitesse moyenne des molécules du gaz.

Pour estimer λ et τ procédons par approximations successives. Notons tout d'abord que pendant l'intervalle de temps Δt une molécule parcourt en zig-zag, de rebond en rebond, une distance $\ell = \overline{v}\Delta t$. Si R est son rayon, elle a donc balayé ainsi un volume $\pi R^2 \overline{v}\Delta t$, volume dans lequel elle a subi un nombre de collisions donné par $N = n\pi R^2 \overline{v}\Delta t$, où n est le nombre de molécules par unité de volume. Par définition de τ on devrait donc avoir la relation : $1 = n\pi R^2 \overline{v}\tau$; mais notre raisonnement comporte deux incorrections. La première vient du fait que toutes les molécules «collisionnées» n'étant pas ponctuelles mais elles aussi, puisqu'identiques, de rayon R, le volume dans lequel peuvent avoir lieu les collisions est donné par $\pi(2R)^2 \overline{v}\Delta t = 4\pi R^2 \overline{v}\Delta t = \sigma \overline{v}\Delta t$, où $\sigma = 4\pi R^2$ est la section efficace géométrique de collision entre deux molécules identiques de rayon R. La seconde incorrection apparaît lorsqu'on note que le rythme des collisions n'est pas régi par $\overline{v}$ mais par $\overline{V}$, la vitesse relative moyenne des molécules allant au contact. On aboutit ainsi à la relation : $1 = n\sigma\overline{V}\tau$. On en déduit :

$$\boxed{\lambda = \overline{v}\tau = \frac{1}{n\sigma}\frac{\overline{v}}{\overline{V}} = \frac{1}{n\sigma\sqrt{2}}}$$
(B.4)

où le rapport $\overline{v}/\overline{V}$ a été remplacé par $1/\sqrt{2}$ selon l'argument suivant.

Le carré de la vitesse relative, $\vec{V} = \vec{v}_1 - \vec{v}_2$, de deux molécules de vitesse respectives $\vec{v}_1$ et $\vec{v}_2$ est donné par : $V^2 = v_1^2 + v_2^2 - 2\vec{v}_1 \cdot \vec{v}_2$. Sa valeur moyenne pour deux molécules identiques d'un gaz à l'équilibre ($\overline{v_1^2} = \overline{v_2^2} = \overline{v^2}$ obéit à la relation $\overline{V^2} = 2\overline{v^2}$, puisque la valeur moyenne du produit scalaire $\vec{v}_1 \cdot \vec{v}_2$ est nulle : selon le chaos moléculaire, l'angle entre $\vec{v}_1$ et $\vec{v}_2$ est distribué au hasard de façon homogène dans toutes les directions, avec ainsi autant de chance d'être positif que négatif. On en déduit : $V_q = \sqrt{2}\, v_q$. Pour aboutir à l'expression (B.4) il suffit alors de confondre, ce qui s'avère en fait justifié, le rapport des vitesses moyennes avec celui des vitesses quadratiques moyennes.

Par exemple, pour l'argon ($R \simeq 1{,}5$ Å $= 1{,}5 \cdot 10^{-8}$ cm) aux conditions normales de température et de pression ($n = 6{,}02\ 10^{23}/22{,}4\ 10^3 \simeq 2{,}7\ 10^{19}$/cm^3), on a $\lambda \simeq 10^{-5}$ cm $= 10^3$ Å. Chaque molécule subit donc en moyenne 10^5 collisions par centimètre parcouru dans le gaz. Ces ordres de grandeur sont assez typiques car les molécules courantes ont des rayons comparables et leur nombre par unité de volume est le même pour tous les gaz dans les mêmes conditions. Comme $P = nkT$, on notera que λ varie avec la pression ou la température selon l'expression :

$$\lambda = \frac{1}{\sqrt{2}\,\sigma}\frac{kT}{P}$$
(B.5)

Notons enfin que le nombre de collisions subies par une molécule en une seconde ($\nu = 1/\tau = \overline{v}/\lambda$) dépend, en revanche, de sa nature car sa masse intervient par l'intermédiaire de $\overline{v} = \sqrt{8kT/\pi m}$. Pour l'argon aux conditions normales ($\overline{v} \simeq 400$ m/s) on obtient, par exemple, $\nu \simeq 4 \cdot 10^9$ collisions par seconde.

3)   MARCHE AU HASARD

L'hypothèse du chaos moléculaire comporte implicitement l'idée que chaque molécule perd à chaque choc la mémoire du choc précédent : dans ses zig-zags, de rebond en rebond, chaque segment de sa trajectoire qui joint deux collisions successives n'a, dans cette hypothèse, aucune corrélation avec le segment précédent. On dit que la molécule marche au hasard; elle erre comme un ivrogne privé de toute volonté. En moyenne elle reste sur place mais la probabilité de la retrouver à une certaine distance de son lieu d'origine n'est pas nulle et s'étend lorsque le temps s'écoule.

Tout ce que nous avons vu à propos de la distribution de Maxwell peut être reproduit ici en remplaçant v_x par x, la coordonnée de la molécule sur l'axe Ox, et v

par r, le module de son vecteur position repéré par rapport au point O où elle était à l'origine des temps. En particulier, $\rho(x)$, la densité de probabilité pour que la coordonnée x ait une valeur comprise entre x et $x + dx$, est une gaussienne centrée en O dont la largeur s'accroît lorsque le temps croît. De même, $f(r)$, la densité de probabilité pour que la molécule se trouve à une distance τ de O comprise entre r et $r + dr$, est une distribution de Maxwell dans l'espace ordinaire qui s'étend de plus en plus loin quand le temps passe. Tout comme dans le cas des vitesses, cette distribution conduit à définir trois quantités utiles : la distance la plus probable, la distance moyenne et la distance quadratique moyenne.

Au lieu d'expliciter la forme analytique de $f(r)$ pour calculer ces quantités, exprimons la distance quadratique moyenne, r_q, à l'aide d'un argument déjà exploité pour relier V_q à v_q. Soit $\vec{r}_i \equiv \overrightarrow{OP}_i$ le rayon vecteur repérant une molécule lorsqu'elle est au point P_i où elle subit sa i-ème collision. On peut écrire $\overrightarrow{OP}_i = \overrightarrow{OP}_{i-1} + \vec{\ell}_i$ où $\vec{\ell}_i$ est la «distance vectorielle» séparant les deux collisions successives $i-1$ et i. Prenant la valeur moyenne du carré de cette relation on obtient :

$$\overline{OP_i^2} = \overline{OP_{i-1}^2} + \overline{\vec{\ell}_i^2} + 2\overline{\overrightarrow{OP}_{i-1} \cdot \vec{\ell}_i} = \overline{OP_{i-1}^2} + \lambda^2$$

où on a exploité l'hypothèse du chaos moléculaire (valeur moyenne nulle de $\overrightarrow{OP}_i \cdot \vec{\ell}_i$) et la définition du libre parcours moyen, en confondant carré moyen et moyen carré ($\overline{\ell_i^2} \simeq \lambda^2$). Par récurrence on en déduit que pour une molécule partant de l'origine au temps $t = 0$, on a au temps t, après N collisions ($t = N\tau$, selon la définition de τ) :

$$\tau_q = \sqrt{\overline{OP_N^2}} = \sqrt{N\lambda^2} = \lambda \sqrt{N} = \lambda \sqrt{t/\tau} = \sqrt{v\lambda t} \tag{B.6}$$

où la suite des égalités montre l'origine du résultat final et en particulier pourquoi τ_q augmente non pas linéairement avec le temps mais comme sa racine carrée, liée à $\sqrt{N}$.

Pour fixer les idées, notons qu'aux conditions normales une molécule d'argon qui parcourt en zig-zags 400 m/s, soit plus de 2 000 km en une heure, ne se trouve en valeur quadratique moyenne qu'à une distance d'environ 0,5 cm de son lieu d'origine après une seconde et de 30 cm après une heure. De même un ivrogne qui titube au pas d'un mètre chaque seconde (soit 3,6 km de zig-zags en une heure ou 36 en 10 heures) n'a de chance d'être retrouvé qu'à 60 mètres de son dernier bar une heure après son départ, et moins de 200 m dix heures après.

II Diffusion dans un gaz

La marche au hasard est le processus qui régit les phénomènes de transport dans les systèmes en quasi-équilibre c'est-à-dire non perturbés de façon violente ou animés de «turbulences». Pour l'illustrer commençons par la «diffusion», transport

de matière qui se manifeste à l'échelle macroscopique lorsqu'on introduit délicate-
ment un témoin (par exemple un peu de fumée ou une goutte de colorant) dans un
milieu à l'équilibre (comme l'air d'une chambre calme ou un verre d'eau) : le
témoin s'étend lentement dans le milieu et s'y dilue ainsi progressivement. Nous
nous limiterons ici, et plus généralement dans tout l'appendice, au cas des gaz. Ceci
nous permettra d'interpréter les lois macroscopiques citées par la suite dans le
cadre d'une hypothèse microscopique bien contrôlable, à savoir : quel que soit le
phénomène décrit, on supposera que le libre parcours moyen des molécules trans-
portées est grand à l'échelle microscopique des rayons de toutes les molécules
considérées, tout en restant petit à l'échelle macroscopique de l'enceinte.

1)   LE PHÉNOMÈNE AUX DEUX ÉCHELLES

La figure B.2 schématise la diffusion lorsqu'elle se produit à une dimension,
le long de l'axe Ox, dans un long tube. Le gaz témoin y progresse à partir de la base
située en O, déplacement macroscopique dont l'interprétation microscopique
repose sur la marche au hasard des molécules témoins dans le milieu. Plus précisément, l'expérience révèle que ce déplacement de matière obéit à ce qu'on nomme
la première loi de Fick, soit :

$$J_x \equiv \frac{1}{S}\frac{\mathrm{d}N}{\mathrm{d}t} = -D\frac{\mathrm{d}n}{\mathrm{d}x} \tag{B.7}$$

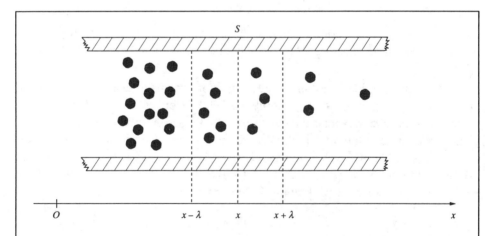

Figure B.2

**Les molécules du gaz témoin, simulées par des ronds noirs, sont plus concen-
trées à gauche qu'à droite car ce gaz a été introduit à l'extrémité gauche du
tube. Pour la présentation d'arguments venant par la suite, on a placé une surface S à l'abscisse x.**

dont tous les termes sont définis de la façon suivante. La fonction $n(x)$ représente la concentration du gaz témoin à l'abscisse x, c'est-à-dire le nombre de molécules témoins par unité de volume en x. Elle décroît quand x augmente depuis l'origine O, où le témoin est introduit, jusqu'à l'extrémité opposée du tube. Sa dérivée, dn/dx, donne le «gradient de concentration»*. La fonction J_x définit le «flux témoin», c'est-à-dire à l'échelle microscopique, le nombre par unité de surface et de temps, $S^{-1} dN/dt$, des molécules témoins qui se déplacent globalement dans le sens des x croissants; autrement dit : le nombre $(dN/dt)/S$ des molécules témoins qui traversent en moyenne, par unité de temps, l'unité de la surface S normale au gradient de concentration. Enfin D, appelé coefficient de diffusion, contient tous les paramètres du système. Nous les expliciterons par la suite mais notons dès maintenant que son équation aux dimensions est donnée par :

$$[D] = [J_x]/[dn/dx] = L^{-2}T^{-1}/(L^{-3}/L) = L^2 T^{-1}$$

D'ordinaire on l'exprime en cm²/s, voire en m²/s.

Ainsi la première loi de Fick s'énonce : le flux de diffusion est proportionnel au gradient de concentration mais est orienté en sens inverse. Le signe moins indique en effet que la diffusion a lieu dans la direction allant des concentrations fortes aux faibles, conformément aux observations et à l'attente, selon le second principe de la thermodynamique, d'une uniformité finale. Quand le système est devenu homogène ($dn/dx = 0$), le flux s'annule : d'un état de léger déséquilibre entretenu par le grandient de concentration (quasi-équilibre), le système est passé à l'équilibre macroscopique.

2)   COEFFICIENT DE DIFFUSION À L'ÉCHELLE MICROSCOPIQUE

Pour établir l'expression de D en termes microscopiques, commençons par le cas, dit d'auto-diffusion, où les molécules du témoin et du milieu sont identiques ou plus exactement de même espèce chimique. Les mesures sont alors effectuées en employant pour le témoin des molécules marquées radioactivement de façon à pouvoir suivre leur évolution à l'aide de détecteurs d'électrons ou de photons, selon que le marqueur est un émetteur β^- ou γ.

Reprenant la démarche suivie pour la théorie cinétique des gaz, supposons tout d'abord que la marche au hasard des molécules marquées soit en ligne droite, selon la direction Ox, dans le sens des x croissants. Le nombre N_+ de celles qui traversent en un temps τ une surface S, située à l'abscisse x et normale à Ox (cf. figure B.2), est donné par $N_+ = n(x - \lambda)S\overline{v}\tau$, où $\overline{v}$ est leur vitesse moyenne et où $n(x - \lambda)$ est leur concentration à l'abscisse $(x - \lambda)$. En effet, celles qui passent l'abscisse x dans le sens des x croissants ont en moyenne, par définition du libre parcours moyen λ, subi leur dernier choc à l'abscisse $(x - \lambda)$, là où leur nombre par unité de volume est $n(x - \lambda)$.

---

* Pour la diffusion d'une source témoin ponctuelle dans un milieu homogène, la relation (B.7) devient : $\overrightarrow{J} = - D \overrightarrow{\text{grad}}\, n$.

Pour tenir compte de l'isotropie de la marche au hasard, au lieu d'intégrer dans toutes les directions en tenant compte de la géométrie du problème, il suffit d'employer l'argument, connu sous le nom de critère de Joule (42), qui consiste à pondérer N_+ par un facteur 1/6, comme déjà vu à propos de la théorie cinétique des gaz : un facteur 1/3 vient de l'isotropie des vitesses ($\overline{v}_x = \overline{v}_y = \overline{v}_z$) et un facteur 1/2 du fait que la marche au hasard a lieu avec autant de chance dans le sens des x croissants que des x décroissants. On obtient donc $N_+ = n(x - \lambda)S\overline{v}\tau/6$.

Cependant que ces molécules traversent la surface S dans le sens des x croissants, d'autres molécules marquées la traversent dans le sens des x décroissant. Par le même argument, leur nombre, sur l'intervalle de temps τ, est donné par $N_- = n(x + \lambda)S\overline{v}\tau/6$, où $n(x + \lambda)$ est leur concentration à l'abscisse $(x + \lambda)$, là où, dans leur marche au hasard, elles ont subi leur dernier choc qui les ramène vers les x décroissants. Le nombre global des molécules marquées qui traversent en moyenne, par unité de temps, l'unité de surface, située à l'abscisse x et normale à Ox, dans le sens des x croissants s'écrit donc finalement :

$$ J_x = \frac{N_+ - N_-}{S\tau} = \frac{1}{6}\,\overline{v}[n(x - \lambda) - n(x + \lambda)] = -\frac{\overline{v}\lambda}{3}\frac{dn}{dx} $$

où l'on a utilisé les développements limités au premier ordre en λ, $n(x \pm \lambda) = n(x) \pm \lambda(dn/dx)_x$. Ce résultat est précisément la première loi de Fick (relation B.7) où le coefficient de diffusion est explicité sous la forme :

$$ \boxed{D = \frac{\overline{v}\lambda}{3}} \qquad (B.8) $$

Ainsi, dans un gradient de concentration donné, les molécules diffusent d'autant plus vite que leur vitesse d'agitation thermique et leur libre parcours moyen sont élevés. En fait, cette conclusion n'est que le reflet de l'hypothèse initiale de marche au hasard : selon l'expression (B.6) qui la caractérise, la progression avec le temps du rayon quadratique moyen des molécules témoins est rythmée par le produit $\overline{v}\lambda$.

Pour l'argon aux conditions normales, on vérifiera que l'on obtient $D \simeq 1,3\ 10^{-5}\ m^2\,s^{-1}$, valeur typique en bon accord avec l'expérience. De façon générale, la relation (B.8) permet d'écrire :

$$ D = \frac{1}{3}\,\sqrt{\frac{8kT}{\pi m}}\,\frac{kT}{\sqrt{2}\sigma P} = \frac{2}{3}\,\frac{(kT)^{3/2}}{(\pi m)^{1/2}\sigma P} \qquad (B.9) $$

Sous cette forme, on prévoit donc que le coefficient de diffusion est inversement proportionnel à la pression P et qu'il varie, à pression constante, comme la température T à la puissance 3/2. Enfin, lorsque le témoin et le milieu sont deux gaz différents, une extension de la relation (B.8) conduit à l'expression :

$$ D = \frac{1}{3}\,\sqrt{\overline{v}_1^2 + \overline{v}_2^2}\,\frac{1}{\sqrt{2}\,(n_1 + n_2)\,\sigma_{12}} = \frac{(\overline{v}_1^2 + \overline{v}_2^2)^{1/2}}{3\pi\sqrt{2}\,(n_1 + n_2)(R_1 + R_2)^2} $$

où σ_{12} est la section efficace de collision des molécules de types 1 et 2 considérées, soit, à l'approximation géométrique, $\sigma_{12} = \pi(R_1 + R_2)^2$.

III   Autre transport passif : conduction thermique

La démarche que nous venons de suivre pour décrire et interpréter la diffusion peut être transposée à d'autres phénomènes de transports, qualifiés de passifs lorsque leur rythme est dominé par une marche au hasard. C'est le cas du transport de quantité de mouvement, associé à la viscosité, que l'on traitera en exercice (cf. exercice IX.9). C'est également le cas du transport d'agitation thermique à l'origine de la condution de la chaleur. Arrêtons-nous un instant sur ce phénomène pour montrer comment il s'interprète par analogie avec la diffusion.

Lorsqu'on enferme un gaz entre deux plaques parallèles de surface S, l'une à la température T_1 et l'autre à la température T_2 avec $T_1 > T_2$, on constate que de la chaleur diffuse de la source chaude vers la source froide, selon l'axe Ox, perpendiculaire aux deux plaques, sur lequel est aligné le gradient de température dT/dx. Si les expériences sont effectuées en évitant tout courant de convection, la loi qui caractérise cette diffusion thermique, dite première loi de Fourier de conduction de la chaleur, s'écrit :

$$\boxed{\phi_x \equiv \frac{1}{S}\frac{dQ}{dt} = -\kappa\frac{dT}{dx}} \tag{B.10}$$

où κ, appelé coefficient de conduction thermique ou conductivité thermique*, contient tous les paramètres microscopiques du système, et où ϕ_x est le flux de chaleur transportée, c'est-à-dire la quantité de chaleur qui traverse, par unité de temps, l'unité de surface normale au gradient de température, soit $(dQ/dt)/S$. Le signe moins indique que la conduction a lieu dans le sens des températures décroissantes, conformément au second principe de la thermodynamique. L'analogie entre cette loi et celle de Fick est donc complète, le gradient de température jouant ici le rôle du gradient de concentration et le flux de chaleur celui du flux de matière.

Cette analogie va nous guider vers l'expression de κ en termes microscopiques. A cette fin, notons tout d'abord que le flux de chaleur dans un gaz n'est rien d'autre que le flux d'énergie cinétique transporté par les molécules, dans leur marche au hasard, à travers la surface unité située à l'abscisse x. Dès lors, reprenant un à un les arguments développés à propos de la diffusion, on aboutit à la relation suivante :

$$\phi_x = \frac{Q_+ - Q_-}{S\tau} = \frac{1}{6}\,\overline{v}n\,[\overline{E}_c(x - \lambda) - \overline{E}_c(x + \lambda)]$$

---

* Comme dQ/dt est exprimé en Watt, κ est d'ordinaire donné en watt/mètre/degré kelvin.

où n est le nombre de molécules par unité de volume, constant par hypothèse dans toute l'enceinte, et où $\overline{E}_c(x \pm \lambda)$ est leur énergie cinétique moyenne à l'abscisse $x \pm \lambda$, là où la température est $T(x \pm \lambda)$. Remplaçant $\overline{E}_c$ par cT et exploitant les développements limités au premier ordre en λ, $T(x \pm \lambda) = T(x) \pm \lambda \, (dT/dx)_x$, on obtient finalement :

$$\phi_x \equiv \frac{1}{S} \frac{dQ}{dt} = -\frac{1}{3} \overline{v} \lambda nc \frac{dT}{dx} \tag{B.11}$$

où $c \equiv d\overline{E}_c/dT$ est ce qu'on nomme la capacité calorifique par molécule, par exemple $3k/2$ pour un gaz monoatomique. La conductivité thermique de la loi de Fourier est aussi explicitée sous la forme :

$$\boxed{\kappa = \frac{1}{3} \overline{v} \lambda nc} \tag{B.12}$$

On y retrouve les traces à la fois de la marche au hasard, par le produit $\overline{v}\lambda$, et du transfert de chaleur, par l'intermédiaire de la capacité calorifique du milieu, nc.

Comme le produit λn est indépendant de n, on notera que κ ne dépend pas de la pression qui règne dans l'enceinte : quand la pression augmente, le nombre de molécules par unité de volume croît mais le libre parcours moyen décroît dans les mêmes proportions. En revanche la conductivité thermique croît avec la température comme $T^{1/2}$, selon l'expression :

$$\kappa = \frac{1}{3} \sqrt{\frac{8kT}{\pi m}} \frac{1}{\sqrt{2}n\sigma} nc = \frac{2c}{3\sigma} \sqrt{\frac{kT}{\pi m}} \tag{B.13}$$

Signalons cependant que si la relation (B.9) est en très bon accord avec l'expérience, par contre la relation (B.13) peut être en désaccord, pour certains gaz, d'un facteur 2. Les raisons de cette différence entre la diffusion et la conduction thermique sont bien connues actuellement mais les présenter ne nous apprendrait rien d'essentiel : les corrections à apporter pour aboutir à un accord avec les mesures les plus récentes ne remettent pas en cause les grandes lignes du modèle présenté ci-dessus.

IV   Un exemple de transport actif : conduction électrique

Pour les distinguer conventionnellement des transports passifs, qui ne mettent en cause qu'un léger déséquilibre interne (gradient de concentration, de température... régnant au sein du système), on appelle transport actif tout phénomène de migration observé lorsqu'on plonge des particules (molécules, atomes, ions, électron...) dans un champ externe. C'est le cas de la sédimentation des molécules en présence du champ de pesanteur ou au sein d'une centrifugeuse, ou encore des courants que l'on génère en soumettant un système qui comporte des particules chargées, ions ou électrons, à une différence de potentiel, c'est-à-dire à un champ électrique créé de l'extérieur. Tout en développant ce dernier exemple, nous allons voir des notions d'intérêt général, comme les deux suivantes.

1) VITESSE DE MIGRATION ET MOBILITÉ

En évitant toute confusion avec les vitesses d'agitation thermique et de diffusion introduites précédemment, on nomme vitesse de migration (ou de dérive, ou encore de «drift» en franglais) le supplément de vitesse, généralement petit par rapport à leur vitesse d'agitation thermique, qu'acquièrent en moyenne des particules lorsqu'on les soumet à l'action d'un champ externe. Par exemple, les électrons d'un conducteur ou les ions produits dans un gaz, prennent dans un champ électrique une vitesse de migration, $\vec{v}_\mu$, alignée sur l'axe de ce champ, qui se superpose à leur vitesse d'agitation thermique, $\vec{v}_a$, distribuée dans toutes les directions.

Plus précisément, lorsqu'une particule de masse m est dans un milieu où règne une force externe $\vec{F}$ (par exemple : $\vec{F} = q\,\vec{E}$ pour une particule de charge q dans un champ électrique $\vec{E}$), sa vitesse de migration est donnée par :

$$\boxed{\vec{v}_\mu = \frac{\tau}{m}\,\vec{F} \equiv \mu\vec{F}}\tag{B.14}$$

où τ, comme déjà défini, est l'intervalle de temps qui sépare en moyenne deux collisions successives de cette particule avec les composants du milieu, et où l'on a posé $\mu \equiv \tau/m$, coefficient qui porte le nom de mobilité. Pour établir cette relation nous nous référerons à la figure (B.3) qui schématise le mécanisme dans le cas d'un gaz comportant quelques ions de charge q positive.

Dans leur gaz d'origine, les ions ont d'ordinaire une vitesse de migration très inférieure à leur vitesse d'agitation thermique mais leur mouvement d'ensemble vers la cathode est plus rapide qu'une diffusion* : contrairement au cas de la marche au hasard, entre deux chocs les ions sont accélérés par la force externe $\vec{F} = q\vec{E}$. Néanmoins nous supposerons encore ici que dans leurs chocs avec les molécules du milieu, les ions perdent la mémoire du choc précédent, autrement dit qu'ils rebondissent avec autant de chance dans toutes les directions tout en gardant une vitesse d'agitation thermique constante. Repartant ainsi à zéro après chaque choc, du point de vue de leur vitesse de migration, les ions du «troupeau» garderont donc tout au long de leur histoire une vitesse d'ensemble constante, $\vec{v}_\mu$, portée

---

* Pour obtenir un ordre grandeur, prenons un gaz d'argon aux conditions normales ($\tau \simeq 0,25\ 10^{-9}$ s), comportant quelques molécules une fois ionisées ($q = +\,e$), et supposons qu'aux bornes de son enceinte de longueur $\ell \simeq 0,1$ m on ait appliqué une différence de potentiel $\Delta V \simeq 100$ V. La relation (B.14) fournit : $v_\mu = (\tau/m)(q\,\Delta V/\ell) \simeq 5$ m/s, à comparer à $\bar{v} \simeq 400$ m/s et à $r_q \simeq 5\ 10^{-3}$ m après une seconde de marche au hasard. À titre indicatif on notera que pour la sédimentation dans le champ de pesanteur on a $v_\mu = (\tau/m)m\,g = \tau g \simeq 0,25 \cdot 10^{-9} \cdot 10 = 2,5\ 10^{-7}$ m/s !

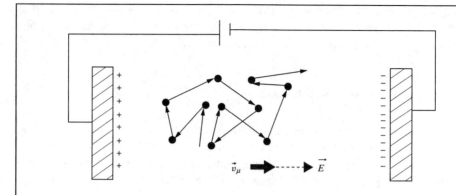

Figure B.3

À la vitesse d'agitation thermique distribuée dans toutes les directions, se superpose une vitesse de migration $\vec{v}_\mu$ alignée sur le champ $\vec{E}$. les ions positif rebondissent sans mémoire du choc précédent sur les constituants du milieu, simulés par des ronds noirs.

par l'axe de la force $\vec{F} = q\vec{E}$ (qui les accélère entre deux chocs) et dont la valeur est donnée par l'accroissement de vitesse $\Delta\vec{v}$ que cette force est capable de leur communiquer dans l'intervalle de temps $\Delta t = \tau$ qui sépare en moyenne deux chocs successifs, intervalle pendant lequel elle agit seule sur un troupeau toujours le même car privé de mémoire. Sur ces bases, la relation (B.14) découle directement du principe fondamental de la dynamique. On peut en effet l'écrire successivement :

$$\vec{F} = m\,\frac{\Delta\vec{v}}{\Delta t} = m\,\frac{\vec{v}_\mu}{\tau} = \frac{m}{\tau}\,\vec{v}_\mu = \frac{1}{\mu}\,\vec{v}_\mu$$

Bien qu'établie sur un exemple particulier, on aura noté que cette relation relève d'une argumentation générale : elle s'applique à tous les phénomènes de transport actif pourvu que l'hypothèse de «perte de mémoire» soit justifiée. Nous allons maintenant l'exploiter pour établir la loi d'Ohm et l'expression du coefficient de conductivité électrique, dans le cas du transport de charges.

2)   TRANSPORT DE CHARGES : LOI D'OHM

Reprenons donc l'exemple de la figure (B.3) pour calculer l'intensité $I = dq/dt$ du courant qui migre dans l'enceinte de longueur ℓ et que la cathode collecte sur toute sa surface S normale au champ $\vec{E}$ dont le module est donné par $\Delta V/\ell$, où ΔV est la différence de potentiel aux bornes de l'enceinte. Pour cela, notons tout d'abord que si n est le nombre d'ions par unité de volume, chacun portant une charge e, le nombre de charges collectées par la cathode en un temps dt est donné par $dq = enSv_\mu \, dt$, puisque $Sv_\mu \, dt$ représente le volume contenant les charges collectées lorsque les ions migrent à la vitesse v_μ. On en déduit :

$$I = \frac{dq}{dt} = \frac{enSv_\mu \, dt}{dt} = enSv_\mu = \mu \, e^2 nS \frac{\Delta V}{\rho}$$

où l'on a explicité v_μ, soit $v_\mu = \mu F = \mu eE = \mu e \, \Delta V / \ell$. On reconnaît ainsi la loi d'Ohm, $\Delta V = RI$, où la résistance R apparaît sous la forme :

$$\boxed{R = \frac{1}{\mu \, e^2 n} \frac{\ell}{S} = \rho \frac{\ell}{S}} \tag{B.15}$$

Dans cette expression les paramètres géométriques ℓ et S ont été isolés des paramètres microscopiques qui figurent, sous le nom de résistivité du gaz, dans le coefficient ρ, à savoir :

$$\rho = \frac{1}{\mu \, e^2 n} = \frac{m}{\tau \, e^2 n} = \frac{m \bar{v}}{\lambda \, e^2 n} = \frac{\sqrt{8mkT}}{\lambda \, e^2 n \sqrt{\pi}} \tag{B.16}$$

Sa dernière écriture, découlant de $\bar{v} = \sqrt{8kT/\pi m}$, indique que la résistivité d'un gaz au passage des ions varie comme $T^{1/2}$. Pour un conducteur, que l'on peut traiter de la même façon (en considérant les électrons libres comme un gaz rebondissant sur les atomes du milieu), on sait en revanche que la résistivité varie linéairement avec la température. L'origine de cette différence essentielle est bien comprise aujourd'hui, mais je n'en dirai rien ici, si ce n'est qu'elle est de nature quantique.

En fait l'interprétation de la loi d'Ohm que nous venons de voir est tout à fait comparable à celle des lois de Fick et de Fourier. Pour mettre en évidence l'analogie qui existe avec ces lois, notons que les relations précédentes peuvent être récrites sous la forme :

$$J_x \equiv \frac{1}{S} \frac{dq}{dt} = env_\mu = \mu \, e^2 nE_x$$

où J_x représente le flux des charges migrant selon l'axe Ox aligné sur le champ $\vec{E}$, encore appelé « densité de courant électrique ». Exploitant la définition $\vec{E} = -\overrightarrow{\text{grad}} \, V$, on en déduit une expression plus générale de la loi d'Ohm, soit :

$$\boxed{J_x \equiv \frac{1}{S} \frac{dq}{dt} = -\sigma \frac{dV}{dx}} \tag{B.17}$$

où le coefficient $\sigma \equiv \mu \, e^2 n$ est l'inverse de la résistivité ρ, d'où son nom de conductivité électrique. Sa comparaison aux relations (B.7) et (B.10) montre clairement que les phénomènes de transport actif sont régis par des lois semblables à celles des transports passifs.

Pour insister sur ce point, énonçons la loi d'Ohm de la façon suivante : le flux de charges est proportionnel au gradient du potentiel électrique (l'opposé du champ) mais est orienté en sens inverse (la migration des charges a lieu dans le sens des potentiels décroissants). Cette loi peut être transposée aux autres phénomènes de transport actif. Par exemple, la loi qui régit la migration des molécules dans le champ de gravitation s'énonce par analogie : le flux de masses est proportionnel au gradient du potentiel gravitationnel mais est orienté en sens inverse. Nous allons l'expliciter en illustrant un résultat d'une portée générale : «la relation fluctuation-dissipation», dite d'Einstein, traitée ici sous l'aspect «diffusion-mobilité».

V   « Relation diffusion-mobilité »

Le modèle de marche au hasard que nous avons exploité pour exprimer en termes microscopiques les coefficients de transport D, κ, η, σ..., laisse supposer, par exemple, qu'un bon diffuseur devrait être également un bon conducteur tant thermique qu'électrique. Effectivement D, κ, η, σ... peuvent être reliés entre eux, ne serait-ce qu'à travers leurs expressions microscopiques (cf. exercice IX.9). Par exemple, en procédant ainsi on écrira successivement :

$$D = \lambda\overline{v}/3 = \tau\overline{v^2}/3 = \mu m\overline{v^2}/3 \simeq 2\mu\overline{E_c}/3 = \mu kT.$$

En termes clairs cela signifie qu'à l'équilibre thermique, à la température T, le coefficient de diffusion d'un gaz, D, et sa mobilité, μ, sont reliés par :

$$\boxed{D = \mu kT} \tag{B.18}$$

Cette «relation diffusion-mobilité», devinée ici à l'aide de modèles très simples de type marche au hasard, peut en fait être établie de façon plus probante en s'appuyant sur l'un des fondements de la physique statistique que nous allons découvrir progressivement : la loi, dite de Boltzmann, donnant la répartition spatiale des molécules à l'équilibre thermique.

Pour cela, prenons d'abord l'exemple d'une colonne de gaz en équilibre thermique à l'altitude z et notons que cet équilibre résulte de deux effets antagonistes (cf; fig. B.4). L'un d'eux provient de l'action de la pesanteur, $\vec{P} = m\vec{g}$, sur chaque molécule de masse m du gaz : dans le champ de gravitation de la terre, $\vec{g}$, les molécules migrent vers le sol. Selon la relation (B.14), leur vitesse de migration s'écrit $\vec{v}_\mu = \mu\vec{P} = \mu m\vec{g}$ de sorte qu'en un temps dt et à la cote z, il passe à travers une surface S, normale à la pesanteur, un nombre de molécules donné par :

$$dN_\mu = n(z)Sv_\mu\,dt = n(z)S\mu mg\,dt$$

où $n(z)$ est le nombre de molécules par unité de volume au voisinage de la cote z.

L'autre effet, antagoniste du précédent, vient du gradient de concentration qu'induit la migration sous pesanteur : l'augmentation de concentration dans le compartiment du bas, vers lesquel migrent les molécules, donne naissance à un flux de diffusion vers le compartiment du haut où la concentration a tendance à se

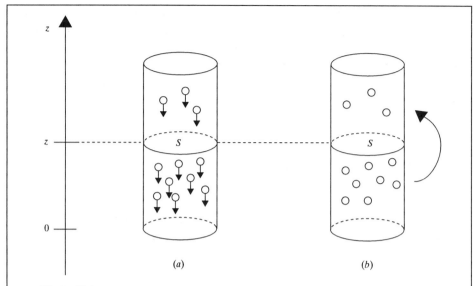

Figure B.4

Schéma des deux effets antagonistes entrant dans la répartition spatiale des molécules à l'équilibre : (*a*) migration dans le champ de pesanteur; (*b*) diffusion dans le gradient de concentration.

réduire. Selon la première loi de Fick (relation B.7), à la cote z et en un temps dt, il passe par cet effet à travers la surface S, normale au gradient de concentration, un nombre de molécules donné par :

$$dN_D = -D \frac{dn}{dz} S \, dt$$

où le signe moins tombe juste ici puisque la pesanteur et le gradient de concentration sont précisément de sens opposés.

A l'équilibre, c'est-à-dire quand autant de molécules migrent vers le bas qu'il en diffuse vers le haut, on a $dN_\mu = dN_D$, ce qui conduit à la relation $dn/n = -(\mu mg/D)\, dz$, équation différentielle dont la solution est :

$$n(z) = n_0 \exp\left(-\frac{\mu}{D} mgz\right) \tag{B.19}$$

où $n_0 \equiv n(0)$ est le nombre de molécules par unité de volume au niveau du sol. Notant que $E_p = mgz$ représente l'énergie potentielle d'une molécule de masse m à l'altitude z dans le champ de pesanteur, on peut encore écrire cette relation :

$$n = n_0 \, e^{-E_p/D\mu} \tag{B.20}$$

Sous cette forme, il s'agit d'une relation applicable à un système de molécules sou-mis à n'importe quel type de force conservative et donc définie par $\vec{F} = -\overrightarrow{\text{grad}}\ E_p$. En effet, sous l'action à la fois d'une telle force de migration et du gradient de concentration antagoniste, à l'équilibre, autrement dit quand les courants de migra-tion et de diffusion se compensent sur l'axe Ox qui leur est commun, on a par défi-nition de l'équilibre (courant globalement nul) :

$$n\mu F - D\ \frac{\mathrm{d}n}{\mathrm{d}x} = 0$$

équation différentielle dont on vérifiera aisément que la solution est donnée par la relation (B.20), sachant que la définition $\vec{F} = -\overrightarrow{\text{grad}}\ E_p$ équivaut ici à $F\,\mathrm{d}x = -\,\mathrm{d}E_p$.

Pour aboutir à la relation (B.17) entre D et μ, il resterait à montrer que la répartition spatiale d'un système de molécules à la température d'équilibre T est fournie par : $n = n_0 \exp(-E_p/kT)$. C'est effectivement le cas comme nous allons le voir maintenant.

VI   Équilibre thermique : loi de Boltzmann

Reprenons tout d'abord l'exemple d'une colonne de gaz à la température T, quelle que soit l'altitude z (équilibre thermique), et souvenons-nous, par exemple, que la pression atmosphérique diminue lorsque l'altitude augmente : le poids d'air à supporter décroît lorsque l'on s'élève. Plus précisément, la variation de pression entre l'altitude z et l'altitude $z + \mathrm{d}z$ est donnée par le poids de gaz contenu dans une colonne élémentaire de surface unité* et de hauteur $\mathrm{d}z$, soit :

$$\mathrm{d}P = -n(z)mg\,\mathrm{d}z$$

où $n(z)$ est le nombre de molécules par unité de volume au voisinage de la cote z et où le signe moins signifie que la pression croît quand l'altitude décroît. Comme $P = nkT$, pour T constant on a $\mathrm{d}P = kT\,\mathrm{d}n$ et la relation précédente peut donc être mise sous la forme $\mathrm{d}n/n = -(mg/kT)\,\mathrm{d}z$, équation différentielle dont la solution est :

$$\boxed{n(z) = n_0 \exp(-mgz/kT)} \tag{B.21}$$

C'est cette relation qui caractérise la loi dite de Boltzmann ici dans le cas particulier d'un gaz à l'équilibre thermique dans le champ de pesanteur auquel est associée l'énergie potentielle $E_p = mgz$.

Pour généraliser cette loi à d'autres types d'énergies potentielles, gravitation-nelle, électrique, Lennard-Jones... associées à des forces conservatives $\vec{F}$, il suffit d'écrire que la variation de pression due à l'action de ces forces selon un axe Ox est

---

* Une pression est en effet une force par unité de surface.

donnée par $dP = nF\,dx$ et qu'à l'équilibre thermique on a $dP = kT\,dn$. Notant alors qu'une force conservative est définie par $Fdx = -\,dE_p$, on aboutit ainsi à l'équation différentielle $dn/n = -\,dE_p/kT$ dont la solution correspond à la loi de Boltzmann dans sa forme générale, soit :

$$\boxed{n = n_0\,e^{-E_p/kT}}$$ (B.22)

Pour ce qu'on nomme la « mécanique statistique », cette loi, donnant la répartition spatiale d'un système de molécules à l'équilibre thermique, est le deuxième pilier que nous rencontrons, le premier étant la relation $\overline{E_c} = (1/2)kT$ par degré de liberté, soit $(3/2)kT$ pour une molécule monoatomique, relation qui caractérise la correspondance entre la température d'un système et l'énergie cinétique moyenne des molécules qui le composent.

VII Conclusions

Dans cet appendice, après avoir introduit quelques notions de physique statistique, encore appelée « mécanique statistique », nous avons découvert progressivement l'un de ses fondements, la loi de répartition de Boltzmann, soit :

$$n = n_0\,e^{-E_p/kT}$$

Pour nous y préparer nous avons passé en revue quelques phénomènes de transport et nous avons noté qu'ils se caractérisent tous, qu'ils soient actifs ou passifs, par des lois de la forme :

$$\frac{1}{S}\,\frac{dX}{dt} = -\,\alpha\,\frac{dY}{dx}$$

où α est un coefficient de transport et où les fonctions X et Y représentent des quantités physiques dont les variations sont reliées entre elles de cette façon standard.

Afin d'expliciter en termes microscopiques les coefficients de transport, nous avons eu recours à des modèles très schématiques qui reposent tous sur des hypothèses de marche au hasard, suggérant ainsi l'existence de relations entre ces divers coefficients. C'est alors que nous avons deviné l'une d'entre-elles, la relation diffusion-mobilité, soit :

$$D = \mu kT$$

relation que nous avons ensuite établie en nous appuyant finalement sur la loi de Boltzmann.

Problèmes d'examens

Le chapitre VIII articule la plupart des notions de mécanique, introduites dans ce livre, autour du problème à deux corps. Les trois sujets d'examen sélectionnés ici portent sur ce thème. Ils l'illustrent dans des contextes physiques très différents, définis dans leurs introductions qui précisent le sens de la recherche à mener pour chacun d'eux : dynamique des réactions moléculaires (solution à la suite), atomes muoniques (solution dans le livre compagnon) et essaims de météorites. Pour être en mesure de les résoudre en quatre heures, il est recommandé de s'y être entraîné en traitant les problèmes comparables situés à la fin de chaque chapitre.

Par exemple, avant d'aborder le premier problème de cette série de trois, il est conseillé d'avoir effectué le problème VIII.5, ou mieux, d'avoir résolu dans l'ordre les exercices VIII.3 à VIII.6 qui permettent de maîtriser la notion de section efficace selon une progression découplant les difficultés.

I   Introduction à la dynamique des réactions moléculaires

Chacun sait aujourd'hui que les molécules qui constituent les fluides de notre environnement, gaz ou liquides, subissent des collisions mutuelles à un rythme endiablé. Bien souvent ces collisions sont élastiques, comme nous l'avons vu à propos de la théorie cinétique des gaz, mais elles peuvent être inélastiques, surtout à haute température, aboutissant ainsi à la formation de molécules dans divers états excités dont le retour à l'état fondamental s'accompagne de l'émission de photons. Parfois ces collisions mutuelles conduisent à ce qu'on nomme des réactions moléculaires, c'est-à-dire des processus élémentaires au cours desquels les deux partenaires en interaction échangent entre eux un ou plusieurs des atomes qui les composent. Par exemple, nous nous intéresserons par la suite à la réaction :

$$Ar^+ + H_2 \rightarrow ArH^+ + H,$$

réaction au cours de laquelle la collision d'un ion argon avec une molécule d'hydrogène aboutit à la formation d'une molécule d'hydrure d'argon ionisée et d'un atome d'hydrogène.

L'étude de ce type de collisions est considérée, depuis Boltzmann, comme l'approche dite microscopique des réactions chimiques qui se produisent, spontanément ou non, lorsqu'on mélange deux fluides. Pour découvrir cette branche de la chimie-physique, appelée «dynamique des réactions moléculaires», nous allons voir les renseignements que l'on peut obtenir en étudiant la section efficace de la réaction $Ar^+ + H_2 \rightarrow ArH^+ + H$, induite à diverses énergies en envoyant un faisceau d'ions Ar^+, accélérés sous une différence de potentiel variable, sur des molécules H_2 contenues dans une enceinte nommée «chambre à réaction».

La figure ci-dessous (R. D. Levine et R. B. Bernstein; Molecular reaction dynamics and chemical reactivity; Oxford University Press, New York 1987, page 51) donne les résultats expérimentaux que nous chercherons à interpréter à l'aide d'un modèle simple connu sous le nom de «modèle de Langevin». Il s'agit du tracé, en échelle Log-Log*, de la section efficace totale de la réaction citée, en fonction de l'énergie du système $Ar^+ + H_2$ dans le référentiel du centre de masse, c'est-à-dire de l'énergie de la particule relative de masse réduite μ. La section efficace de la réaction, σ_R, et l'énergie du système, E, sont exprimées ici respectivement en $Å^2$ (Angström carré) et en eV (électron Volt). La courbe en trait plein correspond aux valeurs expérimentales et la droite en tirets, de pente $-1/2$ (slope $-1/2$), est là pour guider l'œil sur l'évolution en Log-Log de la fonction $KE^{-1/2}$ où K est une constante. On notera ainsi sur la figure que σ_R décroît en fonction de E à peu près comme $E^{-1/2}$ avant de chuter pour $E > 0,6$ eV.

Pour vous mettre un peu plus dans l'ambiance, sachez dès maintenant ce que vous allez comprendre et montrer pas-à-pas : le modèle de Langevin consiste à admettre qu'une «réaction chimique» entre un ion et une molécule n'a lieu que si le système a une énergie cinétique radiale suffisante pour lui permettre de franchir le sommet de son énergie poten-

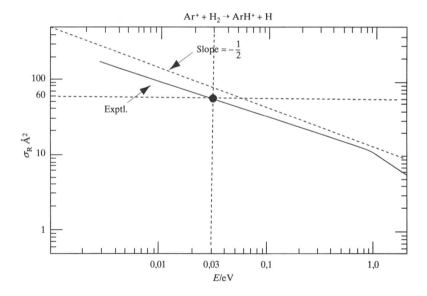

---

* Exploiter une échelle Log-Log consiste, comme son nom l'indique, à repérer les valeurs aussi bien de la variable, ici E, que de la fonction, ici $\sigma_R \equiv \sigma_R(E)$, sur une échelle logarithmique, c'est-à-dire en affectant ces valeurs à la position de leurs logarithmes. Par exemple, sur la figure on a $\sigma_R \sim 60$ $Å^2$ pour $E = 0,03$ eV. Le principal intérêt d'un tel tracé est de pouvoir consigner sur un seul graphique des valeurs variant sur plusieurs puissances de 10. Un autre intérêt est de transformer en une droite de pente α le graphe d'une fonction de type $y = Kx^\alpha$ où K est une constante.

tielle effective. Comme ce sommet, via la barrière centrifuge, dépend de l'état du moment cinétique du système, et donc du paramètre d'impact de la collision, nous allons voir que le modèle de Langevin revient à admettre que la réaction chimique étudiée ici ne se produit que si le paramètre d'impact de la collision associée est inférieur à une valeur b_M qui dépend de l'énergie du système et donc de l'énergie cinétique de l'ion incident. Nous en déduirons une loi de variation de σ_R avec E que nous confronterons à l'expérience, notant ainsi, une fois de plus, tout l'intérêt du concept de section efficace lorsqu'il s'agit d'analyser des phénomènes macroscopiques en termes de forces microscopiques.

Avant d'accomplir ce programme (partie B), nous allons nous familiariser avec les forces et l'énergie potentielle effective qui caractérisent l'interaction d'un ion avec une molécule neutre (partie A). Ensuite nous reviendrons sur les conditions expérimentales (partie C) puis sur l'analyse théorique des phénomènes (partie D). En pratique, vous devrez tous résoudre les parties A et B, proches d'applications directes du cours et des TD. Après vous pourrez choisir entre les parties C et D qui réclament des esprits et des connaissances différents. Si vous en avez le temps, n'hésitez pas à traiter le tout : ce que vous adjoindrez au bilan de base sera porté à votre actif, même si les parties A et B ont fait apparaître un passif.

A *L'interaction ion-molécule*

Les forces qui miment l'interaction d'un ion avec une molécule ont quelque analogie avec celles qui sont associées aux atomes de gaz rares («potentiel de Lennard-Jones»), bien qu'elles soient typiquement cent fois plus intenses et de portée plus longue. Attractives aux distances relatives r les plus grandes, elles deviennent violemment répulsives en-dessous d'une valeur r_0 de l'ordre de la somme des rayons des partenaires en cause, ici Ar^+ et H_2. La figure (a) ci-dessus donne l'allure de l'énergie potentielle associée à ces forces. La figure (b) schématise son comportement pour $r \to 0$ et $r \to \infty$, selon la forme analytique que nous adopterons par la suite, soit :

$$E_p(r) = \begin{cases} +\infty & \text{si } \quad r \leqslant r_0 \quad \text{(cœur dur)} \\[2mm] -\varepsilon\left(\dfrac{d}{r}\right)^4 & \text{si } \quad r \geqslant d \quad \text{(en } 1/r^4) \end{cases}$$

où ε est une constante positive et où d est la distance au-dessus de laquelle l'énergie potentielle du système coïncide avec la fonction $-\varepsilon(d/r)^4$, dite forme asymptotique de la fonction $E_p(r)$. Enfin la figure (c) stylise les traits marquants de l'énergie potentielle effective du système pour une valeur donnée du moment cinétique relatif noté ℓ par la suite.

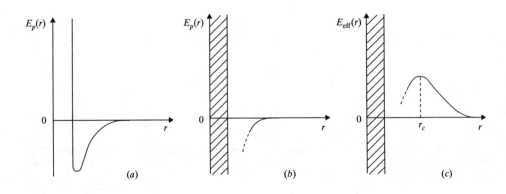

(a) (b) (c)

1) Retracez la figure (*a*) sur votre feuille et, en justifiant votre réponse, placez-y soigneuse-ment la distance ρ en-dessous de laquelle la force d'interaction associée devient répulsive.

2) Faites de même pour la figure (*b*) de façon à y placer clairement r_0, d et ρ.

3) Donnez l'équation aux dimensions de ε et dites selon quelle puissance de r varie la force associée à $E_p(r)$ pour $r \geqslant d$.

4) Pour $r \geqslant d$ l'énergie potentielle effective du système s'écrit :

$$E_{\text{eff}}(r) = -\varepsilon(d/r)^4 + \ell^2/2\mu r^2.$$

Quelle est la forme d'énergie associée à son second terme, dit barrière centrifuge? Pour répondre à cette question, commencez par expliciter l'énergie totale du système en fai-sant apparaître son moment cinétique.

5) Justifiez qualitativement le tracé de la figure (*c*) : comportements pour $r \to 0$ et $r \to \infty$, puis existence du maximum repéré par r_c. Calculez, en fonction de μ, ε, d et ℓ, la distance relative r_c correspondant au maximum de $E_{\text{eff}}(r)$ lorsque celui-ci survient pour $r > d$. Interprétez son évolution avec ℓ.

6) Après avoir dit pourquoi le moment cinétique du système se conserve, exprimez $E_{\text{eff}}(r)$, pour $r > d$, en fonction de E et du paramètre d'impact, b. En déduire que l'on peut écrire :

$$r_c = \frac{d^2}{b} \sqrt{\frac{2\varepsilon}{E}} \quad \text{et} \quad E_{\text{eff}}(r_c) = \frac{1}{4}\left(\frac{b}{d}\right)^4 \frac{E^2}{\varepsilon}$$

pour une collision, caractérisée par une énergie E et un paramètre d'impact b, au cours de laquelle les partenaires ne s'approchent pas plus près que d. Interprétez ces résultats.

7) En vous inspirant de la figure (*c*), montrez que pour un système caractérisé par un r_c donné et une énergie $E = E_{\text{eff}}(r_c)$, les partenaires pourraient en fait s'approcher l'un de l'autre jusqu'à la distance r_0 dans le cas d'une diffusion élastique.

8) Montrez ensuite que, pour une énergie E donnée, les partenaires ne pourront s'approcher à des distances relatives inférieures à r_c que si leur collision a lieu avec un paramètre d'im-pact inférieur à une valeur b_M que l'on exprimera en fonction de d, ε et E.

9) L'expression de b_M obtenue en prenant pour forme asymptotique de $E_p(r)$ non pas $-\varepsilon$ $(d/r)^4$ mais sa généralisation $-\varepsilon(d/r)^\alpha$, avec $\alpha > 2$, est :

$$b_M = d\left(\frac{\alpha}{\alpha-2}\right)^{\frac{\alpha-2}{2\alpha}}\left(\frac{\alpha\varepsilon}{2E}\right)^{\frac{1}{\alpha}}$$

Sans chercher à l'établir, vérifiez que votre résultat est en accord avec elle.

10) Confondant en première approximation r_0, ρ et d, donnez, en fonction de r_0, ε et E, la valeur de b à partir de laquelle l'expression de r_c, établie à la question 6), n'est plus valable.

11) Dans cette hypothèse ($d = r_0$), en déduire que l'expression de b_M établie à la question 8) perd son sens pour $E > \varepsilon$.

B *Modèle dit de Langevin*

Le modèle de Langevin consiste à admettre que les collisions, caractérisées par E et b, au cours desquelles l'ion Ar^+ et la molécule H_2 ne s'approchent jamais jusqu'à la distance r_c, associée à ces valeurs de E et b, sont de type élastique alors qu'une réaction aura lieu à tout coup s'ils atteignent r_c avec une énergie cinétique si petite soit-elle.

12) Justifiez l'idée du modèle et montrez qu'elle revient à admettre que les réactions se produisent avec une probabilité ℓ pour des collisions ayant un paramètre d'impact inférieur à b_M.

13) En déduire qu'à l'approximation $d = r_0$ on obtient :

$$\sigma_R = 2\pi r_0^2 \sqrt{\frac{\varepsilon}{E}}$$

Dans le même cadre théorique mais avec une énergie potentielle de type Lennard-Jones, dont le comportement asymptotique est, rappelons-le, en r^{-6}, quelle loi de puissance en E donnerait à σ_R l'expression encadrée à la question 9).

14) Interprétez la chute de σ_R, observée pour $E > 0,6$ eV, grâce au résultat établi à la question 11), et estimez ainsi ε. Ensuite, sachant que les rayons des sphères équivalentes à l'ion Ar^+ et à la molécule H_2 sont respectivement de 1,54 Å et 0,37 Å, vérifiez que la valeur expérimentale de σ_R pour $E = 0,6$ eV est assez bien reproduite par le modèle. Enfin, dites si la variation expérimentalement observée de σ_R avec E reflète correctement la forme asymptotique en r^{-4} de l'énergie potentielle du système $Ar^+ + H_2$.

C Conditions expérimentales

Avant de raffiner le modèle de Langevin au regard des phénomènes, revenons sur les conditions expérimentales.

15) Sachant que le noyau d'Argon comporte 40 nucléons et en négligeant l'agitation thermique des molécules cibles H_2 contenues dans la chambre à réaction, montrez que l'on a la relation $E = E_c/21$, où E est l'énergie du système $A^+ + H_2$ dans le référentiel du centre de masse et où E_c est l'énergie cinétique dans le laboratoire, des ions Ar^+ accélérés qui constituent le faisceau incident.

16) Jusqu'à quelle énergie E, pensez-vous qu'il soit légitime de négliger l'agitation des molécules H_2 lorsque la chambre à réaction est à la température normale (300 °K). Que faire lorsqu'on veut mesurer σ_R à une énergie E plus faible ?

17) Calculez le nombre de réactions $Ar^+ + H_2 \rightarrow ArH^+ + H$, qui se produiront par seconde dans la chambre à réaction en fonction de I_0, l'intensité du faisceau à l'entrée du domaine où se trouvent les molécules H_2, x, l'épaisseur d'hydrogène traversée par les ions Ar^+, n, le nombre de molécules H_2 par unité de volume, et σ_R.

18) Si l'on suppose que la cible d'hydrogène est à l'état gazeux dans un domaine caractérisé par la température normale et $x = 1$ mm, calculez la pression qui doit régner dans ce domaine pour qu'on puisse le considérer comme une cible mince pour la réaction citée lorsqu'elle est induite avec des ions d'énergie cinétique $E_c = 1$ eV, c'est-à-dire pour qu'un ion Ar^+ de 1 eV n'ait, par exemple, qu'une chance sur un million d'induire dans la cible la réaction citée. Avec ces conditions, combien de réactions par seconde obtiendrait-on à l'aide d'un faisceau d'ions de 1,6 micro-Ampère ?

D Prolongements du modèle au regard de l'expérience

Reprenons maintenant l'analyse des phénomènes de façon à l'approfondir.

19) Dans le cadre de votre interprétation de la chute de σ_R, fournie à la question 14), donnez l'expression vers laquelle devrait tendre, pour $E > 0,6$ eV, la section efficace de diffusion élastique. Par aileurs, citez des réactions qui pour $E > 0,6$ eV pourraient commencer à se produire, ajoutant alors à la chute de la section efficace de la réaction $Ar^+ + H_2 \rightarrow ArH^+ + H$, supposée seule possible jusqu'ici.

20) Pour fixer vos idées sur la diffusion élastique du système Ar$^+$ + H$_2$ ainsi décrit, tracez qualitativement les trajectoires qui lui sont associées dans les 3 cas suivants : $b >$ b$_M$, $b <$ b$_M$ et $b = b_M$.

21) Si l'on suppose que des collisions effectuées à des énergies très inférieures à 0,6 eV ont une certaine probabilité de conduire à la formation du complexe Ar$^+$H$_2$ pourvu que l'énergie de rotation de ce complexe soit inférieure à une valeur η, montrez que la section efficace de ce processus est régie par un paramètre d'impact critique, b_c, et s'écrit alors, en première approximation, $\pi r_0^2 \gamma \eta / E$, lorsqu'on admet, pour simplifier, que la probabilité γ de formation du complexe est indépendante de b sur tout l'intervalle $0 \leqslant b \leqslant b_c$. En déduire que, dans cette hypothèse, la section efficace de la réaction Ar$^+$ + H$_2$ → ArH$^+$ + H doit être récrite :

$$\boxed{\sigma_R = 2\pi r_0^2 \sqrt{\frac{\varepsilon}{E}} \left(1 - \frac{\eta}{2\sqrt{\varepsilon E}}\right)}$$

Pour améliorer ainsi l'accord du modèle de Langevin avec l'expérience, quelle valeur faudrait-il donner au produit $\gamma\eta$. Commentez ce «raffinement» du modèle initial. Pour commencer, dites ce que signifierait de prendre $\eta \sim \varepsilon$ et estimez γ dans ce cas.

22) D'autres études du système Ar$^+$ + H$_2$ ont montré que le minimum de son énergie potentielle se trouve à 2 Å et vaut − 4 eV. Vérifiez que ceci est conforme aux résultats de votre analyse de la réaction citée. Pour commencer, montrez que ces deux caractéristiques de l'énergie potentielle du système vous permettent de retrouver la valeur de ε, obtenue à la question 14), en prenant une valeur raisonnable pour d.

Solution du problème I

1) $\vec{F} = -\dfrac{dE_P}{dr}\,\dfrac{\vec{r}}{r}$ est répulsive pour $\dfrac{dE_P}{dr} < 0$ $\left(\vec{F}\text{ et }\vec{r}\text{ de même sens}\right)$, c'est-à-dire pour $r < \rho$, où ρ est le minimum de E_P.

2) Pour $r \leqslant r_0$ l'interaction est infiniment répulsive ; pour $r \geqslant d$ elle est attractive ; ρ est donc entre r_0 et d.

3) $[\varepsilon] = [E_P][(r/d)^4] = [Ep] = [E] = ML^2T^{-2}$. Comme E_P est en $1/r^4$ pour $r \geqslant d$, la force pour $r \geqslant d$ est en $1/r^5$.

4) La barrière centrifuge est l'énergie cinétique orthoradiale. On a en effet :

$$E = \frac{1}{2}\mu v^2 + E_P = \frac{1}{2}\mu\dot{r}^2 + \frac{1}{2}\mu(r\dot\theta)^2 + Ep = \frac{1}{2}\mu\dot{r}^2 + \frac{\ell^2}{2\mu r^2} + E_P(r)$$

5) Pour $r \leqslant r_0$, on a $E_P(r) = +\infty$; donc pour $r \to 0$ on a :

$$E_{\text{eff}} = \lim(r \to 0)\left[+\infty + \frac{\ell^2}{2\mu r^2}\right] = +\infty.$$

Pour $r \geqslant d$ on a $E_P(r) = -\varepsilon(d/r)^4$; donc pour $r \to +\infty$ on a :

$$E_{\text{eff}} = \lim(r \to +\infty)\left[-\varepsilon(d/r)^4 + \frac{\ell^2}{2\mu r^2}\right] = +0$$

(car $1/r^2$ décroît moins vite que $1/r^4$). Comme $\dfrac{\ell^2}{2\mu r^2}$ est monotone décroissant et comme $Ep(r)$ possède un minimum, E_{eff} possède un maximum. La position de ce maximum est donnée par $dE_{\text{eff}}/dr = 0$. Si celui-ci survient pour $r \geqslant d$, alors $Ep = -\varepsilon(d/r)^4$ et dans ce cas, $dE_{\text{eff}}/dr = 4\varepsilon d^4/r^5 - \ell^2/\mu r^3$. On en déduit r_c, soit : $r_c = 2d^2\sqrt{\mu\varepsilon}/\ell$. Interprétation : lorsque ℓ croît, la barrière centrifuge croît, ce qui entraîne un déplacement du maximum de E_{eff} vers l'origine.

6) Comme le système est régi par une force centrale, son moment cinétique se conserve. On en déduit que $\ell = \ell_\infty = \mu v_\infty r \sin(r, v) = \mu v_\infty b$. Comme le système est régi par une force conservative son énergie mécanique se conserve. On en déduit $E = E_\infty = \mu v_\infty^2/2$. On a donc $\ell^2 = \mu^2 v_\infty^2 b^2 = 2\mu E_\infty b^2 = 2\mu E b^2$; et de là : $E_{\text{eff}} = -\varepsilon(d/r)^4 + Eb^2/r^2$.

Comme $\ell = b\sqrt{2\mu E}$, on peut écrire $r_c = 2d^2\sqrt{\mu\varepsilon}/b\sqrt{2\mu E} = (d^2/b)\sqrt{2\varepsilon/E}$. Avec cette expression de r_c, on obtient :

$$E_{\text{eff}}(r_c) = -\varepsilon(d/r_c)^4 + Eb^2/r_c^2 = (1/4)(b/d)^4(E^2/\varepsilon).$$

Interprétation : pour r_c, la même qu'en 5) car la variation en $1/b\sqrt{E}$ est équivalent à une variation en $1/\ell$ pour $E_{\text{eff}}(r_c)$, lorsque $\ell (\propto b\sqrt{E})$ croît, r_c décroît comme $1/\ell$ et la barrière centrifuge en r_c croît donc comme $\ell^2/r_c^2 \propto \ell^4 \propto b^4 E^2$, d'où $E_{\text{eff}}(r_c) \propto b^4 E^2$.

7) Pour $E = E_{\text{eff}}(r_c)$, le système franchira la barrière «au plus juste», c'est-à-dire avec une énergie cinétique radiale nulle. Comme pour une collision élastique l'énergie mécanique se conserve (pas de phénomènes dissipatifs), pour $r < r_c$ l'énergie cinétique radiale ne redeviendra nulle qu'en r_0. En d'autres termes, si la barrière située en r_c est franchie, même au plus juste, les partenaires pourront s'approcher ensuite jusqu'à r_0 pourvu que dans la poche de potentiel située entre r_c et r_0 ceux-ci ne dissipent pas une partie de leur énergie mécanique soit sous forme de processus inélastiques soit en amorçant une réaction.

8) Pour avoir $r < r_c$ il faut franchir la barrière, soit, compte tenu de 7), $E \geqslant E_{\text{eff}}(r_c)$, et donc $b^4 \leqslant 4\varepsilon d^4/E$. On a donc $b_M = d(4\varepsilon/E)^{1/4}$.

9) Pour $\alpha = 4$, l'expression générale donne le même résultat.

10) L'expression de r_c obtenue en 6) n'est valable que si r_c est à l'extérieur du cœur dur, soit $r_c > r_0$. Pour $d = r_0$ on en déduit $(r_0^2/b)\sqrt{2\varepsilon/E} > r_0$ soit $b < r_0\sqrt{2\varepsilon/E}$. Tant que E est inférieur à ε cette contrainte est sans grande conséquence physique puisque le potentiel d'interaction n'est intense que pour des distances relatives inférieures à $r_0\sqrt{2}$.

11) L'expression de b_M établie en 8) perd donc son sens pour $b_M < r_0\sqrt{2\varepsilon/E}$, soit pour $r_0(4\varepsilon/E)^{1/4} < r_0(2\varepsilon/E)^{1/2}$ soit encore pour $E > \varepsilon$.

12) Si le système franchit la barrière avec une faible énergie cinétique radiale, la moindre dissipation d'énergie cinétique l'amènera à rester piégé un certain temps dans la poche de potentiel, temps que l'on peut supposer suffisant pour qu'une réaction débute. Comme pour $b < b_M$ on a $r < r_c$, cette hypothèse revient donc à admettre que les réactions ont lieu pour $b < b_M$. Dire qu'elles ont lieu à tout coup dans ce cas revient à admettre qu'elles se produisent alors avec une probabilité 1.

13) Dans cette hypothèse les réactions ont lieu avec une probabilité 1 pour $0 < b < b_M$. On a donc $\sigma_R = \displaystyle\int_0^{b_M} 2\pi b\, db = \pi b_M^2 = \pi r_0^2(4\varepsilon/E)^{1/2} = 2\pi r_0^2\sqrt{\varepsilon/E}$. Pour un potentiel de comportement asymptotique en $1/r^6$ on aurait eu $b_M \propto E^{1/6}$ et donc $\sigma_R \propto E^{1/3}$.

14) Pour $E > \varepsilon$ l'expression de b_M perd son sens puisque r_c ne peut être inférieur à r_0 en raison de la présence d'un cœur dur. En d'autres termes pour $E > \varepsilon$, $E_{\text{eff}}(r)$ ne possède plus de poche de potentiel et en conséquence, selon le modèle de Langevin, les réactions ne peuvent avoir lieu : toutes les collisions deviennent de type élastique sur le cœur dur, et σ_R chute brutalement. Comme la chute a lieu pour $E \approx 0,6$ eV on en déduit $\varepsilon \approx 0,6$ eV. Prenant pour r_0 la somme des rayons des sphères équivalentes on attend pour $E = \varepsilon$: $\sigma_R = 2\pi(1,54 + 0,37)^2$ Å$^2 \approx 20$ Å^2, ce qui est assez proche de la valeur expérimentale (≈ 15 Å^2). Enfin la pente de la droite est assez proche de $- 1/2$: légèrement plus faible mais néanmoins beaucoup plus proche de $- 1/2$ que de $- 1/3$. Elle est donc en accord avec une forme asymptotique en $1/r^4$, beaucoup plus qu'avec une forme en $1/r^6$. En conséquence l'accord du modèle avec l'expérience est assez satisfaisant, compte tenu de la brutalité de ces hypothèses.

15) On a $E = \mu v^2/2$ et $E_c = m_1 v_1^2/2 + 0$ (on néglige l'agitation thermique donc $v_2 = 0$ et de là $v = v_1$). On déduit $E/E_c = \mu/m_1$. On peut négliger la masse des électrons devant celle des noyaux, d'où $\mu/m_1 = 2 \times 40/42 \times 40 = 2/42$ et $E = E_c/21$.

16) Il faut pouvoir négliger $1/40$ eV par rapport à E_c, soit par exemple $E_c \approx 1/4$ eV et donc $E \approx 1/4 \times 21$ eV $\approx 0,01$ eV. Pour mesurer σ_R avec $E < 0,01$ eV il faut, par exemple, travailler à basse température.

17) Ce nombre N est donné par : $N = I_0[1 - \exp(- nx\sigma_R)]$.

18) Une cible mince est caractérisée par $nx\sigma_R \ll 1$, ici $nx\sigma_R = 10^{-6}$. Comme $P = nkT$, la condition est $P = 10^{-6} kT/x\sigma_R$. Pour $E_c = 1$ eV on a $E = (1/21)$ eV $\approx 0,05$ eV et donc $\sigma_R \approx 45$ Å^2 (cf. figure). On en déduit :

$$P = 10^{-6}(1/40)1,6 \cdot 10^{-19}/10^{-3} 45 \cdot (10^{-10})^2 \approx 10^{-5} \text{ Pascal} \approx 10^{-10} \text{ atmosphère}.$$

Avec ces conditions on a $N = I_0 nx\sigma_R = 10^{-6} I_0$. Or une intensité de 1,6 µA correspond à un nombre d'ions par seconde de $1,6 \cdot 10^{-6}/1,6 \cdot 10^{-19} = 10^{13}$/s. On obtient donc $N = 10^{-6} \cdot 10^{13}$/s $= 10^7$/s.

19) Pour $E > \varepsilon$, le système atteint r_0 à tout coup ; donc $\sigma_{\text{el}} \to \pi r_0^2$. Par ailleurs pour $E > 0,6$ eV des électrons périphériques peuvent être éjectés par collision de sorte que l'on peut envisager des collisions au cours desquelles les partenaires sortent du domaine d'interaction ionisés et accompagnés d'électrons. La section efficace de ces processus doit être retranchée de celles des autres processus, diffusion élastique et réaction envisagée.

20)

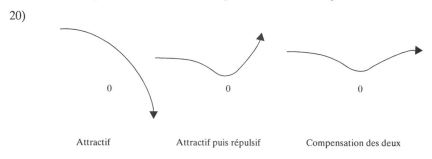

Attractif   Attractif puis répulsif   Compensation des deux

21) L'énergie de rotation du complexe est donnée par $\ell^2/2\mu r_0^2$, soit encore $(\mu v_\infty b)^2/2\mu r_0^2 = Eb^2/r_0^2$. On en déduit $b_c = r_0\sqrt{\eta/E}$. La section efficace associée est donnée par :

$$\sigma_c = \int_0^{b_c} \gamma 2\pi b \, db = \gamma\pi b_c^2 = \pi r_0^2 \gamma\eta/E. \text{ Cette contribution doit être retranchée à l'expres-}$$

sion de σ_R donné par le modèle de Langevin, d'où l'expression de σ_R encadrée où le terme correctif $- \gamma\eta/2 \sqrt{\varepsilon E}$ est surtout appréciable aux faibles valeurs de E, d'où la pente légèrement plus faible que $- 1/2$, pour $E = 0,01$ eV, par exemple, la figure fournit : $\gamma\eta/2 \sqrt{0,6 \cdot 0,01} \approx 1$, soit $\gamma\eta \approx 0,1$ eV. Prendre $\eta \approx \varepsilon$ signifie prendre une énergie de rotation de l'ordre de l'énergie de liaison d'un électron, donc une limite de stabilité du système. Dans ce cas on a $\gamma \approx 1/6$ ce qui n'est pas totalement négligeable.

22) On a $r_0 \approx 1,91$ Å, $\rho \approx 2$ Å et d peut être estimé par $0,6 = 4(\rho/d)^4$ soit $d \approx 1,6\rho \approx 3$ Å ; estimation qui consiste à adopter la forme asymptotique pour $r > \rho$ et à chercher la distance d à laquelle Ep a crû de $- 4$ eV à $- 0,6$ eV. La valeur de d ainsi obtenue est raisonnable, ce qui conforte le modèle.

II　Les atomes muoniques

On appelle atome muonique un atome dans lequel une particule nommée «mu moins» (notée μ^-) s'est fait piéger, formant ainsi un état lié du système atome-μ^-. Pour décrire ce système, il suffit de savoir que la particule μ^- se comporte comme une sorte d'électron lourd. Elle a la même charge électrique négative, $- e$, que l'électron et, comme lui, elle est pratiquement insensible à l'interaction forte. Par contre, sa masse est environ 207 fois plus élevée que celle de l'électron ($m \simeq 207$ m_e).

Un modèle simple, comparable à celui de l'atome de Bohr, consiste à traiter les atomes muoniques comme des systèmes constitués d'un noyau central, comprenant N neutrons et Z protons, autour duquel circulent à la fois Z électrons et un μ^-. Nous adopterons ce modèle pour interpréter leurs spectres de désexcitation observés (dans des détecteurs de photons) quand on envoie un faisceau de μ^- sur une cible suffisamment épaisse pour arrêter ces particules, progressivement ralenties, et leur permettre ainsi de «s'accrocher» à des noyaux. L'accrochage d'un μ^- à un noyau se fait généralement sur une orbite permise lointaine, puis, après une cascade de photons de désexcitation, le μ^- finit sa vie satellisé sur l'orbite permise la plus proche du noyau.

Nos hypothèses initiales seront les suivantes :

a) l'influence des électrons atomiques sur un μ^- satellisé est négligeable ;

b) le noyau a une masse infinie par rapport à celle d'un μ^- ;

c) la mécanique non relativiste est acceptable pour traiter le modèle ;

d) la particule μ^- est satellisée sur des orbites extérieures au noyau.

A *Le modèle initial*

1) En explicitant ce que nos hypothèses initiales entraînent, montrer que la célérité d'un μ^- sur une orbite circulaire extérieure au noyau est donnée par :

$$v = \sqrt{\frac{kZ e^2}{mr}} \quad \text{où} \quad k = 1/4\pi\varepsilon_0 \text{ est la constante de Coulomb.}$$

2) En déduire l'expression de l'énergie du système en fonction des paramètres Z et r.

3) Montrer que cette énergie peut encore s'écrire : $E = - DZ^2/\ell^2$ où ℓ est la norme du moment cinétique orbital du système et où D est une constante que l'on explicitera.

B *Quantification « à la Bohr » du système*

Pour interpréter les spectres de désexcitation des atomes muoniques, on peut se contenter de transposer ici les idées du modèle de Bohr de l'atome. En particulier, on postulera que les seules orbites permises sont celles pour lesquelles le moment cinétique orbital du système est un multiple entier strictement positif, n, de la constante $\hbar = h/2\pi$ où h est la constante de Planck. En déduire, en fonction de Z et n :

4) l'énergie, E_n, du système (on fera apparaître le rapport $m/m_e \simeq 207$, et l'énergie de liaison de l'atome d'hydrogène $\varepsilon_H = m_e k^2 e^4/2\hbar^2$),

5) le rayon, r_n, des orbites permises (on fera apparaître le rapport m/m_e, et le rayon de Bohr de l'atome d'hydrogène $R_H = \hbar^2/m_e k e^2$),

6) la célérité, v_n, de μ^- sur ces orbites (on fera apparaître la célérité de la lumière, c, et la constante de l'interaction électromagnétique $\alpha = k e^2/\hbar c \simeq 1/137$).

C Comparaison à l'expérience

Comparons maintenant ce modèle simple à l'expérience en traitant le cas du magnésium ($A = 24$, $Z = 12$), et celui du plomb ($A = 208$, $Z = 82$).

7) Faire, pour chacun des deux atomes muoniques considérés, un tableau clair donnant pour $n = 1$ et $n = 2$:
 – le rayon des orbites associées, en Fermi (ou femtomètres 1 F = 1 fm = 10^{-15} m);
 – les énergies de liaison correspondantes, en MeV;
 – la vitesse de μ^- dans ces états, en unité c.
 On donne : $R_H = 0{,}53 \cdot 10^{-10}$ m. $\varepsilon_H \simeq 13{,}6$ eV.

8) Les raies correspondant au passage d'un μ^- de l'orbite $n = 2$ à l'orbite $n = 1$ sont peuplées par des photons de désexcitation dont les énergies, mesurées dans des détecteurs à scintillation, sont respectivement : 0,296 MeV (pour Mg) et 5,8 MeV (pour Pb). En déduire que le modèle est en assez bon accord avec l'expérience en ce qui concerne un atome léger comme le magnésium.

9) Montrer qu'on ne remédierait pas au désaccord manifesté pour un atome lourd comme le plomb en abandonnant les hypothèses a, b et c.

D Cas d'une orbite interne au noyau

Nous allons voir à présent que pour un atome muonique lourd (ex. : le plomb), la situation s'améliore considérablement quand on abandonne l'hypothèse d.

10) Vérifier qu'il faut effectivement abandonner cette hypothèse dans le cas de la première orbite muonique de $^{208}_{82}$Pb, mais pas pour les orbites muoniques de $^{24}_{12}$Mg.

11) Rappeler sans calcul l'expression du champ électrique créé par une sphère creuse uniformément chargée en un point extérieur puis en un point intérieur. En déduire, que, quand on assimile un noyau à une sphère pleine uniformément chargée en volume, la force électrique qu'il exerce sur une particule μ^- s'écrit :

$$\vec{F}(r) = \begin{cases} -\dfrac{kZ e^2}{r^2}\left(\dfrac{\vec{r}}{r}\right) & \text{si } r > R, \\[2ex] -\dfrac{kZ e^2}{R^3}\,\vec{r} & \text{si } r < R, \end{cases}$$

où R est le rayon du noyau considéré.

12) Montrer que pour une force conservative dont le zéro d'énergie potentielle est pris à l'infini, on a :

$$E_p(r) = -\int_\infty^r \vec{F}(r)\,.\,\mathrm{d}\vec{r}$$

En déduire l'expression de l'énergie potentielle de μ^- pour $r < R$.

13) Établir l'expression donnant la vitesse de μ^- sur une orbite circulaire de rayon r, interne au noyau, en fonction des paramètres Z, r et R.

14) En déduire l'expression de l'énergie du système pour $r < R$, en fonction de Z, r et R, puis en fonction de Z, ℓ et R.

15) En quantifiant le système «à la Bohr», montrer que, pour les orbites internes au noyau, les énergies permises peuvent s'écrire :

$$E_n = -\frac{\hbar c}{R}\left(\frac{3\alpha Z}{2} - n\sqrt{\frac{\alpha Z \hbar c}{mc^2 R}}\right)$$

où n est un entier strictement positif.

16) Vérifier sur l'exemple du plomb que, sans être excellent, l'accord du modèle avec l'expérience est bien amélioré. On donne : $mc^2 \simeq 106$ MeV, $\hbar c \simeq 200$ MeV F et $R \simeq 7,5$ F.

17) En déduire d'une part que μ^- est effectivement insensible à l'interaction forte et que, d'autre part, l'étude des atomes muoniques peut fournir une méthode de mesure des densités de charge des noyaux si l'on raffine un peu plus l'analyse théorique. Par ordre d'importance décroissante quels raffinements suggéreriez-vous d'apporter ?

E *Production des atomes muoniques*

Après avoir analysé en termes simples les phénomènes consécutifs à la formation d'atomes muoniques et proposé quelques raffinements théoriques conduisant à une méthode de mesure de la densité de charge nucléaire, il ne nous reste plus, pour nous sentir un peu physicien, qu'à maîtriser qualitativement quelques aspects des expériences.

D'ordinaire, les faisceaux de μ^- utilisés proviennent de la désintégration d'autres particules, appelées mésons π^-, elles-mêmes produites dans une première cible située à la sortie d'un accélérateur de protons. Les particules μ^- ainsi obtenues ont alors, avant d'entrer dans la seconde cible, une énergie de l'ordre de 100 MeV.

18) Dire quel est le principal processus responsable du ralentissement progressif des μ^- dans une cible, et en déduire l'ordre de grandeur de l'épaisseur minimale à donner à une cible de plomb pour arrêter de tels μ^-.

19) Décrire qualitativement le principal mécanisme par lequel un μ^- finit par se lier à un atome de la cible. Ensuite, commenter la cascade de photons au terme de laquelle le μ^- arrive sur l'orbite la plus proche du noyau.

20) Enfin, schématiser un dispositif expérimental permettant l'étude des atomes muoniques; en d'autres termes, faire le plan de l'expérience (S).

III   Les essaims de météorites

Les comètes sont de très petits objets à l'échelle du soleil et même de la terre : leurs masses sont distribuées entre 10^8 et 10^{14} tonnes, et donc souvent très inférieures au cent millionnième de celle de la terre. Comme par ailleurs elles passent la plus grande partie de leur vie à de très grandes distances héliocentriques dans un milieu froid et dilué, on est en droit de penser qu'elles ont été conservées dans leur état initial. C'est pourquoi «les comètes nous apparaissent maintenant comme des vestiges intacts de la matière primitive du système solaire, dont l'analyse présente un intérêt unique pour l'étude des conditions physico-chimiques de la nébuleuse solaire primitive» (T. Encrenaz et J. P. Bibring : Le système solaire; InterÉditions, Paris 1987, page 303).

Selon le désormais célèbre modèle de «la boule de neige sale» (Whipple; 1950), les comètes, formées par condensation du matériau initial, seraient composées de roches, de grains pierreux et de poussières agglomérés dans de la glace et des gaz congelés. Ce modèle rend bien compte, en particulier, de ce que l'on observe lorsqu'une comète, piégée dans le système solaire, se trouve au voisinage de son périhélie (cf. récent passage de la comète de Halley). En effet, loin du soleil une comète s'identifie à ce que l'on nomme son noyau. En revanche, lorsqu'elle s'en approche, la montée en puissance du rayonnement reçu fait sublimer (c'est-à-dire passer directement de l'état solide à l'état gazeux) et dégazer les glaces de la surface du noyau, entraînant l'éjection des fragments, globalement dits météorites, qu'elles retenaient agglomérés : poussières, grains et quelques roches. C'est alors qu'apparaît la fameuse «chevelure» de la comète, encore appelée sa coma, reflets de la lumière dans ces fragments clinquants.

En fait, bien des informations que l'on possède sur la nature de ces fragments proviennent de la collecte qu'on peut en faire grâce aux «essaims de météorites» qu'ils constituent après leur expulsion des comètes. Les manifestations les plus populaires de ces essaims sont les «étoiles filantes» qui se produisent quand la trajectoire de l'un d'eux coupe l'atmosphère terrestre : sous l'action des frottements dans «l'air», les grains et roches de masse comprise typiquement entre 10^{-7} et 10^3 grammes brûlent entièrement très vite, d'où l'effet observé (météores). Quant aux autres météorites, parmi celles dont la masse est supérieure à quelques kilogrammes, les plus grosses roches sont capables de parvenir jusqu'au sol à peine ralenties mais «carbonisées» en surface (bolides), tandis qu'à l'autre extrême les grains trop petits pour devenir incandescents finissent par tomber calmement sur terre (micrométéorites) accompagnés des poussières semblables à celles qui donnent naissance aux lumières zodiacales.

En appuyant votre imagination sur cette introduction, vous allez essayer de mieux comprendre l'origine cométaire des essaims de météorites et quelques-uns des phénomènes qu'ils engendrent. Pour commencer vous vous intéresserez au mouvement des comètes périodiques. Vous en profiterez pour vous remémorer les définitions rassemblées sur la figure ci-dessous. Ensuite vous entrerez dans le vif du sujet. Établies ou non, vous pourrez alors exploiter les relations encadrées du texte de la première partie. Pour conclure vous donnerez votre avis sur la qualité du modèle. Enfin, si le cœur vous en dit, vous aborderez pour la gloire une troisième partie facultative et hors barème.

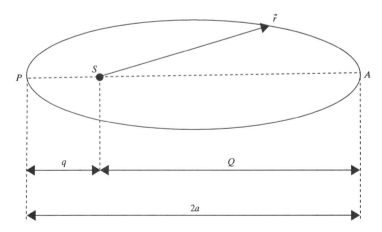

S = soleil = un foyer de l'ellipse
P = périhélie = point de la trajectoire le plus proche de S
A = aphélie = point de la trajectoire le plus éloigné de S
$\vec{r}$ = rayon vecteur repérant la comète ou la météorite
q = distance périhélique = distance PS
Q = distance aphélique = distance AS
a = demi-grand axe

A *Mouvement d'une comète périodique du système solaire*

Soit donc une comète de masse m dont on décrira le mouvement dans le repère héliocentrique (c'est-à-dire attaché au soleil), en négligeant l'influence des planètes et à fortiori des objets moins massifs du système solaire. On notera r sa distance au centre du soleil et M la masse de ce dernier.

1) Donnez les raisons qui vous permettent d'identifier le repère héliocentrique à celui du centre de masse du système et de le considérer comme un référentiel d'inertie. Dans ce cadre, exprimez l'énergie mécanique E de la comète en fonction de m, M, r, G (constante de gravitation de Newton) et v^2 (carré de sa vitesse). A titre de remarque, dites pourquoi la valeur de E doit être prise négative quand on ne s'intéresse qu'aux trajectoires périodiques.

2) Dites aussi pourquoi il serait judicieux de faire apparaître le moment cinétique du système dans l'expression de E. Pour cela, explicitez maintenant E en fonction de m, M, r, G, $\dot{r}$ (vitesse radiale de la comète) et ℓ^2 (carré de son moment cinétique par rapport au soleil).

3) Montrez que $\dot{r} = 0$ lorsqu'une comète en orbite elliptique passe au périhélie ou à l'aphélie (cf. figure). En déduire l'équation satisfaite par la distance périhélique, q, et la distance aphélique, Q. Explicitez ensuite ces deux distances, puis leur somme $q + Q$, en fonction de m, M, G, ℓ^2 et E.

4) Enfin, après avoir exprimé E en fonction de m, M, G et a (demi-grand axe de l'ellipse), montrez que pour une trajectoire elliptique on aboutit à la relation de base suivante : $v^2 = GM(2/r - 1/a)$. Pour vous approprier cette relation, vérifiez qu'elle est conforme à ce que l'on attend dans le cas particulier d'une trajectoire circulaire.

5) Vous vous souvenez probablement (cf. loi des aires) que la période P de tout objet en orbite elliptique autour du soleil (et de masse négligeable par rapport à M) est reliée au demi-grand axe a par : $P = Ca^{3/2}$ où C est une constante prise égale à 1 quand on exprime P en année et a en unité astronomique (UA), c'est-à-dire en une unité de longueur définie pour qu'il en soit ainsi, soit : $1\ \text{UA} = 1{,}49597910^{11}\ \text{m} \simeq 1{,}5\ 10^{11}\ \text{m}$. En d'autres termes, dans le système d'unités des astronomes (unité de temps = 1 an ; unité de longueur = 1 UA) on a :

$$\boxed{P = a^{3/2}}$$

Précisez l'équation aux dimensions de la constante C, puis dites pourquoi on peut se représenter l'unité astronomique comme la distance moyenne de la terre dans le repère héliocentrique.

6) Bien entendu, en exploitant la loi des aires on obtient l'expression de C en fonction des paramètres qui caractérisent la gravitation et le système solaire, soit : $C = 2\pi/\sqrt{GM}$. A l'aide de l'analyse dimensionnelle, montrez qu'au facteur 2π près il fallait s'attendre à cette expression pour C.

7) Grâce à elle, sans même connaître la valeur de GM, on peut récrire la relation établie à la quatrième question sous la forme :

$$\boxed{v^2 = 887\left(\frac{2}{r} - \frac{1}{a}\right)}$$

où v est exprimé en km . s^{-1} et a en UA. Pour vous en convaincre, contentez-vous de vérifier que l'ordre de grandeur de la constante 887 est correct et pour cela explicitez clairement votre calcul en exhibant vos approximations.

8) Pour vous familiariser avec quelques ordres de grandeur typiques, tracez (en respectant les proportions et la position du soleil) l'allure de la trajectoire d'une comète caractérisée par un demi-grand axe $a = 3$ UA et une distance périhélique $q = 0,5$ UA (caractéristiques assez voisines de celle de la comète appelée Honda-Mrkos-Pajdusakova, selon les noms de trois de ses observateurs). Estimez ensuite sa période, P, sa vitesse au périhélie, v_q, et sa vitesse à l'aphélie, v_Q.

B *Formation et évolution des essaims de météorites*

A présent vous allez pouvoir aborder la description du mouvement des météorites. Pour cela, sachez encore que ces fragments ont, au moment de leur éjection par les gaz à la surface du noyau, une distribution de vitesse, relativement à la comète, dont la valeur maximale est de l'ordre de la vitesse du son dans les gaz de surface, soit typiquement quelques pour mille de la vitesse v_q déterminée à la question précédente. En d'autres termes, pour décrire quelques caractéristiques des essaims de météorites, il sera judicieux et justifié d'utiliser sous forme différentielle les relations encadrées de la première partie.

Naturellement, vous vous intéresserez d'abord au gros de la troupe : les météorites éjectées quand la comète est à proximité de son périhélie. Pour celles-ci, afin de fixer les idées, vous traiterez les deux cas extrêmes correspondant à des éjections tangentielles : les météorites émises avec une vitesse relative initiale, $\vec{u}_+$, orientée dans le sens de la vitesse $\vec{v}$ de la comète et celles qui sont émises avec une vitesse relative initiale, $\vec{u}_-$, orientée en sens inverse.

9) Pour commencer, dites pourquoi les météorites ainsi éjectées en $r = q$ auront des trajectoires elliptiques axées sur celle de la comète. Ensuite, par un calcul différentiel déterminez, en fonction de a, v_q et $\vec{u}_+$ ou $\vec{u}_-$, les demi-grands axes a_+ et a_- des trajectoires associées respectivement aux vitesses d'éjection $\vec{u}_+$ ou $\vec{u}_-$. Enfin, à titre d'exemple, pour la comète définie à la huitième question et en fixant $\|\vec{u}_+\| = \|\vec{u}_-\|$, à une valeur médiane de l'ordre de 100 m . s^{-1}, estimez a_+ et a_-. Pourquoi convient-il de présenter votre résultat sous la forme : $a_\pm = (3 \pm 0,1)$ UA ?

10) Pour cet exemple, estimez, encore par un calcul différentiel, les périodes P_+ et P_- associées respectivement à a_+ et a_- et tracez sur un même schéma les trajectoires correspondantes. En déduire que les trajectoires des météorites émises dans toutes les directions possibles seront finalement rassemblées en une sorte de tore elliptique (c'est-à-dire une figure géométrique ressemblant à une chambre à air gonflée autour d'une ellipse) à l'intérieur duquel les météorites elles-mêmes seront groupées en un essaim de plus en plus fourni, au fil des tours de la comète, mais allant en s'étalant au point d'apparaître comme un tore homogène après une durée relativement brève à l'échelle des temps astronomiques.

11) Ce résultat fait immédiatement penser aux deux classes d'étoiles filantes qui existent : celles qui se manifestent une fois par an (éventuellement deux) à raison de quelques-unes par heure et celles que l'on observe plus rarement mais en «pluies drues». Interprétez ce phénomène en invoquant deux types d'essaims : les vieux et les jeunes. Pour être bien compris tracez sur une même figure la trajectoire de la terre et les tores associés aux essaims en y stylisant par des points les météorites. Précisez ce qu'il faut pour qu'un vieil essaim donne deux «saisons» d'étoiles filantes par an.

12) Notez maintenant que dans tous ces essaims, les météorites ne sont plus à l'abri des effets du rayonnement solaire. En particulier, les photons qu'ils reçoivent directement du soleil leur communiquent une quantité de mouvement par unité de temps qui équivaut à une force dite de «pression de radiation». Pour vous aider à calculer cette force, rappelons que la norme de la quantité de mouvement d'un photon d'énergie ε est donnée par $p = \varepsilon/c$, où c est la vitesse de la lumière; et que la luminosité L du soleil est l'énergie lumineuse qu'il rayonne par unité de temps dans tout l'espace.

En assimilant les météorites à des sphères homogènes (de rayon s et de densité ρ) absorbant totalement les photons qu'ils reçoivent, montrez que la force de pression de radiation peut être mise sous la forme :

$$\vec{R} = \frac{3\mu L}{16\pi c} \, f(s, \rho) \, \frac{\vec{r}}{r^3}$$

où μ est la masse de la météorite considérée, où $\vec{r}$ est le rayon vecteur de norme r qui la repère dans le système héliocentrique et où $f(s, \rho)$ est une fonction qui ne dépend que de s et ρ dont vous préciserez l'expression après avoir donné son équation aux dimensions.

13) Sachant que $L \simeq 4 \cdot 10^{26}$ J s^{-1}, $c \simeq 3 \cdot 10^8$ m s^{-1}, $M \simeq 2 \cdot 10^{30}$ kg et $G \simeq 6,67 \cdot 10^{-11}$ SI, montrez alors que tout se passe comme si chaque météorite était dans un champ de gravitation effectif $\vec{\gamma}$ dont la norme est donnée par :

$$\gamma = \frac{GM(1 - \beta)}{r^2} \; ; \quad \text{avec} \quad \beta \simeq \frac{6 \cdot 10^{-5}}{s\rho}$$

lorsqu'on exprime s en cm et ρ en g . cm^{-3}. En déduire que si la force de pression de radiation est totalement négligeable pour décrire le mouvement d'une roche, et à fortiori d'une comète, en revanche elle a une influence considérable dans le cas des météorites de petite taille. Dites qualitativement pourquoi on doit même s'attendre à ce qu'en-dessous d'une taille critique, les plus petites d'entre-elles s'échappent de l'essaim par des trajectoires paraboliques ou, plus souvent, hyperboliques.

14) C'est ainsi que, dans le cadre du modèle de la boule de neige sale, on rend compte aujourd'hui des lumières zodiacales en termes de diffusion du rayonnement solaire sur les nuages de poussières et de tout petits grains échappés des essaims. On comprend aussi dans ce cadre le phénomène d'étoiles filantes et l'origine commune des micrométéorites et des bolides que l'on retrouve sur terre : tous ces objets sont charriés par les mêmes essaims.

Pour être plus précis, mais en maniant allègrement l'art rigoureux de l'approximation, montrez que, pour n'importe quel type de force réaliste de frottement dans l'air, il est normal que les micrométéorites puissent tomber calmement sur le sol et que les gros bolides soient à peine ralentis. Ensuite dites qualitativement pourquoi, à la réflexion, il ne vous paraît pas surprenant que le phénomène d'étoiles filantes soit engendré par des objets relativement petits, selon la fourchette de masse donnée dans l'introduction.

15) En conclusion, dites ce que l'on attend d'un modèle et pourquoi celui de la boule de neige sale vous semble séduisant. En d'autres termes donnez tous les arguments qui vous permettent de penser que ce modèle a de fortes chances d'être retenu. Pour enrichir votre panoplie, rien ne vous empêche de lire les questions ci-dessous.

C *Autres succès du modèle*

En fait, bien d'autres phénomènes peuvent être interprétés par le modèle développé ici.

16) Par exemple, on peut mettre à son actif la quantification des résultats établis qualitativement à la douzième question. Pour cela, montrez tout d'abord que, lorsqu'on tient compte de la force de pression de radiation, la deuxième relation encadrée de la deuxième partie devient : $v^2 = 887\,(1 - \beta)\,(2/r - 1/a')$, où a' est le demi-grand axe associé. En déduire que pour une météorite émise au périhélie q d'une comète de demi-grand axe a, on a : $a' = aq(1 - \beta)/(q - 2a\beta)$. Dites alors, selon leur taille, comment se répartissent les météorites dans l'essaim et déterminez la taille critique de celles qui s'en échappent sachant que leur densité est de l'ordre de 1 g cm^{-3}. Dites enfin dans quelle gamme de masse se situent les micrométéorites recueillis sur terre en abondance.

17) En fait, de nombreuses météorites viennent mourir sur le soleil en spirale. Pour rendre compte de ce mouvement on invoque un effet dit de Poynting-Robertson : les météorites réémettent assez rapidement les photons qu'ils ont absorbés et ceci a pour conséquence de faire diminuer principalement leur moment cinétique par rapport au soleil. Après avoir tracé le potentiel effectif d'une météorite, montrez par un argument qualitatif que l'effet cité rend bien compte d'un mouvement en spirale.

18) Beaucoup de météorites qui suivent ce mouvement fatal proviennent d'essaims que l'on dit «fossiles» car les comètes qui ont engendré chacun d'eux ne sont plus dans leur voisinage. Interprétez qualitativement ce fait en invoquant la capture de ces comètes par des planètes, principalement Jupiter, et donnez le scénario.

19) Pour en finir, puisqu'il le faut bien, estimez à l'aide du théorème du viriel (en précisant vos hypothèses) la température qui doit régner au cœur du noyau d'une grosse comète de rayon 10 km. Justifiez ainsi le nom du modèle et dites pourquoi la matière des comètes peut être considérée comme plus «primitive» que celle, par exemple, de la terre.

*Car pour vous parler franchement de la géométrie...
je fais peu de différences entre un homme qui n'est
que géomètre et un habile artisan. Aussi, je l'appelle
le plus beau métier du monde; mais ce n'est qu'un
métier; et j'ai dit souvent qu'elle est bonne pour faire
l'essai, mais non pas l'emploi de notre force...*
Pascal, *Lettre à Fermat.*

Épilogue

La mécanique est un vieux thème inépuisable. Toute la physique gravite autour. Chaque tempérament peut s'y exprimer ou y «faire l'essai de sa force». Chaque génération reprend à son compte les mêmes étendards (un peu ravaudés). Newton et Einstein avaient un goût particulier pour les démarches unificatrices et la fusion des grands principes. Kepler et Bohr trouvaient leur plaisir dans des analogies et la construction de modèles. Galilée et Fermi maniaient avec dextérité l'analyse dimensionnelle et les techniques instrumentales. Chacun d'entre eux est le symbole d'un point de vue particulier sur la physique. Pourtant aucun n'était «unidimensionnel» ou confiné dans un domaine. Au lecteur d'élargir ses vues à partir d'une première passion.

Mais la physique est aussi un métier ou même simplement une école. Écrire des poèmes, ou même lire, est l'une des écoles du métier d'écrivain. «Depuis qu'il y a des poètes, et qui chantent, ...»

Je laisse aux nombreux avenirs, non à tous, mon jardin aux sentiers qui bifurquent.

Borges, *Fictions.*

Bibliographie

Dans la liste qui suit, on trouvera principalement des ouvrages de vulgarisation ou de réflexion sur la physique et son histoire : des « sentiers qui bifurquent ». On pourra les choisir en fonction du commentaire qui accompagne chacun d'entre eux. Ceux qu'un étudiant du DEUG devrait avoir lus en fin de semestre sont précédés par une étoile (*). Les autres, tous introductifs, sont laissés au goût de chacun et... au temps.

1a. Voir par exemple l'ouvrage de vulgarisation de S. Weinberg : *Les trois premières minutes de l'univers,* Le Seuil, Paris, 1979.

1b. Une autre version, menant à la rêverie sur la nature, se trouve dans le livre de H. Reeves : *Patience dans l'azur,* Le Seuil, Paris, 1981.

2. La bibliothèque du Conservatoire National des Arts et Métiers possède de nombreux manuels sur ce sujet. On trouvera des vues originales sur le développement technologique dans les livres de L. Mumford :

a) *Techniques et Civilisation,* Le Seuil, Paris, 1950.

b) *Le mythe de la machine,* Fayard, Paris, 1973-1974.

*3. Une vue d'ensemble très vivante sur la physique est donnée par R. Feynman dans le livre rassemblant ses conférences à la B.B.C. et d'autres lieux encore : *La nature de la physique,* Le Seuil, Paris, 1980.

4. On a l'habitude de croire que la physique n'a pas bougé entre Aristote et Galilée. Ceci est démenti, par exemple, dans l'article de A. Franklin : « Principle of inertia in the middle ages », *American Journal of Physics, 44,* 6, juin 1976.

5. Aujourd'hui, même les spécialistes des sciences humaines s'en réclament. Voir par curiosité les textes d'épistémologie rassemblés dans l'ouvrage de P. Bourdieu, J. C. Chamboredon et J. C. Passeron : *Le métier de sociologue,* Mouton, Paris, 1973.

6. On trouvera une présentation schématique des périodes de changement de mentalité scientifique dans le livre de T. Kuhn : *La structure des révolutions scientifiques,* Flammarion, Paris, 1972.

Cet ouvrage peut donner le goût pour un certain type d'histoire des sciences, bien que certains passages, consacrés aux « génies » solitaires, soient inspirés par des contes de fées.

7. Ne manquez pas de lire un jour ou l'autre, et pourquoi pas cette année, les œuvres bien vivantes de Galilée :

a) *Dialogues et lettres choisies,* Hermann, Paris, 1966.

b) *Discours concernant deux sciences nouvelles,* A. Colin, Paris, 1970.

8. Cet ouvrage, malheureusement épuisé, se trouve dans les bibliothèques spécialisées. Il reste très stimulant.

9. On pourra lire sans difficulté la bande dessinée de J. P. Petit : *Le Géométricon,* Belin, Paris, 1980.

10. Taylor et Wheeler : *A la découverte de l'espace temps,* Dunod, Paris, 1970.
    Je recommande la lecture de ce manuel au cours de l'appendice (cf. référence 34).

11. Les questions qu'on se posait à l'époque sur la notion de durée sont vulgarisées dans l'article de Poincaré : « La mesure du temps ». *Revue de métaphysique et de morale,* Tome VI, pp. 1-13, janvier 1893.

12. Outre sa vulgarisation des deux relativités, le livre suivant d'Einstein et Infeld contient une vue d'ensemble sur la physique, complémentaire de celle de Feynman : *L'évolution des idées en physique,* Payot, Paris, 1978.

*13. Une vulgarisation plus concise des deux relativités se trouve dans le petit livre d'Einstein : *La relativité,* Payot, Paris, 1956.

*14. Ceux que l'histoire des sciences intéresse, devront lire sur les débuts de la physique galiléenne (et donc moderne) l'ouvrage de A. Koyré : *Études galiléennes,* Hermann, Paris, 1966.
    Même si l'auteur n'insiste que sur l'un des nombreux aspects contradictoires du caractère de Galilée, l'approche du principe d'inertie y est bien décrite.

15. Toutes les citations de Poincaré sont tirées de son livre d'analyse critique, devenu classique : *La science et l'hypothèse,* Flammarion, Paris, 1968.

16. Voir, par exemple, l'article de H. Bareau : « L'espace et le temps dans la physique d'Aristote » *Cahiers : Fundamenta Scientae,* n° 61. Université Louis Pasteur, Strasbourg, 1976.

17. On ne peut décrypter la physique d'Aristote qu'en l'intégrant dans sa philosophie naturaliste que les médecins de Molière incarnent de façon caricaturale. Elle fut immédiatement combattue par Épicure, atomiste précurseur de la philosophie dite artificialiste. Ces deux points de vue opposés sont encore bien vivaces aujourd'hui. Je m'y référerai par la suite.

a) Pour les aborder on pourra lire l'ouvrage inachevé de R. Lenoble [+] : *Histoire de l'idée de nature,* Albin Michel, Paris, 1969.

[+] Schéma des deux points de vue. Pour Aristote, la « Nature », personne franche, ne peut tenir qu'un seul discours à ceux qui l'observent (le même aux physiciens, aux biologistes... aux sociologues, aux moralistes...). Les sciences naturelles sont donc capables de nous dicter des comportements sociaux et des préceptes moraux (et inversement). C'est même pour cela, dit-il, qu'il faut les étudier. Pour Épicure, par contre, la nature n'a rien a nous dire : les atomes marchent au hasard (et sans nécessité). Pour lui, tout est artificiel et une bonne morale sociale est celle qui sait choisir ses artifices dans l'intérêt de tous et de soi-même. Et vous, avez-vous déjà débusqué de « votre physique » vos préjugés sur la nature et l'artifice ? Et qu'en est-il de « votre sociologie »... ?

b) On trouvera une bibliographie commentée sur ces thèmes à la fin du livre de C. Rosset : *L'anti-nature*, P.U.F., Paris, 1973.

L'ouvrage lui-même, facile à lire, peut inciter à l'interrogation philosophique bien qu'il soit irritant par sa défense de l'artificialisme, si polémique qu'on pourrait la prendre pour un plaidoyer en faveur de l'arbitraire.

18. Bachelard insiste dans presque tous ses livres sur ce besoin de recul par rapport aux faits. On pourra lire par exemple : *Le nouvel esprit scientifique*, P.U.F., Paris, 1960.

Ce livre reflète assez bien l'état d'esprit des physiciens d'avant guerre, grisés par les succès. de la mécanique quantique sortie enfin de son adolescence.

19. Parmi les introductions aux idées scientifiques des grecs, voici un livre de G. Lloyd, complémentaire de la référence 17a : *Les débuts de la science grecque*, Maspero, Paris, 1974.

20. On peut lire dès maintenant sans difficulté la préface de J. Monod et la première partie du livre de K. Popper : *La logique de la découverte scientifique*, Payot, Paris, 1973.

21. En référence au livre de la Mettrie de 1747 : *L'homme-machine*. Sur l'évolution des idées à ce propos on se reportera, là encore, à la référence 17a.

22. Une synthèse des expériences de type Cavendish est donnée dans la contribution de L. Everett au livre : *Gravitation, relativity and precise experimentation*. Trieste 1975. North-Holland, Amsterdam.

23. Les principaux articles originaux concernant la relativité sont rassemblés dans le livre : *The principle of relativity*, Dover publications, New-York, 1923.

24. H. Bondi discute du principe de Mach dans son petit livre plein d'humour et facile à lire : *Assumption and myth in physical theory*. Cambridge University Press, Cambridge, 1967.

25. Je ne connais aucune référence accessible à un étudiant de première année ae DEUG sur cette question. On gardera pour plus tard le livre d'un pionnier, H. Weyl : *Espace, temps, matière*, Blanchard, Paris.

Ainsi que les tomes 4 et 5 des ouvrages de H. Arzelies : *Études relativistes*, Gauthier-Villars, Paris, 1960.

Ces derniers, bien que datant de 1960, peuvent servir d'introduction. On y trouvera une bibliographie très étendue, et des remarques (sur un peu tout).

*26. Voir par exemple l'article de G. Gale : « Le principe anthropique ». *Pour la Science*, n° 52, février 1982.

27. Il existe peu d'ouvrages sur l'histoire de la conservation de l'énergie. Il est intéressant de comparer les deux points de vue complémentaires suivants :

a) L'un de Y. Elkana : *The discovery of the conservation of energy*, Hutchinson Educational Ltd., Londres, 1974.

b) L'autre de W. L. Scott : *The conflict between atomism and conservation theory; 1644 to 1860*, Mc Donald/Elsevier, New-York, 1970.

28. Pour réfléchir sur le rôle unificateur des constantes, on pourra commencer par l'article très clair de J. M. Levy-Leblond : « On the conceptual nature of the physical constant ». *Cahiers Fundamenta Scientiae*, n° 65, 1976. Université Louis Pasteur, Strasbourg.

29. En guise d'introduction élémentaire, on peut se contenter du chapitre III du livre, déjà ancien, de S. Yiftah : *Constantes fondamentales des théories physiques,* Gauthier-Villars, Paris, 1956.

Le livre entier est consacré à une réflexion sur les constantes intervenant de l'infiniment petit à l'infiniment grand, et sur leurs combinaisons.

30. On retrouvera le texte cité à la page 338 de la référence (14). Ce livre présente les « échanges » entre Beeckman et Descartes. Il montre également que Galilée et Descartes avaient des approches différentes. Les textes cités ci-dessous, tirés de la référence (32), reflètent leurs tempéraments opposés mais encore d'actualité.

De Descartes, dans une lettre à Mersenne : « *Mais il me semble qu'il [Galilée] manque beaucoup en ce qu'il fait continuellement des digressions et ne s'arrête point à expliquer tout à fait une matière; ce qui montre qu'il ne les a point examinées par ordre, [...], sans avoir considéré [...] les premières causes [...] et ainsi qu'il a basti sans fondement* ».

De Galilée, dans une lettre à Léopold de Toscane : « *Je suis [en effet] peu enclin à comprimer les doctrines philosophiques dans un espace des plus étroits, et à adopter cette manière raide, précise et sans grâce, cette manière dénuée de tout ornement que les géomètres purs revendiquent comme la leur en propre, ne prononçant pas un seul mot qui ne leur aurait été donné par une nécessité stricte [...]. Je ne considère pas qu'il y a faute...* [cf. épigraphe du chapitre I] ».

*31. On trouvera des photos et des commentaires sur ces mouvements dans l'article de C. Frohlich : « Physique du saut périlleux ». *Pour la Science,* n° 31, mai 1980.

*32. Tiré du livre de P. Feyerabend : *Contre la méthode. Esquisse d'une théorie anarchiste de la connaissance,* Le Seuil, Paris, 1979.

Ce pamphlet, facile à lire, reprend à son compte certains passages de la référence (14), malheureusement sans la citer. Comparez les deux : la différence de style est frappante. Mais Feyerabend décape aussi d'autres sujets et ses provocations valent le détour.

33. En référence au livre de I. Prigogine et I. Stengers : *La nouvelle alliance. Métamorphose de la science,* N.R.F., Gallimard, Paris, 1979.

On y trouvera une bonne vulgarisation des recherches actuelles tournant autour de la thermodynamique des systèmes hors d'équilibre, sujet dont l'intérêt justifie à lui seul la lecture de l'ouvrage. Mais les auteurs ne s'en sont pas tenus à cela. Ils proposent de remplacer les discours moraux inspirés par le mécanisme au dix-huitième siècle (et par l'évolutionnisme au dix-neuvième siècle), par un « nouveau » discours mieux adapté au vingtième siècle. Pourtant, il ne s'agit, pour l'essentiel, que d'un plaidoyer en faveur du naturalisme d'Aristote (cf. référence (17)). Pour nous encourager à y revenir, la première partie du livre nous présente de façon sinistre l'artificialisme dans la version du biologiste [+] J. Monod (*Le hasard et la nécessité,* Le Seuil), version contraire à l'esprit d'Épicure pour qui les atomes aveugles n'ont aucune leçon de morale à nous donner (cf. référence (17) et note en bas de la page 296).

34. Les trois livres suivants donnent une vue d'ensemble sur la relativité, mais avec des optiques complémentaires. Le plus facile à lire, sauf pour sa présentation vieillotte, paradoxale et confuse de l'espace-temps, est :

*a) J. H. Smith : *Introduction à la relativité,* Édiscience, Paris, 1979.

[+] A titre anecdotique, on a pu constater qu'en France, avec la cosmologie les medias ont mieux réussi la promotion du naturalisme (référence (1b)) que celle de l'artificialisme (référence (1a)), alors que l'inverse s'est produit avec la biochimie. Mais peut être cela est-il dû à l'image de marque des auteurs, ou même à leur personnalité.

Pour approfondir la notion d'espace-temps et préparer le terrain de la relativité générale, on abordera ensuite :

b) Taylor et Wheeler : *A la découverte de l'espace-temps,* Dunod, Paris, 1970.

Ceux qui aiment les exposés qui amènent, par des digressions, à réfléchir sur l'histoire des sciences, la construction des théories, la genèse de la notion de temps, etc. seront satisfaits par :

c) D. Bohm : *Special theory of relativity,* Benjamin, New-York, 1965.

35. Les points de vue de Lorentz et d'Einstein sont comparés dans la référence (34c). On y verra que ce n'est pas l'accord numérique de la théorie avec l'expérience qui a fait prévaloir le point de vue d'Einstein. La théorie de Lorentz rendait compte des observations de l'époque aussi bien que celles d'Einstein. Cette dernière l'emporta car ses hypothèses, plus générales que celles de Lorentz, lui permirent de prévoir de nouveaux effets qui furent observés par la suite. Sur ce sujet, on pourra lire aussi l'article de H. P. Robertson : « Postulate versus observation in the special theory of relativity » *Reviews of Modern Physics,* 21, p. 378 (1949).

36. Voir, par exemple, la référence (23) page 13. Le mieux est encore de se reporter directement à l'article de Poincaré publié dans les rapports du congrès de physique de 1900, tenu à Paris (pages 22 et 23). Il est malheureux que cet article ne figure pas dans la référence (23) avec encore bien d'autres articles de Poincaré. Certes, Einstein ne cite pas cet auteur dans ses papiers, mais il est impossible qu'il n'en ait pas connu les travaux, ne serait-ce qu'en lisant Lorentz.

37. Cet article est reproduit dans la référence (23). Je recommande d'en lire au minimum la première partie (pages 37 à 51) qui ne présente aucune difficulté formelle.

38. Il existe d'autres méthodes pour établir la loi relativiste de composition des vitesses. Je présenterai l'une d'entre elles à la fin de cet appendice. Une autre, qui ne recourt pas explicitement aux formules de la transformation de Lorentz, est celle dite du calcul k de Minkowski. Elle fournit le cadre d'une présentation de la relativité complémentaire de celle que j'ai adoptée dans cet appendice. Comme elle est simple et élégante, je conseille au lecteur d'en prendre connaissance en se reportant par exemple au chapitre 2 de la référence (24), la plus élémentaire sur le sujet, ou encore : soit au chapitre XXVI de la référence (34c); soit directement à l'article de Minkowski reproduit dans la référence (23).

39. Voir par exemple le chapitre 13 de la référence 13, ou, mieux encore, l'article de Fizeau publié aux comptes rendus de 1851, volume 33, page 349.

40. La méthode employée ici est proche de celle qui a été reprise dans :

a) Le livre de Ya. T. Terletskii : *Paradoxes in the theory of relativity,* Plenum Press, New-York, 1968.

b) On verra qu'elle est très ancienne dans l'article de J. M. Levy-Leblond : « One more derivation of the Lorentz transformation », *American Journal of Physics, 44,* 3, 1976.

41. Voir par exemple l'article de A. S. Goldhaber et M. M. Nieto à la page 3 du n° 43 de 1971 du journal *Reviews of Modern Physics.*

42. Voir en particulier le chapitre V du livre de O. D. Chwolson : Traité de physique, Librairie scientifique A. Hermann, Paris, 1908. Bien qu'il existe de nombreux ouvrages récents sur le thème de cet appendice, je signale celui-là à l'attention du lecteur intéressé par l'histoire de l'enseignement scientifique. On y verra qu'au début du siècle on avait la volonté de présenter de façon simple toute la physique.

Index

REMERCIEMENTS

Nous remercions les auteurs et éditeurs qui nous ont autorisés à reproduire les figures et bandes dessi-
nées suivantes :

Figures

pages 87 et 112 Taylor et Weeler, *A la découverte de l'espace-temps*. Dunod, Paris, 1970.
page 123   Bollen, *Ces dingues d'animaux*, Graph-Lit, Paris
page 347   Morris et Vicq, *Le magot des Dalton*, Dargaud, Neuilly, 1980.

Éric Suraud

PHYSIQUE DES COLLISIONS NUCLÉAIRES

Cet ouvrage résulte d'un cours dispensé pendant plusieurs années en DEA *Champs, particules, matière* à l'Université d'Orsay, consacré à l'étude de la matière nucléaire dense formée à l'intérieur de certaines étoiles massives ou, sur terre, par collisions nucléaires. Ce sujet quelque peu transverse et en forte évolution à l'heure actuelle n'a que marginalement pénétré l'enseignement traditionnel de la physique nucléaire. Il s'agit de proposer au lecteur une analyse des méthodes et des outils utilisés.

Les objectifs scientifiques de ce texte s'orientent dans trois directions principales : la physique de l'équation d'état nucléaire, celle des collisions nucléaires et enfin les problèmes de dynamique dans les systèmes complexes.

Le livre présente un panorama aussi abordable que possible de la physique des collisions nucléaires, du point de vue théorique. Il s'adresse donc spécifiquement aux chercheurs du domaine et aux étudiants de troisième cycle qui abordent cette physique ou des domaines connexes, comme l'astrophysique nucléaire ou la physique des particules. Il peut cependant être abordé dès le second cycle, au moins dans ses aspects qualitatifs. Enfin, il sera lu avec profit par tous ceux qui s'intéressent au sujet.

ISBN 2 7056 6353 3. Collection *Enseignement des sciences*, n° 49. 240 x 165, 312 p. 180 F

Éric Suraud

LA MATIÈRE NUCLÉAIRE
Des étoiles aux noyaux

Cette introduction à la physique de la matière nucléaire se situe entre l'astrophysique et la physique nucléaire. Depuis le Big Bang, la synthèse des éléments conduit aux explosions de supernovae et à l'apparition d'étoiles à neutrons, sortes de gigantesques "cailloux" de matière nucléaire dense. Sur terre, les noyaux atomiques contiennent de minuscules phases de matière nucléaire que l'on étudie de façon systématique, en particulier par collision entre noyaux.

La matière nucléaire constitue la partie centrale des noyaux atomiques et des étoiles massives. À deux échelles infiniment différentes du monde physique, une même phase de matière joue ainsi un rôle fondamental dans l'apparition d'objets qui s'avèrent souvent essentiels pour analyser la structure et l'évolution de l'univers. Cet ouvrage présente et commente aussi bien les voies astrophysiques naturelles que les approches terrestres artificielles qui permettent d'étudier et de comprendre la matière nucléaire et ses propriétés.

Bien qu'alliant le microscopique au macroscopique, la physique de la matière nucléaire peut être expliquée, dans une large mesure, à l'aide de concepts de physique élémentaire : physique nucléaire, physique statistique, astrophysique, etc. C'est cette option minimale qui a été retenue, tout en restant en prise sur les développements les plus récents du sujet. On a voulu conjuguer un point de départ élémentaire, qui suppose un minimum de pré-requis, avec les discussions les plus récentes des spécialistes.

Dès le premier cycle universitaire, l'ouvrage peut être lu, à titre culturel, par un large public à qui il propose ses différents niveaux de lecture. Les aspects plus techniques sont abordés au cours du deuxième cycle. Enfin, les étudiants de troisième cycle et les chercheurs y trouveront une introduction à des domaines de la physique proches de leurs préoccupations.

ISBN 2 7056 6368 1. Collection *Enseignement des sciences*, n° 51. 240 x 165, 240 p. 160 F

Imprimé en France,
Imprimerie Nouvelle, 45800 Saint-Jean-de-Braye
Numéro d'édition : 6273 a – Numéro d'impression : 41357
Dépôt légal : premier trimestre 1999

HERMANN, ÉDITEURS DES SCIENCES ET DES ARTS